カラーグラフィック

薬用植物

元日本大学薬学部教授　北中　進
元横浜薬科大学教授　寺林　進　編集
昭和薬科大学教授　高野昭人

第5版

常用生薬写真
植物性医薬品一覧

廣川書店

解説執筆者（五十音順）

渥美聡孝	九州保健福祉大学薬学部講師	榊原巌	横浜薬科大学教授
天倉吉章	松山大学薬学部教授	須藤浩	星薬科大学准教授
石内勘一郎	名古屋市立大学准教授	関田節子	元昭和薬科大学特任教授
伊藤徳家	奥羽大学薬学部教授	高野昭人	昭和薬科大学教授
岩島誠	鈴鹿医療科学大学薬学部教授	寺林進	元横浜薬科大学教授
梅山明美	元徳島文理大学薬学部教授	鳥居塚和生	元昭和大学薬学部教授
神谷浩平	神戸学院大学薬学部講師	永津明人	金城学院大学薬学部教授
北中進	元日本大学薬学部教授	橋本敏弘	徳島文理大学名誉教授
小池一男	東邦大学名誉教授	福田達男	元北里大学薬学部准教授
高上馬希重	北海道医療大学薬学部准教授	松﨑桂一	日本大学薬学部教授
小西天二	元同志社女子大学薬学部教授	吉村衛	元杏林大学医学部講師

カラーグラフィック薬用植物［第5版］

編集 北中 進（きたなか すすむ）　寺林 進（てらばやし すすむ）　高野昭人（たかの あきひと）

昭和59年6月25日　初版発行 ©
昭和61年10月25日　改訂版発行
平成7年10月7日　第2版発行
平成19年12月10日　第3版発行
平成27年2月5日　第4版発行
令和4年3月31日　第5版1刷発行

発行所　株式会社　**廣川書店**

〒113-0033　東京都文京区本郷3丁目27番14号
電話 03（3815）3651　FAX 03（3815）3650

写真・資料提供者（五十音順）

秋山　敏行

アスク薬品株式会社

渥美　聡孝　九州保健福祉大学薬学部

株式会社ヴェレダ・ジャパン

大竹　道夫　四季の山野草

門池浩二郎

北中　　進　元日本大学薬学部

栗原　　孝　陶陶酒製造株式会社

高上馬希重　北海道医療大学薬学部

小西　天二　元同志社女子大学薬学部

榊原　　巌　横浜薬科大学

佐々木陽平　金沢大学薬学部

三栄源エフ・エフ・アイ株式会社有用植物研究所

芝崎　憲吾　日野春ハーブガーデン

独立行政法人森林総合研究所

須藤　　浩　星薬科大学

高野　昭人　昭和薬科大学

千葉大学海洋バイオシステム研究センター 銚子実験場

坪井　勇人　白馬五竜高山植物園

株式会社栃本天海堂

内藤記念くすり博物館附属薬用植物園

永津　明人　金城学院大学薬学部

南雲　清二　星薬科大学名誉教授

日産化学工業株式会社

日本新薬株式会社山科植物資料館

日本マカ株式会社

橋本　庸平　神戸薬科大学名誉教授

福田　達男　元北里大学薬学部

堀内　　勝　中部大学名誉教授

松浦　　晃　日本粉末薬品株式会社

御影　雅幸　金沢大学名誉教授，東京農業大学

村上光太郎　崇城大学名誉教授

山下　俊之　奥羽大学薬学部

養命酒製造株式会社

鄔　　家林　四川省食品薬品学校

林余霖　中国医学科学院薬用植物研究所

姜文平　嘉南薬理大学

銭永生　安徽銅陵丹利生丹皮種植専業合作社理事長

Ann Wuyts　Argus Labs

Kurt Buzard　Healthgrades

〔生薬等資料提供〕

アスク薬品株式会社

株式会社ウチダ和漢薬

株式会社金井藤吉商店

株式会社 ツムラ

株式会社栃本天海堂

日本粉末薬品株式会社

第５版発行にあたって

最近の薬学教育は専門分化されると同時に高度化しており，モデル・コアカリキュラムの見直しが行われ，平成27年度入学生からは新しい「薬学教育モデル・コアカリキュラム」が実施されている．修得すべき知識や技能の増加により，生薬学系の教科である薬用植物学，生薬学，天然物化学，漢方医学などにおいても講義や実習の時間数が圧迫されてくる状況にある．しかしながら漢方薬の有効性についてのエビデンスが蓄積されるに従って，西洋医学の中で漢方処方の適用が拡大しており，第十八改正日本薬局方においては漢方エキス製剤として37品目が収載されるに至った．

一方，いわゆる健康食品と呼ばれるものが多量に市場に出回っているが，特定保健用食品のように特定の保健の効果が期待できるものやヨーロッパでは医薬品として使用されているものなどもあり，医薬品に近いものから食品レベルのものまでその性格はきわめて多様である．これらの中には医薬品と併用した場合に効果を増強したり，あるいは逆に減弱するものも多く知られており，これらに対する知識も薬剤師には必要である．本書は前版に掲載されていた薬用植物を再度見直し，生薬と用途について解説を加えてリニューアルしたもので，主だった薬用ハーブも取り入れて約300種類の薬用植物について解説したものとなっている．薬学生ばかりではなく一般の方が見て読んで楽しめるように配慮した．xviii頁に本版の主な変更点と凡例を列挙する．

改訂にあたって，貴重な写真を提供して下さった方々及び有益なご助言を頂いた東京薬科大学名誉教授指田 豊氏に深謝致します．出版を進行して頂いた廣川書店社長廣川治男氏並びに編集に協力された廣川典子氏，荻原弘子氏をはじめ編集部の皆様に厚く御礼申し上げます．

令和４年２月

北中　進
寺林　進
高野昭人

本書作成にあたり下記の書物を参考にさせて頂いた．関係の諸氏に厚く感謝の意を表します．

- 第十八改正日本薬局方解説書，廣川書店（2021）
- 日本薬局方外生薬規格2018，薬事日報社（2018）
- 中華人民共和国薬典（2020年版），化学工業出版社（2020）
- 米倉浩司・梶田忠（2003-）「BG Plants 和名－学名インデックス」（Y List），http://ylist.info
- 「The International Plant Names Index」（IPNI），http://www.ipni.org/
- Mabberley D. J., Mabberley's Plant Book, A Portable Dictionary of Plants, their Classification and Uses., Cambridge University Press（2008）
- 「Flora of China」，http://flora.huh.harvard.edu/china/
- 邑田仁監修，米倉浩司著，高等植物分類表（2009），日本維管束植物目録（2012），維管束植物分類表（2013），北隆館
- 米倉浩司著，新維管束植物分類表（2019），北隆館
- 大場秀章編著，植物分類表，アボック社（2009）
- 西岡五夫編著，指田　豊，正山征洋，布万里子，山本久子，吉村　衛著，薬用植物学，廣川書店（1985）
- 日本植物学会，「植物学用語集」，http://bsj.or.jp/jpn/general/glossary.php
- 60周年記念誌プロジェクト編，株式会社栃本天海堂創立60周年記念誌，牧歌舎（2010）
- 独立行政法人医薬品医療機器総合機構，https://www.pmda.go.jp
- American Botanical Council, Herbal Medicine, Expanded Commission E Monographs, Integrative Medicine Communications（2000）
- 橋本梧郎著，西本喜重共著，ブラジル産薬用植物事典，アボック社（1996）
- 堀田満等編，世界有用植物事典，平凡社（1993）
- 難波恒雄著，和漢薬百科図鑑，保育社，〔Ⅰ〕（1993）；〔Ⅱ〕（1994）
- 水野瑞夫監修，田中俊弘編，日本薬草全書，新日本法規（1995）
- 週刊百科編集部編，朝日百科植物の世界，朝日新聞社（1997）
- 園芸植物大事典，小学館（1994）
- ハーブスパイス館，小学館（2000）

まえがき

本書は薬学系，医学系大学の学生及び医療関係者が，薬用植物，生薬を勉学する際，実物の形態を認識するのに便利なように編集した写真集で，主に第十改正日本薬局方収載で植物を起原とする医薬品の原料植物をEnglerの植物分類の順序に従って配列し，あわせて局方収載の生薬類を併載したものである．それぞれの写真には，その形態，産地，薬用部分及び生薬名簿の簡単な解説を付記した．

また巻末に生薬一覧表，局方収載デンプン一覧表，局方収載油脂・ろう一覧表，局方収載精油一覧表及び植物性医薬品の原料植物の表を付け加えて学習に便をはかった．

植物の形態を1枚の写真で表現することははなはだ困難なことではあるが，本書収載の写真は社団法人日本植物園協会加入の薬用植物園において日頃，薬用植物の育成に携わっている方々の撮影したものが大部分で，できるかぎり花や果実のあるものを選択し，その植物の特徴が理解できるように工夫した写真である．しかしながら外国産植物で日本にないものの数種については生きた植物の写真が得られず，やむをえず成書から引用させていただいた．これらの写真をできるだけ早く収集して完全なものにしたいと念願している．各位の御助言，御指摘を是非お願い致したい．

終りに本書の出版にあたり，貴重な写真を提供して下さった方々に心から感謝の意を表する．また原色版の印刷，レイアウトなどに有益な御助言をいただいた廣川書店廣川源治氏，種々御尽力をいただいた同編集部菊地真一氏，矢部紘明氏に厚く御礼を申上げる．

昭和59年4月

滝　戸　道　夫

目　次

Monocotyledoneae　単子葉植物綱

― 変更点と凡例

1) 従来のB5横判からA4縦判とサイズアップし，【植物】【生薬】【用途・製剤】に項目を分け，解説を増やした．植物写真には花期を付記し，生薬の調製などの写真や形態図を取り入れ，理解を深められるように配慮した．
2) 薬用植物は，藻類，菌類，シダ植物，種子植物と広範囲に渡ることから，配列は従来通り新エングラー分類による配列とした．学名は日本薬局方生薬（JP18）および日本薬局方外生薬規格（2018）に収載されているものはこれらに従い，他は「BG Plants 和名－学名インデックス」(Y List）および「The International Plant Names Index」に従った．植物分類学の分野においては，1998年に登場した被子植物系統グループ（APG）分類体系が今後主流となってくることが予想されることから，新エングラー分類とAPG分類で科名が異なる場合にはAPG Ⅳによる科名を併記した．
3) 各薬用植物にタイトル欄を設け，植物和名，学名，科名，付表ページを付記し，付表と連動させた．
4) 生薬の項には，生薬名，部位を記載し，生薬の写真と共に主要な生薬については味とにおいを付記した．なお，日本薬局方（JP18）収載生薬には（局），日本薬局方外生薬規格（2018）収載生薬には（局外）の文字を付した．
5) 新たに用途・製剤の項を設け，使用法や使用の実態について理解しやすいようにPMDAの情報等を参照して，主要な医薬品名等を記載した．また，薬用植物の利用は人の暮らしと共に発展してきたものであることから薬用以外の利用や文化的な使用など関連事項についても努めて紹介した．
6) あらたにコラムを設け，薬用植物の利用や薬草文化について紹介した．
7) 本書では各論の後に，新たに植物の分類・形態の章を設けて薬用植物学教科書として補完を図った．
8) 本書は各論の後に新たに総論を設け，植物の学名，基本形態について解説を加えた．
9) 付表は，薬学生が利用しやすいように組み換えた．日本薬局方（JP18）収載生薬を付表1とし，新たに主要成分の構造式を加えた．また2色刷として学習しやすいように配慮した．

マクサ / テングサ *Gelidium elegans* Kuetzing（Gelidiaceae / テングサ科）付表 p.117

【植物】紅藻植物に属する海藻．体は扁平線状で，直立叢生．高さ 10 ～ 15 cm．4 ～ 5 回羽状に分枝し，硬質で，暗紅色を呈する．日本各地の干満線下の岩上に群落をつくる．
【生薬】カンテン（局）寒天〔粘液を凍結脱水したもの〕
においがなく，味はないが粘滑性である．日本薬局方では，その基原植物を，マクサ（テングサ）*G. elegans* Kuetzing, その他同属植物又は諸種紅藻類と規定している．諏訪地方では 12 月～2 月の期間に角寒天の製造が行われる．
【用途・製剤】主成分は agarose，agaropectin などの多糖類で，粘滑剤や軟膏基剤，オブラート原料，細菌培地アガロース電気泳動の他，食用ではいわゆるカンテンや製菓用として，整腸作用を持つことから特定保健食品に認定されている．

カンテンの抽出

カンテンの乾燥

マクサ
（写真提供：千葉大学海洋バイオシステム研究センター銚子実験場）

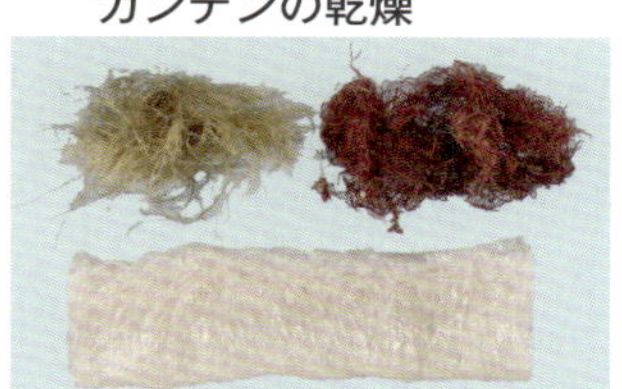
カンテン（下），さらし天草（左上），天草（右上）

マクリ
（写真提供：千葉大学海洋バイオシステム研究センター銚子実験場）

マクリ　*Digenea simplex*（Wulfen）C. Agardh（Rhodomelaceae / フジマツモ科）付表 p.117, 150

【植物】紅藻植物に属する海藻．黒褐色でひも状．高さ 5 ～ 25 cm．2 ～数回分枝し，剛毛状の小枝を密生する．世界各地の暖流流域に生育．
【生薬】マクリ（局）海人草〔全藻〕
海藻臭があり，味はわずかに塩辛く不快である．
【用途・製剤】アミノ酸の α-kainic acid や α-allokainic acid を含み，回虫駆除薬の製造原料となる．
駆除効果がミブヨモギやシナカに含まれる santonin より強く副作用もないことから，santonin に合剤して市販の駆虫薬が作られる．α-kainic acid は，中枢のカイニン酸型グルタミン酸受容体の選択的作動薬として中枢神経を興奮させる作用を持つ．神経細胞のアポトーシス，ALS（筋萎縮性側索硬化症），アルツハイマー病などの研究試薬として利用されている．OTC：ウチダの海人草（駆虫薬），トチモトのマクリ P（駆虫薬）．

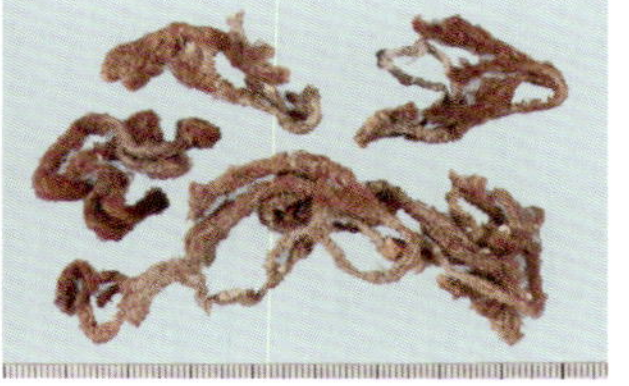
マクリ

バッカクキン　*Claviceps purpurea*（Fr.）Tul.（Clavicipitaceae / バッカクキン科）付表 p.136, 150

【菌】麦類の他，野生イネ科植物に寄生する子のう菌．子房に鈍い稜のある紡錘形の菌核をつくる．長さ 10 ～ 45 mm，径 2.5 ～ 5 mm，灰紫色～黒紫色．
【生薬】バッカク　麦角〔菌核〕
【用途・製剤】ergometrine や ergotamine などのアルカロイドを含み，子宮収縮薬や陣痛促進薬の製造原料．日局エルゴメトリンマレイン酸塩，日局エルゴタミン酒石酸塩，日局ジヒドロエルゴタミンメシル酸塩等製造原料．医療用医薬品：エルゴメトリンマレイン酸塩注 0.2 mg「F」，ジヒデルゴット錠 1 mg など．アルカロイドから誘導されるリゼルギン酸ジエチルアミド（LSD）は，幻覚を生じるため精神科領域で期待された薬物となったが，その弊害も大きいため，日本では 1970 年に麻薬に指定された．また，中世ヨーロッパではバッカクに感染したライ麦を食べることにより恐ろしい中毒が起きている．バッカクには血管を収縮させる作用があり，手足への血行を妨げ壊疽を惹き起こし，木の葉が落ちるように，手足が黒ずみ，ひどい痛みもなく手足を失うことから，この病気は“聖アンソニーの火”と呼ばれ，何千もの人が死亡した例がある．

バッカク

バッカクキン

チョレイマイタケ　6月

チョレイマイタケ　*Polyporus umbellatus*（Pers.）Fries（Polyporaceae / サルノコシカケ科）付表 p.117

【植物】ナラ等の樹木の生根に着生する担子菌類．菌核は不定の塊状，まれにマイタケによく似た子実体（きのこ）を形成する．菌核の表面は黒～黒かっ色，内部は白色～淡かっ色．北陸以北および中国に自生．学名の由来はチョレイマイタケの形態による．*Polyporus*；polys（多くの）＋poros（孔），*umbellatus*；傘形の，による．

【生薬】　チョレイ（局）　猪苓〔菌核〕

においおよび味はほとんどない．菌核に ergosterol，biotin，多糖類の glucan およびタンパク質を含む．

【用途・製剤】消炎性利尿，止渇，解熱薬．漢方では膀胱炎，尿道炎，口渇などを目標に配合．漢方処方：茵陳五苓散，五苓散，猪苓湯，柴苓湯など．OTC：ツムラ漢方猪苓湯エキス顆粒 A，クラシエ胃苓湯エキス錠，「救心漢方」五苓散など．

チョレイ

ブクリョウ突き

マツホド　*Wolfiporia cocos*（Schw.）Ryv. et Gilb.（＝*Poria cocos* Wolf）（Polyporaceae / サルノコシカケ科）付表 p.117

【植物】アカマツやクロマツ等のマツ属植物の切株付近の根に菌核を形成する．菌核は不定の塊状で，径 30 cm 以上にもなるものもある．外面は暗かっ色，内部は白色，各地に自生する．現在は大部分が栽培によるもので，中国安徽省などの栽培場では，2 本をセットにした50㎝程の松のほだ木を使い，片端に菌糸体が入ったビニル袋で包み埋める．6～7か月後には、反対端にブクリョウの菌核が成長している．

【生薬】ブクリョウ（局）　茯苓〔菌核〕

ほとんどにおいがなく，味はほとんどないがやや粘液様である．菌核にトリテルペンの eburicoic acid，pachymic acid，多糖体の pachyman のほか，ergosterol などを含む．ブクリョウ突き：松の切り株の周囲 3 m 程の範囲に鉄頭錐で土中を刺して錐が抜けないところを掘ってブクリョウを見つける．

【用途・製剤】利尿，健胃，鎮静薬．漢方では，浮腫，下痢，動悸，精神不安（安神作用）などを目標に配合．漢方処方：桂枝茯苓丸，苓桂朮甘湯，加味逍遙散，五苓散など．OTC：命の母 A，ナンパオ源気，ユンケルファンティなど．

ブクリョウ栽培地

ヘラ状の刃物で外皮を去る

小角茯苓の加工：
サイコロ状の立方体に切断

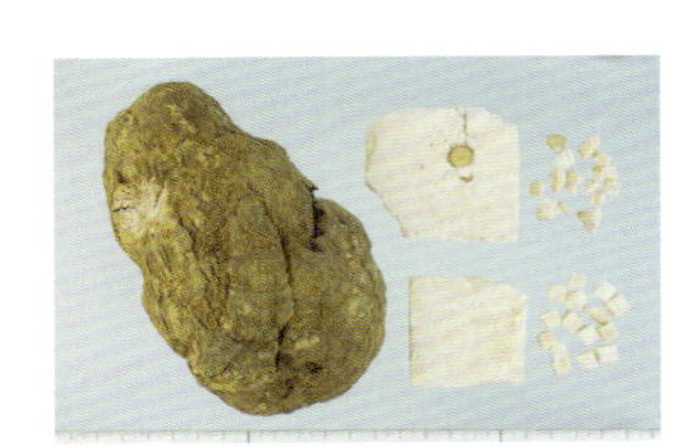
ブクリョウ

栽培

マンネンタケ　*Ganoderma lucidum*（Leyss. ex　Fr.）Karst.（Polyporaceae / サルノコシカケ科）付表 p.136

【植物】広葉樹林内の枯れ木，切株，生木の根元に着生する担子菌類．高さ 3～15 cm，傘は腎臓形で径 5～13 cm，表面は赤褐色から紫黒色でうるし状の光沢がある．裏面は白色か淡かっ色で無数の細孔がある．日本各地および中国に自生．マンネンタケは，何年もの長い年月をかけて成長するところから，縁起の良いものとされている．

【生薬】レイシ　霊芝〔子実体〕

苦みをもつトリテルペン類，β-glucan を含有．レイシは，マンネンタケの子実体であり，抗悪性腫瘍作用がある．神農本草経の上品に収載されており，古来人参と共に最も貴重な霊薬として考えられてきた．子実体はそのままの形で長期保存が可能．レイシの生育状況から傘が開かず鹿の角のように枝分かれした鹿角（ろっかく）霊芝も流通する．

【用途・製剤】滋養強壮，肝臓保護，白血球増加，免疫機能の調節，鎮咳，去痰など広範な作用がある．また抗悪性腫瘍作用も報告されている．漢方処方：紫芝丸など．

ロッカクレイシ，レイシ

スギナ *Equisetum arvense* L.（Equisetaceae／トクサ科）付表 p.136

【植物】 地下茎は長く横走し，暗褐色．地上茎は，2種類あり，栄養茎（スギナ）は鮮やかな緑色で，高さ30～40 cm．主軸の節ごとに関節のある緑色の棒状の葉が輪生する．春にツクシ（土筆）と呼ばれる胞子茎を出し，胞子を放出する．北半球の暖帯以北に広く自生．
【生薬】 モンケイ　問荊〔栄養茎〕
【用途・製剤】 利尿，止血，解熱，鎮咳薬．民間薬：スギナ（栄養茎）を乾燥して健康茶として用いられ，体のむくみを解消する効能，腎臓病，糖尿病，高血圧，肝臓病の予防に効果があるといわれている．また皮膚炎，うるしかぶれに外用する．OTC：エビプロスタット配合錠SG，エピカルスS配合錠，エルサメット配合錠など．ツクシは，春の山菜で，佃煮として食用とされる．

モンケイ

スギナ　4月

イチョウ *Ginkgo biloba* L.（Ginkgoaceae／イチョウ科）付表 p.136

【植物】 落葉高木．高さ30～40 m．葉は長枝では互生し，短枝では束生し，葉身は扇型で中央が切れ込み，葉脈は二叉分枝する．雌雄異株．花は4～5月の新葉の時期に短枝上につく．雌花は柄の先端に2個の胚珠をつけ，雄花は穂状で雄しべを軸上に密生する．雄花は淡黄色，雌花は緑色．種子（ギンナン）は秋に成熟する．中国原産で，日本全土で広く栽培されている．東京大学小石川植物園には，種子植物で精子があることを初めて発見した木がある（左写真）．
【生薬】 ギンナン　銀杏，ハクカ〔種子〕，イチョウヨウ〔葉〕
秋～初冬にかけて採集した種子を水につけるか土中に埋めて外種皮を腐らせて除き，白い内種皮に包まれた種子を日干しにする．イチョウヨウは9～10月採取，天日乾燥．
【用途・製剤】 漢方では古来より咳止めや夜尿症・頻尿の改善などに用いられる．ギンナンは茶碗蒸しなどの具に使われるが，食べ過ぎると含有する4′-*O*-methylpyridoxine が pyridoxine と拮抗してビタミン B_6 欠乏を起こし，痙攣などの中毒を起こすことがある．またギンナンは ginkgolic acid などを含み，かぶれなどの皮膚炎を引き起こすことがある．イチョウ葉エキスには血液の抗凝固促進作用があり，ドイツやヨーロッパでは，イチョウの薬効（フラボノイド・ギンコライド）が証明され，医薬品としての認可を受けている．健康食品：シュワーベギンコ，クーザ，イチョウ葉，イチョウ葉エキスなど．

イチョウ　9月

イチョウヨウ，ハクカ

アカマツ *Pinus densiflora* Siebold et Zucc.（Pinaceae／マツ科）付表 p.117, 147

【植物】 常緑針葉の高木．高さ30～40 m．葉の形は細長い針状で2対が対になって双生する．雌雄同株．4～5月頃，枝先に2～3個の紫紅色の雌花をつけ，その下部に雄花を群生する．球果は2年目の秋に熟す．本州・四国・九州・朝鮮半島・中国東北部などに分布するほか，北海道にも植林されている．
【生薬】 ショウシ（マツヤニ）松脂〔樹脂〕
生松ヤニを水と煮沸し固めたもの．
テレビン油，ロジン
松脂の蒸留によりテレビン油が得られ，残留分としてロジンが得られる．
【用途・製剤】 松脂は，軟膏などの製剤用基剤に用いる．水蒸気蒸留して得られるテレビン油は皮膚刺激作用があり，引赤薬として，リウマチ，脚気，凍傷の予防に軟膏として用いる．ロジンは絆創膏の基剤や滑り止めに粉末をロジンバッグとして用いる．民間薬：民間では松の葉を肝臓の機能の改善，動脈硬化，高血圧の予防，胃腸病，咳止めに，あるいは，酒に浸して服用する．

ロジン

アカマツ　5月

ヨーロッパイチイ　10月

イチイ　*Taxus cuspidata* Siebold et Zucc.（Taxaceae / イチイ科）付表 p.152

【植物】 常緑針葉の高木．高さ 10 ～ 20 m．葉は扁平の線形で先がとがり，2 列に並ぶ．雌雄同株．3 ～ 4 月頃，小型の雄花が前年枝に腋生する．雌花も緑色で腋生する．種子は黒褐色で，肉質の赤い仮種皮に包まれる．日本，朝鮮半島，中国，シベリア東部などに分布．イチイ（一位）の名前は，この材から笏を作り，神職が儀礼用としてもつ，神職の位階（正一位など）の名にちなんでつけられたといわれている．

【生薬】 イチイヨウ　一位葉〔葉〕

【用途・製剤】 民間薬：利尿，通経および糖尿病に用いる．また，種子を咳止めや下痢に用いる．近縁種で，北米西部の山地原産のタイヘイヨウイチイ（*T. brevifolia* Nutt.）の樹皮から，微量の抗悪性腫瘍剤の paclitaxel（タキソール®；ブリストル・マイヤーズ スクイブ社）が単離された．paclitaxel は，その後，ヨーロッパ産のセイヨウイチイ（*T. baccata* L.）の葉から得られる 10-デアセチルバッカチンⅢを原料とした半合成法や，*T. chinensis* Rehder を用いた細胞培養法で製造されている．

ヨーロッパイチイ葉

シナマオウ　*Ephedra sinica* Stapf（Ephedraceae / マオウ科）付表 p.117，150

【植物】 常緑の小低木．高さ 30 ～ 70 cm．茎は細長く分枝し，多くの節がある．葉は細い鱗片状で節に対生し，基部は合体して鞘（さや）状となる．雌雄異株．初夏に，枝先や節に小型の花をつける．偽果は赤く熟し，中に黒褐色の種子が 2 個ある．中国東北部，モンゴルに分布．

【生薬】 マオウ（局）　麻黄〔草質の地上茎〕

わずかににおいがあり，味は渋くてわずかに苦く，やや麻痺性である．シナマオウのほか，*E. intermedia* Schrenk et C. A. Meyerや*E. equisetina* Bungeの地上茎も同様に用いる．古いものが良品とされる6種の生薬を「六陳」と呼び，麻黄はその一つである．成分として，ephedrineなどのアルカロイドを含有．

【用途・製剤】 発汗解熱，鎮咳・去痰薬．漢方処方：麻黄湯，葛根湯，小青竜湯，五虎湯，五積散，神秘湯，麻杏甘石湯，麻黄附子細辛湯，防風通聖散など．OTC：浅田飴，アスゲンかぜ総合錠，イスクラ麻杏止咳顆粒 S，ウチダの続命湯，雲仙散，快気散，カコナール，加味根，漢元ハヤオキ A など多数．マオウに含まれる ephedrine は，喘息治療薬，鎮咳薬，気管支拡張薬として繁用される重要な医薬品である．気管支喘息に対する抑制作用がある．ephedrine には，アドレナリンに似た交感神経興奮作用があり，オリンピックでのドーピング検査対象となっている．ephedrine は，「エフェドラ」に代表される痩身補助薬（ダイエット補助薬）にも含まれていたが，副作用が問題となり販売が禁止された．長井長義は，マオウから ephedrine 抽出に成功し，多くの喘息患者の苦痛を取り除くことになった．日本の薬学・化学の先駆者の一人であり，日本薬学会の初代会頭に就任し，薬学会の発展に心血を注いだ．

シナマオウ

マオウ果実

マオウ雄花（左）雌花（右）

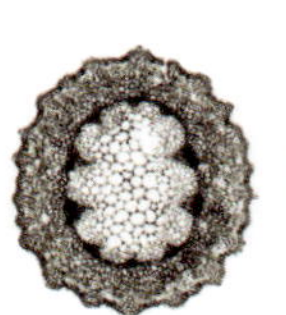

マオウ，基部

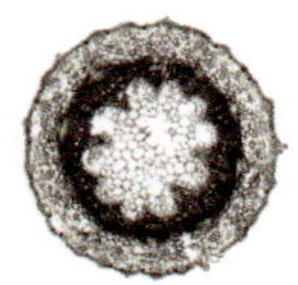

マオウ，先端

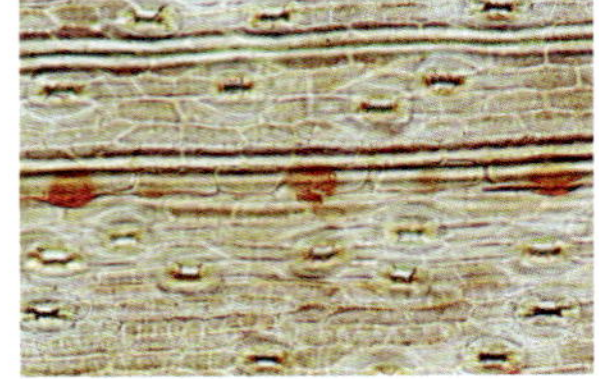

マオウ，表皮・表面視（ズダンⅢ染色）

マオウ

ヤマモモ　*Morella rubra* Lour.（Myricaceae / ヤマモモ科）付表 p.136

【植物】 常緑高木．高さ 15 m．葉はつやのない深緑で革質，10 cm 前後の倒卵状長楕円形で，裏面に腺点を散在する．雌雄異株．4 月頃に花をつける．雌花は苞につつまれた無柄の小花，雄花は尾状花序．6 月頃に暗赤色の果実を結ぶ．果実はほぼ球形で表面に粒状突起を密生する．本州中部以南，台湾，中国に分布．

【生薬】 ヨウバイヒ（局外）　楊梅皮〔樹皮〕

【用途・製剤】 収れん，止瀉，殺菌，止血薬．漢方処方：楊柏散など．OTC：エースプラスター，奥田家下呂膏，赤玉小粒はら薬，廣貫堂赤玉はら薬 S，ニチイ胃腸丸，富士薬品赤玉はら薬，神光丸，浄血丸，天狗胃腸薬など．民間薬：下痢止めに内服，やけど，腫物などに外用．果実は甘酸っぱく，ジャムやゼリーなどとして食用．なお，果実は食べ過ぎると発熱する場合があり，注意が必要．

ヤマモモ　6月

雌花序　4月

雄花序　4月

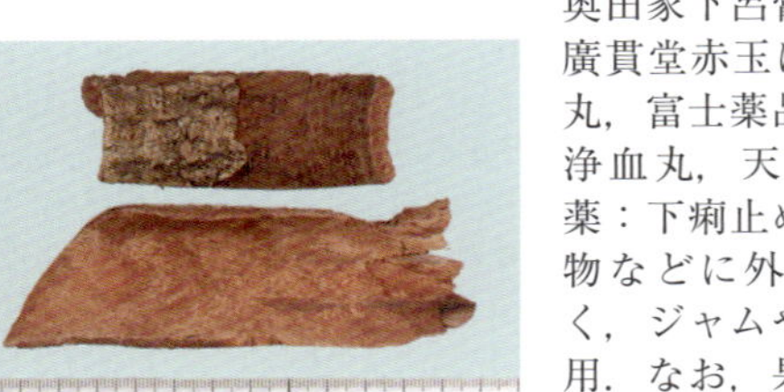

ヨウバイヒ

クヌギ *Quercus acutissima* Carruth.（Fagaceae / ブナ科）付表 p.117

【植物】 落葉高木．高さ 15 m．樹皮は灰褐色で不規則に深く割れる．葉は互生し，短柄，洋紙質で，下面は淡緑色．春，枝葉が伸展しないうちに雄花序が下垂する．雌花は新枝の葉腋に 1 ～ 3 個つく．2 年目の秋に堅果（ドングリ）が熟す（ドングリとは，ブナ科のクヌギ，カシ，ナラ，カシワなどの果実の総称をいう）．日本各地の山地等に自生．幹の傷を流れる樹液にクワガタやカブトムシが寄ってくることでも知られている．和名は「国の木」から「クノキ」，「クヌギ」に訛ったものといわれる．

【生薬】 ボクソク（局） 樸樕〔樹皮〕

におい及び味はほとんどない．クヌギの他，コナラ *Q. serrata* Murray，ミズナラ *Q. mongolica* Fisch. ex Ledeb. var. *crispula* H. Ohashi，アベマキ *Q. variabilis* Blume の樹皮も同様に用いる．多量のタンニンやフラボノイドを含む．

【用途・製剤】 止瀉，駆瘀血薬．外用では駆瘀血，排膿薬．漢方処方：十味敗毒湯，治打撲一方など．OTC：チーボックコタロー，ツムラ漢方十味敗毒湯エキス顆粒．タンニンは染料やなめし革剤としても利用される他，材木はシイタケ栽培のホタギや木炭にも利用される．

ボクソク

クヌギ（雄花序） 4 月　　若果実

雌花　　トチュウ（雄花） 4 月

トチュウ *Eucommia ulmoides* Oliv.（Eucommiaceae / トチュウ科）付表 p.117

【植物】 落葉高木．高さ 10 ～ 20 m．外面のコルク皮は縦じわがあり灰色，内面はなめらかで暗紫色．葉，若枝，樹皮を折って引っ張ると絹のように光沢のある糸を引く（これはグッタペルカというゴムの一種）．4 ～ 5 月頃淡緑色の花を開く．雌雄異株．雄花は雄しべ，雌花は雌しべのみからなる目立たない花で，雌株には薄いへら形の果実を多数つける．中国原産で一科一属一種の植物，中国中南部，日本，韓国で栽培されている．

【生薬】 トチュウ（局） 杜仲〔樹皮〕

わずかに特異なにおい及び味がある．イリドイド配糖体，リグナン配糖体などを含む．

【用途・製剤】 漢方処方：杜仲丸，十補丸，大防風湯，加味四物湯など．OTC：クラシエ独活寄生丸エキス顆粒，イスクラ参茸補血丸，イスクラ参馬補腎丸，ウチダの大防風湯，延若 H ゴールド，オットコール内服液，活歩源，活絡健歩丸，至宝三鞭丸，ゼナ キング，ナンパオ源気ゴールド，薬用養命酒など．

滋養強壮薬用酒．近年葉を健康茶とする．中国では古くから薬用植物として用いられてきたが，使われるのは樹皮のみで，葉は注目されていなかった．90 年代，日本で葉を「杜仲茶」として商品化し，現在では含有する杜仲葉配糖体（ゲニポシド酸）が「血圧の高めの方に」という表示で，特定保健用食品（トクホ）として扱われている（食薬区分で樹皮は医薬品，葉は食品に分類される）．

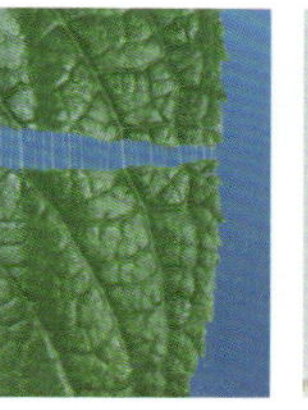

トチュウの葉

トチュウ

マグワ / マルベリー *Morus alba* L.（Moraceae / クワ科）付表 p.117

【植物】 落葉高木．高さ 7 ～ 10 m．通常雌雄異株，4 ～ 5 月に葉腋に穂状花序を出し，淡黄緑色の小花を多数つける．果実は熟すと紫黒色の集合果となり，甘酸っぱく食用とされ，マルベリー（mulberry）と呼ばれる．中国，日本，朝鮮半島などに自生し，また他の近縁種とともに養蚕用に栽培される．同属植物にはヤマグワ *M. australis* Poir. やロソウ *M. alba* L. var. *multicaulis* Loudon などがある．

【生薬】 ソウハクヒ（局） 桑白皮〔根皮〕

わずかににおい及び味がある．

ソウヨウ 桑葉〔葉〕

成分として，根皮はプレニールフラボン類など，葉は 1-deoxynojirimycin（DNJ）などを含む．

【用途・製剤】 消炎利尿，鎮咳去痰薬．漢方処方：五虎湯，清肺湯，杏蘇散など．OTC：肝生，壽徳湯，潤勝散，ベリコデ咳シロップなど．民間薬：根皮を煎じて，むくみ・咳止めなどに用いる．桑葉中の DNJ は小腸上皮にある α-グルコシダーゼを阻害することによりブドウ糖の吸収を阻害することから，糖尿病予防に用いられる．果実を食用，滋養強壮を目的に薬酒に利用．

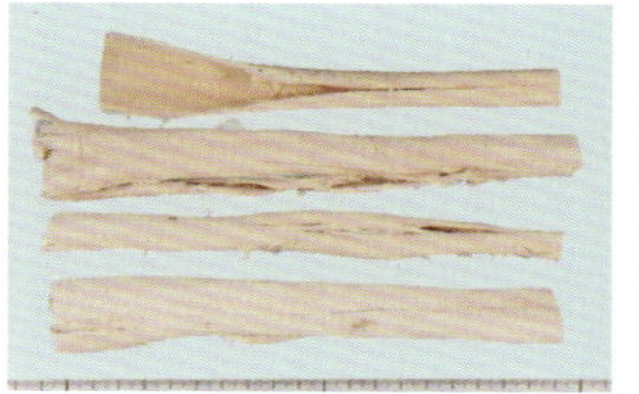

ソウハクヒ

ソウヨウ

雄花序 4 月 （上）
雌花序 4 月（左下）
果実 6 月
マグワ

アサ　雄花　9月

アサ　雌花　9月

アサ　*Cannabis sativa* L.（Moraceae / クワ科　APG：Cannabaceae / アサ科）付表 p.117

【植物】一年生草本．高さ1～4 m．雌雄異株．5～9裂する掌状複葉．夏に淡黄緑色の花をつける．果実は痩果で種子状である．成分の異なる生理種が多い．未熟花穂及び葉は大麻取締法の対象．中央アジア原産．繊維用としては温，亜熱帯で栽培される．
【生薬】マシニン（局）　麻子仁，火麻仁，Hemp Fruit〔果実〕
ほとんどにおいはないが，かめば香ばしく，味は緩和で油様である．果実を生薬として利用し，果実に付随する苞（ほう）葉は薬用としない．中国などから産出する．
【用途・製剤】瀉下薬．漢方処方：麻子仁丸，炙甘草湯，潤腸湯など．OTC：前記漢方処方製剤のほか，エンジュガンT，新大草延寿丸，大草丸など．果実は食用（麻の実，七味唐辛子の材料），また，鳥の餌としても用いられる．これらの果実は発芽しないように熱処理をしたものが流通している．成熟した茎の繊維は，衣服や縄，神道の祭事，画材のキャンバスなどに用いられ，英語の canvas の語源となっている．未熟花穂及び葉には tetrahydrocannabinol（THC）などの幻覚成分が含まれるため，アサの植物体や乾燥葉などの所有，使用は大麻取締法によって厳しく規制されている．近年，合成カンナビノイドが流通し，危険ドラッグとして社会問題となっていたことがある．

マシニン

セイヨウカラハナソウ / ホップ　*Humulus lupulus* L. var. *lupulus*（Moraceae / クワ科 APG：Cannabaceae / アサ科）付表 p.136

【植物】多年生つる性草本．高さ7～12 m，通常雌雄異株．茎葉とも剛毛あり，7～8月頃枝先に小型の苞を持つ淡緑色の雌花をつけ，花後に苞葉が成長してきて球果状の果穂になる．結実すると芳香が失われるため，雌株だけが植えられる．西アジア原産．温帯各地で栽培．
【生薬】ホップ（局外）〔果穂〕
特異な芳香があり，味は苦い．長さ2～5 cm の雌性の穂状花序の軸には，小花柄ごとに卵形の苞葉と小苞が付き，それらが重なって松かさ状を呈する．小苞の基部付近の外側に黄色のホップ腺を形成し苦味成分などを蓄える．苦味成分として humulone や lupulone などの多数の不安定なフロログルシン誘導体とフラボノイドの xanthohumol などを含有．1年以内のものを使用する．
【用途・製剤】鎮静薬，苦味健胃薬．OTC：イララック，パンシロンキュア，パンセダン，プライケアなど．医薬部外品：第一三共胃腸液クール，太田胃散〈内服液〉S，大正胃腸内服液など．12世紀頃からビールの味付けに使われるようになる．ビールの醸造過程において humulone は isohumulone に変化し苦味を増す．

上：小苞のホップ腺、下：ホップ

ホップ　11月
花穂と雌花（左上）がみられる

コラム：薬物五法

精神作用に悪影響を及ぼす薬物が知られているが，我が国では薬物五法として乱用を規制している．その対象となる薬物は，天然物あるいはその誘導体，天然物を模倣した合成薬物がほとんであるが，代表的な薬物を法令別に分け以下に例示する．

1）大麻取締法　制定1948年
　対象薬物：大麻およびその製品．アサの果実，茎は除外．アサの栽培の規制．
2）覚醒剤取締法　制定1951年
　対象薬物：アンフェタミン，メタンフェタミン類．覚醒剤原料：エフェドリン，プソイドエフェドリン．これらの化合物は，化学合成によりアンフェタミン類が製造されるため覚醒剤原料としての規制がある．
3）あへん法　制定1954年
　対象薬物：あへん，けしがら．ケシの栽培の規制．
4）麻薬及び向精神薬取締法　制定1953年
対象薬物：モルヒネ，ヘロイン，コカイン，LSD，マジックマッシュルームなど多数．
　2010年頃から合法ハーブ，脱法ハーブ，危険ドラッグの名でハーブ片に合成カンナビノイド類を混入させた薬物の乱用が社会問題になっている．大麻成分中の9種のテトラヒドロカンナビノール（THC）類が指定されているが，次々と新しい合成カンナビノイドが出現して麻薬及び向精神薬取締法の規制をすり抜けている状態にあり，指定薬物として包括指定を行うもののその運用について問題を残している．
5）麻薬特例法　制定1991年
　薬物犯罪により得た収益を没収することにより，規制薬物に関する不正行為を防止するための法律．

セイヨウイラクサ / ネトル　*Urtica dioica* L.（Urticaceae / イラクサ科）付表 p.136

【植物】 多年生草本．雌雄異株．葉は対生し葉縁には鋸歯がある．根と根茎はいずれも黄色をしている．全体に針のような細い刺毛があり，触れると強烈な痛みを生じる．6～9月にかけて葉腋より円錐形に緑色の花をつける．英名：common nettle，stinging nettle.

【生薬】 ネトル〔全草〕

欧州では，民間薬として造血，利尿，止血，緩下，糖尿病薬として利用されてきた．

【用途・製剤】 花粉症の予防に，シーズンの1～3か月前からネトルを茶剤として毎食後服用．花粉症の予防ばかりでなく，アレルギー体質の改善，婦人病の諸症状の改善にも有効とされる．新芽および若い葉は茹でて食べられるが，生食すると食中毒を起こす．また，刺毛に触れると大変痛いが，刺さるといった物理現象の他にヒスタミンやセロトニンなどのアミン類によって引き起こされるといわれている．

セイヨウイラクサ（ネトル）

セイヨウイラクサ　刺毛

セイヨウイラクサ　7月

ムイラプアマ　*Ptychopetalum olacoides* Benth.（Olacaceae / ボロボロノキ科）付表 p.136

【植物】 高木．高さ8～12 m．葉は葉柄があり，卵状楕円形から長楕円形で，長さ9～11 cm，幅3～5 cm．総状花序を腋生する．花弁は舌状で長さ1 cmほど．ブラジル・アマゾン地方の熱帯雨林原産．英名：muirapuama.

【生薬】 ムイラプアマ〔樹皮，根〕

ブラジルの伝統的薬用植物．葉，茎を用いることもある．モノテルペン，セスキテルペン，アルカロイド類などを含有．*P. uncinatum* Anselminoを代用することもある．

【用途・製剤】 強壮薬．性機能の改善，抗リウマチ，神経疾患改善などを期待した健康食品，ドリンク剤などに利用される．OTC：エストルギー湧，エストロングロイヤル，オセロシグマ，金蛇精カプセル，サモンビガーI，春源精，ゼナF-I，ハイクタンゴールドX，パオニンM100，ビルトン7，メディキング内服液など．配置用医薬品：ビタミックバーモントSSSなど．指定医薬部外品：ゼナF0-ファースト，ビタシーゴールドなど．

ムイラプアマ

ムイラプアマ

ビャクダン / サンダルウッド　*Santalum album* L.（Santalaceae / ビャクダン科）付表 p.136

【植物】 常緑の半寄生植物．高さ5 m内外．葉は長楕円形，全縁で，対生する．枝の先端に集散花序を出し，長さ3～4 mmの花弁のない花をつける．果実は球形で径1 cm，初めは緑色，後に赤色となり，最後は黒く熟し液果となる．熱帯アジア原産．ビャクダンは半寄生植物として知られ，根の先端が吸盤状になっており，他の植物の根に付着し，そこから栄養分を吸収して生長すると考えられている．従来，ショウガ科植物と一緒に植栽するとよいとされているが，カヤツリグサ科の植物や他の植物でも育てることが可能である．

【生薬】 ビャクダン 白檀〔心材〕

辺材は白色でほとんど芳香がないが，心材は淡黄色～赤褐色で精油を含み，強い芳香がある．芳香の強さは産地によって異なる．

【用途・製剤】 芳香健胃，鎮痛薬．心材から白檀油が得られ，香水など芳香を求めた製品に利用される．心剤は薫香料のほか，仏具，扇などの工芸品にも用いられる．

ビャクダン

ビャクダンの根にみられる吸盤状の組織

ビャクダン　6月

ツルドクダミ　10月

ツルドクダミ　*Polygonum multiflorum* Thunb.（Polygonaceae / タデ科）付表 p.117

【植物】 落葉のつる性植物．基部は木質化する．葉は有柄で互生し，卵状心臓形で長さは3～6 cm，先端は鋭く尖る．9～10月頃，総状花序からなる花穂を出し，多数の白い小花をつける．長さ10～15 cm，径2～5 cmの塊根をつける．中国原産で薬用として渡来したが，各地で野生化している．

【生薬】 カシュウ（局）　何首烏〔塊根〕

特異な弱いにおいがあり，味は渋くてやや苦い．

ヤコウトウ　夜交藤〔蔓茎〕

【用途・製剤】 緩下，整腸，強壮薬．漢方処方：何首烏；当帰飲子，何人飲，胡麻散料，追風丸，追風通気散，追風通気湯など，夜交藤；天麻鈎藤飲など．OTC：カロヤンアポジカG，エストロングロイヤル，オットピン，回寿仙，キョーピン，金蛇精（糖衣錠），サモンGX，至宝三鞭丸，グロンビターDX50など．カシュウには，脂血症の改善，血液中の高コレステロールを降下させ，疲労による心臓衰弱に対しても顕著な強心作用があるとされている．栃本天海堂・夜交藤（刻）は，健康食品として，不眠，多汗，血虚による肢体のだるい痛みに用いる．何首烏は，烏のように髪を黒くする作用があることから「烏」の文字がつけられ，ヘアケアシャンプーにも配合されている．

カシュウ

モミジバダイオウ　*Rheum palmatum* L.，タングートダイオウ *R. tanguticum* Maxim. ex Balf.，チョウセンダイオウ *R. coreanum* Nakai（Polygonaceae / タデ科）付表 p.118

モミジバダイオウ　7月
青海省果洛州達日県（海抜 4,050 m）

ダイオウ，錦紋大黄（右）

【植物】 多年生草本．高さ1.5～2 m．根茎は黄褐色で，肥厚した円柱形．根出葉は，長い葉柄をもち，叢生する．6～7月頃，花茎をのばし，円錐花序に多数の黄白色花をつける．種間雑種を作りやすい．中国西北部の高地に分布．日本では武田薬品工業が *R.coreanum* と *R.palmatum* を交配した信州大黄を開発し，北海道，長野などで栽培．

【生薬】 ダイオウ（局）　大黄〔根茎〕

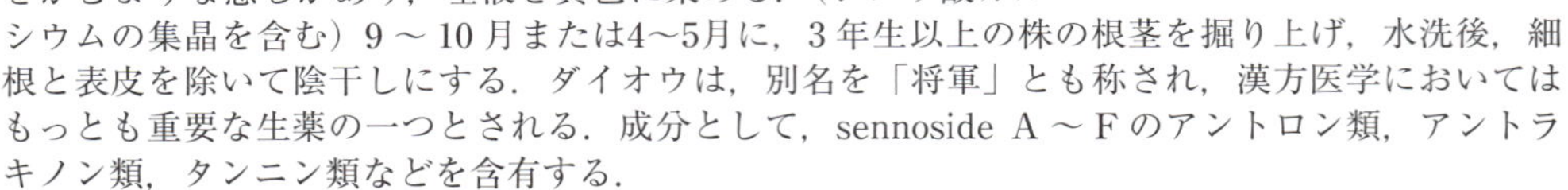

特異なにおいがあり，味はわずかに渋くて苦い．かめば細かい砂をかむような感じがあり，唾液を黄色に染める．（シュウ酸カルシウムの集晶を含む）9～10月または4～5月に，3年生以上の株の根茎を掘り上げ，水洗後，細根と表皮を除いて陰干しにする．ダイオウは，別名を「将軍」とも称され，漢方医学においてはもっとも重要な生薬の一つとされる．成分として，sennoside A～Fのアントロン類，アントラキノン類，タンニン類などを含有する．

【用途・製剤】 緩下薬，駆瘀血薬．漢方処方：茵蔯蒿湯，乙字湯，加味解毒湯，柴胡加竜骨牡蛎湯，三黄瀉心湯，大黄甘草湯，大柴胡湯，調胃承気湯，桃核承気湯，防風通聖散，麻子仁丸など．OTC：あい気散，石川松石南の精錠，イスクラ清営顆粒，ウエストン・S，雲仙錠，エフレチンG顆粒，お熱散，御嶽百草便秘薬，快腸日和，肝生，強実胸散，駆お血丸，クラシエ薬草便秘薬など．漢方処方に限らずダイオウ末，あるいは複方ダイオウ・センナ散などのように配合剤として広く瀉下薬として用いられる．ダイオウの瀉下活性成分であるセンノシド類はジアントロン構造をもち，腸内細菌による代謝を受け，分解されてアントロン構造となってはじめて瀉下作用を示す．腸内細菌叢はヒトにより異なり，そのため，ダイオウの瀉下効果には個人差がある．また，抗生物質や正露丸のような腸内細菌を減少させる薬物を投与した場合，瀉下効果が抑制される可能性がある．瀉下成分であるセンノシド類の子宮収縮作用及び骨盤内臓器充血作用により流早産の危険性があり，また母乳に移行して乳児の下痢を起こすことがある．妊婦，授乳婦は使用を控えた方がよい．

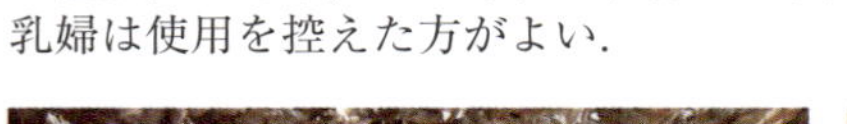

紐で吊して室内で乾燥

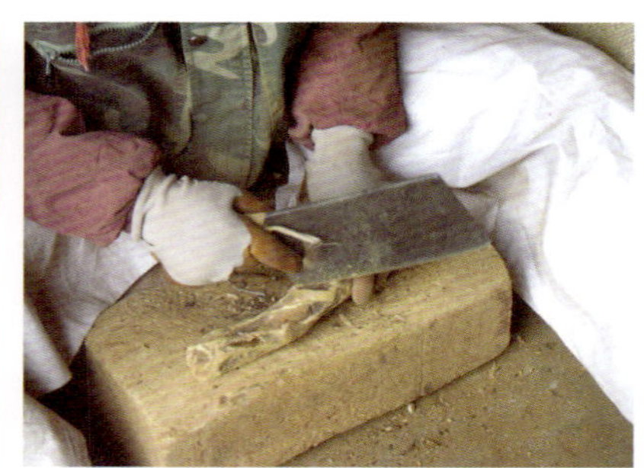

加工調製

根茎及び根（四川省）

北海道栽培品

アイ *Persicaria tinctoria* (Aiton) Spach (= *Polygonum tinctorium* Aiton) (Polygonaceae / タデ科) 付表 p.136

【植物】 一年生草本．高さ 30 ～ 80 cm．茎はやや紅紫色を帯びる．葉は広披針形，長楕円形から広卵形．秋に穂状に小花を多数つける．花の色は紅色または白色．花弁はなく，花弁のようにみえる萼は 5 個に深裂する．果実はそう果で黒褐色の種子がある．南ベトナム原産．日本には 7 世紀以前に中国から，藍染めの染料植物として渡来した．栽培は主に徳島県が盛んであったが，現在では各地で多くの品種が栽培されている．品種は 30 種以上にもなり，「百貫」，「上粉百貫」，「小上粉」などの名称で呼ばれることもある．

【生薬】 ランジツ　藍実　〔果実〕，ランヨウ　藍葉　〔葉〕，ダイセイヨウ　大青葉　〔全草〕，セイタイ　青黛　〔加工した色素の粉末〕

【用途・製剤】 ランジツ（藍実）は，解熱，解毒薬として，咽喉痛や腫れ物に用いる．新鮮な葉汁は毒虫に刺されたときなどに用いられることがある．「神農本草経」には「主として諸々の毒物を解毒する」との記述がある．染色に用いる藍玉は，開花期の 7 月に刈り取り，さらに 8 月頃にもう一度刈り取る．茎を除いて葉だけにして乾燥したものを「寝床」と呼ばれる室内に積み重ねて水を掛けて発酵させる．発酵した黒い土塊状のものを「すくも」といい，これを臼の中でつき固めて藍玉とする．この藍玉に石灰などを加え，発酵させて藍汁として，布を染める染料として使用する．葉に含まれる indican は無色であるが，酵素により加水分解されて，青色色素の indigo に変化する．藍玉に含まれる indigo は不溶性であるが，更に石灰でアルカリ性を強め，発酵をすすめると水溶性の indoxyl に変化する．この藍汁で布を染めて空気にさらすと酸化され，青色不溶性の indigo に変化し安定化する．

ランヨウ（左）セイタイ（右）　　アイ　10 月

ヒナタイノコヅチ *Achyranthes fauriei* H. Lév. et Vaniot (Amaranthaceae / ヒユ科) 付表 p.118

ヒナタイノコヅチ　9 月

【植物】 多年生草本．高さ 40 ～ 90 cm．直立し，分枝は対生する．茎は 4 稜形で節はやや膨らみ，赤紫色を帯びる．8 ～ 9 月，茎頂及び枝先に緑色の小花を穂状につける．果実は長楕円形で，成熟すると簡単に脱落し，衣服などに付着する．根は白色を帯び，やや肥大する．北海道を除く，日当たりのよい原野に自生．和名は日当たりのよい路傍や原野に生育するイノコヅチという意味．イノコヅチとは，茎の太くなった節がイノシシの子供の膝に似ている（猪子槌）ことから名づけられた．

【生薬】 ゴシツ（局）　牛膝　〔根〕

わずかににおいがあり，味はわずかに甘く，粘液性である．生薬名は，膨らんだ節を牛の膝に例えたことに由来．近縁植物に，*A. bidentata* Blume（中国）があり，牛膝（局）(懐牛膝）として用いられる．また中国では同科の *Cyathula officinalis* K. C. Kuan の根を川牛膝として使用する．

【用途・製剤】 漢方では，瘀血（血液の鬱滞）を除き，化膿性の腫れ物を治す作用があるとされ，血尿，無月経，難産，後産の下りないもの，産後の瘀血による腹痛，咽喉炎，化膿性の腫れ物，打撲傷などの治療に用いる．婦人薬とみなされる漢方処方に配剤される．漢方処方：牛膝散，牛車腎気丸，折衝飲，疎経活血湯など．OTC：前記漢方処方の製剤のほか，イスクラ参茸補血丸，活歩源，ウロバランスなど．イノコヅチの根は，昆虫の脱皮などをコントロールする昆虫変態ホルモン（inokosterone，ecdysterone など）を含有している．

ゴシツ　　*A. bidentata*　11 月　根

ハクモクレン *Magnolia heptapeta* (Buc'hoz) Dandy (= *M. denudata* Desr.) (Magnoliaceae / モクレン科) 付表 p.118

【植物】 落葉小高木．高さは 15 m．葉は倒卵形で互生．早春，葉の展開前に枝先に直径 10 cm ほどの香りのよい白色の大きい 6 弁花をつける．花弁とほぼ同形の白色の萼片 3 個がある．朝日があたると開き，夕方にはしぼむ．樹皮は灰白色で平滑．中国原産で，日本各地で庭木，公園樹などとして栽培される．世界中の温帯地域で広く栽培される．昔は「木蘭」と呼ばれていたこともあるが，これは花がランに似ていることに由来する．今日では，ランよりもハスの花に似ているとして「木蓮」と呼ばれるようになった．

【生薬】 シンイ（局）辛夷　〔つぼみ〕

特有のにおいがあり，味は辛くて，やや苦い．2 ～ 3 月頃に採取して日干しにしたもの．中国産は，*M. biondii* Pampanin，ハクモクレン，*M. sprengeri* Pampanini が，日本産はタムシバ *M. salicifolia* (Siebold et Zucc.) Maxim を主体とし，コブシ *M. bobus* DC. の蕾（つぼみ）も生薬 " シンイ(局)" として用いられる．成分として，coclaurine などのアルカロイド，ネオリニナン，精油成分を含有．

【用途・製剤】 鎮静，鎮痛薬として，頭痛，頭重感，鼻炎，蓄膿症，歯痛などの治療に用いられる．風邪を除き，特に鼻閉を治すとされ，鼻粘膜潰瘍，蓄膿症，鼻づまりなどに用いられる．漢方処方：葛根湯加川芎辛夷，辛夷清肺湯など．OTC：前記漢方処方の製剤のほか，イスクラ鼻淵丸，エンピーズ，小太郎漢方鼻炎薬など，シンイエキス：アネトンアルメディ鼻炎錠など．

ハクモクレン　4 月（上）　　シンイ
タムシバ　6 月（下）

ホオノキ　5月

ホオノキ　*Magnolia obovata* Thunb.（Magnoliaceae / モクレン科）付表 p.118

【植物】 落葉高木．高さ 20 ～ 30 m．幹は灰色～灰かっ色．5 ～ 6 月ころ，枝先に芳香性の直径 15 cm ほどの白い花を開く．花糸は鮮紅色で，集果は長さ 15 cm の狭長だ円形．日本の山地または平地の林に自生．

【生薬】 コウボク（局）　厚朴〔樹皮〕

弱いにおいがあり，味は苦い．ホオノキのほか，*M. officinalis* Rehder et E. H. Wilson，*M. officinalis* var. *biloba* Rehder et E. H. Wilson の樹皮も同様に用いる．成分として magnocurarine などのアルカロイド，magnolol などのネオリグナン類を含有．

コウボク

【用途・製剤】 芳香健胃，鎮静，鎮吐，鎮痙，鎮痛薬．漢方処方：平胃散，五積散，半夏厚朴湯，柴朴湯など．OTC：赤玉止瀉薬，安静錠，太田胃散〈内服液〉，御岳百草丸，小太郎漢方の生薬便秘薬 Ns，新セルベール整胃〈錠〉，新ドクソウガン G など．ホオノキの材は家具，下駄，まな板などに用いられる．葉（朴葉）は料理の器や，味噌などの食品を包むのに用いられる．

ニクズク / ナツメグ　*Myristica fragrans* Houtt.（Myristicaceae / ニクズク科）付表 p.118

【植物】 常緑高木．高さ 10 ～ 20 m．雌雄異株．夏に，枝先に淡黄白色の小花をつける．果実を割ると，紅色の火炎状仮種皮（メース）に包まれた種子がある．モルッカ諸島，ジャワ，スマトラ，ペナン島などで栽培．

【生薬】 ニクズク（局）　肉荳蔲〔種子〕

特異な強いにおいがあり，味は辛くてわずかに苦い．完熟した果実から果皮と仮種皮を取り除き乾燥して用いる．

【用途・製剤】 芳香性健胃薬，芳香剤．OTC：ニクズク；太田胃散，プリズマホルモン錠など，ニクズク油；カコナールかぜパップ，カゼピタンぬる，ヴィックス ヴェポラッブ．食品の香辛料として，菓子，肉料理，ソースなどに広く用いられる（ナツメグ）．仮種皮を乾燥したものをメースと称し，高級香辛料として用いる．

ニクズク

ニクズク 7 月

チョウセンゴミシ　*Schisandra chinensis* (Turcz.) Baill.（Schisandraceae/ マツブサ科）付表 p.118

【植物】 落葉のつる性木本．雌雄同株または異株．葉は互生する．5 ～ 6 月に，芳香性の黄白色の花を下垂する．液果は穂状で紅熟する．日本中部以北，朝鮮半島，中国，アムール，樺太の山地に自生．

【生薬】 ゴミシ（局）　五味子〔果実〕

弱いにおい及び酸味があり，後に渋くて苦い．別名：北五味子．五味子の代用とされる南五味子は，日本ではサネカズラ *Kadsura japonica* (L.) Dunal，中国では *S. sphenanthera* Rehder et E. H. Wilson の果実に由来する．五味子とは，果実に甘味，酸味，辛味，苦味，鹹味（塩辛い）の五つの味があることに由来する．成分として schizandrin，gomisin A などのリグナン類を含有．

【用途・製剤】 鎮咳，滋養強壮薬．漢方処方：小青竜湯，杏蘇散，清暑益気湯，人参養栄湯，苓甘姜味辛夏仁湯など．OTC：アドレニンエース錠，エナックロイヤル，回春散，小青竜湯内服液 J，セキセチン咳止め，ゼナ キング，ユンケル黄帝ゴールドなど．民間薬：家庭民間用として滋養強壮を目的とした健康茶，薬用酒などにも用いられる．

チョウセンゴミシ（実）　7 月

雄花　　5 月

雌花

ゴミシ

トウシキミ *Illicium verum* Hook. f.（Illiciaceae/ シキミ科 APG: Schisandraceae マツブサ科） 付表 p.136

【植物】常緑高木，高さ 10 ～ 14 m．花期 2 ～ 3 月と 9 ～ 10 月，果実は長さ 1.5 cm の木質の袋果が 6 ～ 8 個放射状配列する集果で，放射状に配列，各袋果は偏圧した船状で，各 1 個の種子を内蔵．この果実は有毒のシキミに酷似する．中国広西省南部からベトナム北部に自生．同属の *I. majus* Hook. f. et Thoms. in Hook. f. FLBrit. Ind. 大八角は，オセルタミビル（oseltamivir；タミフル®）合成原料のシキミ酸を得るために利用された．本植物は高さ 20 m になる高木，果実，樹皮は有毒で，広東省からベトナムに自生．日本に自生が見られるシキミ *I. anisatum* は仏事や神事に使われるために植栽され，秋には 2-3cm のダイウイキョウに似た果実をつける．この果実には強い毒性をもつ anisatin などを含むので注意しなければならない．

【生薬】ダイウイキョウ 大茴香，ハッカクウイキョウ 八角茴香〔果実〕；ウイキョウ油（局）

果実を乾燥させたものを大茴香，八角茴香あるいはスターアニスと呼ばれ，果実の形状が 8 つの角をもつ星型をしており，またアニスやフェンネル（茴香，小茴香）のような良い香りをすることから，その名が由来している．精油成分の anethole を主成分とし，その他に shikimic acid などを含む．

【用途・製剤】ウイキョウと共にウイキョウ油製造の原料として用いられる．五香粉などの中華料理の食品香料として用いられる他に，芳香性健胃薬としても利用される．日本には同属のシキミ *I. anisatum* L. が自生し，仏事や神事に用いられる．シキミは猛毒成分 anisatin を含むため，果実は劇物に指定されている．同植物から shikimic acid が 1885 年に発見された．

トウシキミ　9 月

ダイウイキョウ

シキミ果実

I. majus　大八角の花

トンキンニッケイ / ケイ *Cinnamomum cassia* J.Presl（Lauraceae / クスノキ科） 付表 p.118, 147

トンキンニッケイ，ケイ

【植物】10 ～ 17 m になる常緑高木，葉は広披針形あるいは長楕円形で緑色革質，全縁で 25 ～ 30 cm になり，下面は粉白色．3 条の大きい脈（三行脈）を有する．中国南部及びベトナム北部に産する．同属のセイロンニッケイ *C. verum* J. Presl（＝ *C. zeylanicum* Blume）は，10 m になる常緑高木，葉は卵形で 15 cm になり，樹皮は香気と味がよく，栽培地では 2 m 以下に抑えられ香料のシナモンが生産される．インド西南からスリランカやマレーシア原産．属名の *Cinnamomum* は cinein（巻曲する）と amomos（非難なき）によるもので，佳香がある巻曲した皮の意味で生薬の形状に由来する．

【生薬】ケイヒ（局）桂皮〔樹皮又は周皮の一部を除いたもの〕

特異の芳香，味は甘く，辛く，後やや粘液性で，わずかに収斂性．

ケイヒ油（局）〔トンキンニッケイの葉，小枝，樹皮又はセイロンニッケイの樹皮を水蒸気蒸留して得た精油〕

ケイヒは産地や樹齢により，広南（かんなん）桂皮，東興桂皮，ベトナム桂皮などの名称があり，輸入する大部分は広南桂皮が占め，4 ～ 5 年目の幹の皮が用いられ，東興桂皮は，7 ～ 8 年以上の樹から採取したもので，広南桂皮より皮が厚く管状をして精油の含量も多い．桂皮は樹齢や加工法により，「官桂」「肉桂」「桂心」「企辺桂」「板桂」「桂砕」などの名で呼ばれる．幼樹（5 ～ 6 年）の樹皮及び太い枝の皮で半管状～筒状（数枚重なった複筒状）を呈しているものを官桂（別名：菌桂，筒桂，桂爾通，桂通，条桂など），官桂のコルク層を除いたものを桂心の名で呼ばれる．樹皮にはフェニルプロパノイド系精油成分の cinnamaldehyde を主成分とし，その他にカテキン系タンニンのプロアントシアニジン類を含み，一部の成分はショ糖の 100 倍の甘味を有する．

内部形態：中央部に石細胞（st）環が見られる．柔細胞中には油細胞（o），粘液細胞（muc）及びでんぷん粒（sta）を含む．放射組織中には微細なシュウ酸カルシウムの針晶を含む細胞がある．

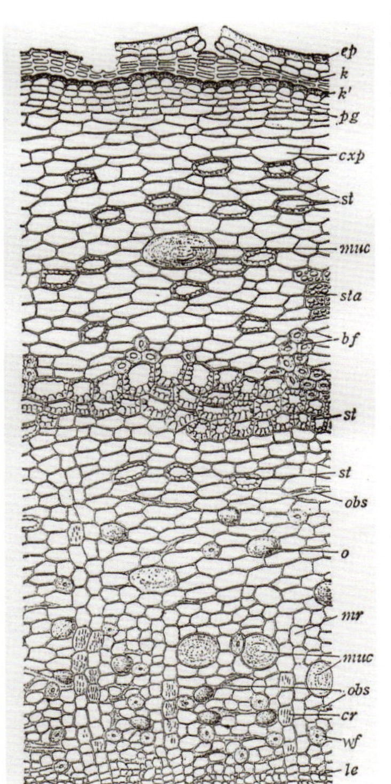

ケイヒの内部形態

【用途・製剤】芳香性健胃薬．漢方では発汗や気を静める働き（古法派）や血液や気の流れをよくし，冷えや鎮痛を目的（後世方派）に用いられている．漢方処方：桂枝湯，葛根湯，麻黄湯，小青竜湯，桂枝茯苓丸，柴胡桂枝湯，十全大補湯など．OTC：太田胃散，シロン S，ナンパオ，パンシロン G，薬用養命酒，ケロリン，新タナベ胃腸薬顆粒，新ルル -K 錠，第一三共胃腸薬，太田胃散など．輸入される大部分は香辛料としてソースなどの原料に用いられる．

ニッケイ *C. sieboldii* Meisn. は，鹿児島，高知，和歌山などの暖地で栽培され，根皮を日本桂皮として昭和中期まで漢方で使われてきた．また「ニッキ」の名で菓子などに用いられていたが，現在流通はない．

上段：広南桂皮
中段：企辺桂
下段：ベトナム桂皮
（安南桂皮：基原 *C. obtusifolium*）

町の道路で乾燥

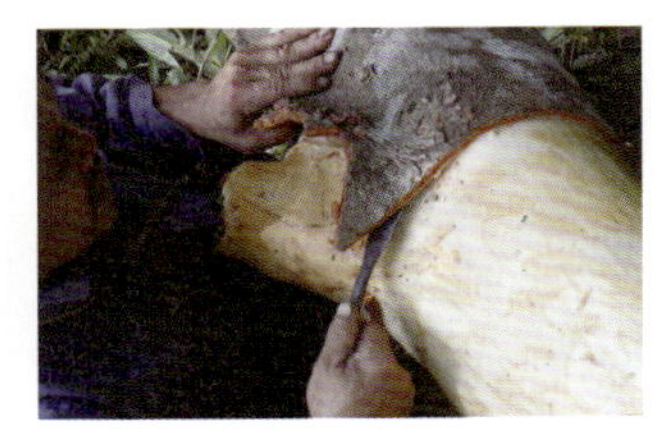

ヘラで丁寧に剝離する

テンダイウヤク　4月

テンダイウヤク *Lindera strychnifolia*（Siebold et Zucc. ex Meisn.）Fern.-Vill.（= *L. aggregate*（Sims）Kosterm.）（Lauraceae／クスノキ科）付表 p.118

【植物】 常緑低木．高さ3m．葉は互生，広楕円形で薄い革質，3脈が顕著．3～4月頃，淡黄色の小花をつける．雌雄異株．果実は長さ約1cmの楕円形で秋に黒色に熟す．根の一部が紡錘状に肥大する．中国中南部原産．和歌山県，三重県では野生化している．

【生薬】 ウヤク（局）　烏薬，天台烏薬〔根〕

樟脳様のにおいがあり，味は苦い．紡錘形の根を冬から春に掘り上げて使用する．精油のlinderene，アルカロイドのlaurolitsineなどを含む．

テンダイウヤクは徐福伝説に登場する．秦の始皇帝が不老長寿の薬を探す目的で東方の国（蓬莱島）へ徐福という人物を派遣した．徐福は，日本へたどり着き，その際に発見した薬草がテンダイウヤクであったという説と，その際に徐福によって日本へもたらされたのがテンダイウヤクであったとする説がある．

果実

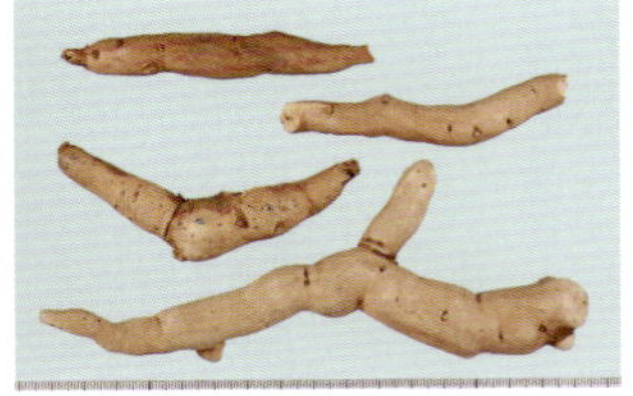
ウヤク

【用途・製剤】 芳香性健胃薬．漢方では，気のめぐりを良くして胃腸を丈夫にするとされる．漢方処方：芎帰調血飲，烏薬順気散，烏苓通気散など．OTC：コリッシュ10包顆粒，大正胃腸ドリンク，キュウキイン「コタロー」など．民間薬：健胃に．根を折ると樟脳に似た香りがして薫香料としても使用される．

サラシナショウマ *Cimicifuga simplex*（DC.）Wormsk. ex Turcz.（Ranunculaceae／キンポウゲ科）付表 p.119

【植物】 多年生草本．高さ1mに達する．葉は2～3回三出複葉．小葉は卵形～狭卵形，長さ3～8cm，鋭尖頭．8～9月に長さ20～25cmのブラシ状の花序を出し，白い小花を多数つける．冷涼な気候を好み，日本の山地の樹林内，シベリア，朝鮮半島，中国に自生．

【生薬】 ショウマ（局）　升麻〔根茎〕

ほとんどにおいがなく，味は苦くてわずかに渋い．春先の若苗を，さらした後，おひたしにして食べることから，“晒（さら）す菜（な）＋升麻（しょうま）”という和名が付けられた．*C. dahurica*（Turcz. ex Fisch. & C.A.Mey.）Maxim., *C. heracleifolia* Kom., *C. foetida* L.の根茎も同様に用いる．成分として，cimigenolなどのトリテルペン，cimifuginなどのクロモン類を含有．

【用途・製剤】 漢方では，内臓下垂等の改善，消炎，解熱，痔疾の治療などを目的に配合．漢方処方：乙字湯，升麻葛根湯，補中益気湯，辛夷清肺湯など．OTC：「モリ」ちくのう錠，ヘモファースト，イスクラ補中丸Tなど．

ショウマ

サラシナショウマ　10月

アメリカショウマ／ブラックコホッシュ *Cimicifuga racemosa*（L.）Nutt.（= *Actaea racemosa* L.）（Ranunculaceae／キンポウゲ科）付表 p.136

【植物】 多年生草本．高さ2mに達する．葉は大形の3出羽状複葉で，小葉は長だ円形，長さ約15cm，6～8月に強い香りのある乳白色の花を多数，まばらな総状花序につける．北米原産．ブラックコホッシュという名は，根茎が黒っぽいことから名づけられたといわれている．

【生薬】 ブラックコホッシュ，アメリカ升麻〔根茎〕

成分：トリテルペン配糖体，タンニン．

【用途・製剤】 女性ホルモンのエストロゲンに似た作用があるとされ，古くからアメリカ先住民族の間で，月経痛・更年期障害など女性特有の身体の不調を治療するための薬草として用いられてきた．現在ブラックコホッシュを含む製品は，欧州では更年期障害の症状緩和などを目的に医薬品として，日本や米国ではカプセルや液体状の食品として販売されている．海外でブラックコホッシュの利用が原因と疑われる肝障害の事例が報告された．

アメリカショウマ　花

根茎

オクトリカブト *Aconitum japonicum* Thunb.（Ranunculaceae / キンポウゲ科）付表 p.119

オクトリカブト　9月

【植物】多年生草本．高さ 1 ～ 1.5 m．茎に生える毛は下向きに屈曲している．葉は互生，有柄で，葉身は掌状に 5 中裂し，葉縁には鋸歯がある．花期は夏の終わりから秋にかけて咲き，紫色，左右相称で，総状花序につく．果実は袋果となり，中に楕円形の種子を含む．本州中部地方から北海道西南部にかけて分布する．近縁種のハナトリカブト *A. carmichaeli* Debeaux（中国原産）と同様に，生薬の附子の生産のために栽培されている．

【生薬】ブシ　附子（局），ウズ　烏頭〔倒円錐形の肥大した根．母根は烏頭，子根は附子として区別する〕

弱い特異なにおいがある．日本薬局方で附子の原植物に規定しているのは，ハナトリカブトとオクトリカブトであり，塊根を 1，2 又は 3 の加工法により製したものである．

1. 高圧蒸気処理 ―ブシ 1（加工附子，修治附子）
2. 食塩，岩塩又は塩化カルシウムの水溶液に浸せきした後，加熱又は高圧蒸気処理 ―ブシ 2（炮附子）
3. 食塩の水溶液に浸せきした後，石灰を塗布 ―ブシ 3（白河附子）

弱毒化したブシ 1，ブシ 2 及びブシ 3 について，ブシジエステルアルカロイド（mesaconitine, hypaconitine, aconitine, jesaconitin）をそれぞれ総アルカロイド［ベンゾイルアコニン（$C_{32}H_{45}NO_{10}$：603.70）として］0.7 ～ 1.5%，0.1 ～ 0.6%及び 0.5 ～ 0.9%を含むと規定されている．

日本では佐渡島産などに産する野生種を草烏頭，縦に割り塩水に浸けて蒸したものを塩附子，根茎の上部と下部を切り，塩水に浸け，石灰をまぶして乾かしたものを白川附子の名で流通することがある．また流通量が少ないが，烏頭〔川烏頭（中国四川省栽培品），草烏頭（中国野生品）〕の名称で塊根を乾燥しただけのものが刻み生薬として流通しているが，このものは，切断面が不透明かつ粉性である特徴を持ち，毒性が極めて強いものがある．成分としては，アコニチン系，アチジン系などのジテルペンアルカロイドを含む．

【用途・製剤】鎮痛，新陳代謝機能亢進を目標に，桂枝加朮附湯，真武湯，麻黄附子細辛湯，八味地黄丸などに配合される．

ハナトリカブト

オクトリカブト　根

ブシ
左上：草烏頭（佐渡），
右上：塩附子
左下：炮附子，
右下：炮附子

オウレン *Coptis japonica*（Thunb.）Makino（Ranunculaceae / キンポウゲ科）付表 p.119

セリバオオレン　3月　　右上：両生花
右中：雌花　右下：雄花

【植物】林内のやや暗いところに生える多年草．草丈は 10 ～ 40 cm，根出葉は 1 回 3 出複葉，小葉は卵形，葉の上面は光沢がある．花茎は先端が分枝し通常 3 個の花をつける．両性花と雄花，雌花の 3 種があるが一つの株でも混じることがある．萼片は花弁状をなし 5 ～ 6 枚，白色でひ針形．袋果は約 10 個，矢車状に配列する．本州から北海道西南部に分布する我が国原産の植物で以下の 3 変種に分けられる．セリバオウレン *C. japonica*（Thunb.）Makino var. *major*（Miq.）Satake（葉：二回三出複葉），キクバオウレン *C. japonica*（Thunb.）Makino var. *anemonifolia*（Siebold et Zucc.）H. Ohba（葉：一回三出複葉），コセリバオウレン *C. japonica*（Thunb.）Makino var. *japonica*（葉：三回三出複葉）のうち，薬用に用いるのは，セリバオウレンとキクバオウレンである．

【生薬】オウレン　黄連（局）〔根茎〕

弱臭，強苦味で残留性，唾液を黄染．生薬の調製は，根茎から根の大部分を取り除いた後乾燥し，炎で焼いた後にもんで細根をほとんど除いた根茎を生薬として用いる．現在の国内流通品は，中国産の *C. chinensis* Franchet を原植物とするもの（味連・川連）がほとんどである．日本では江戸時代に生薬の生産のために栽培が盛んになり，丹波オウレン，越前オウレン，因州オウレン，加賀オウレン，日光オウレン，佐渡オウレン等の名前で取引されていたが，近年国内生産は激減している．丹波・越前のオウレンの基原は「セリバオウレン」，加賀オウレンは「セリバオウレン」と「キクバオウレン」が混在，佐渡オウレンは「キクバオウレン」と分布から考えられる．生薬の生産には，畑栽培で 3 ～ 5 年，林間栽培で 10 ～ 20 年を必要とし，現在では畑栽培はなく，福井県大野市などの林間栽培しか残っていない．黄連の成分としては，イソキノリンアルカロイドの berberine，palmatine，coptisine などを含む．

【用途・製剤】苦味健胃整腸薬．berberine は下痢止め薬として用いる．清熱，抵抗炎症，整腸などを目標に，黄連湯，黄連解毒湯，温清飲，荊芥連翹湯，柴胡清肝湯，三黄瀉心湯，清上防風湯，女神散などに配合される．OTC：胃腸反魂胆，広貫堂赤玉はら薬，中将湯，熊膽圓，ソルマック EX2，丸薬七ふく，液キャベコーワ，パンシロン胃腸内服液など．

オウレン　地下部

ガスバーナーによる細根の毛焼き

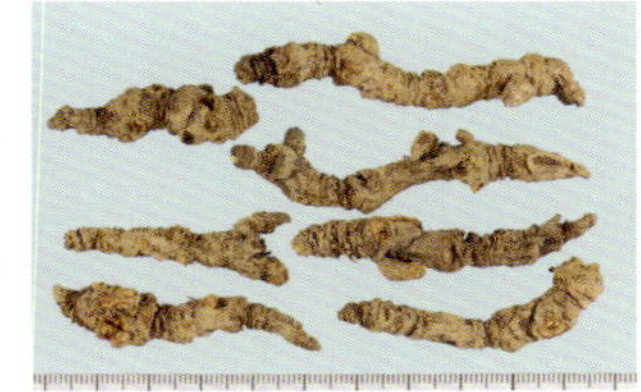
オウレン

サキシマボタンヅル　8月

サキシマボタンヅル　*Clematis chinensis* Osbeck（Ranunculaceae / キンポウゲ科）付表 p.119

【植物】 落葉のつる性木本．高さ4～10 m．5～6月頃，茎頂と葉腋に緑白色の花を円すい花序につける．根は細長い円柱形で多数叢生し，黒褐色．沖縄，台湾，中国南部に分布．

【生薬】 イレイセン（局）威霊仙〔根及び根茎〕

イレイセン

弱いにおいがあり，味はほとんどない．*C. mandshurica* Rupr., *C. hexapetala* Pallas の根及び根茎も同様に用いる．

【用途・製剤】 鎮痛薬．リウマチや痛風などによる関節痛や筋肉痛，手足のしびれ，脳卒中後遺症による半身不随などに用いる．また水浸剤は，皮膚真菌，黄色ブドウ球菌，赤痢桿菌に対して抑制作用がある．漢方処方：疎経活血湯，二朮湯，蛇床子湯など．OTC：前述の漢方処方製剤のほか，グレニアチン，心龍，ロイルックなど．

ヒドラスチス　*Hydrastis canadensis* L.（Ranunculaceae / キンポウゲ科）付表 p.136

【植物】 多年生草本．高さ30 cm ほど．茎は直立し，茎の上部に茎葉を2枚つけ，ともに5～7個に掌状に切れ込む．春，花弁のない緑白色の小花を1個茎頂につける．果実は赤熟し，金平糖状の集合果となる．根茎は苦く，色は黄色．北米，カナダ原産．

【薬用部分】 ヒドラスチス，ヒドラスチスコン〔根茎〕

成分として，berberine を含有する．

【用途・製剤】 北米のインディアンが使用した重要な民間薬である．苦味健胃薬，また，粘膜の炎症に対する鎮痙，血管収縮，子宮収縮作用を有し，止血薬として子宮出血に用いられた．

ヒドラスチスコン

果実　　ヒドラスチス　4月

キバナイカリソウ

キバナイカリソウ　*Epimedium koreanum* Nakai（Berberidaceae/ メギ科）付表 p.119

【植物】 多年生草本．高さ30～60 cm．根出葉は2回3出の複葉．小葉は長さ　cm，卵形～狭卵形で先端はとがり，縁は刺状の毛がある．春に淡黄色の4枚の花弁が距を突出し錨のような特異な形をした花をつける．日本（北海道～近畿以北の日本海側），朝鮮半島に分布．

【生薬】 インヨウカク（局）淫羊藿〔地上部〕

わずかににおいがあり，味はわずかに苦い．イカリソウ *E. grandiflorum* Morren var. *thunbergianum* Nakai, *E. pubescens* Maxim., *E. brevicornu* Maxim., *E. wushanense* T. S. *Ying,* ホザキイカリソウ *E. sagittatum* Maxim. 又はトキワイカリソウ *E. sempervirens* Nakai の地上部も同様に用いる．

インヨウカクコン〔根〕

淫羊藿の名前の由来は，羊がこれを食べて精力絶倫になったという伝説による．成分として，icariin などのフラボノイド類を含有．

【用途・製剤】 強壮，強精薬．神経衰弱，健忘症にも有効とされるが，心臓や胃腸の弱い人は使用に注意が必要．この煎剤はポリオウイルスに対して顕著な抑制作用があり，黄色ブドウ球菌などにも顕著な静菌作用を有する．OTC：アコゲン W，イスクラ参馬補腎丸，エスモンキング，エナジニン G，大木五臓圓銀粒，オットコール P α，金蛇精 DI，玉龍ローヤル D，至宝三鞭丸，翔雲 D，秦皇元（カプセル），シンドリグロン MX，順徳酒，スターロン EX，ダダンⅡ，チオビタゴールド，ツムラの薬養酒，ナンパオ，ハイゼリー SG50，パオニン M100，ビタラル，ビルトン7，マージョン DX3000 α ゼロ，マムシグロンスーパー内服液，メディキング内服液，薬用養命酒，ロプロス 3000EX，ワンテン P α，JA ドリグロン MX ネオ，クロンミンゴールド G，グロンサンゴールド・錠，新カーク 3000Z，フジミン D30 ロイヤル，龍精漢ゴールド内服液，イキビタン EX3000，エプリ SD3000Z，クロンミン鹿黄液，ストライク X3000 など．淫羊藿根は，こしけ（子宮内膜炎），月経不順などに煎用される．

イカリソウ

E. pubescens

E. brevicornu

インヨウカク

ナンテン　*Nandina domestica* Thunb.（Berberidaceae／メギ科）付表 p.136

【植物】常緑低木．高さ 2 m．茎は叢生直立する．葉は互生し，数回羽状複葉．初夏に白い花をつけ，秋に液果が赤熟（まれに淡黄白色）し，鳥が好んで食べる．中国原産で，日本各地で庭木として栽培される．
【生薬】ナンテンジツ（局外）　南天実〔果実〕
ほとんどにおいがなく，味はやや苦い．シロミナンテン *N. domestica* Thunb. var. *leucocarpa* Makino の果実も同様に用いる．アルカロイドを含む．
【用途・製剤】鎮咳作用があり，喘息，百日咳などに用いる．のど飴にも配合されるほか，葉は殺菌作用があり，弁当の防腐に用いることもある．
OTC：アドレニンエース錠，アルペン F こどもせきどめシロップ，宇津こどもせきどめシロップ A，エフストリン顆粒 K，コフハイドリン液，小児用一風飲「コタロー」，小児用せきどめシロップチルダンプラス，小児用ヒストミンかぜシロップ S，ニッドせきどめ B 液，パイロン S 錠，ヒヤこども総合かぜ薬 M，ムヒのこどもせきどめシロップ S，カゼソフトカプセルなど．葉に含まれる nantenoside B をリード化合物として抗アレルギー薬トラニラスト（リザベン®）が開発された．

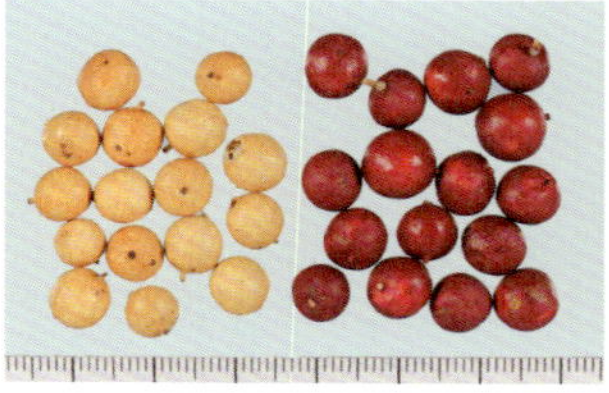
ナンテンジツ

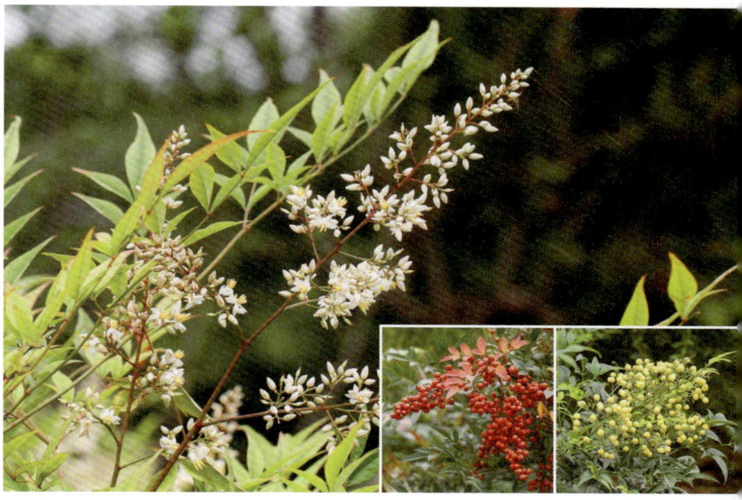
ナンテン　6 月

果実（赤），（白）11 月

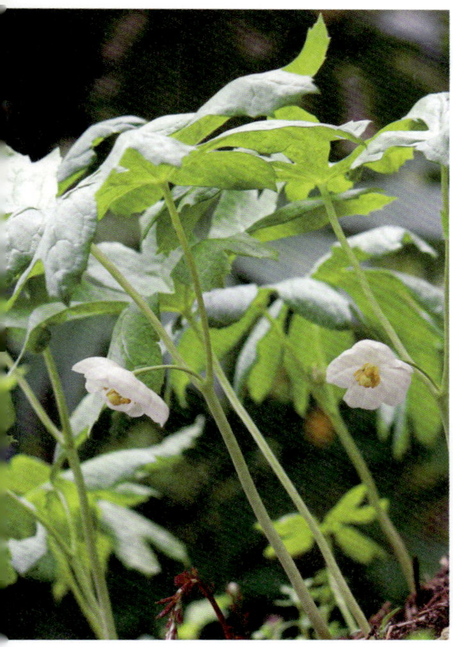
ポドフィルム　4 月

ポドフィルム　*Podophyllum peltatum* L.（Berberidaceae／メギ科）付表 p.137

【植物】多年生草本．高さ 30 ～ 50 cm．根茎は長く横走する．節から地上茎を出す．葉は円形で掌状に 5 深裂する．春に 2 枚の葉間に白い花一つをつけ，5 月ころ果実は黄色く熟す．北米東部，カナダに分布．果実を mayapple と呼び，食用とする．
【生薬】ポドフィルムコン〔根茎〕
リグナン類の podophyllotoxin を含有．
【用途・製剤】緩下薬．podophyllotoxin をリード化合物として抗がん剤エトポシドが開発された．

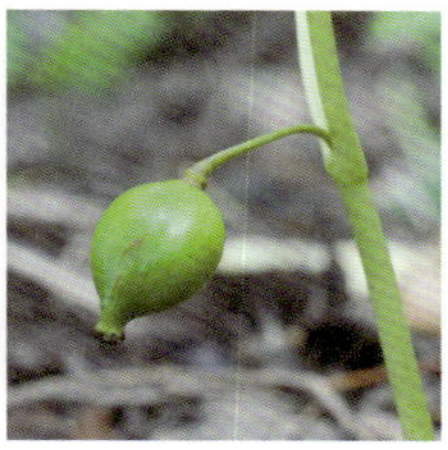
果実　6 月

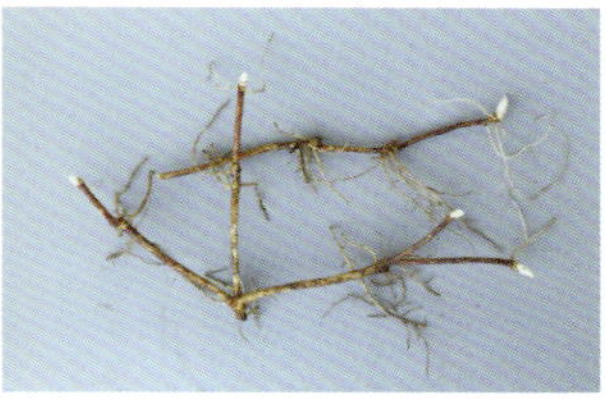
地下部

アケビ　*Akebia quinata*（Houtt.）Decne.，ミツバアケビ *A. trifoliata*（Thunb.）Koidz.（Lardizabalaceae／アケビ科）付表 p.119

【植物】落葉のつる性木本．掌状複葉で，5 枚の小葉からなる．小葉は無毛で長円形～長円状倒卵形．秋に長円形で紫色の果実をつける．ミツバアケビは葉縁が波打つ小葉 3 枚からなる掌状複葉．ともに日本各地の山野に自生する．アケビ及びミツバアケビの果実は熟すと縦に割れ口があくので，あけ実から「アケビ」に転訛したといわれる．
【生薬】モクツウ（局）木通〔つる性の茎〕
ほとんどにおいがなく，味はわずかにえぐい．トリテルペンサポニンの akeboside 類を含む．
【用途・製剤】利尿，鎮痙，通経薬．漢方処方：消風散，五淋散，通導散，当帰四逆加呉茱萸生姜湯，竜胆瀉肝湯など．OTC：石川松石南の精錠，命の母生薬内服液，漢皇日新實母散，強温血散，光明，神僊湯，壽徳湯，瑞祥湯など．果肉は甘く食用とされる．ミツバアケビのつる（蔓）は，果物用の籠や鳩車などの玩具づくりの材料として利用されてきた．

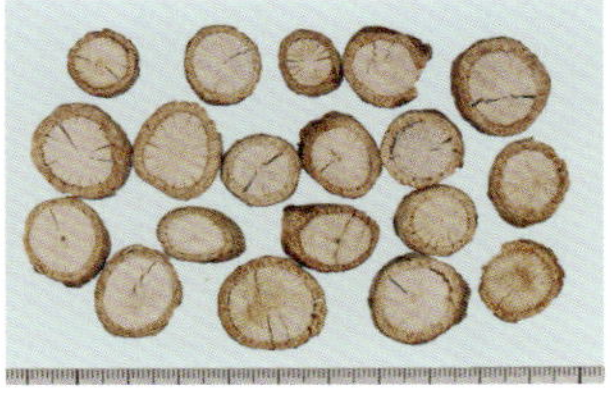
モクツウ

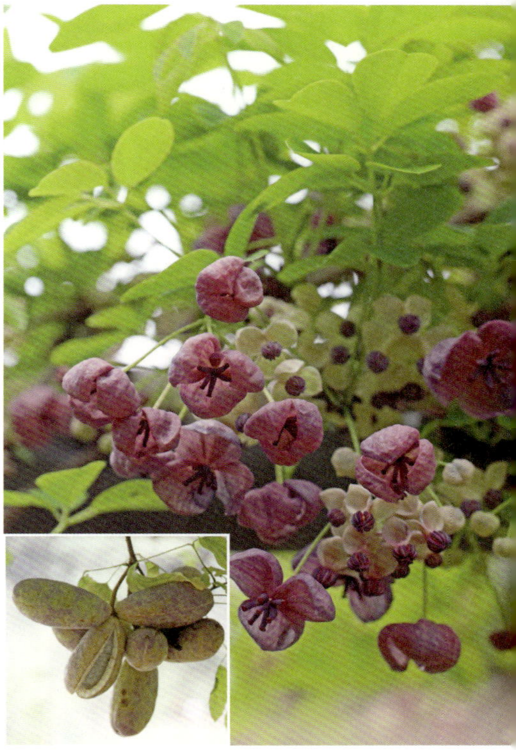
ミツバアケビ果実 10 月

アケビ　4 月

クラーレノキ　9月

クラーレノキ *Chondodendron tomentosum* Ruiz et Pav.（Menispermaceae / ツヅラフジ科）付表 p.137，152

【植物】 つる性木本．高さ 20 m になる．茎は灰色で丸いいぼ状の皮目がたくさんあり，断面は丸い．葉は心臓形で長い葉柄がある．花序は古い幹に腋生し，花は黄緑色．南アメリカ北部の熱帯雨林とアマゾン流域に広く分布．

【薬用部分】 樹皮またはつるから得た水性エキス，*d*-tubocurarine などのアルカロイドを含有．

【用途・製剤】 筋弛緩作用．南米の狩猟民族は *C. tomentosum* やマチン科の *Strychnos toxifera* Schomburgk ex Lindl. などから得た矢毒を現地語でクラーレの名で用いてきた．クラーレは現地語で鳥殺しの意味を持ち，その原料や製法は秘密にされていた．アレクサンダー・フンボルトが 1800 年にオリノコ川一帯を調査し，その製法の詳細が判明した．特定のつる植物の樹皮に水を加えてろ過して煮詰め，別の植物の樹液で粘性を与えるというものである．貯蔵容器に竹筒を使用するツボクラーレ（竹筒クラーレ）は，アマゾン川流域で広く用いられ，後に筋弛緩成分の *d*-tubocurarine の語源となった．1935 年にはハロルド・キングによって *d*-tubocurarine が分離された．これは多くの毒物のように臓器毒（心臓，中枢神経，肝臓，腎臓に対する毒）ではなく，筋肉にのみ作用し経口的には無毒という特性を持つ．1936 年，カナダのグリフィスによって臨床麻酔に応用された．クラーレを投与されると，患者のお腹がつきたての餅のように柔らかくなった後，全身麻酔を行うことで患者が動くことがなくなり，手術時間が短く出血量も少なくなった．しかし呼吸筋まで弛緩するため人工呼吸器を必要とした．*d*-tubocurarine は傷口から体内に入ると末梢神経と筋の接合部のニコチン受容体においてアセチルコリンと拮抗して，骨格筋を麻痺させる．*d*-tubocurarine をもとに色々な筋弛緩剤が開発されてきたが，今日でも *d*-tubocurarine（*d*-tubocurarine chloride：アメリゾール）は臨床の場で用いられている重要な薬物である．構造式中に四級窒素（N^+）を有することから経口ではほとんど吸収されず，また脳脊髄関門を通過しない特性を持つ．

コロンボ　*Jateorhiza columba* Miers（= *Jateorhiza palmata*（Lam.）Miers）（Menispermaceae / ツヅラフジ科）　付表 p.119

【植物】 多年生つる植物．地下に多数の塊根をつける．茎葉には剛毛がある．葉には葉柄があり，掌状葉で 3 ～ 7 裂する．雌雄異株で春に総状花序を腋生し，淡緑色の小さい 6 弁花をつける．アフリカ東海岸，マダガスカル島の森林に自生する．

【生薬】 コロンボ（局）〔根〕
特異なにおいがあり，味は苦い．

【用途・製剤】 ベルベリン型アルカロイドである palmatine や jateorrhizine などを含み，苦味健胃整腸薬として家庭薬に配合される．OTC：奥田胃腸薬（細粒），新キーパー U 顆粒など．

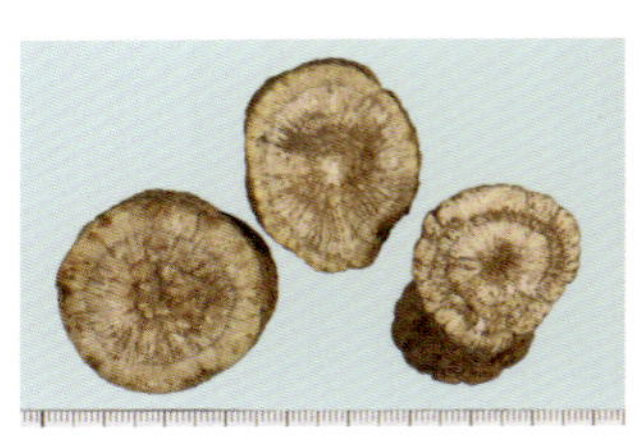

コロンボ

コロンボ

オオツヅラフジ　8月

オオツヅラフジ / ツヅラフジ　*Sinomenium acutum*（Thunb.）Rehder et E. H. Wilson（Menispermaceae / ツヅラフジ科）付表 p.119

【植物】 落葉するつる性多年生の草木．雌雄異株．茎は他物に巻きつき，木質化する．葉は有柄で互生し，円～卵形で 5 ～ 7 中裂する．夏に葉腋より円錐花序を出す．関東地方以西，四国，九州，中国の暖地の山地に分布．

【生薬】 ボウイ（局）防已〔つる性の茎及び根茎〕
ほとんどにおいがなく，味は苦い．sinomenine などのアルカロイドを含有．

【用途・製剤】 漢方では消炎，鎮痛，利尿薬．漢方処方：疎経活血湯，独活湯，防已黄耆湯など．OTC：前記漢方処方の製剤のほか，ウチダの木防已湯エキス散，雲仙錠，花月，活絡健歩丸，強表水散，グラッドル錠，グレニアチン，再春痛散湯エキス顆粒，心龍，壽徳湯，仁壽，ベッセンアイ錠など．

オオツヅラフジの集荷

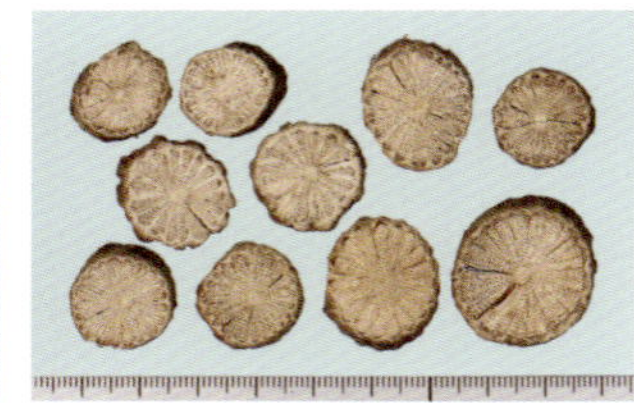

ボウイ

シマハスノハカズラ *Stephania tetrandra* S. Moore（Menispermaceae／ツヅラフジ科）付表 p.137

【植物】 常緑の多年生つる植物．雌雄異株．葉は互生，葉身はハート型で，葉柄は楯着．4～5月頃小花をつける．乾燥した根は円柱形か半円柱形でいくらか湾曲し，湾曲部に横溝がある．中国南東部（浙江，安徽，福建，広東，広西など）や台湾に分布し，丘陵地や草むらにみられる．

【生薬】 フンボウイ　粉防已　フンボウキ　粉防己，漢防己（中国）〔根〕

現在日本薬局方では防已の基原植物として，オオツヅラフジ *Sinomenium acutum*（Thunb.）Rehder et E. H. Wilson を規定しているが，中国ではシマハスノハカズラの根を生薬防已として用いることが多い．アルカロイドの tetrandrine などを含有．

【用途・製剤】 利尿，鎮痛薬としてリウマチ性関節炎，高血圧，水腫などに使用される．

フンボウイ

シマハスノハカズラ　6月

ハス *Nelumbo nucifera* Gaertn.（Nymphaeaceae／スイレン科　APG：Nelumbonaceae／ハス科）付表 p.120

【植物】 大型の多年生水生植物．地中を横走する根茎は白色で，節が多く，数本の気室をもつ．各節から長い葉柄を伸ばし，水上に円形の大きな葉をつける．7～8月に長い花柄を出し，頂端に花を付ける．果実は蜂の巣状の花托上の孔に1個ずつ入っている．日本では水田などで栽培される．

【生薬】 レンニク（局）　蓮肉〔内果皮のついた種子でときに胚を除いたもの〕

ほとんどにおいがなく，味はわずかに甘く，やや油様で，胚は極めて苦い．ハスは，この他にも，さまざまな部位が，レンシ　蓮子〔種子〕，セキレンシ　石蓮子〔果実〕，レンジツ　蓮実〔果実〕，カヨウ　荷葉〔葉〕，レンシュ　蓮鬚〔雄しべ〕，レンシシン　蓮子心〔胚〕，レンボウ　蓮房〔花托〕，グウセツ　藕節〔根茎〕として，別々の生薬として利用される．

【用途・製剤】 レンニクは強壮，駆瘀血薬．セキレンシも同様に用いる．カヨウ，レンシュは収斂作用による止血薬，レンシシンは抗炎症薬，レンボウは駆瘀血薬，グウセツは止血薬．漢方処方：清心蓮子飲，啓脾湯　（蓮子を利用）など．OTC：イスクラ健脾散エキス顆粒，回春散，参苓白朮散〔散剤〕35，ユリナールなど．蓮子，蓮実，蓮根は食用としても用いられる．

ハス　7月　　果実　9月

ハス料理

レンニク

コウホネ *Nuphar japonica* DC.（Nymphaeaceae／スイレン科）付表 p.120

【植物】 多年生の水生植物．根茎は横走し，内部は白色の海綿質．葉は根生し，長い葉柄をもち，葉身は水中～水上にある．沈水葉は細長くて膜質，挺水葉は長楕円形．6～9月に黄色い花をつける．北海道西部以南の日本や朝鮮半島など東アジアの水辺に分布．絶滅危惧植物として指定された．

【生薬】 センコツ（局）　川骨〔根茎〕

弱いにおいがあり，味はわずかに苦く不快である．日局では，コウホネのほか，ネムロコウホネ *Nuphar pumila* (Timm) DC. およびコウホネとネムロコウホネの種間雑種もセンコツの基原植物として規定されている．成分として，nupharidine などのアルカロイド，nupharin などのタンニンを含有．

【用途・製剤】 駆瘀血，理血薬として，月経不順，産前産後に用いられる．漢方処方：治打撲一方．OTC：喜谷實母散，塩釜さふらん湯，ウテレス，血之道薬など．

センコツ

コウホネ（野生）　5月

ドクダミ　6月　　1個の花

ドクダミ　*Houttuynia cordata* Thunb.（Saururaceae / ドクダミ科）付表 p.120

【植物】多年生草本．茎は暗緑紫色で，高さ 20 ～ 50 cm．葉は互生し，葉柄があり，心臓形で全縁．全草に特異な臭気がある．花は初夏に 3 本の雄蕊，1 個の雌蕊，1 個の苞からなり，花被を持たない小花を穂状につけ，下部の 4 個の白い総苞は花弁状に発達し，花房を形成する．日本の至るところに自生．

【生薬】ジュウヤク（局）十薬〔全草〕

わずかににおいがあり，わずかな味がある．成分として，quercitrin などのフラボノイド，生の全草は特異臭成分としては decanoylaceto aldehyde などを含有し，強い根菌性をもつが，乾燥すると臭いはなくなる．

【用途・製剤】解熱，解毒，消炎薬．ドクダミは「毒矯み」の意味で，昔から民間で毒消しとして用いられてきた．民間薬：現在でも便通薬，慢性皮膚疾患に利尿・消炎の目的で煎用する．また生の葉はあぶって化膿，腫物，外傷などに外用する．漢方処方：五物解毒散．OTC：エンピーズ，おなかぴゆあ，紫華栄，スルーラックデトファイバー，フジビトール，ホノミビスキンなど．

ジュウヤク

コショウ / ペッパー　*Piper nigrum* L.（Piperaceae / コショウ科）付表 p.137

【植物】つる性低木．長さ 6 m に達する．葉は互生し，卵形で鋭頭．雌雄異株．穂状花序は腋生して下垂．石果は球形で，熟すと紅変する．インド原産，現在インドネシア，西インド，南米各地で栽培．英名：pepper.

【生薬】コショウ　胡椒〔果実〕

未熟果は黒胡椒，成熟果の果皮を除いたものは白胡椒．辛み成分として，piperine を含有．

【用途・製剤】発汗，駆風，健胃薬．OTC：甲賀六神丸，塩釜蛮紅華円，新バック液，ステイブ胃腸薬．中医方では健胃消化，胃痛，腹痛に用い，インドネシアでも風邪，発熱，月経不順，たむしなどに用いた．果実が古くから最も有名なスパイスで，古代から近世まで東西貿易における主要商品．15 世紀の大航海時代ではヨーロッパ列強の東方進出や植民地争奪の原動力にもなった植物である．

中国海南島でのコショウ栽培

コショウ

コショウ果実　　コショウ花

ウスバサイシン　*Asiasarum sieboldii*（Miq.）F. Maek.（=*Asarum sieboldii* Miq.）（Aristolochiaceae / ウマノスズクサ科）付表 p.120

【植物】多年生草本．葉は有柄で心臓形，質は薄くほとんど無毛．春に帯褐色の鐘形花を 1 個つける．本州，九州の山地に自生．中国東北部にはケイリンサイシン（中国名：北細辛）*A. heterotropoides* F. Maekawa var. *mandshuricum* F. Maekawa が自生．

【生薬】サイシン（局）細辛〔根及び根茎〕

特異なにおいがあり，味は辛く舌をやや麻痺する．ケイリンサイシン *A. heterotropoides* var. *mandshuricum* の根及び根茎も同様に用いる．成分として，methyleugenol などのフェニルプロパノイド，asarinin などのリンナン，辛味成分として pellitorine などのアミド化合物を含有する．地上部（特に葉，花，新芽）には腎機能障害をおこすアリストキア酸を含むため除去しなければならない．

【用途・製剤】鎮咳，鎮痛，去痰，利尿薬．漢方処方：小青竜湯，秦艽羌活湯，当帰四逆湯，当帰四逆加呉茱萸生姜湯，麻黄附子細辛湯，苓甘姜味辛夏仁湯など．OTC：前記漢方処方の製剤のほか，「クラシエ」独活寄生丸エキス顆粒，JPS 鼻炎錠，アネトンアルメディ鼻炎錠，イスクラ独歩顆粒，命の母生薬内服液，エスタック鼻炎カプセル 12，花月，キッズバファリン鼻炎シロップ S，強温血散，小太郎漢方せき止め錠，サンワロン M，慈雲湯，錠 A アスゲン，喘妙散 α，プレコール鼻炎カプセル A，龍角散鼻炎朝夕カプセルなど．

ウスバサイシン　5月　　ウスゲサイシン　5月

ウスバサイシンの根

サイシン

シャクヤク　*Paeonia lactiflora* Pall.（=*P. lactiflora* Pall. var. *trichocarpa*（Bunge）Stearn）（Paeoniaceae／ボタン科）付表 p.120

シャクヤク　5月
（薬用品種：梵天）

【植物】 多年生草本．高さ 60 cm．葉は有柄で互生し，上面は光沢があり，下面は淡緑色で柄および脈部は赤色を帯びる．5月頃，花を頂生する．花の色や形に変異が多い．種子は大形で，球形，黒色．中国原産，薬用および観賞用に栽培．徳川時代には，多くの園芸品種が作り出された．「立てば芍薬，座れば牡丹，歩く姿は百合の花」女性の美しさを形容することば．「花の宰相」(はなのさいしょう)「花相」といわれる．属名は，ギリシャ神話の「医薬の神」である「Paeon（ペオン）」の名前に由来．

【生薬】 シャクヤク（局）芍薬〔根〕

特異なにおいがあり，味は初めわずかに甘く，後に渋くてわずかに苦い．モノテルペン配糖体 paeoniflorin やタンニンを含有する．「芍」は味がよいという意味．調製法の違いにより「赤芍」と「白芍」がある．北海道では9月に掘り上げ，洗浄後，水をかけながら砂利とともに撹拌摩擦して皮をはがし，蒸して乾燥する．成分として，paeoniflorin，albiflorin などのモノテルペン配糖体，ガロタンニン類を含有．

【用途・製剤】 鎮静，鎮痛薬．漢方処方：芍薬甘草湯，当帰芍薬散，加味逍遙散，葛根湯，小青竜湯，十全大補湯など．OTC：イレイサー，アスマリンAシロップ，浅田飴漢方シロップ，ビオフェルミン，ササラック，命の母A，キューピーコーワ液，薬用養命酒など．ペオニフロリン類には鎮痛・鎮静作用の他，末梢血管拡張・血流量増加促進・血小板凝集抑制・抗アレルギーなどの作用がある．骨格筋，平滑筋の痙攣を緩解して鎮痛するので，様々な痙攣性疼痛に用いられる．

皮を摩擦し除く装置

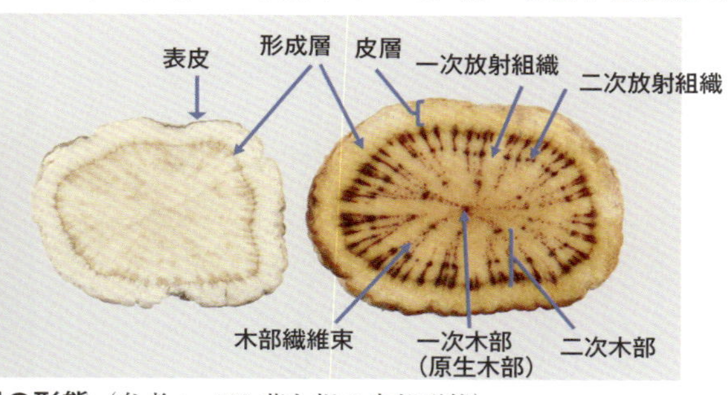

根の形態（参考：p160 茎と根の内部形態）
右：木化組織が赤く染色（フロログルシンと塩酸）

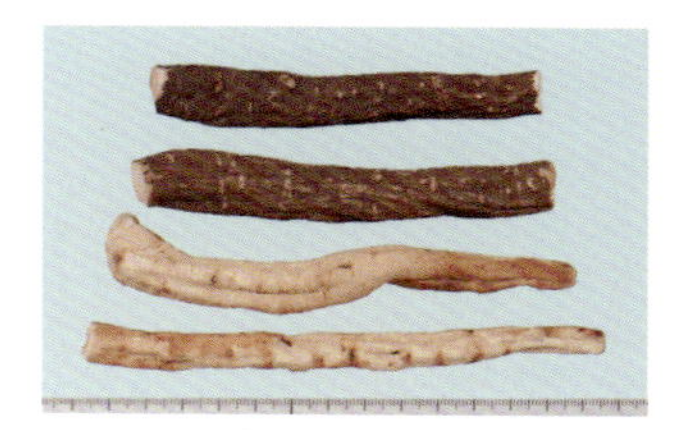

シャクヤク

ボタン　*Paeonia suffruticosa* Andrews（=*P. moutan* Sims）（Paeoniaceae／ボタン科）付表 p.120

ン　日本薬用種　4月　　中国薬用種

【植物】 落葉低木．葉は有柄で互生，下面は帯白色．4～5月に花を頂生する．花の色や形に変異が多い．袋果は数個で開出し，短毛を密生する．種子は大形で，球形，黒色．中国原産で，薬用および観賞用に栽培される．牡丹は，別名で「百花の王＝花王，富貴花」といわれる．

【生薬】 ボタンピ（局）牡丹皮〔根皮〕

特異なにおいがあり，味はわずかに辛くて苦い．フェノール類の paeonol，paeonoside，モノテルペン配糖体の paeoniflorin など含有する．観賞用のボタンは，ほとんどがシャクヤクの根にボタンの枝を接ぎ木したものであるので，薬用には利用できない．牡丹の名の由来は，種を蒔いて芽を出す植物ではなく，根から新苗を出すので，「雌いらず」の意味の「牡」と花の色が赤（丹）であることに由来．生薬の調製には，4～5年経過した株の根を9～12月に掘り起こし，根を芯抜き，時に表皮を落とし乾燥する．切り口や内面に paeonol の結晶が見られることがある．

【用途・製剤】 血行改善，消炎，鎮痛，排膿薬．漢方処方：加味逍遙散，桂枝茯苓丸，大黄牡丹皮湯，八味地黄丸など．OTC：浅田飴漢方シロップ，内服ボラギノール，ラムールQなど．

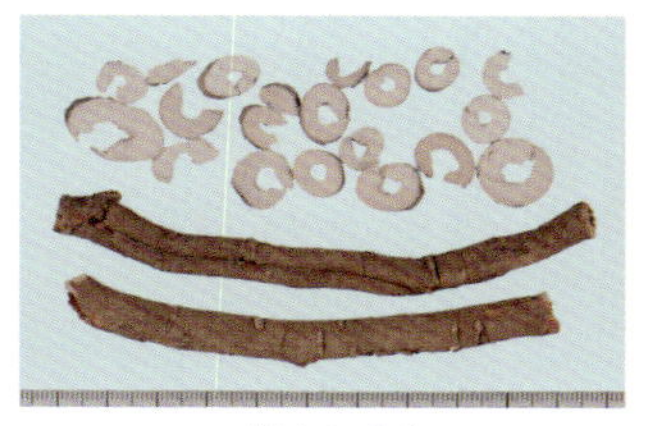

ボタンピ

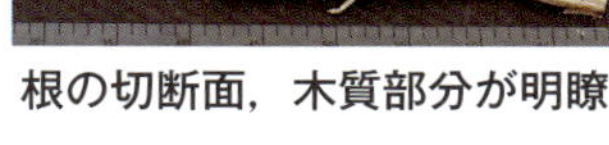

根の切断面，木質部分が明瞭

ボタン（左）とシャクヤク（右）地下部

ボタンピ，主根は木槌で木質部分（芯）を剥離させる

ボタンピ，側根は切り口をつけて木質部分（芯）を引き抜く

リュウノウジュ　*Dryobalanops aromatica* Gaertn. f.（Dipterocarpaceae／フタバガキ科）付表 p.137

【植物】常緑大高木．高さ 50 m．葉は単葉で互生，厚く革質で楕円形．白い花に芳香がある．板根が発達する．マレー半島，ボルネオ，スマトラに分布．
【生薬】リュウノウ 竜脳〔樹脂〕
主成分はモノテルペンの borneol．香りが樟脳に類似しボルネオショウノウとも呼ばれる．
【用途・製剤】中国，欧州で宗教用薫香料及び頭痛，歯痛，咽喉痛の治療薬．OTC：救心，救心感應丸 氣，敬震丹，虔修六神丸，牛黄清心元，壮寿元，長城清心丸，東方牛黄清心元，馬場安寿丸，律鼓心，金粒六神丸など．樟脳の代用にも用いる．材は濃赤色で堅く，マホガニーの代用とする．

リュウノウジュ
（森林総合研究所　http://www.ffpri.affrc.go.jp/snap/2014/3 - ryuunouju.html）

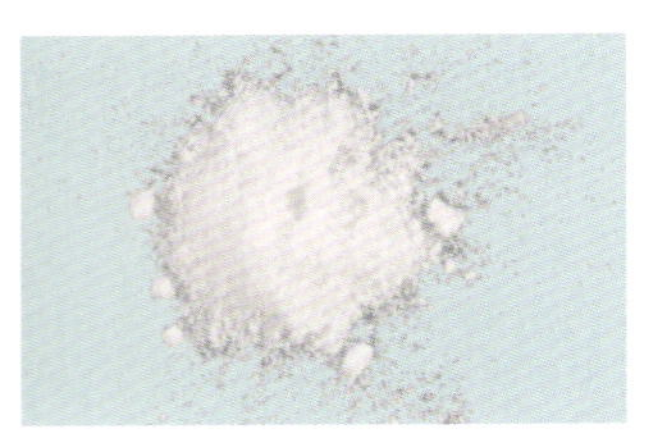
リュウノウ

ヤブツバキ／カメリア　*Camellia japonica* L.（Theaceae／ツバキ科）付表 p.147

【植物】常緑高木．葉は互生，有柄，無毛，厚く表面に光沢がある．冬から春に枝先に，大きな赤い花を下向きに開く．果実は球形で，中に 2～3 個の種子がある．園芸種が多い．日本，朝鮮半島，中国に分布．
【生薬】ツバキ油（局）〔種子から得た脂肪油〕
無色～微黄色澄明の油で，ほとんどにおい及び味がない．主成分はオレイン酸グリセリド．花，葉を民間薬とする．
【用途・製剤】薬用のほか，化粧品の軟膏基剤，毛髪用油，食用油にも用いる．民間薬：生の葉を止血に用いる．開花前の花を乾燥して滋養にお茶代わりに飲む．

ツバキ油と種子

ヤブツバキ　3 月

チャノキ　*Camellia sinensis*（L.）Kuntze（Theaceae／ツバキ科）付表 p.137, 150

【植物】常緑低木．葉は革質で光沢があり，有柄で互生．初冬に葉腋に白い花をつけ，果実は翌年秋に熟す．品種が多い．中国原産で，世界各地で栽培されている．
【生薬】サイチャ，チャヨウ　細茶，茶葉〔葉〕
caffeine，theophylline などのアルカロイド，epigallocathechin gallate，cathechin などのタンニン類を含有する．
【用途・製剤】漢方処方：清涼散，川芎茶調散，滋腎明目湯など．OTC：イスクラ頂調顆粒，川芎茶調散料エキス顆粒 A クラシエ．嗜好品飲料として，発酵させない緑茶，半発酵の烏龍茶，完全発酵の紅茶などに用いる．カテキン類の抽出原料となっている．

チャノキ　10 月

チャヨウ

コラム：チャノキから緑茶，白茶，黄茶，烏龍茶，紅茶，黒茶と中国で発展した

同じ茶葉から発酵処理などの違いにより，緑茶，ウーロン茶，紅茶，プーアール茶がうまれる．緑茶は不発酵茶で発酵が始まる前に葉を蒸し，熱を加え葉を揉みながら乾燥したもの．また玉露は葉を摘み取る 3 週間位前に日光をある程度遮断したものを蒸した後に煎茶と同様に処理され，テアニン含量が高い．ウーロン茶（烏龍茶，青茶）は中国福建省，台湾でつくられる茶で，摘んだ葉を日光にあて半発酵させた後に炒り発酵を止めたもの．紅茶はより酸化発酵を促進させるために揉みほぐしを行い，数時間発酵後に乾燥し製品としたもの．後発酵茶としてプーアール茶（普洱茶，黒茶に分類）が知られ，茶葉がもつ酸化酵素を加熱によって止め，乳酸菌などの微生物によって数か月間発酵後揉み乾燥して製造される．

アッサムの茶畑

広い茶畑の間にマメ科の木本植物が植栽されている．マメ科植物の窒素固定能を期待したものと考えられる．

ガルシニア・カンボジア *Garcinia cambogia* Desr.（Guttiferae / オトギリソウ科　APG：Clusiaceae/ フクギ科）付表 p.137

【植物】 常緑の中高木．平滑で無毛の葉を対生する．5 ～ 9 月に直径 10 cm ほどの黄～黄赤色の果実をつける．インド南西部や東南アジアに分布．
【生薬】 ガルシニアカンボジア〔果実〕
【用途・製剤】 果肉は甘酸っぱく，現地では古くから酸味付けのスパイスとして用いられる．果実に含まれている hydroxycitric acid には糖質からの脂肪合成を阻害する作用と脂肪分解促進作用のあることが報告されているため，果実のエキスは抗肥満を期待したサプリメントとして販売されている．ただし，動物実験で精巣へ悪影響を及ぼす可能性が示唆され，厚生労働省は安全性確保のために，「ガルシニア抽出物を継続的に摂取する健康食品に関する情報提供について（食発第 0307001 号平成 14 年 3 月 7 日）」という通知を行った．

ガルシニア果実　7 月

セイヨウオトギリ　7 月

セイヨウオトギリ　*Hypericum perforatum* L. subsp. *perforatum*（Guttiferae / オトギリソウ科　APG：Hypericaceae / オトギリソウ科）付表　p.137

【植物】 多年生草本．高さ 30 ～ 60 cm で分枝が多い．葉の葉身に透明な腺点，辺縁に黒い腺点がある．夏期に黄色い 5 弁の非相称花を付ける．ヨーロッパに分布する．St. John's wort とも呼ばれる．
【生薬】 セントジョンズワート〔花期の地上部〕
【用途・製剤】 抗炎症，外傷の薬として用いられていたが，19 世紀頃より精神症状に用いられるようになり，現在はうつ状態の改善や，更年期障害や月経前症候群における精神症状の改善を目的としたサプリメントとして利用されている．なお，薬物代謝酵素 CYP3A4 などを誘導するので，この代謝酵素で代謝される医薬品，インジサビル（抗 HIV 薬），ジゴキシン（強心薬），シクロスポリン（免疫抑制薬），テオフィリン（気管支拡張薬）などとの併用には注意が必要である．

セントジョンズワート

エンゴサク　*Corydalis turtschaninovii* Bess. f. *yanhusuo* Y. H. Chou et C. C. Hsu（Papaveraceae / ケシ科）付表 p.120

【植物】 多年生草本．高さ 10 ～ 20 cm．二回三出複葉を互生．4 月頃に紅紫色の 4 弁花をつける．塊茎は黄色で直径 0.5 ～ 3.5 cm．浙江省をはじめ中国各地で栽培される．
【生薬】 エンゴサク（局）　延胡索〔塊茎〕
ほとんどにおいがなく，味は苦い．アルカロイドの corydaline などを含有．
【用途・製剤】 含有されるアルカロイドにアヘンよりは弱いものの鎮痛作用が認められ，婦人薬とみなされる漢方処方で，月経痛，腹痛，頭痛に対する鎮痛，鎮痙薬として用いられる．漢方処方：安中散，折衝飲など．OTC：JPS 安中散料エキス錠 N，アクロミンカプセル A，イイラック漢方胃腸薬細粒，太田漢方胃腸薬Ⅱ（中身は安中散加茯苓），大正胃腸薬 K〈錠剤〉など．

エンゴサク

エンゴサク　4 月

ケシ（一貫種）　5月

ケシ　*Papaver somniferum* L.（Papaveraceae / ケシ科）付表 p.120, 149, 151, 152, 153

【植物】 二年生草本．高さ 1.5 m に達する．葉は互生，無柄で茎を抱く．茎は太く直立し，茎葉ともに粉白色で無毛．春（東京では5月中旬），白～紅紫色の大きな花を頂生する．花後，10日くらいになるとさく果は膨大し，未熟期に傷を付けると乳液が流出する．これを集めて乾燥したものがアヘン（阿片）である．さく果中には多数の種子を内蔵する．あへん法で栽培が禁止されており，栽培するには厚生労働大臣の許可が必要である．ヨーロッパ東南部，地中海沿岸地方原産．

アツミゲシ *P. setigerum* DC.（= *P. somniferum* subsp. *setigerum*（DC.）Arcang. ケシに比べやや小型で，まばらに小剛毛がある．南ヨーロッパ原産．渥美半島に帰化し大繁殖していたことから和名が付けられた．ケシと同様，あへん法で栽培が禁止されている．

【類似植物】 ハカマオニゲシ　*P. bracteatum* Lindl. 中央アジア原産．全草にテバインを含有し，麻薬及び向精神薬取締法によって栽培が禁止されている．観賞用に栽培されるオニゲシ *P. orientale* M. Bieb. と外観が非常に似ている．ハカマオニゲシは花の下部に苞葉をつける点でオニゲシと区別できるとされるが，オニゲシの中にも苞葉をつけるものがあり，区別は困難である．

【生薬】 アヘン　阿片〔未熟果の乳液を乾燥したもの〕成分として morphine，codeine，thebaine，papaverine，noscapine などのアルカロイド，その他 meconic acid などを含有．

【用途・製剤】 日本薬局方に，アヘン末（黄褐色～暗褐色の粉末），アヘン散，アヘンチンキ，アヘンアルカロイド塩酸塩，アヘンアルカロイド塩酸塩注射液などが収載されており，激しい下痢症状の改善及び手術後等の腸管蠕動運動の抑制，激しい疼痛時における鎮痛，鎮静，鎮痙，激しい咳嗽発作における鎮咳などに用いられる．

【法規制等】 あへん法でケシ及びアツミゲシの栽培が禁止されている．また，全草が「専ら医薬品として使用される成分本質（原材料）リスト」に収載されているが，発芽防止処理された種子・種子油は「非医」として食用として用いられる．

アツミゲシ　5月　　ハカマオニゲシ　5月

アヘン採取　5月

蒴果
2心皮2室子房
中軸胎座
胚珠 多数
胎座

未熟果実断面

ケシ　種子

マカ　*Lepidium meyenii* Walp., *L. peruvianum* G. Chacón（Cruciferae / アブラナ科　APG：Brassicaceae / アブラナ科）付表 p.137

【植物】 多年生草本．葉は基部から地を這うように叢生し，長さ 10 cm ほどで羽状深裂し，裂片はさらに不規則に深裂する．中央から花茎を伸ばし小花を多数つける．根はカブ状に肥大し，径 8 cm ほどになる．ペルーに自生．

【生薬】 マカ〔肥大した根〕

【用途】 滋養強壮，精力増強，生理不順改善効果．ペルーの人参とも称され，強壮作用があるとの報告があるが未だ詳細なデータはない．2000年以上前からアンデスの高地で栽培されてきた利用価値の高い植物で肥大する根の部分を利用する．健康食品に用いられる．

マカ

地下部

花

マカ　日本における栽培

アブラナ *Brassica campestris* L. subsp. *napus* Hooker fil. et Anderson var. *nippo-oleifera* Makino（Cruciferae / アブラナ科　APG：Brassicaceae アブラナ科）付表 p.148

【植物】 二年生草本．高さ約 1 m．根出葉は有柄．茎葉は無柄で互生し，脚部は茎を抱く．春に総状花序に黄色い 4 弁花をつける．雄蕊は 6 本中 4 本が長い四強雄蕊．果実は長円柱形の長角果で，黒色球形の小さな種子を多数内蔵する．温帯地域各地に分布する．

【生薬】 ナタネ油（局）〔種子から得た脂肪油〕

微黄色澄明のやや粘性の油で，においはないか又はわずかににおいがあり，味は緩和である．ナタネ油の採油にはセイヨウアブラナ *B. napus* L. が用いられている．

【用途・製剤】 医療分野ではナタネ油を軟膏の基剤や減磨剤として用いるが，ナタネ油の多くは食用油として流通する．燃やしたときに発生する煤を墨の原料にするほか，古くは灯明用の燃料としての用途があった．葉やつぼみも食用とする．

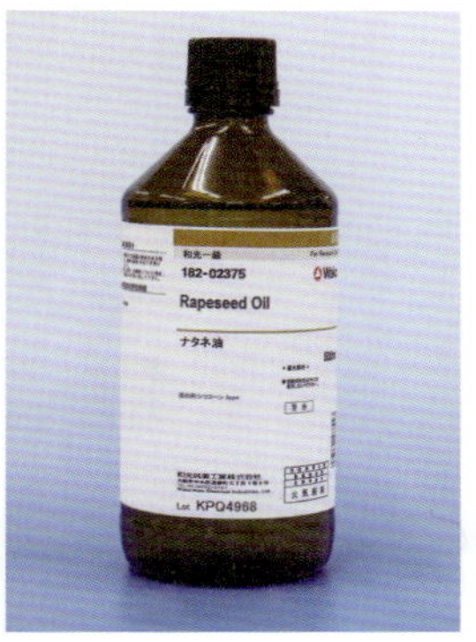

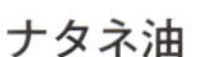
ナタネ油

アブラナ（ナバナ）２月

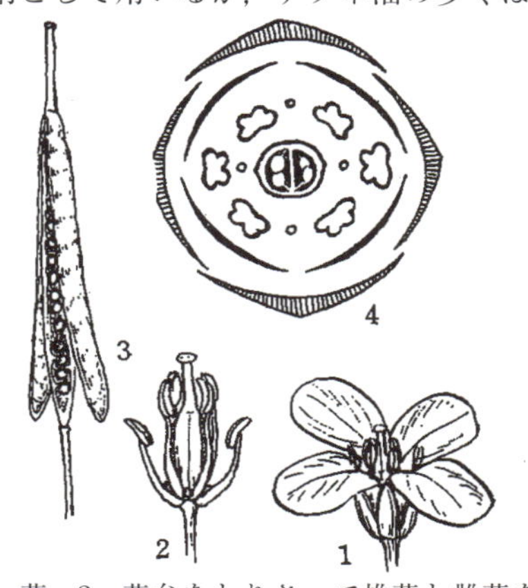

1. 花　2. 花弁をとりさって雄蕊と雌蕊を示す　3. 莢果　4. 花式図

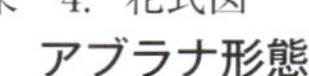
アブラナ形態

セイヨウアブラナ
４月

セイヨウアブラナ雄蕊

カラシナ *Brassica juncea*（L.）Czern.（Cruciferae / アブラナ科　APG：Brassicaceae / アブラナ科）付表 p.137

【植物】 一～二年生草本．高さ 1 ～ 1.5 m．根出葉は長柄で羽状に分裂する．茎葉は短い葉柄をもち互生する．春に総状花序に黄色い 4 弁花をつける．果実は長円柱形の長角果で，褐色球形の小さな種子を多数内蔵する．花も果実もナタネナによく似ている．温帯地域各地に分布．

【生薬】 ガイシ　芥子〔種子〕

【用途・製剤】 含有される sinigrin から発生する allyl isocyanate が皮膚に浸透することで皮膚引赤薬として用いられる．また，allyl isocyanate に辛味があることから辛味健胃薬としても用いられる．漢方処方：清湿化痰湯など．OTC：青雲湯など．食品としては香辛料，調味料として利用される．

カラシナ　５月

ガイシ

アメリカマンサク / ウィッチヘーゼル *Hamamelis virginiana* L.（Hamamelidaceae / マンサク科）付表 p.137

【植物】 低木．高さ 2 ～ 5 m．葉は幅の広い卵形で互生する．1 ～ 3 月に鮮黄色の花をつける．別名：ハマメリス．英名：witch hazel.

【用部】 樹皮，小枝，葉

【用途・製剤】 水抽出液をアメリカ原住民が目のケガに用いていたことがもとで，現在，witch hazel の名前で米国薬局方に収載されている．タンニンを多く含み，収れん作用を持つため，煎液が下痢止めとして内服されるほか，外用で止血，痒み止め，痔疾の治療などに用いられる．近年，毛穴の引き締めなどを期待して化粧水・スキンケアクリームへの利用が注目されている．

アメリカマンサク　11 月

アマチャ　6月

アマチャ　*Hydrangea macrophylla*（Thunb.）Ser. var. *thunbergii*（Siebold）Makino（= *H. serrata*（Thunb.）Ser. var. *thunbergii*（Siebold）H. Ohba）（Saxifragaceae / ユキノシタ科　APG：Hydrangeaceae / アジサイ科）付表 p.121

【植物】 落葉低木．高さ 50 ～ 90 cm．葉は対生し，有柄，卵円～狭楕円形で鋸歯があり，先は尖る．両面に粗毛がある．夏，散房花序を各枝に頂生する．花は小形で青紅紫色，花序にはがく片の発達した装飾花を有し，青色から紅色に変化する．日本原産で各地で栽培される．ヤマアジサイの甘味変種といわれる．また，伊豆の天城山には，アマチャに比べて葉が細長いアマギアマチャ *H. macrophylla* var. *angustata*（Franch. et Sav.）H. Hara が自生する．

【生薬】 アマチャ（局）甘茶〔葉および枝先〕

わずかににおいがあり，特異な甘みがある．葉はそのままでは甘くなく苦味を有する．成分は phyllodulcin の配糖体．9 月頃採取し，一度日干ししてから水打ちして湿らせ，積み上げて発酵させる．一昼夜放置してよく手でもみ，乾燥したものが甘茶となる．甘茶の製造過程で加水分解され，遊離した甘味成分 phyllodulcin により甘味を呈する．

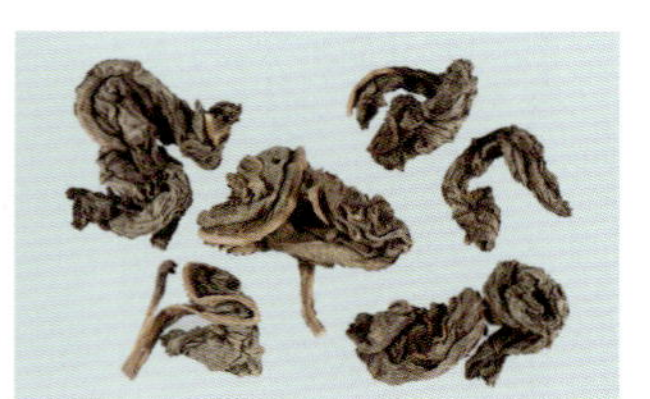

アマチャ

【用途・製剤】 丸剤などの甘味，矯味薬，糖尿病患者の甘味料，口腔清涼剤の製造原料．OTC：漢皇日新實母散，三星実母散．4 月 8 日の灌仏会（花祭り）にはお釈迦様の像に甘茶を煎じたものを注ぎ，参詣者はそれを持ち帰って飲む風習がある．

アマギアマチャ　6月

サンザシ　*Crataegus cuneata* Siebold et Zucc.（Rosaceae / バラ科）付表 p.121

【植物】 落葉小低木．高さ 1.5 m 内外．よく分枝し，小枝の変化したとげがある．葉はくさび形で上部が広く，両側に鈍鋸歯があり，頂部に不規則な欠刻がある．花は白色で，10 個前後が散房状につく．果実は球状，外面は有毛で赤～黄色に熟す．中国原産で，日本でも庭木として栽培される．

【生薬】 サンザシ（局）　山査子〔偽果〕

ほとんどにおいがなく，わずかに酸味がある．10 月頃，完熟する一歩手前の果実を採取し，中の核を取り除いて日干しにする．成分としてフラボノイド，chlorogenic acid などのカフェー酸誘導体などを含有する．オオミサンザシ *C. pinnatifida* Bunge var. *major* N. E. Brown の偽果も同様に用いる．オオミサンザシに由来するサンザシは，特異なにおいがあり，酸味がある．

オオミサンザシ　5月

【用途・製剤】 健胃整腸薬．漢方処方：加味平胃散，啓脾湯など．OTC：回春散，新ワカ末プラス A 錠，養成煎，イッケル，越撰，カイゲン生薬胃腸薬，立山胃腸薬 A，トップグロン EX など．民間薬：薬用酒．果実は薬用の他，砂糖漬けや蜂蜜漬けにして食用．

サンザシ

果実　10月　　サンザシ　4月

セイヨウサンザシ　　八重種

セイヨウサンザシ / ホーソン　*Crataegus oxyacantha* L.（= *C. laevigata*（Poir.）DC.）（Rosaceae / バラ科）付表 p.135

【植物】 落葉低木．高さ 4 ～ 9 m．葉は互生，葉柄があり，卵形で深く 3 ～ 5 裂し，縁に不揃いの鋸歯がある．5 月頃，白い花を束生させ，秋には径 1 cm ほどの赤い偽果をつける．サンザシの花が白のみに対し，白または薄紅色の花をつける．原産地はヨーロッパ，北アフリカ，西アジアといわれ，今日では世界各地で広く植栽されている．

【生薬】 セイヨウサンザシ / ホーソン　〔偽果，葉〕

成分として，フラボノイドやプロシアニジンオリゴマーなどを含む．

【用途・製剤】 滋養強壮に用い，栄養ドリンクなどにも配合される．ヨーロッパでは，葉のエキスを強心薬，偽果は血圧降下，強心薬に用いる．OTC：アプタス 50，エストロングロイヤル，新ハイゼリー顆粒，東方牛黄清心液 DX，トップビタン W 内服液，ヘルビタ黄 W 液，ユンケル黄帝液，れいめいしん液，ビタシーゴールド EX，ローヤルスター 500D など．機能性食品素材として利用．

果実　10月

セイヨウサンザシ / ホーソン

葉

（四季の山野草　http://www.ootk.net/cgi/shikihtml/shiki_1975.htm）

カリン *Chaenomeles sinensis* (Thouin) Koehne (= *Pseudocydonia sinensis* (Thouin) C. K. Schneid.) (Rosaceae / バラ科) 付表 p.137

【植物】 落葉高木．高さ5～10 m．樹皮は鱗状にはがれ落ちる．葉は互生し，楕円形で細かい鋸歯がある．4～5月頃，枝先に淡紅色の花をつける．果実は卵形で，約10 cm，秋には成熟して黄色くなり，表面にロウ状の光沢が生じ，甘い香りがする．

【生薬】 モッカ（局外）木瓜　異名：コウヒモッカ　光皮木瓜〔偽果〕

特異なにおいがあり，酸味があり収れん性である．生薬名の「木瓜」は「ぼけ」と混同するので「光皮木瓜」と呼ぶこともある．ボケ *C. speciosa* Nakai の偽果（皺皮木瓜）も同様に用いる．

【用途・製剤】 利水，鎮咳，鎮痛薬．漢方処方：鶏鳴散，鶏鳴散加茯苓，補肝湯，加減胃苓湯，四物湯脚気加減，十味香薷飲，舒筋温胆湯，舒筋立安湯など．

OTC：快気散，ネオ快気湯，便痂湯など．民間薬：果実酒やシロップとして咳止め，疲労回復に用いる．咳止めとしてエキスを飴に配合．

モッカ

果実　11月　　カリン　4月

ビワ　1月

ビワ *Eriobotrya japonica* (Thunb.) Lindl. (Rosaceae / バラ科) 付表 p.121

【植物】 常緑高木．高さ10 m に達する．葉は互生，長さ約20 cm，幅約5 cm と大型の楕円形で先は尖り，葉縁は鋸歯状に切れ込みがある．下面に褐色の毛が密生し，質は革質で厚い．晩秋から初冬に枝先に白色の5弁の花が咲く．花粉の媒介には主にメジロなどの鳥が関与する鳥媒花である．翌年の夏に果実は黄色く熟す．

【生薬】 ビワヨウ（局）枇杷葉〔葉〕

わずかにおいがあり，味はほとんどない．春から秋の新鮮な葉を採取し，葉の裏にある毛を取り除いた後，乾燥させる．成分として ursolic acid，corsolic acid などを含有．

【用途・製剤】 利水，鎮咳，鎮痛薬．漢方処方：辛夷清肺湯，甘露飲など．OTC：「モリ」ちくのう錠，前記漢方処方製剤など．民間薬：あせもなどの皮膚疾患に生薬の煎じ液を外用するほか，浴用剤として用いる．果実酒は疲労回復，食欲増進などによい．

果実　6月

ビワヨウ

モモ *Prunus persica* (L.) Batsch (Rosaceae / バラ科) 付表 p.121

【植物】 落葉小高木．高さ8 m．日本には弥生時代には渡来していたといわれている．4月頃，前年に伸びた枝の葉腋に花が咲く．果実は7～8月に熟し，果皮の表面には細かな毛が密生する．果実の内果皮は固い核となり，中に種子を持つ．中国西北部原産で，世界各地で品種改良，栽培されている．

【生薬】 トウニン（局）　桃仁〔種子〕

ほとんどにおいはなく，味はわずかに苦く，油様である．

トウヨウ　桃葉〔葉〕，トウカ / ハクトウカ　桃花 / 白桃花〔花〕

桃仁は神農本草経中品に収載されている生薬で，駆瘀血剤として用いられる．桃葉は，春から秋の新鮮な葉を採取し，葉の裏にある毛を取り除いた後，乾燥させる．成分として種子には青酸配糖体のアミグダリンを含む．*P. persica* (L.) Batsch var. *davidiana* (CarriŠre) Maxim. の種子も同様に用いる．成分として amygdalin などの青酸配糖体を含有．

【用途・製剤】 トウニン：消炎，駆瘀血薬．漢方処方：桂枝茯苓丸，桂枝桃仁湯，下瘀血丸，乙字湯，牛膝散，滋血潤腸湯，潤腸湯，秦艽防風湯，折衝飲，千金鶏鳴散，疎経活血湯，大黄牡丹皮湯，桃核承気湯，芎帰調血飲第一加減，独活湯など．

OTC：雲仙散，オオクサ調血丸，海馬補腎丸，冠脈追瘀丸，冠脈通塞丸クラシエ，強折衝瘀血散，駆瘀血丸，恵痔（エキス顆粒），桂苓加大黄丸，血府逐瘀丸など．葉より抽出したエキスは特異な香りがあり，抗菌，保湿，抗炎症，抗酸化，収れんなどの作用を有し，肌のトラブル防止，キメを整える，アセモ取りを目的にクリーム，ベビー用ローションに配合される．入浴剤としても利用される．

モモ　3月　　果実　7月

トウニン

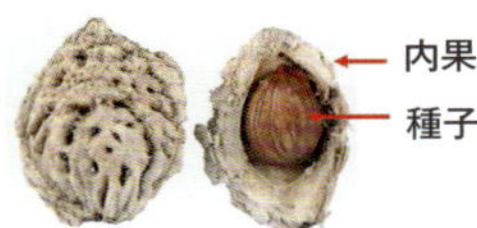

アンズ　3月

アンズ　*Prunus armeniaca* L. var. *ansu* Maxim.（Rosaceae/ バラ科）付表 p.121

【植物】 落葉高木．葉は互生．春，小枝に5弁の白～淡紅色の花をつけ萼片がそり返る．核果は有毛で，黄紅色に熟す．堅い核はやや扁平．中国華北一帯に野生し，日本各地で栽培される．
【生薬】 キョウニン（局）杏仁〔種子〕
ほとんどにおいはなく，味は苦く，油様である．ホンアンズ *P. armeniaca* L.および *P. sibirica* L.の種子も同様に用いる．30～50% の脂肪油と約 2% の amygdalin（青酸配糖体）を含む．amygdalin はキョウニン中に共存する加水分解酵素エムルシンによりベンズアルデヒドと青酸とグルコースに分解される．いわゆる杏仁豆腐の香りは，このベンズアルデヒドによるものである．
【用途・製剤】 鎮咳去痰薬．漢方処方：麻黄湯，桂麻各半湯，麻杏甘石湯，麻杏薏甘湯，神秘湯，麻子仁丸，五虎湯，清肺湯，竹筎温胆湯など．OTC：前記漢方処方の製剤のほか，イスクラ麻杏止咳顆粒 S，ウチダの苓甘姜味辛夏仁湯，ウチダの大青龍湯，カンポアズマ，強喘咳散，小太郎漢方せき止め錠，龍角散など．キョウニン水の製造原料．

アンズ　7月

キョウニン

ウメ　*Prunus mume* Siebold et Zucc.（Rosaceae / バラ科）付表 p.137

【植物】 落葉小高木．ときに 10 m に達する．小枝は細長く，当年枝は緑色．葉は互生し，だ円形または卵形で細かい鋸歯がある．葉に先立って芳香のある白色または淡紅色の5弁花をつける．果実は核果，球形で表面に浅い溝と細毛がある．中国原産で，日本各地で栽培される．
【生薬】 ウバイ（局外）烏梅〔未熟果実を燻製または蒸してさらしたもの〕
特異なにおいがあり，強い酸味がある．成熟前の果実の種子を取り去り，煤煙で燻製にしたもの．成分として，succinic acid，citric acid，malic acid，tartaric acid などの有機酸や oleanolic acid などを含む．
【用途・製剤】 清涼性収斂，止瀉，解熱，鎮咳去痰，鎮嘔，回虫駆除薬．漢方処方：通経湯，当帰連翹湯，人参養栄湯，烏梅丸，黄連竹筎湯，杏蘇散，四物安神湯，椒梅湯など．OTC：肝生，養成煎，越撰など．

ウメ 2月

ウバイ

果実　7月

スモモ　*Prunus salicina Lindley*（Rosaceae/ バラ科）付表 p.138

【植物】 落葉小高木．葉は互生し広倒披針形または狭倒卵形で先は急に狭く尖る．鈍い鋸歯がある．花は多くは3個，直径 2 cm 位，花柄があり無毛．果実は核果，浅い溝があり無毛．中国原産，日本各地で栽培される．
【生薬】 リヒ〔局外〕李皮〔樹皮又は根皮〕弱いにおいがあり，味は苦く，渋い．
【用途・製剤】 止瀉，鎮静薬．漢方処方：定悸飲，奔豚湯など．OTC: 定悸飲エキス N「コタロー」．

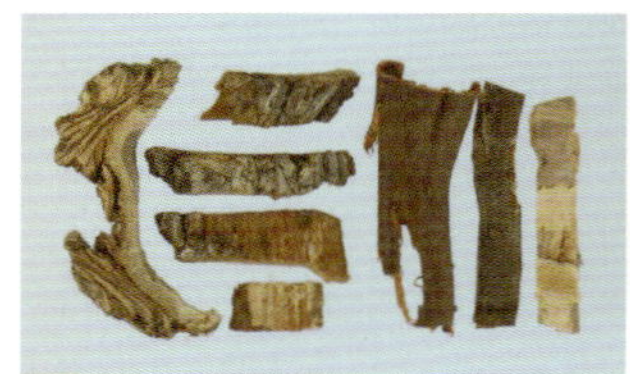

リヒ（左：樹皮，右：根皮）

果実　7月

スモモ

ヤマザクラ　*Prunus jamasakura* Siebold ex Koidz.（= *Cerasus jamasakura*（Siebold ex Koidz.）H.Ohba ）（Rosaceae / バラ科）付表 p.121

【植物】 落葉高木．高さ 7～8 m に達する．樹皮は暗褐色あるいは暗灰色で，横に縞がある．葉は有柄で互生し，倒卵形，ふちには針状の重鋸歯があり，長さ 10 cm に達する．4月初め，新葉と同時に淡紅白色の花をつける．
【生薬】 オウヒ（局）桜皮〔樹皮〕わずかににおいがあり，味はわずかに苦く収れん性．
成分として，フラボノイドの sakuranetin，genkwanin およびその配糖体である sakuranin，glucogenkwanin を含む．カスミザクラ *P. leveilleana* Koehne の樹皮も同様に用いる．
【用途・製剤】 鎮咳去痰，排膿薬．漢方処方：十味敗毒湯．医療用医薬品：ブロチンシロップ 3.3% など．OTC：十味敗毒湯の製剤，アイロミンシロップ，ガノンせき止めシロップ，シオノギ IPA かぜ薬 EX，新エピックこどもせきどめシロップ，真澄，新トニン咳止め，ジスコールかぜ内服液（小児用），ゼリス液，総合感冒薬シオノギ Hi，ハイカイゲンかぜカプセル，パイロン IPA，ブロコデせき止め液，カゼックゴールドなど．指定医薬部外品：エスエスのど飴 EX，ルルのど飴 DXG など．民間薬：鎮咳去痰，解毒，排膿などに利用される．
食用：オオシマザクラ（*P. speciosa*（Koidz.）H. Ohba）の葉を塩漬けしたものが桜餅に利用され，そのほのかな香りは含有成分のクマリンによるものである．

ヤマザクラ　5月上旬

オウヒ

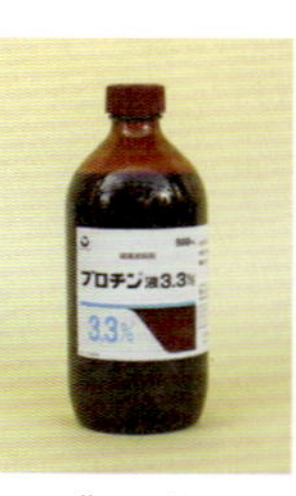

ブロチン

ノイバラ　*Rosa multiflora* Thunb.（Rosaceae / バラ科）付表 p.121

【植物】 落葉低木．葉は互生．奇数羽状複葉．小葉は5～7枚で，卵形～倒卵形．上面は無毛で光沢なく，下面に軟短毛を有する．茎には鋭い刺が散生．初夏に，円錐花序に多数の5弁花をつける．偽果は紅熟し，光沢がある．北海道～九州の原野に自生．園芸品種のバラの房咲き性をもたらした原種である．

【生薬】 エイジツ（局）営実〔偽果又は果実〕

わずかににおいがあり，花床は甘くて酸味がある．成分として multiflorin A，B，multinoside A，B などフラボノイドを含有．

【用途・製剤】 利尿，瀉下薬．漢方処方：営実湯など．OTC：百毒下し，複方毒掃丸，アポリー．民間薬：営実4gに水500mLを加え，約半量に煎じて1日2～3回に分けて服用する．多量は激しい下痢を伴うので，少量から徐々に増やして適量を決めると良い．ニキビ，おでき，腫れ物には，煎じた液で患部を洗う．

エイジツ

果実　10月

ノイバラ　5月

カニナバラ / イヌバラ / アルパインローズ　*Rosa canina* L.（Rosaceae / バラ科）付表 p.138

【植物】 つる性の落葉木本．高さ1～5m．刺を散生．葉は羽状複葉で小葉は5～7枚．花は淡桃色で，まれに深桃色から白色のものもある．花は直径4～6cm，5枚の花弁，果実は直径1.5～2cmの卵形で，熟すと赤橙色になる．ヨーロッパ，北西アフリカ，西アジア原産．英名：dog rose.

【生薬】 ローズヒップ〔果実，表面の毛を取ってから使う〕

花弁は芳香性があるので，ローズ油として使われる．成分として tiliroside などのフラボノドを含有．

【用途・製剤】 果実はビタミンCを豊富に含みハーブティーとして用いられている．ドイツの植物療法では，茶剤を風邪，発熱時の口渇に，また，利尿剤として利用している．花弁から作ったバラ蜂蜜は，鎮咳剤とされる．果実・果皮・茎・花は「医薬品的効果効能を標ぼうしない限り医薬品と判断しない成分本質（原材料）」に区分されている．

11月　　イヌバラ　5月

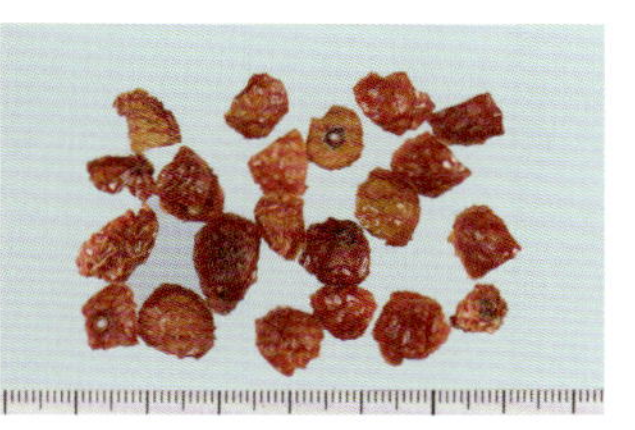

ローズヒップ

ダマスクローズ / ダマスクバラ　*Rosa damascena* Mill.（Rosaceae /バラ科）付表 p.138

【植物】 落葉低木．幹は直立．葉は奇数羽状複葉で互生する．葉柄から独立して出る托葉は時に一部が合着する．6～7月に半八重咲きのピンク色の花をつける．多肉質または液質の偽果が種子様の痩果を包む．*R. gallica* L. と *R. phoenicia* Boiss. の分布の重なる東地中海沿岸地域で自然交配して発生したとされていて，現在，香料用にブルガリアやトルコで栽培される．英名：damask rose.

【利用部位】 精油．香料用の花びらは，強い日差しを避けるために明け方の4時頃から10時頃に摘み取り，水蒸気蒸留またはヘキサン抽出により精油を得ている．1400個の花からわずかに1gの精油を得るのみである．

【用途・製剤】 花びらをティーに用い，精油をアロマセラピーで用いる．また精油を水蒸気蒸留する際に得られるローズウォーターは化粧水に利用される．

ダマスクローズ

ダマスクローズ（カザンリク）　5月上旬

ラズベリー　6月　　果実

ヨーロッパキイチゴ/ラズベリー　***Rubus idaeus* L. subsp. *idaeus*（Rosaceae / バラ科）付表 p.138**

【植物】 落葉低木．高さ 1 ～ 3 m．花期は 5 ～ 6 月で白色五弁の花をつける．果実期は 7 ～ 9 月である．赤い果実が食用される．ヨーロッパ原産で欧州，北米などで交配が盛んに行われ，栽培されている．国内では関東以北が栽培適地となっており，エゾイチゴ（*R. idaeus* subsp. *melanolasius* Focke），ミヤマウラジロイチゴ（*R. idaeus* subsp. *nipponicus* Focke）などのキイチゴ属植物が自生もしくは栽培されている．

【生薬】 ラズベリーリーフ〔葉〕

【用途・製剤】 欧米では妊婦のティーとして知られる．産前産後に利用され，出産を助ける効果と母乳分泌を促進する効果があるとされる．また生理痛や月経前症候群（PMS）に効果があるとされる．

ラズベリーリーフ

アラビアゴムノキ　***Acacia senegal*（L.）Willd.（= *Senegalia snegal*（L.）Britton）（Leguminosae / マメ科　APG：Fabaceae / マメ科）付表 p.121**

【植物】 落葉小高木．高さ 7 m に達する．葉は，二回羽状複葉で羽片は 3 ～ 5 対，小葉は 8 ～ 12 対，色は灰緑色で基部に 3 個の刺がある．穂状花序に黄色い花をつける．アフリカ原産で，セネガル，スーダン，ナイジェリア，インド，オーストラリアなどに自生分布する．

【生薬】 アラビアゴム（局）〔幹及び枝から得た分泌物〕

においがなく，味はないが粘滑性である．*A. senegal* のほか，*A. abysinica*（Hochst. ex Benth.）Kyal. et Boatwr.，*A. glaucophylla* Steud. ex A. Rich，*A. giraffae* Willd. などのアカシア属植物の幹皮および枝皮からの分泌物）．アラビノガラクタン（arabic acid：D-galactose と L-arabinose を主構成糖とする多糖類）が主成分である．

【用途・製剤】 乳化剤．錠剤および丸剤の結合剤．粘滑剤，糊．水に対する溶解性が高く，水溶液は強い粘性を示し，良好な乳化安定性を示す．食用から工業製品まで幅広く利用されている．

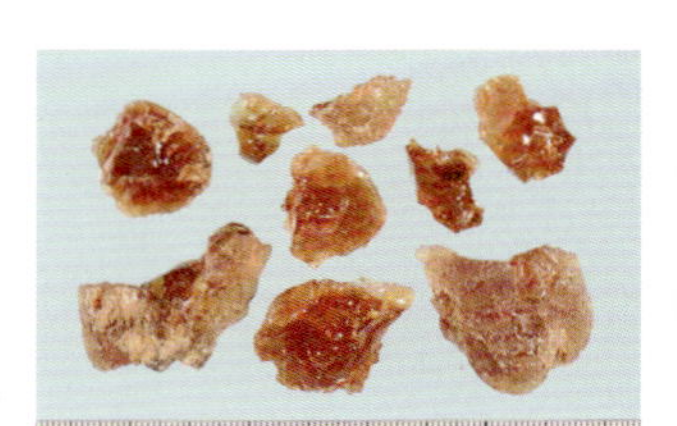

アラビアゴム

分泌物

アラビアゴムノキ

コラム：シルクロードと薬草

古来，東洋と西洋を結ぶ交易ルートとして，シルクロードの重要性は周知の通りである．紀元前より陸路，長安（あるいは洛陽）とシリアのアンティオキア（あるいはローマ）を結び，様々な物品や文化が人の往来とともに交流した．当然，病気を治療するための薬草（ハーブやスパイスを含む），特定部位を乾燥して流通に耐える形状とした生薬，チンキのようなものも流通記録が残されている．欧州と東アジアとの海路が発達する 14 世紀以前は，大量に生産，運搬することができないため，東洋における西洋生薬，アヘン，アロエ，ウイキョウ，コエンドロ（コリアンダー），コウカ（ベニバナ）などは貴重かつ高価で，王侯貴族など一部特権階級に使用されていた．一部は日本にも渡来し，東大寺正倉院の御物（ぎょぶつ）には 21 の漆櫃（うるしひつ）に 60 種類の奈良飛鳥時代に伝来した薬草が納められている．西洋における東洋の薬物も貴重でショウガ（ショウキョウ 生姜）はインド，中国から欧州に紀元 1 世紀ごろ伝わり，現地で栽培されるようになった．また，シルクロード付近で自生する薬草（カンゾウ，マオウ，ハッカなど）が行商人や旅人によって持ち込まれ，効能が伝承される例もあり興味深い．ケシについては前出のコラムの通り，古代メソポタミアで BC3800 頃から栽培，利用されていたと考えられ，BC2000 頃には欧州や中央アフリカにおけるケシ栽培が伝わっている．アヘンの採取法や薬効はギリシャ時代（BC300 頃）には知られていた．鎮痛剤，睡眠剤という医薬品としての商品価値をアラブ商人が見いだし，ようやく 5 世紀前後にシルクロードを通じて東アジアへ，日本には室町時代（15 世紀前後）にアヘンが伝わったと考えられている．アヘンの危険性は古くから認知されていたが，いわゆるアヘン禍に陥ることは 19 世紀に至るまでなかった．

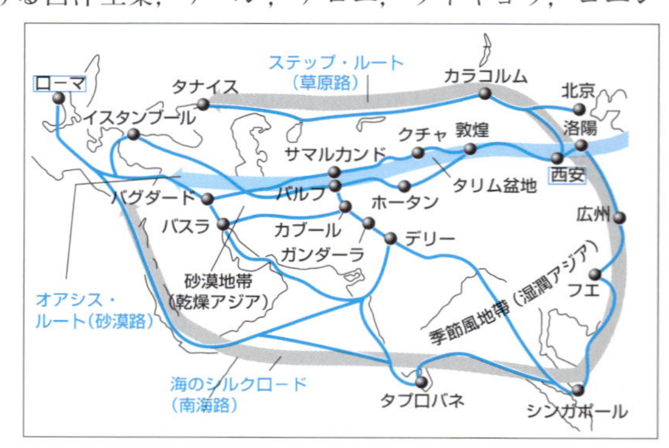

シルクロード 3 つのルート

ラッカセイ / ナンキンマメ *Arachis hypogaea* L.（Leguminosae / マメ科 APG：Fabaceae / マメ科）付表 p.148

ラッカセイ花 8月　ラッカセイ 10月

【植物】一年生草本．高さ 50 cm．偶数羽状複葉．初夏に葉腋に黄色い花をつける．名前の由来は，受粉後に子房柄が下へ伸び子房が地下に入り結実成熟することから．南米原産で，世界各地で栽培されている．

【生薬】ラッカセイ油（局） 落花生油〔種子油から得た脂肪油〕

微黄色澄明の油で，においはないか，又はわずかににおいがあり，味は緩和である．ラッカセイ油はオレイン酸含量が5割を超える．種子の薄皮部分にポリフェノールの resveratrol などが含まれる．

【用途・製剤】ラッカセイ油は，他の脂肪油と比べて酸化されにくく，軟膏や硬膏などの基材，リニメント剤などに利用される．石鹸に用いるほか，食用として，マーガリン，ピーナッツバターやチョコレート，クッキーなどに利用．

ラッカセイ油

トラガント *Astragalus gummifer* Labill.（Leguminosae / マメ科 APG：Fabaceae / マメ科）付表 p.121

【植物】刺のある低木．高さ 1 m 程度．偶数羽状複葉で，軸は長い棘状で刺は葉の脱落後も枝に残る．黄色の蝶形花をつける．西アジアから欧州東南部の高原に分布．

【生薬】トラガント（局）〔幹から得た分泌物：茎に傷をつけて滲出した液を固化させたもの〕においがなく，味はないが粘滑性．主成分は，酸性及び中性の多糖体，他にトリテルペン配糖体を含有する．

【用途・製剤】リニメント剤の懸濁化剤，乳化剤，増粘剤，及び錠剤の結合剤などに用いる．食品に膨張剤や粘稠剤として利用．

トラガント

トラガント 6月

キバナオウギ *Astragalus membranaceus* Fisch. ex Bunge (= *A. mongholicus* Bunge var. *dahuricus*（DC.）Podlech)（Leguminosae/ マメ科 APG：Fabaceae / マメ科）付表 p.121

キバナオウギ

【植物】多年生草本．高さ約 1 m．奇数羽状複葉で，小葉はナイモウオウギの方が小さい．初夏に黄色い花をつける．豆果は膜質で，膨れて卵状楕円形になる．中国東北部から青海，四川，チベットに分布．

【生薬】オウギ（局） 黄耆〔根〕ナイモウオウギ *A. mongholics* Bunge も同様に用いる．

弱いにおいがあり，味は甘い．トリテルペン配糖体の astragaloside 類を含む．

【用途・製剤】保健強壮薬．人参と並ぶ体力回復のための補剤．漢方処方：補中益気湯，十全大補湯，帰脾湯，防已黄耆湯，七物降下湯，清暑益気湯，清心蓮子飲，当帰飲子，人参養栄湯，半夏白朮天麻湯，黄耆建中湯など．OTC：上記漢方処方製剤のほか，DHC チアニンローヤル，V ゴールド，安神湯，イスクラ衛益顆粒 S，イスクラ双料参茸丸，イスクラ婦宝当帰膠，イスクラ補中丸 T，ウチダの紫根牡蠣湯，回春散，海馬補腎丸，活蔘 28，カツリュウロイヤル，キューピーコーワゴールド α，強虚労散，強ワグラス W，玉屏風散エキス細粒 G「コタロー」，甦脈宝内服液，サモン GX，サンワロン D 顆粒，春源精，ゼナ F-I，ナンパオ源気，ユンケルグランドなど．

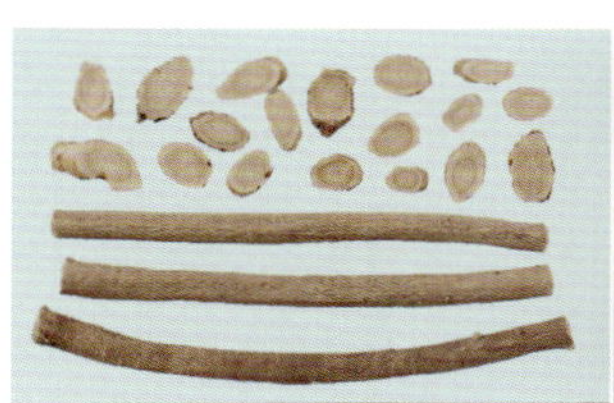

オウギ

キバナオウギ地下部

タジョガンオウギ *Hedysarum polybotrys* Hand.-Mazz. (Leguminosae/ マメ科 APG：Fabaceae/ マメ科) 付表 p.121

【植物】多年生草本．1200 ～ 3200 m の砂礫地などに生育．高さ 7 ～ 12 cm. 奇数羽状複葉で 6 ～ 8 月総状花序を出す．果実は種子毎に 3 ～ 5 の節果を形成．主根は太く深さ最大 1.5 m.

【生薬】シンギ（局） 晋耆，紅耆［根］

特異なにおいがあり，味は僅かに甘い．イソフラボン類，トリテルペン配糖体を含有する．

【用途・製剤】保険強壮薬．黄耆より利水，止汗，補気の効能が強とされ，オウギと同様に用いられる．

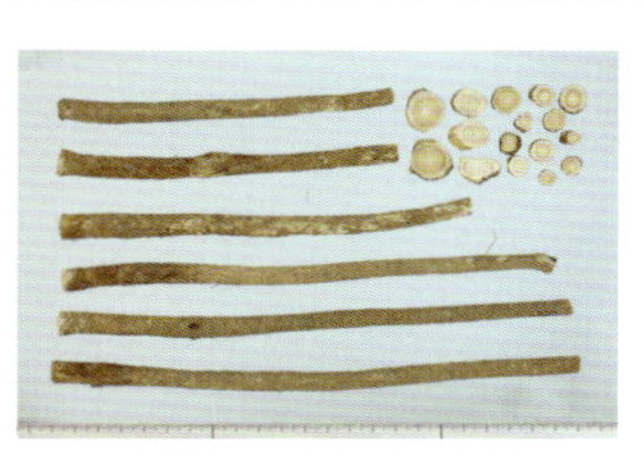

シンギ

タジョガンオウギ

スオウ　7月

スオウ　*Caesalpinia sappan* L.（Leguminosae / マメ科　APG：Fabaceae/ マメ科）付表 p.122

【植物】常緑の高木．高さ 5 ～ 10 m．板根が発達する．幹には小さなトゲがある．葉は 2 回偶数羽状複葉で 30 cm 以上あり，小葉は長楕円形．5 ～ 6 月に直径 10 ～ 15 mm の黄色い花を円錐状に多数つける．9 ～ 10 月にゆがんだ楕円形の豆果をつける．中国南部（広西，広東，貴州，雲南，四川）と台湾などに分布．

【生薬】ソボク（局）蘇木〔心材〕

におい及び味はほとんどない．成分として brasilin などの色素成分を含有．

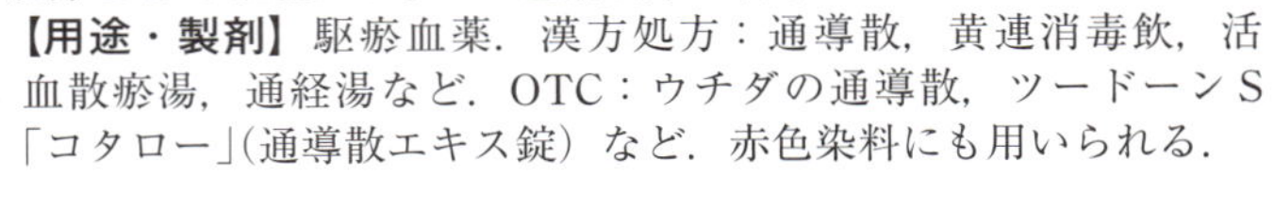

【用途・製剤】駆瘀血薬．漢方処方：通導散，黄連消毒飲，活血散瘀湯，通経湯など．OTC：ウチダの通導散，ツードーンS「コタロー」(通導散エキス錠）など．赤色染料にも用いられる．

ソボク

チンネベリセンナ / センナ / ホソバセンナ　*Cassia angustifolia* Vahl (= *Senna alexandrina* Mill.)(Leguminosae/ マメ科 APG: Fabaceae／マメ科）付表 p.122, 138

【植物】常緑低木．葉は互生し，偶数羽状複葉で小葉は 5 ～ 7 対．花は穂状花序で暗黄色の 5 弁の花をつける．豆果は扁平な長楕円形で，中に 8 ～ 9 個の種子がある．アフリカ原産でアラビアからインドのチンネベリ地方にかけて栽培される．類似の植物で北アフリカ・ナイル地方に分布するアレクサンドリアセンナ〔*Cassia acutifolia* Del.（= *Senna alexandrina* Mill.)〕があるが，植物分類学的には現在同一種とされている．

【生薬】センナ（局)〔小葉〕

弱いにおいがあり，味は苦い

センナ実〔果実〕．

【用途・製剤】瀉下薬．主要な薬効成分の sennoside A，B が腸内細菌で代謝されて生成する rheinanthrone および aloe-emodin anthrone の作用により活性が発現する．粉末（センナ末）を内服に用いるほか，センナ末やセンナエキスを配合した医薬品が医療用及び一般用医薬品（OTC）の便秘薬として利用されている．医療用医薬品：アジャスト A コーワ錠 40 mg，アローゼン顆粒，プルゼニド錠 12 mg，ヨーデル S 糖衣錠-80 など．OTC：インナーハーブ，ウエストン・S，ウチダのセンナ末，エバシェリーン，エンジュガン T，おなかぴゆあ，御嶽百草便秘薬，快腹丸，クラシエ薬草便秘薬，サトラックス「分包」，ラムール Q など．葉，果実は作用が強いため医薬品としてのみ扱われるが，茎の部分は食薬区分において食品としても用いることができる．葉の一部である葉柄や葉軸が茎と見分けにくいことから，茎を使ったセンナ茶に葉柄，葉軸が混入して健康被害が出ることがある．

センナ栽培地（インド

花　8月

センナ（左），センナ実（右）

エビスグサ　*Cassia obtusifolia* L.（= *Senna obtusifolia*（L.）H. S. Irwin et Bameby）(Leguminosae /マメ科　APG：Fabaceae/ マメ科）付表 p.122

【植物】一年生草本．高さ 80 ～ 150 cm．葉は互生し，偶数羽状複葉で小葉は 3 対．6 ～ 8 月に黄色の花をつける．豆果は細長く湾曲し，中に縦横 2 ～ 3 mm，長さ 5 mm ほどで，ひし形六角柱状の光沢のある種子が多数並ぶ．アメリカ原産で熱帯アジアや日本でも広く栽培される．豆果の形は恵比寿様の髭の形に似るが，標準和名のエビスグサの名は「異国（夷：エビス）から来た草」という意味であるとされる．

【生薬】ケツメイシ（局）　決明子〔種子〕

砕くとき特異なにおい及び味がある．*Cassia tora* Linné の種子も同様に用いる．生薬画像：左 *C.obtusifolia*, 中央 *C.tora*．成分として aurantio-obtusin などのアントラキノン，rubrofuzarin などのナフトプロン類を含有．

【用途・製剤】緩下薬．漢方処方：草竜胆散，洗肝明目湯など．OTC：意発，ウチダのコーラックファイバー，サイロ，三和生薬腎臓仙，ジヨッキ，本草どくだし煎，ロンターゼスリムファイバーなど．民間薬：種子の煎液を便秘，腹部膨満感に対して用いる．種子を焙じてハブ茶として飲む．眼球外部の炎症にも用いるが，これによって視力が回復する＝目を明らかにすることから，「決明子」と呼ばれるに至ったとされる．

【類似生薬】ハブソウ（*C. torosa* auct non Cav.)：熱帯アジア原産で高さ 0.5 ～ 1.5 m の 1 年草．葉は互生で偶数羽状複葉，小葉を 5，6 対もつ．豆果は長さ 10 cm くらいの円筒形．種子を生薬として用い，ボウコウナン（望江南）と呼ばれる．

エビスグサ　8月　　ハブソウ　8月

ケツメイシ（左，中）とボウコウナン（右）

フジマメ *Dolichos lablab* L.（= *Lablab purpurea*（L.）Sweet）（Leguminosae / マメ科　APG：Fabaceae / マメ科）付表 p.122

【植物】 つる性の一年生草本．葉は3小葉，両面に疎毛を有する．夏〜秋，葉腋に白色〜紫紅色の蝶形花を総状花序につける．豆果は倒卵状だ円形で，扁平でやや湾曲し，3〜5粒の種子を内蔵する．熱帯アフリカ原産で，世界の温暖な地域で栽培され，品種が多い．中国の僧侶・隠元が日本に持ち込んだといわれ，隠元豆とも呼ばれる．

【生薬】 ヘンズ（局）扁豆，ビャクヘンズ 白扁豆〔種子〕

においがほとんどなく，わずかに甘味と酸味がある．現在，日本で使用される扁豆（白扁豆）はすべて中国からの輸入品である．成分として，青酸配糖体，各種糖類を含有する．

【用途・製剤】 健胃，止瀉，鎮吐，解毒薬．漢方処方：参苓白朮散，香需散など．OTC：参苓白朮散の製剤．

ヘンズ

フジマメ　8月

ダイズ　10月

ダイズ

ダイズ *Glycine max*（L.）Merr. subsp. *max*（Leguminosae / マメ科　APG：Fabaceae / マメ科）付表 p.147

【植物】 一年生草本．高さ 60 cm．葉は互生し，長柄があり，多数の毛を有する．夏，葉腋に短い穂をつけ，白色〜紫紅色で有柄の小さな蝶形花を開く．豆果は短柄，扁平，有毛で3〜5個の種子を含む．種子は通常淡黄褐色であるが，品種によって異なる．黒いものを「黒大豆」，一般にはクロマメと呼ぶ．原産地は中国〜シベリアあたりとされるが，世界各地で栽培される．

【生薬】 コウシ　香豉，ズシ　豆豉，タンズシ 淡豆豉〔種子〕

種子を蒸して発酵させて製造する．成分として，フラボノイド，ソヤサポニン，キサンチンなど含む．

ダイズ油（局）〔種子から得た脂肪油〕

微黄色澄明の油で，においはないか，わずかにあり，味は緩和である．

【用途・製剤】 発汗，解熱，消化，健胃薬．漢方処方：梔子豉湯，梔子甘草湯，葱豉湯など．OTC：イスクラ天津感冒片，イスクラ涼解楽，銀翹解毒丸，銀翹解毒散エキス細粒，銀翹散エキス顆粒Aクラシエなど．ダイズは種子からダイズ油（局）をとるほか，各種工業製品の原料としても用いられる．

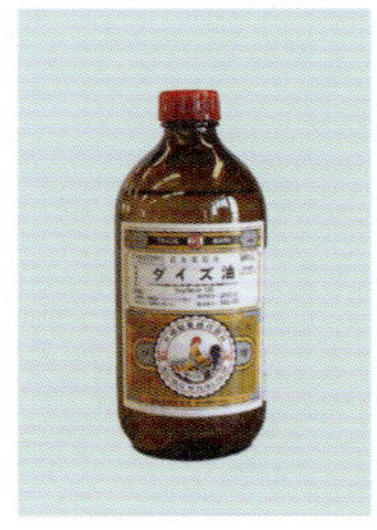

ダイズ油

シナガワハギ *Melilotus officinalis*（L.）Pall. subsp. *suaveolens*（Ledeb.）H. Ohashi（Leguminosae / マメ科　APG：Fabaceae / マメ科）付表 p.138

【植物】 一年生草本．草丈約1 m．茎は直立し分岐する．葉は互生し，三出複葉，小葉は楕円形で縁には鋸歯がある．6〜8月に葉腋から総状花序をのばし，黄色い蝶形花をつける．帰化植物で，道端や荒れ地などに生育する．世界的には乾燥用牧草や緑肥として栽培されている．属名は，ギリシャ語の *meli*（蜂蜜）と *lotos*（ハス）に由来．

【生薬】 母種のセイヨウエビラハギ *M. officinalis* subsp. *officinalis* の全草をメリロート（局外）と呼び，薬用とする．メリロートエキス〔花，葉から抽出されたエキス〕

成分として，クマリン，クマル酸，メリロート酸，フラボノイド，タンニンなどを含有する．

【用途・製剤】 消炎，収斂，鎮静薬．花，葉から抽出されたエキスは，肌荒れ防止，キメを細かく整える作用が知られ，化粧品に配合される．葉をハーブティーなどに利用．OTC：エフレチン G 顆粒，サプス M.

メリロート

シナガワハギ　7月

ウラルカンゾウ　7月　　果実　10月

ウラルカンゾウ　*Glycyrrhiza uralensis* Fisch.（Leguminosae / マメ科 APG：Fabaceae / マメ科）付表 p.122

【植物】多年生草本．高さ1～3mで茎の下部は木質化する．小枝には稜がある．蝶形花は淡紫色，豆果はわん曲して剛毛がある．シベリア，モンゴル，中国東北部に自生し，中国の一部で栽培化されている．スペインカンゾウ *G. glabra* L. も同様に用いられる．スペインカンゾウは南ヨーロッパ，中央アジア～中国に自生する．また，グリチルリチン酸抽出用として近縁植物の *G. inflate* Bat. も用いられる．

【生薬】カンゾウ（局）甘草〔根及びストロン〕生薬カンゾウの根の内部形態（中心付近に一次木部が分離して確認：放射維管束に由来），ストロンの内部形態（髄がある：並立維管束）．染色液にフロログルシンと塩酸を用い，木化した組織は赤く染色．（p.160，図6を参照）

弱いにおいがあり，味は甘い．

シャカンゾウ（局）炙甘草〔根及びストロン〕

香ばしいにおいがあり，味は甘く，後にやや苦い．炙甘草は甘草を火であぶったものである．

中国やヨーロッパの古代文献にも登場し，人類が利用してきた最も古い薬用植物の一つ．奈良の正倉院宝物殿にも収蔵されている．江戸時代に甘草栽培を行った名残として甲州市塩山の「甘草屋敷」が史跡として知られている．成分として glycyrrhizin やイソフラボン類を含有．

【用途・製剤】抗炎症，抗潰瘍，鎮痛，鎮痙，鎮咳去痰など多様な作用を有し，医療用漢方処方の7割以上に配合されている．全生薬中で国内消費量が最も多い．

漢方処方：甘草；葛根湯，小柴胡湯，芍薬甘草湯，麻黄湯など多くの処方に配合される．炙甘草；炙甘草湯．OTC：甘草；漢方製剤，生薬製剤，滋養強壮保健薬など2,000品目以上のOTCに配合されている．炙甘草；ウチダの炙甘草湯，ホノミシンキ粒．

グリチルリチン酸は医療用医薬品の成分として利用され，グリチルリチン酸二カリウムは，抗炎症作用を目的として薬用歯磨き粉や化粧品などにも利用されている．カンゾウ抽出物や glycyrrhizin は甘味（ショ糖の約150倍以上）を有するため，スナック菓子，漬け物など食品の甘味料，矯味料としても広く用いられ，さらに精製されたグリチルリチン酸二ナトリウムは，しょう油と味噌の添加物として利用されている．

スペインカンゾウ　7月

カンゾウの栽培地（甘粛省）

根（下に伸びている），ストロン（横行）

カンゾウの内部形態

西北甘草の加工調製

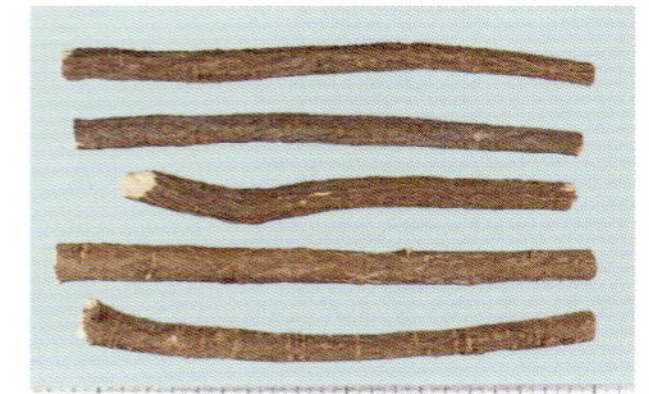

カンゾウ

カラバルマメ　*Physostigma venenosum* Balf.（Leguminosae / マメ科 APG：Fabaceae / マメ科）付表 p.153

【植物】つる性木本．葉は3出，小葉は卵形で先端がとがる．葉腋に紫紅色の総状花序をつける．豆果は長さ約15 cm，紡錘形，褐色を呈し，網目様の紋があり，2～3個の種子を内蔵．アフリカ西部沿岸のカラバル地方原産．

【生薬】カラバルマメ（種子）

カラバルはアフリカ西部の地名．

【用途・製剤】縮瞳薬，眼内圧低下薬のサリチル酸フィゾスチグミン原料．カラバル豆は副交感神経興奮作用を示す physostigmine を含有しているため有毒とされる．原産地域ではかつてカラバルマメの抽出液を飲ませ，生き残れば無罪とする「神明裁判」が行われていた．

カラバルマメ

カラバルマメ

クズ *Pueraria lobata* (Willd.) Ohwi (Leguminosae / マメ科　APG：Fabaceae / マメ科) 付表 p.122

クズ

【植物】 つる性の多年生草本．全株に細毛を密生．葉は3小葉からなる複葉で互生．夏秋に赤紫色の蝶形花からなる総状花序を腋生する．東アジア各地に広く自生．

【生薬】 カッコン（局）　葛根〔周皮を除いた根〕

ほとんどにおいがなく，味はわずかに甘く，後にやや苦い．約5 mm 前後のサイコロ状「角葛根」や厚さ5～10 mm の縦割りの板状「板葛根」がある．以前は日本で生産されていたが，現在の日本市場の主流は中国産になっている．成分としてイソフラボン類の daidzin，puerarin，genistein などやデンプンを含有．

【用途・製剤】 発汗解熱薬．漢方処方：葛根湯，葛根湯加川芎辛夷，葛根黄連黄芩湯，桂枝加葛根湯，升麻葛根湯，参蘇飲など．OTC：浅田飴，雲仙散，カイゲンかぜ内服液，カコナールⅡ，カゼコール内服液，加味葛根湯，漢元ハヤオキA，新エスタックゴールド錠，御嶽山風邪薬など．葛根は多量のデンプンを含み，そのデンプンを葛餅，葛湯，葛切りなどの食用に利用する．民間薬として，風邪の初期にショウガを少し加えた葛湯を飲んで寝ると体が温まってすぐに治るといわれている．また，クズの花（葛花）は，二日酔いに利用される．和名の「クズ」は，奈良県の国栖（くず）地方で根からデンプンを作ったことから，名付けられたといわれ，その後漢名の「葛」が当てられるようになったといわれる．クズのつる性の茎は非常に強いため，蔓から繊維をとり織られた布を葛布（くずふ）といい着物などに利用する．掛川（静岡）の葛布織物は有名である．また，蔓を編んで「かご」として利用される．若い蔓の先や花と蕾は天ぷら，かき揚げなど食用になる．

花　8月

果実　8月

カッコン

クズ粉

根（韓国）

コラム：民間薬と漢方薬

民間薬とは，一般の人たちの生活の中で発祥しそれぞれの地域で独自の治療を行うため使用する薬である，民間薬は，一種類単独の生薬を用いることが多く，外用薬もあるが，ほとんどが生薬を煎じて用いる．風邪や頭痛，咳止めなど，一つの病名や症状に使用する．このような使用法を対症療法という．民間薬は，体系だった理論に基づかず，一定の治療効果を代々受け継いで今日に至ったもので，中には効き目の怪しいものもある．長い使用経験を経ているため薬効や副作用が明らかになっているものも少なくない．代表的な民間薬としては，ドクダミ，ゲンノショウコ，センブリなどがあり，これらは日本の三大民間薬といわれている．ドクダミは腫れ物に新鮮な葉を火であぶり患部へ貼る．また全草を乾燥し，ドクダミ茶として利尿，便通，高血圧予防に用いる．ゲンノショウコは，地上部を乾燥し，下痢止めに利用する．センブリは，苦味健胃薬として消化不良，食欲不振に利用される．そのほか，非常に多くの薬用植物が利用される．たとえば，のどの痛みにナンテン，虫刺されやかゆみ止めにアサガオの葉，汗の湿疹にモモの葉などが用いられてきた．民間薬は，民間療法における薬物治療として利用された．

漢方薬とは，漢方医学の理論に基づいて，数種の生薬を組み合わせて処方を作成し，使用する薬である．病気や症状に対応した処方名とその処方に使用する生薬が定められている．漢方では患者の体質，病気の状態を重視し，同じ病気であっても人により使用する漢方薬が異なることも多い．漢方の診断で同じ証を示す場合は，気管支炎でも関節痛でもおおむね同じ漢方薬を用いる．

日本で用いられる漢方処方の多くは，中国の医学書，たとえば「傷寒論」，「金匱要略」などが出典元となっている．

民間薬に用いる生薬も漢方薬で用いる生薬も同一で，民間薬として用いられる生薬の中には，漢方処方に配剤される生薬もある．たとえば，黄柏（キハダの樹皮）は，昔から民間薬として苦味健胃薬，整腸薬として用いられているが，黄連解毒湯などの漢方処方に配合される．また，柿のへたは民間薬ではしゃっくり止めに用いられるが，漢方では柿蒂湯に配剤され，同様の目的に利用される．

民間薬と漢方薬の相違を表に示した．

	民間薬	漢方薬
使用する生薬	一種類の使用が多い	通常複数の生薬を配合
処方名	処方名はない	固有の処方名がある
使用目的	具体的な症状に対して使用 （対症療法的）	理論に基づいて使用
使用制限	誰でも自由に使用できる	医師の診断による処方が必要 薬剤師の指導のもとで使用

葛根湯構成生薬と葛根湯一日量（右下）

黄連解毒湯構成生薬

八味地黄丸構成生薬

Sophora tonkinensis　6月

Sophora tonkinensis Gapnep（Leguminosae／マメ科　APG：Fabaceae／マメ科）付表 p.138

【植物】 低木．高さ 1 m．直立またはやや匍匐し，岩のすき間に生える．細い茎，枝は緑色で分肢が多く，小枝は灰色の毛が多い．葉は奇数羽状複葉で互生する．総状花序に黄白色の蝶形花をつける．果実は熟すと黒紫色になる．根は通常 2 ～ 5 本で，円柱状，黄褐色．中国南部に分布する．

【生薬】 サンズコン（局外）山豆根〔根及び根茎〕

サンズコン

わずかににおいがあり，味は極めて苦く，残留性．成分として，matrine，oxymatrine などのアルカロイド，sophoranone，sophoradin などのフラボノイドを含む．日本では，マメ科のミヤマトベラ *Euchresta japonica* Hook. f. ex Maxim. の根が山豆根の代用とされたことがある．

【用途・製剤】 清熱，解毒，止痛薬．喉や歯肉など口内の腫れや黄疸などに応用される．漢方処方：山豆根湯，喉癬湯など．

クララ　6月

クララ　*Sophora flavescens* Aiton（Leguminosae／マメ科　APG：Fabaceae／マメ科）付表 p.122

【植物】 多年生草本．高さ 1.5 m に達する．根はやや肥大し強い苦味がある．葉は奇数羽状複葉で，小葉は狭楕円形から披針形．初夏から夏に，茎の先端に淡黄白色の花が多数つく．また稀に紫色を帯びることもある．果実は細長く，ところどころ括れていることがあり，成熟しても開裂しない．種子はやや球状で褐色を呈し，4 ～ 5 個入っている．本州以南の日当たりのよい原野や草原などに生育する．クララの名は，苦辣の意味で，根が大変苦く目に入れれば目眩めく（クラクサ／眩草）ことから．

【生薬】 クジン（局）苦参〔根〕

わずかににおいがあり，味は極めて苦く，残留性である．成分として，matrine，oxymatrine アルカロイド，フラボノイドを含有．

【用途・製剤】 苦味健胃薬，皮膚疾患用薬．漢方処方：帰母苦参丸，苦参湯，胡麻散料，三物黄芩湯，蛇床子湯，消風散，追風丸，当帰貝母苦参丸など．OTC：前記漢方処方製剤のほか，五龍円，天恵正露丸，神光丸，天狗胃腸薬など．民間薬：苦味健胃薬．煎液を家畜などの農業用殺虫剤とした．平安時代には，茎の繊維を和紙の原料として利用された．

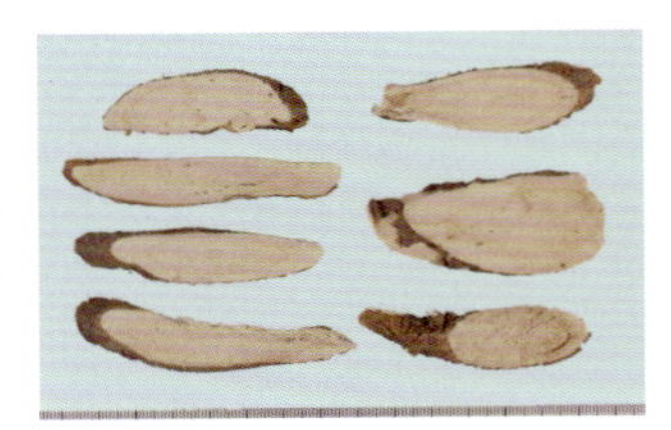

クジン

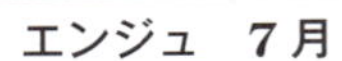

エンジュ　7月

エンジュ　*Sophora japonica* L.（= *Styphonolobium japonicum*（L.）Schott）（Leguminosae／マメ科　APG：Fabaceae／マメ科）付表 p.138

【植物】 落葉高木．高さ 15 ～ 20 m．幹は直立して分枝し，小枝は緑色．葉は奇数羽状複葉で互生し，小葉は長さ 2.5 ～ 5 cm，幅 1.5 ～ 2.5 cm の卵状長円形か卵状長披針形．8 月頃，枝先に複総状花序をつけ，白色の長さ 1.5 cm の蝶形花を多数つける．果実は豆果で，長さ 2.5 ～ 5 cm．中国原産で日本には古く薬木として渡来した．

【生薬】 カイカ（局外）槐花〔蕾〕

におい及び味がほとんどない．開花直前のつぼみを採取して日干しにする．フラボノール配糖体の rutin を含む．蕾以外にも，果実を槐角，葉を槐葉，若い枝を槐枝，根を槐根といい，薬用にする．

カイカ

【用途・製剤】 止血薬として，痔出血，子宮出血，腸出血，吐血，目の出血，鼻血などに．また，血管の補強，毛細血管の強化作用があり，脳出血の予防などに用いられる．OTC：（槐花）；エフレチン G 顆粒，サイロ，ヒポレス，レンシン（蓮神），（槐角）；イスクラ浸膏槐角丸，槐角丸，精華槐角丸など．民間薬：痔の出血，痛み，痒みに，槐花や槐葉の粉末を塗布するか煎じ液で洗う．また，歯茎や口内の出血に槐花を炒り粉末としたものを擦り込む．rutin は食品添加物として酸化防止剤，着色料に利用．

ゲンノショウコ *Geranium thunbergii* Siebold et Zucc. (= *G. thunbergii* Siebold ex Lindl. et Paxton) (Geraniaceae / フウロソウ科) 付表 p.122

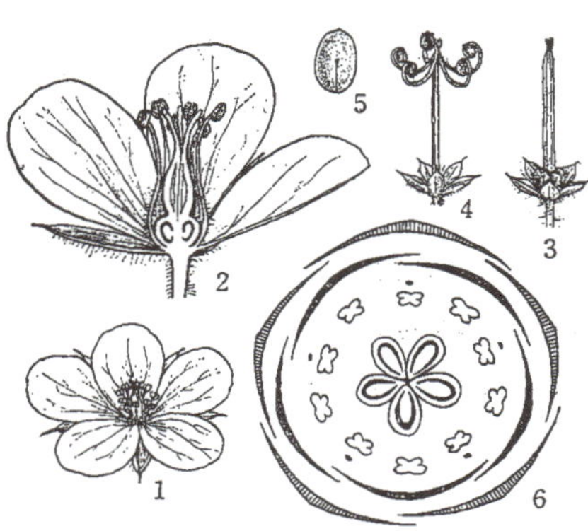

1. 花 2. 花の縦断 3,4. 果実 5. 種子 6. 花式図

ゲンノショウコ形態図

【植物】 多年生草本．茎は横に伸びて，地上をはい先端は斜上する．全体に細毛を密生する．5裂の掌状葉を互生し，初夏に，葉腋及び枝先に白色～紅色の5弁花を2個つける．花は5数性で5個の離片萼，5弁花，雄しべは5+5の2輪で10個，雄蕊先熟，雌しべの子房は5室，葯の花粉が終わった頃に花柱が開き受粉の態勢が整う．果実は朔果で細長く，長さが約2 cmで，基部の5個の袋状の突起の中に種子が一個ずつ入っている．果実は熟して乾燥すると縦に5つに裂け，勢いよく反り返り，その力で種子が飛びだす．種子を周囲にはね飛ばすと同時にかさのように開き，その形がみこしの屋根に似ているため別名ミコシグサ（神輿草）と呼ばれる．属名の *Geranium* には，鶴のくちばし状のという意味があり，果実の形から名づけられた．

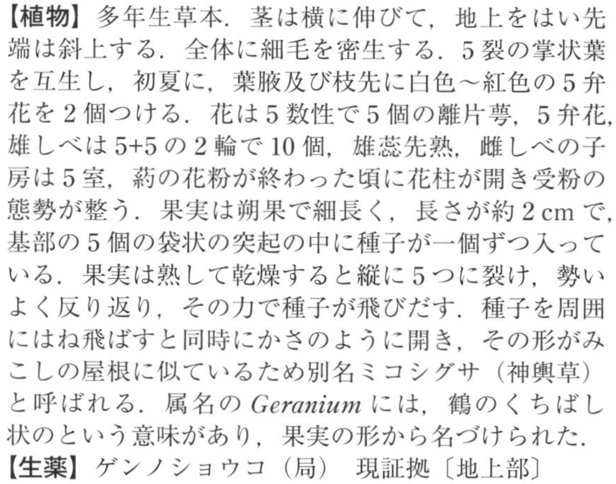

ゲンノショウコ 9月

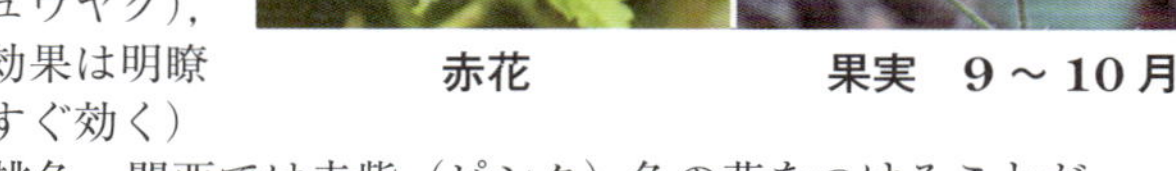

赤花　　果実 9～10月

【生薬】 ゲンノショウコ（局） 現証拠〔地上部〕

わずかににおいがあり，味は渋い．主に花期に採集したもの．多量のタンニン（乾葉中約20%）を含み，その約3分の2はgeraniin．ドクダミ（ジュウヤク），センブリとともに日本三大民間薬の一つ．効果は明瞭で，植物名は「現に証拠が現れる」(飲めばすぐ効く）ことに由来する．関東では，白花から薄い桃色，関西では赤紫（ピンク）色の花をつけることが多いが，薬効に違いはない．

ゲンノショウコ

【用途・製剤】 整腸止瀉薬（煎用）．胃腸薬の配合剤に粉末として用いる．OTC：液キャベコーワG，エクトールDX，エクトール赤玉，太田胃散整腸薬，御岳百草丸，クレンジル，恵鯉胃腸薬，紫香，新オルマイト錠，セイドーA，セイロガン糖衣A，テリオミンカプセル，トメダインコーワ錠，ビオフェルミン下痢止め，フジイ陀羅尼助，ベルランゼットS，ワカ末止瀉薬錠，赤玉小粒はら薬，御嶽山日野百草丸，赤玉はら薬整腸丸Aなど．

ハマビシ *Tribulus terrestris* L. (Zygophyllaceae / ハマビシ科) 付表 p.123

【植物】 一～二年草．茎は分枝して地上をはい，長さ1～数mに達する．葉は対生し，4～8対の偶数羽状複葉．花期は盛夏で葉腋に黄色い小さな花を単生する．果実はかたく，刺があってヒシの実に似る．直径約1 cm．千葉及び福井以西，四国・九州の海岸砂地及び世界の乾燥地に広く分布．

【生薬】 シツリシ（局） 蒺藜子〔果実〕

ほとんどにおいがなく，味は初め緩和で，後に苦い．成分として，ケイヒ酸アミド誘導体，リグナンアミド，フラボノイドなどを含有する．

【用途・製剤】 利尿，浄血，消炎，強壮，眼疾薬．漢方処方：当帰飲子など．OTC：ウチダの洗肝明目湯，ロート当帰飲子錠aなど．インドの民間療法では利尿剤として使用．

ハマビシ 7月

シツリシ

アマ / フラックス *Linum usitatissimum* L. (Linaceae / アマ科) 付表 p.138

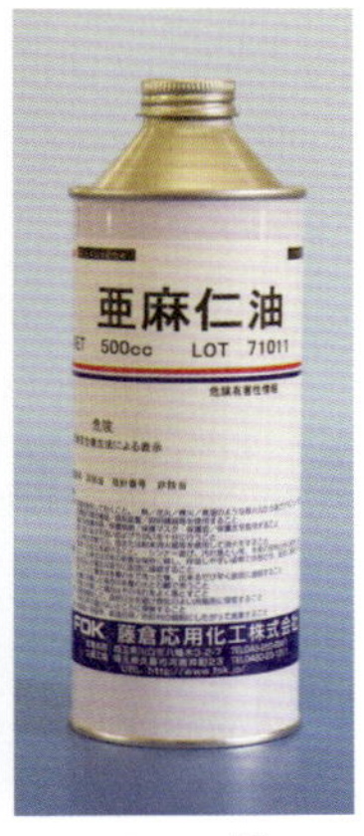

アマニ油

【植物】 一年草．高さ1 m内外．全草無毛で細く弱い．上部で分岐．葉は互生し，長さ2～3 cmの線形または披針形．夏に，青紫色の5弁花を集散花序に頂生する．蒴（さく）果は球形，成熟した種子は長さ約6 mmの扁長卵形で黄褐色．中央アジア原産といわれ，世界各地で栽培される．

【生薬】 アマニン 亜麻仁〔種子〕

脂肪油30～40%，タンパク質約25%，粘液約6%，加水分解により青酸を生じる配糖体リナマリン少量を含む．

【用途・製剤】 煎剤を腸カタル（腸炎）などに用いたことがあるが，現在はアマニ油（亜麻仁油）の製造原料として用いられる．乾性油で，軟膏基剤や石鹸の原料として，また工業用の印刷インク，ペイント，絵の具などに用いる．茎の靭皮繊維は高級織物リネンの原料とする．

アマニン

アマ 4月

ラタニア

ラタニア　*Krameria triandra* Ruiz et Pavon.（Kramericeae / クラメリア科）付表 p.138

【植物】 ボリビアとペルーのアンデス山地原産．高さ約 1 m の低木で，枝は長く，低くはい，葉は互生で密生，長卵形で長さ約 1 cm，絹糸状の毛が生えている．有柄の深紅花は腋葉から生じ，外側に灰色の毛が生える．
【生薬】 ラタニア根〔根〕
【用途・製剤】 用途：南米では，胃弱な人のための収斂薬や歯の防腐剤．
タンニン含有量が高いので，主としてチンキ剤の剤型で収斂薬，抗菌薬として，胃腸の不調，下痢，赤痢に用いられる．特に歯肉炎，舌の裂傷，口内炎，咽頭炎に用いる．製剤：ラタニアチンキとして口腔や咽頭の疾病治療薬に配合される．

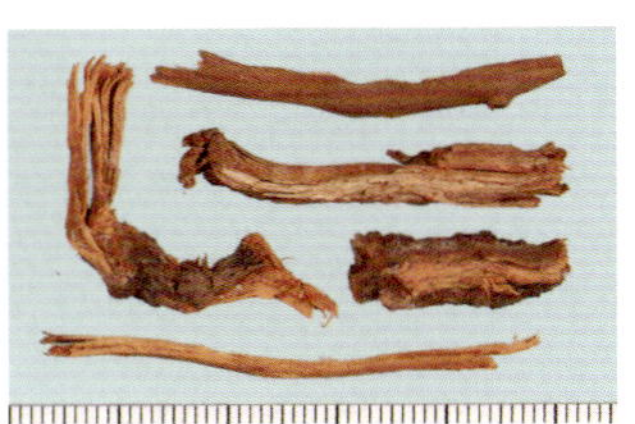

ラタニア

コラム：薬用資源の確保と植物多様性

生物は，40 億年前に原始生物が出現し，永い年月をかけて環境に適応し多種多様な生物に進化してきた．5 億年前には，現在知られている生物だけでも 175 万種に及ぶといわれている．地球上に酸素が満たされ大陸移動による隔離から動植物が進化を続け，地球上には 500 万～1000 万種もの多種多様な生物がバランスを保って生存している．しかし近年の人の活動は気候変動にも影響を及ぼし生態系の破壊を起こしていると考えられ，特に 1975 年以降，1 年間に 4 万種程度の生物が絶滅しているといわれている．特に気温の上昇は絶滅リスクを上げる大きな要因とされ，1.5 ～ 2.5℃上がると世界の動植物種の 20 ～ 30% が絶滅するリスクがあると考えられている．そこで絶滅の恐れのある野生生物の現状を把握するため，リストアップしたレッドデータブックが環境省から刊行されている．生物多様性の衰退は遺伝子資源の枯渇にほかならず，私たちの食事に欠かせない動植物の改良に大きな制限を受け，また薬用資源の確保という観点からも大きな問題となっている．

近年，漢方薬に利用される薬用植物の多くは栽培化が進んで 7 割程度の植物は栽培により供給されているが，野生品は栽培品より成分の面で優れていることがあり，なかなかよい品質の生薬が得られない場合もあることから，未だに原産地での栽培や野生品に頼っていることが少なくない．またシナマオウや繁用漢方処方の 7 割以上に配合されるカンゾウにおいても日本薬局方に適合する生薬を我が国で生産することは容易なことではなく，栽培法や収穫法の確立が急がれる．日本固有の代表的な民間薬として知られるセンブリにおいても，栽培が大変難しく，大部分は野生品に頼っている状況である．トウキやシャクヤクでは根の充実を図るために花を咲かせないような栽培が行われるなど，効率のよい栽培法や収穫法の確立が望まれる．品質のよい生薬を生産するためには，個々の生薬の製造に合った調製法（修治・炮製）を確立することも重要な課題であり，採算にみあう生薬の生産には多くの難問が伴う．

野生の薬用植物の持続的な利用について取り組んでいる例を紹介したい．本項で紹介したラタニアは南米アンデス山脈の乾燥した岩場の厳しい環境に自生する半寄生植物で，近年薬用として需要が増えてきたために種の絶滅が危惧されている．製品を供給しているヴェレダ社は，ラタニアの収穫のために，自然保護団体，科学者，農家と共に生長年数や増殖率を調査して，継続可能な収穫量を決定し，収穫した植物の後は種子を 5 粒ずつ播いている．その結果植物の再生が維持されると共に，消滅したと思われていた渓谷の山肌に再びラタニアが生息を広げている．

このラタニアの例は生物多様性条約の目的である「(1) 生物の多様性を保全すること．(2) その構成要素の持続可能な利用をすること．(3) 遺伝資源の利用から生じる利益の公平かつ衡平な分配を実現すること．」の条件が実現している成功例である．私たちも生物多様性に関して身近なところから改善していくという意識をもって，持続可能な社会を目指していかなければならない．

環境省レッドリスト 2020

環境省は，絶滅の恐れのある野生生物についてレッドリストを発表している．植物 I（維管束植物）では 1790 種となっている．レッドデータブックのカテゴリーは以下のように分けられている．

レッドデータブックのカテゴリー

・絶滅（Extinct, **EX**）－日本では既に絶滅したと考えられる種
・野生絶滅（Extinct in the Wild, **EW**）－飼育・栽培下でのみ存続している種
・絶滅危惧（Threatened）
　絶滅危惧Ⅰ類（**CR+EN**）－絶滅の危機に瀕している種
　　絶滅危惧ⅠA 類（Critically Endangered, **CR**）－ごく近い将来における野生での絶滅の危険性が極めて高いもの
　　絶滅危惧ⅠB 類（Endangered, **EN**）－ⅠA 類ほどではないが，近い将来における野生での絶滅の危険性が高いもの
　絶滅危惧Ⅱ類（Vulnerable, **VU**）－絶滅の危険が増大している種
　準絶滅危惧（Near Threatened, **NT**）－存続基盤が脆弱な種
・絶滅のおそれのある種（絶滅危惧Ⅰ類（ⅠA 類（**CR**），ⅠB 類（**EN**））及び絶滅危惧Ⅱ類（**VU**）に選定された種）

日本薬局方生薬の基原植物には以下のものがレッドリストに登録され，これらの野生植物の絶滅が危惧される．
ハマビシ（**EN**），ムラサキ（**EN**），キキョウ（**VU**），ミシマサイコ（**VU**）

コカノキ *Erythroxylum coca* Lam.（Erythroxylaceae / コカノキ科）付表 p.138, 151

【植物】常緑低木．高さ1～2 m．分枝が多く，細い枝がよく茂る．葉の裏の主脈の両側に縦線がある．夏，黄緑色で小形の花を1箇所に3個ずつつける．果実は赤熟する．南米ペルー，ボリビア地方原産．熱帯の高地で湿度の高い所でよく育ち，ペルー，ボリビア，インドネシアなどで栽培される．

【生薬】コカヨウ〔葉〕

cocaine などのトロパンアルカロイド（1～1.5％）を含む．

【用途・製剤】コカイン塩酸塩の製造原料．局所麻酔薬コカインの習慣性等の副作用を考慮し，これをモデルにプロカイン等の合成局所麻酔薬が開発され用いられている．コカ葉及びコカインなどは，麻薬及び向精神薬取締法によって厳重に取り締まられている麻薬である．「コカ・コーラ」の名は，コカ（葉）と西アフリカ原産のコーラノキ（種子）の2つの主原料を並べたもので，当初のコカ・コーラは少量のコカエキスを含んでいたが現在は含まれていない．

葉裏：中央脈の両側に1本ずつの葉脈が目立つのが特徴

コカノキ 5月

ハズ *Croton tiglium* L.（Euphorbiaceae / トウダイグサ科）付表 p.148

【植物】常緑の小高木．高さ約3 m，卵形の葉は3～5本の掌状脈があり，葉柄は長い．総状花序を頂生し，花穂上部に緑色で小形の雄花を，下部に無花弁の雌花をつける．淡黄白色のさく果は楕円球形．中国南部，熱帯東南アジア各地に自生する．

【生薬】ハズ 巴豆〔種子〕

成分は脂肪油約40％の他，ジテルペノイドエステル（フォルボール類）を含み，強い刺激作用と発がんプロモーター活性をもち有毒のため，注意が必要である．

【用途・製剤】緩下薬，皮膚刺激引赤薬，巴豆油製造原料．漢方処方：三物備急丸，走馬湯，天台烏薬散など．

ハズ 7月

ハズ

アカメガシワ *Mallotus japonicus*（L.f.）Müll.Arg.（Euphorbiaceae / トウダイグサ科）付表 p.123

【植物】落葉高木．高さ5 m前後．生長が極めて速い．葉は互生し，円状卵形から菱状卵形，先端は伸びて尖り，ときに浅く2～3裂する．雌雄異株．雄株は黄色の小花を総状につける．果実はさく果．種子は球形で紫黒色に熟す．若い葉には赤紫色の毛が密生し，赤く見える．中国東北部，日本列島，台湾に分布．和名はカシワのように大きな葉で芽が赤いことによる．

【生薬】アカメガシワ（局）赤芽柏〔樹皮〕

わずかににおいがあり，味はやや苦く，わずかに収れん性である．成分として bergenin，geraniin，mallotusnic acid 等のタンニン，フラボノイドなどを含む．

【用途・製剤】胆汁分泌抑制，抗潰瘍，胃液分泌抑制作用などがある．エキスの製剤が抗潰瘍薬として製造され，胃潰瘍，十二指腸潰瘍，胃腸疾患に適応．

OTC：太田胃散整腸薬，クレンジル，シオノギ胃腸薬K細粒，新キーパーU顆粒，新三共胃腸薬〔細粒〕，新ビオエー内服液，第一三共胃腸薬〔錠剤〕，ビオフェルミン健胃消化薬錠，養成煎，クミアイ新胃腸薬M錠，新佐藤胃腸薬L，熊膽圓，ソルマック胃腸液プラスなど．医療用医薬品：イリコロンM配合錠，マロゲン錠135 mgなど．

アカメガシワ 4月

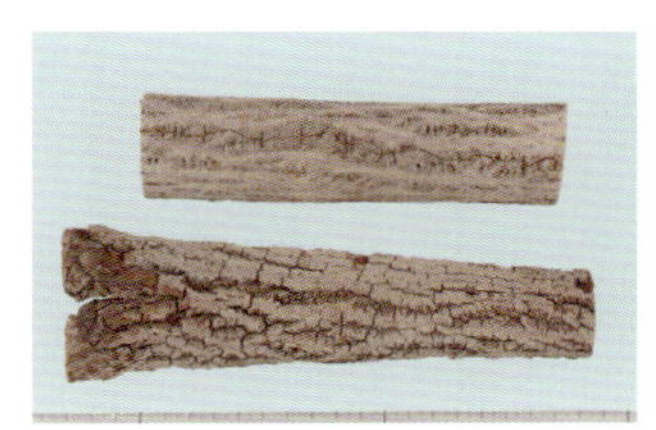

アカメガシワ

雌花 6月

雄花 6月

トウゴマ　雄花　雌花　9月

トウゴマ　*Ricinus communis* L.（Euphorbiaceae／トウダイグサ科）付表 p.148

【植物】一年生草本（熱帯～温帯では茎が木質化し，多年生）．高さ 2～3 m で茎は中空，葉は大型の掌状葉で 5～11 深裂し葉柄が長い．上部に雌花，下部に雄花をつけた花序を初夏に頂生する．刺をもつさく果はほぼ球形で，三室に分かれ，中にウズラ模様の種子がある．インド原産で熱帯～温帯で栽培される．

【生薬】ヒマシ　蓖麻子〔種子〕；ヒマシ油（局）〔種子を圧搾して得た脂肪油〕

無色～微黄色澄明の粘性の油で，わずかに特異なにおいがあり，味は初め緩和で，後にわずかにえぐい．ヒマシ油は高い粘度と比重を持ち，低温下で固化しない性質を持つ．有毒なタンパク質のリシンを含有するので誤食に注意．

【用途・製剤】種子をヒマシ油の原料とする．OTC：加香ヒマシ油「コザカイ・P」．ヒマシ油は峻下剤として用い，また香水，石鹸，潤滑油，作動油，塗料，インキなどに利用される．民間薬：足裏のむくみに彼岸根とすり潰し外用する．

ヒマシ油

ヒマシ

ダイダイ／サワーオレンジ　*Citrus aurantium* L. var. *daidai* Makino（Rutaceae／ミカン科）付表 p.123, 147

【植物】常緑高木．高さ 4～5 m．葉は単身複葉で互生し，有柄．葉身は卵形で全縁，鋭頭で，油点がある．液果は球形（径約 8 cm）で，初めは緑色，秋に橙黄色になる．外果皮に油室が密に分布．果皮には苦味が，子房内に生じる毛状体には強酸味の果汁を含む．

【生薬】トウヒ（局）橙皮〔ダイダイ又は *C. aurantium* L. の果皮〕

特異な芳香があり，味は苦く，やや粘液性で，わずかに刺激性である．

キジツ（局）枳実〔ダイダイ，*C. aurantium* L. 又はナツミカン *C. natsudaidai* Hayata の未熟果実〕

特異なにおいがあり，味は苦い．成分に hesperidin などのフラボノイド，リモノイド，アルカロイドを含む．

【用途・製剤】芳香性苦味健胃薬．トウヒシロップや苦味チンキとして利用．キジツ（枳実）は健胃，去痰，心機能促進薬．漢方処方（枳実）：四逆散，大柴胡湯，荊芥連翹湯，五積散，大承気湯など．OTC：(枳実)「クラシエ」漢方大柴胡湯エキス錠，JPS 麻子仁丸料エキス錠 N，ウチダの排膿散，温胆湯，大草胃腸散など．（橙皮）新ハリーゴールド液，中将湯，ヒストミン内服液など．枝葉を水蒸気蒸留して得られる精油はプチグレンといい，トリートメントや香水，コロンの原料として利用．花からは水蒸気蒸留して得られるネロリや溶媒抽出してオレンジフラワーアブソリュートを得る．日本では縁起のよい果実として鏡餅などの正月飾りに用いられ，最近は果汁をポン酢の材料としても利用．

花　5月　　ダイダイ　8月

トウヒ　　キジツ

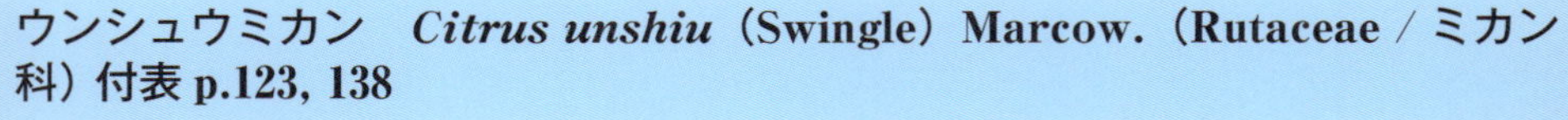

ダイダイ

ウンシュウミカン　*Citrus unshiu*（Swingle）Marcow.（Rutaceae／ミカン科）付表 p.123, 138

【植物】常緑高木．高さ 3～4 m．液果は偏球状で果頂は平坦，長径約 5～8 cm，秋に橙黄色に熟す．外果皮には油室が密に分布．果肉は多汁で美味．中国から伝わったミカンから実生で偶然に発生．暖地で栽培．甘い柑橘という意味から蜜柑となった．

【生薬】チンピ（局）　陳皮〔果皮〕

特異な芳香があり，味は苦くて，わずかに刺激性である．古く橘柚の名で呼ばれ，神農本草経に記載されている生薬．ウンシュウミカンやポンカン（マンダリンオレンジ）*C. reticulata* Blanco の果皮で，橙黄色で折ると芳香を発する．陳皮の「陳」には古いという意味があり古いものが良品とされる 6 種の生薬（六陳，p.145）の中の一つ．漢方では果皮の青いうちに収穫した青皮（局外），橙色になったものを橘皮（局外），1 年以上経過したものを陳皮として区別して用いられる．日本固有種のタチバナ *C. tachibana*（Makino）Tanaka を橘皮として利用することがある．成分に hesperidin などのフラボノイドを含む．

【用途・製剤】芳香性健胃薬．漢方処方：補中益気湯，六君子湯，釣藤散，茯苓飲など．OTC：「クラシエ」漢方六君子湯エキス顆粒，JPS 五積散料エキス錠 N，胃苓湯エキス錠〔大峰〕，ウチダの釣藤散，液キャベコーワL，太田胃散など．七味唐辛子，五香粉の原料．タチバナは不老不死の実といわれ，永遠の業績をたたえるものとして文化勲章のデザインに用いられている．

果実　11月　ウンシュウミカン　花　5月

チンピ　セイヒ　キッピ

タチバナ　果実　2月

ゴシュユ *Euodia ruticarpa* Hook. f. et Thomson（= *E. rutaecarpa*（A. Juss.）Benth., *Tetradium ruticarpum*（A. Juss.）T. G. Hartley）（Rutaceae／ミカン科）付表 p.123

【植物】 落葉高木．葉は奇数羽状複葉で，小葉は２～３対．５～６月頃，枝先に短い円すい花序を長生して緑白色の小花を多数つける．全株に特異臭がある．さく果は紅熟する．中国原産，日本でも各地で栽培される．
【生薬】 ゴシュユ（局）呉茱萸〔果実〕
特異なにおいがあり，味は辛く，後に残留性の苦味がある．ホンゴシュユ *E. officinalis* Dode や *E. bidinieri* Dode などの果実も同様に用いる．成分として evodiamine などのアルカノイドを含む．
【用途・製剤】 漢方では冷えの改善，健胃，駆風薬．漢方処方：温経湯，延年半夏湯，九味檳榔湯，呉茱萸湯，鶏鳴散加茯苓，当帰四逆加呉茱萸生姜湯など．OTC：前記漢方処方の製剤のほか，液キャベコーワ，活力・M，カンポ錠，強温血散，榊ガッチャギの薬，常楽，女性保健薬　命の母 A，ニットーマーゲン内服液，ワクナガ生薬胃腸薬など．

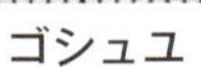
ゴシュユ

ホンゴシュユ

ゴシュユ　8月

ゴシュユ　11月

ヘンルーダ　6月

ヘンルーダ *Ruta graveolens* L.（Rutaceae／ミカン科）付表 p.138

【植物】 常緑の多年生草本．茎の下部は木質．葉は互生し，２～３回全裂または深裂，裂片は長楕円形またはへら形で，油点があり強い特異臭がある．初夏に集散花序を頂生し，４～５数性の小さい黄花をつける．さく果は４～５室，表面に油点がある．地中海沿岸産．英名：rue.
【生薬】 ヘンルーダ 芸香〔葉及び枝〕
【用途・製剤】 葉の浸出液を通経剤，うがい，浣腸薬とした．葉は古くからソース，肉，酢などの香料として用いられた．また，古代ローマ時代は魔除けの植物とされ，中世では魔女がのろいをかけるのに使う代表的な植物であった．

ヘンルーダ

ヤボランジ* *Pilocarpus microphyllus* Stapf ex Wardlew.（Rutaceae／ミカン科）付表 p.152

【植物】 常緑の低木．小葉は１～４対，奇数羽状複葉．穂状花序を頂生して，淡緑色の小花が密生する．さく果は１～５室，小葉は油点があり芳香がある．ブラジルに自生．＊南米では，*P. microphyllus* Stapf ex Wardlew., *P. jaborandi* Holmes, *P. pinnatifolius* Lem., *P. spicatus* A.St.-Hil. などの数種の *Pilocarpus* 属植物を Jaborandi と呼び，同様に用いる．
【生薬】 ヤボランジヨウ〔小葉〕
イミダゾール骨格を持つアルカロイド pilocarpine を含有．pilocarpine は副交感神経興奮作用を持つ．
【用途・製剤】 *Pilocarpus jaborandi* や *P. pinnatifolius* などともに眼内圧を低下させることから緑内障の治療薬となるピロカルピン塩酸塩の製造原料となり，ブラジル東北部では製薬会社により pilocarpine の抽出のため大規模なプランテーションが形成されている．ブラジルには *Pilocarpus* 属植物が 18 種あるとされ，*P. microphyllus* が最もピロカルピンの含量が高いとされている．製剤：アドソルボカルピン点眼液，サンピロ点眼液，ピロカー点眼液など．

ヤボランジ

ヤボランジの仲間

果実　10月　　キハダ　雄花　6月

雄花

雌花

オウバク

キハダ　*Phellodendron amurense* Rupr.（Rutaceae／ミカン科）付表 p.123, 153

【植物】落葉の高木．高さ15 mに達する．葉は奇数羽状複葉で，小葉は2～6対．雌雄異株．初夏に円錐花序を枝先に出して黄緑色の小花を多数つける．果実は黒く熟する．山地の広葉樹林帯に自生し，日本全土からロシア・アムール地方に分布．コルク層を剝ぐと，皮部は鮮黄色を示すことから，「きはだ」と名付けられた．

【生薬】オウバク（局）　黄柏〔周皮を除いた樹皮〕

弱いにおいがあり，味は極めて苦く，粘液性で，だ液を黄色に染める．定植して10～15年あるいは20年位で収穫する．収穫作業は剝皮しやすい7月中旬から8月上旬に行われる．木を伐採し，伐採した幹に1 m間隔で横切りを付け，剝離棒で皮部を剝がしていく．同時にコルク層の部分も剝ぎ取る．鮮黄色の皮は天日干しにて乾燥する．現在流通している黄柏は中国産が主流である．黄柏は，板状または巻き込んだ半管状の皮片で，厚さ2～4 mm．外面は灰褐色，多くの皮目があり，内面は黄色～暗黄褐色．切面は繊維性で，鮮黄色を呈する．内部組織は，一次皮部に石細胞が黄褐色の点状に分布．一次放射組織は外方へ向かい広がり，二次皮部の一次放射組織間は三角形状を呈し，二次放射組織は頂点に収束する．師部繊維群は褐色で，階段状にならび，放射組織を交叉し，階段状に見える．*P. chinense* C.K.Schneider も同様に使用される．成分としてberberine，palmatine などのアルカロイド，limonin，obakunone などのリモノイドを含む．

【用途・製剤】苦味健胃薬，整腸薬として用いられ，多くの家伝薬の原料とされる（コラム参照）．奈良県の「陀羅尼助」，長野県の「百草丸」や北陸の「熊胆円」，鳥取県大山の「煉熊丸」などの家伝薬の原料とされた．漢方処方：温清飲，黄連解毒湯，滋陰降下湯，七物降下湯，清暑益気湯，半夏白朮天麻湯など．OTC：胃腸薬の正露丸，胃腸反魂丹，三光丸，廣貫堂赤玉はら薬，イッケル，いけだや胃腸薬，第一三共胃腸薬　各種，片仔黄（ヘンシコウ）や，外用薬の新ノイガンエス，温感シートハップ，カゼピタンハップ，バスタイムオーシップ，サンポープラスターａ，新フジパップ温感など．

アイヌの人々はキハダの果実を「シケレペニ」といい食用に，樹皮を薬用および即席の船作成に利用した．

樹皮は絹，木綿ともに媒染剤なしで黄色に染めることができる．中国ではキハダで染めた衣服を「黄衣（オウエ）」いい，位の高い者の着衣である．アイヌでも黄色い衣類を用いた．古代中国では公式文書の用紙に黄柏で染めた「黄紙」を用いた．日本でも，東大寺正倉院の遺物に同様の紙がある．染色された紙は防虫効果があり，経文用紙として重宝された．

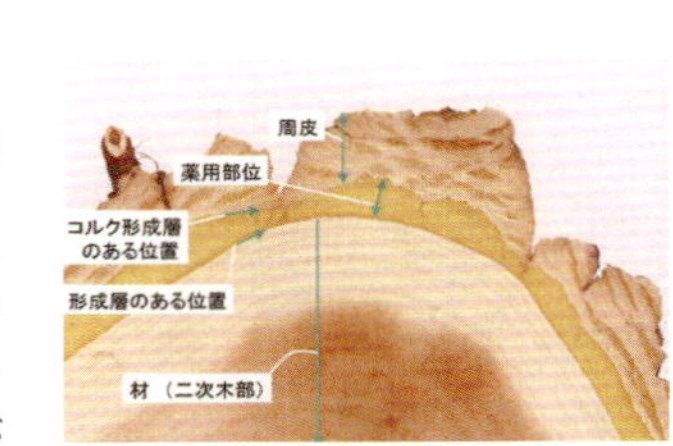

キハダ樹皮

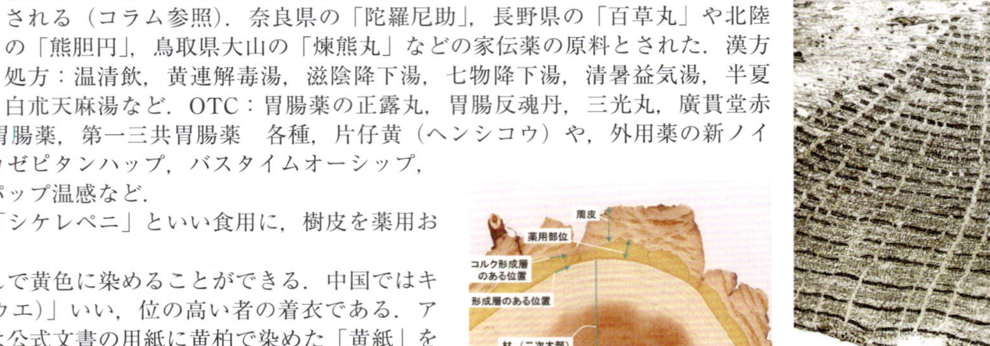

キハダの内部形態

キハダの製法

大きなへらで樹皮を剝ぐ

大きな鎌や刃物で皮剝ぎ

農家から集荷された黄柏の周皮を剝ぐ

コラム：家伝薬

家伝薬は，伝承薬，伝統薬などともいわれ，世界に存在するが，元々その家に代々伝えられた妙薬である．各地域の民間療法において使用され，その地域で製造されるようになった．全国伝統薬連絡協議会の規定では，家伝薬とは「日本各地に古くから存続する製薬会社が独自の処方で製造し，国から承認を得た生薬等製剤および漢方薬をいう」となっている．家伝薬の販売は，各家庭への配置による販売形態を取っていることが多い．

家伝薬（伝承薬）の歴史は，非常に古く，飛鳥・奈良時代（700年～）に作られた「奇応丸」，「陀羅尼助」が最初であるといわれている．その後江戸時代に「反魂丹」「万金丹」「百草」など民間薬的な薬が製造された．明治（1900年～）になって非常に多くの薬が製造され，今なお続いているものも数多く存在する．しかし，製造技術の変革や新薬の台頭，売薬規制，その他様々な規制から伝承薬ならびに製造メーカ自体が次第になくなってきている．

奈良県の「陀羅尼助」は，和薬の元祖といわれ，7世紀末に疫病が流行したとき，修験者の役行者（エンノギョウジャ）がこの薬を作り人々を助けたといわれる．黄柏を主原料とし，下痢止めや胃腸薬として用いられている．長野県の「百草丸」や鳥取県大山の「煉熊丸」も黄柏を主原料とした健胃薬で，それぞれ御嶽山，大山の修験者によって伝承された．また，富山県の「反魂丹」は，中国伝来の薬であるが，富山藩主（前田正甫）が常備薬として携帯し，城下で製造させ諸国へ行商させた．このことが，富山の売薬，配置薬の元になった．「反魂丹」，「熊胆円」は，熊の胆嚢（熊胆）や黄柏，黄連などを配合した胃腸薬である．「越中富山の反魂丹，鼻くそ丸めて萬金丹」といわれたように伊勢の「万金丹」も，反魂丹とともに有名で，江戸時代から旅の常備薬とされ，お伊勢参りの土産物となった．胃腸薬であり，アセンヤクが主原料である．

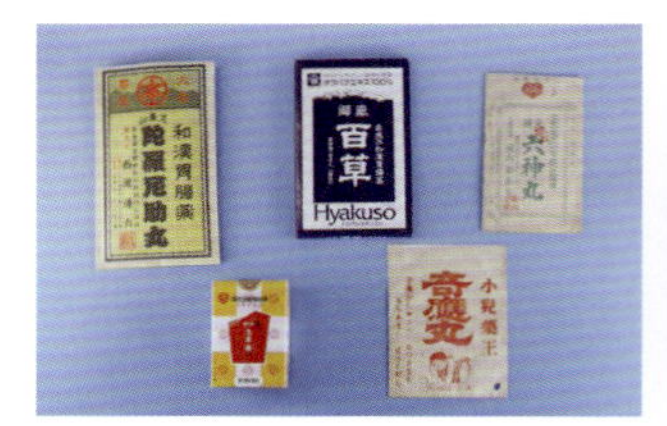

家伝薬

サンショウ *Zanthoxylum piperitum*（L.）DC.（Rutaceae / ミカン科）付表 p.123

サンショウ　果実　11月

【植物】 落葉高木，高さ3 m．雌雄異株．奇数羽状複葉．小葉は5～9対で芳香が強い．葉柄の基部近くの枝に1対の刺がある．4～5月に葉腋に緑黄色の小花を多数つける．秋期さく果は赤熟し，開裂して黒い種子を露出する．日本各地に自生．アサクラザンショウ *Z. piperitum*（L.）DC. f. *inerme* Makino：兵庫県養父市八鹿町朝倉今滝寺で見いだされ，ほとんど刺がなく果実が大きいため広く栽培，賞用されている．

【生薬】 サンショウ（局）　山椒〔成熟果実の果皮で種子を除く〕，ショウモク 椒目〔種子〕

特異な芳香があり，味は辛く舌を麻痺させる．辛味成分として sanshool などを含有．

【類似生薬植物】 カホクザンショウ *Z. bungeanum* Maxim. 又はフユザンショウ *Z. armatum* DC. var. *subtrifoliatum* Kitam. の成熟した果皮を蜀椒（ショクショウ）又は花椒（カショウ）と呼び，局外生規に収載されている．イヌザンショウ *Z. schinifolium* Siebold et Zucc. もサンショウによく似ているが，刺は互生することから容易に識別できる．果実を青椒と呼ぶ．においが悪いので香味料には適さないが，民間薬として煎じて咳止めに用いられている．

【用途・製剤】 苦味チンキ（局）(トウヒ，センブリ，サンショウ）の原料．胃腸薬配合剤．芳香性健胃，整腸，駆風，駆虫薬として，胃下垂症，胃拡張症，消化不良，胃腸の冷痛，嘔吐などに応用する．脾胃を温めることにより，冷えて低下した脾胃機能を回復する．漢方処方：大建中湯，当帰湯，解急蜀椒湯，烏梅丸など．

サンショウ

雄花序と一対の刺　雌花序
4月

雄花序　　ニガキ　雌花序　4月

ニガキ *Picrasma quassioides*（D. Don）Benn.（Simaroubaceae / ニガキ科）付表 p.123

【植物】 落葉高木．高さ8～15 m．雌雄異株．葉は互生し，奇数羽状複葉，小葉は9～13枚．初夏，集散花序を腋生．全株に苦味がある．日本各地に自生．

【生薬】 ニガキ（局）　苦木〔材〕

ニガキ

においがなく，味は極めて苦く，残留性である．苦味質として nigakilactone 類，アルカロイドの nigakinone などを含有．

【用途・製剤】 苦味健胃薬とし，ニガキ末（局），煎剤またはエキスを用いる．また煎汁を殺虫剤に使用する．漢方では用いない．OTC：太田胃散．本来，ニガキは外国産カッシア木 Quassia（スリナム苦木 *Quassia amara* L. やジャマイカ苦木 *Picrasma excela* Planchon）の代用品として初版日本薬局方から収載されるようになった．

コラム：和のハーブ ワサビと健胃薬を巡って

ワサビ *Wasabia japonica*

日本には「和のハーブ」といえる古くから使われてきた香辛料植物があります．なかでも，わさび（山葵）は冷蔵庫のなかのハーブといったほうがよいほど，日本の食生活には欠かせないものとなっています．それはチューブ入りのねりわさびです．ワサビ *Wasabia japonica*（アブラナ科）は日本特産で，水のきれいな，そして太陽の直接当たらない，冷たい湧き水が流れているような所によく生育します．地下茎（山葵根）をすりおろすと，酸素と触れることで生じる辛味成分アリルイソチオシアネートが，お寿司，お蕎麦，お茶漬けを食するときツーンと鼻をさす快感が食欲を誘います．なお，同じアブラナ科の西洋ワサビ *Armoracia rusticana* 由来のねりわさびもあり，今では「和食」が世界無形文化遺産に登録され“Wasabi”も世界のハーブの仲間入りを果たしたといえるでしょう．ワサビのような香辛料には，食物の消化や吸収を良くする働きを持っています．

ところで胃腸の調子が悪くなったときにはどうしますか．ワサビやカラシを健胃薬た整腸薬としては使いませんが薬局で薬を求められることが多いでしょう．これらの薬の中には薬の中には生薬の配合がみられます．健胃薬は胃の運動を高め，胃液の分泌を高めて消化を助ける薬剤で，昔からそれら生薬特有の味や香りを持つ成分によって効果を発揮していると考えられてきました．専門書には苦味健胃薬，芳香性健胃薬及び辛味性健胃薬として大別されて呼ばれます．それでは，これらの代表的な生薬を挙げてみましょう．これらの生薬は薬のパッケージの成分の項でしばしば見ることがあります．

苦味健胃薬

アロエ（液汁塊），オウレン（根茎），オウバク（キハダの樹皮），エンメイソウ（ヒキオコシの茎葉），ゲンチアナ（根及び根茎），センブリ（全草），ニガキ（材），リュウタン（トウリンドウなどの根及び根茎）など

芳香性健胃薬

ウイキョウ（果実），ウヤク（テンダイウヤクの根），ガジュツ（根茎），ケイヒ（トンキンニッケイの樹皮），コウボク（ホオノキの樹皮），サンショウ（果皮），シュクシャ（種子塊），ショウキョウ（ショウガの根茎），ショウズク（種子），ソウジュツ（ホソバオケラの根茎），チョウジ（チョウジノキの蕾），チンピ（ウンシュウミカン，ポンカンの果皮），ビャクジュツ（オオバナオケラ，オケラの根茎），トウヒ（ダイダイの果皮），ヤクチ（果実），リョウキョウ（根茎）など

辛味性健胃薬

ガイシ（カラシの種子），トウガラシ（果実）など

ニュウコウジュ　5月

ニュウコウジュ　*Boswellia carteri* Birdw.（Burseraceae / カンラン科）付表 p.139

【植物】落葉低木．高さ6 m．葉は奇数羽状複葉で，枝先に集中する．小葉は7～9対で，小葉は披針形～長円形でやや革質，葉縁は波形．花は総状花序につき，小型で，白あるいは緑白色で，まれに赤味を帯びる．イエメン，エチオピア，ソマリアなど南アラビアやアフリカの熱帯乾燥地原産．

【生薬】ニュウコウ　乳香〔樹皮を傷つけて得られる精油を含む白色樹脂〕

別名：Frankincence（英語，真正な香の意），Olibanum オリバナム（ラテン語）．『本草綱目』などの本草書では乳香は薫陸香（クンロクコウ：ウルシ科の *Pistacia lentiscus* L. から得られる樹脂，別名，マスチック樹脂（洋乳香））と同一と考えられていたようであるが，現在『中華人民共和国薬典』ではカンラン科のニュウコウジュの樹脂であると規定されている．日本でも江戸時代から明治時代ころまでは，マスチック樹脂（洋乳香）であると考えられていたが，現在は，ニュウコウジュの樹脂であるとされている．

【用途・製剤】鎮痛，止血薬．OTC：腰専門（一般配置兼用医薬品）．かつては，薬用のほかに，宗教儀式などにも利用されたが，現在ではもっぱら香料の原料とされる．

ニュウコウ

樹液

ニュウコウの選別

モツヤクジュ　*Commiphora molmol* Engl. ex Tschirch（Burseraceae / カンラン科）付表 p.139

【植物】落葉低木．高さ5 m．茎に多数の棘．北東アフリカの熱帯乾燥地原産．

【生薬】モツヤク　没薬，別名：ミルラ，ミル〔樹皮に傷をつけ，出てくる樹脂（精油を含む）〕

【用途・製剤】かつて，ミイラの防腐剤に用いられた．また殺菌作用があり，鎮静薬，鎮痛薬としても使用されていたとされる．漢方では，散血，駆瘀血，抗炎症，止痛薬として，没薬乳香散，活絡丹，没薬散などの処方に配合されるが，現在，日本では用いられず，収れん薬として，歯磨きやうがい水に利用されている．OTC：（ミルラチンキとして）アセス，アセス液，アセスメディクリーン，パロタックス，ラリンゴールなど．男性用香水の香料としても利用される．

樹液

モツヤク

モツヤクジュ

コラム：香（こう）に用いる薬用植物をめぐって

香（こう）というと，線香，焼香などの宗教習慣を思い出すが，香りをかぐと脳内に α 波が発生し，多幸感をもたらす神経伝達物質エンドルフィンの分泌も増加するため，性的・精神的効果を期待しての利用も多い．香水，香袋，ハーブティー，香を焚く，アロマテラピーなど生活に溶け込んでいる．

香の歴史は古い．紀元前3000年，メソポタミア文明ではレバノンスギの樹皮が神事に用いられ，古代エジプトでは太陽神ラーに捧げる薫香が日に三回焚かれた．乳香（フランキンセンス．樹木からの樹脂）や没薬（モツヤク，ミルラ．樹木からの樹脂）などが用いられた．ミノレラは匂いが強くミイラ作成時の防臭・防腐にも利用され，ミイラの語源ともいわれる．また，ケイヒ（桂皮，樹皮）やニオイイリス（根茎）なども香油として使用された．クレオパトラ（紀元前69年～前30年）はバラの香りを愛好し，化粧や入浴に使った．その後，ギリシャでは医学の祖ヒポクラテスが香りに治療効果があることを説き，香水やオーデコロンへと発展した．中世ヨーロッパでは蒸留法が確立し，ハーブ利用が盛んとなりアロママッサージが始まった．また蔓延する疫病ペストに対しハーブの燻煙による予防・治療も行った．

仏教の生まれたインドでは，白檀（サンダルウッド．ヒャクダン科の半寄生常緑高木の芯材．鎮静，抗真菌，抗ウイルス作用）や安息香（ベンゾイン．エゴノキ科アンソクコウノキの樹脂．去痰作用，肺炎防止効果），パチョリ（防虫効果，抑うつ作用），桂皮（カシア．抗菌，抗アレルギー，発汗作用）などが薫香として宗教儀式に用いられた．貴族など富裕階級は香膏を身体に塗り，死者葬送時にはジンコウ（沈香）や白檀などの香木を焚いた．香は3世紀頃に中国へ伝わり，線香が生まれた．

日本へは飛鳥時代に渡来した．平安時代には貴族階級に香を焚くことが広まり，室町時代には「香道」が芸術として発展した．香りを「聞く」ものとし，作法としての聞香が生まれた．「源氏香」は5種類の香を聞いて異同を判じる聞香で，判定を5本の縦線と数本の横線の組合せで表した（図参照）．この紋様は着物，帯，重箱などの模様や，家紋や和菓子のデザインにも利用された．

香の原料にはジャコウ（麝香，ジャコウジカの腺分泌物），リュウゼンコウ（竜涎香，マッコウクジラの内臓結石）など動物由来の生薬もある．

源氏香の図

トウセンダン *Melia azedarach* L. var. *toosendan* (Siebold et Zucc.) Makino (Meliaceae / センダン科) 付表 p.139

トウセンダン　果実

【植物】落葉高木．高さは 10 m 以上．樹皮は灰褐色．葉は二回奇数羽状複葉で互生，小葉は 5 ～ 11 枚．3 ～ 4 月頃，淡紫色の花をつける．果実は直径 2 cm 前後で楕円形．中国の河南，甘粛，湖南，湖北，雲南，貴州，四川などの平地，丘陵地に分布．

【生薬】クレンピ　苦楝皮〔樹皮〕

センレンシ（局外）川楝子〔果実〕

特異なにおいがあり，味は初め酸味があり，後に苦い．センダン *M. azdedarach* L. var. *subtripinnata* Miq. の樹皮や果実も同様に用いる．

【用途・製剤】クレンピは回虫駆除などを目的した駆虫薬．センレンシは駆虫作用のほか，鎮痛作用も認められることから，回中症による疝痛，胃痛，胸痛に用いるとされる．漢方処方：(川楝子)：天台烏薬散，導気湯，椒梅湯など．OTC：(川楝子)：イスクラ開気丸，(苦楝皮)：桔梗智辨宝珠湯．

クレンピ

センレンシ

センダン　5 月下旬

ヒロハセネガ　7 月

ヒロハセネガ *Polygala senega* L. var. *latifolia* Torr. et A. Gray，セネガ *P. senega* L. (Polygaraceae / ヒメハギ科) 付表 p.123

【植物】多年生草本．高さ 20 ～ 30 cm．葉は互生し，卵状の披針形で縁に毛がある．6 月頃，穂状花序に白～淡紅色で蝶形の小さな花をつける．アメリカ中南部に分布．セネガはアメリカ，カナダの山中に分布．

セネガ

【生薬】セネガ（局）〔根〕

サリチル酸メチルの特異なにおいがあり，味は初め甘く，後にえぐい．成分としてsenegin類のサポニンを含有．

【用途・製剤】サポニンを多く含み，粘膜の刺激作用によって気道分泌が促進され，強力な去痰，鎮咳作用を示すので，去痰薬として用いる．日本薬局方にセネガシロップが収載されている．「セネガ」の名前は，これを用いていたアメリカ原住民の部族名「セネガ族」に由来する．

イトヒメハギ *Polygala tenuifolia* Willd. (Polygaraceae / ヒメハギ科) 付表 p.124

【植物】多年生草本．高さ 25 ～ 40 cm．1 か所から多数の細い茎が出る．葉は互生し，細長い披針形，殊に上部の葉は細い．5 ～ 7 月頃，総状花序に淡い藍～紫白色の小さな花をつける．朝鮮半島北部，中国北部，シベリアに分布．

【生薬】オンジ（局）遠志〔根〕

弱いにおいがあり，味はわずかにえぐい．成分として onjisaponin 類を含有．

【用途・製剤】サポニンを多く含み，去痰薬，気管支炎，気管支喘息の薬として用いられる．また漢方では強壮，精神安定薬．漢方処方：帰脾湯，加味帰脾湯，人参養栄湯，加味温胆湯など．「中年期以降の物忘れの改善」を効能又は効果とする生薬単味エキス製剤として利用される．OTC：アドレニンエースシロップ，安神湯，安神補心丸，エナックロイヤル，延若禿鶏内服液，快気散（カイキサン），至宝三鞭丸，十全湯，天王補心丸，ニューゼナ F-Ⅲ，能活精，ユンケルグランドなど．「遠志」の名前の由来は，智を益し志を強くする薬効，つまり，精神の安定によって不眠や健忘を治し，志を遠大にするということに由来する．

イトヒメハギ　7 月

果実

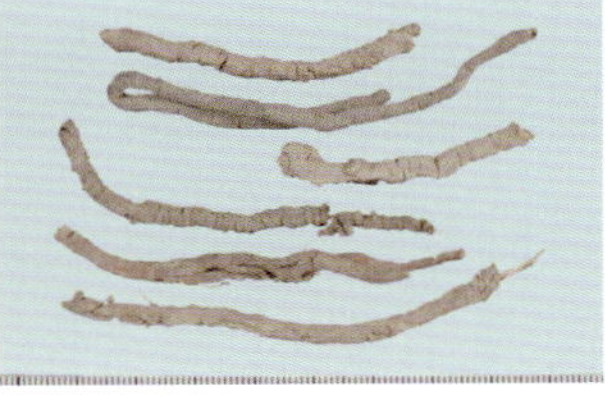
オンジ

ヌルデ　雄花序　9月

ヌルデ　*Rhus javanica* L. var. *chinensis*（Mill.）T. Yamaz.（Anacardiaceae／ウルシ科）付表 p.139, 152

【植物】 落葉高木．高さ 5 m．雌雄異株．葉は互生し，奇数羽状複葉で中軸に翼がある．東アジア各地に野生．

【生薬】 ゴバイシ 五倍子〔虫こぶ〕

ヌルデ又は同属植物の葉にヌルデノミミフシアブラムシが寄生し，虫こぶ（虫えい）を作る．この虫こぶを熱湯につけたのち乾燥したもの．

【用途・製剤】 収れん止瀉，鎮咳，止血，止汗薬．OTC：赤玉はら薬整腸丸 A，はら薬「至聖」．ゴバイシはタンニンを多く含み，タンニン酸の原料や皮なめし染料として用いられる．

ゴバイシ

ゴバイシ

リュウガン　*Euphoria longana* Lam.（=*Dimocarpus longan* Lour.）（Sapindaceae／ムクロジ科）付表 p.124

【植物】 常緑高木．高さ 12 m．幼梢には鮮紅色の斑点がある．樹皮は灰褐色．葉は互生し，長さ 7.5 ～ 30 cm，小葉は 2 ～ 5 対，披針形，全縁，無毛で光沢がある．枝先に円錐花序を出し，径 6 mm の黄白色の花をつける．花弁は 5 ～ 6 枚で，がくは 5 深裂している．果実は球形で径 2.5 cm，黄褐色．果肉は多重で白く，中に暗褐色の種子が 1 個ある．インド原産．

【生薬】 リュウガンニク（局）竜眼肉〔仮果皮〕

特異なにおいがあり，味は甘い．

【用途・製剤】 鎮静，滋養強壮薬．漢方処方：加味帰脾湯，帰脾湯など．OTC：前記漢方処方の製剤のほか，イスクラ参茸補血丸，エナック W，参茸栄衛丸，ユンケルグランド，トップカイザーゴールド，ビタシーゴールド EX，ポポン S ローヤルなど．生食の他，缶詰や砂糖漬けにされ，アデニンやコリンを含む高栄養食．中医方では強壮として用いる．

リュウガン　果実

リュウガンニク

リュウガン　10月

ガラナ

ガラナ　*Paullinia cupana* Kunth（Sapindaceae／ムクロジ科）付表 p.137

【植物】 木本性のつる性植物．巻きひげを出し他植物にすがりついて茎を伸ばしていく．葉は 5 小葉からなる羽状複葉で互生し，長い柄がある．葉腋に穂状の花序をつける．種子は黒褐色，球形で直径が約 1cm．ブラジル・アマゾン流域原産で，栽培も多い．英名：guarana．

【生薬】 ガラナ子 Guarana〔種子〕

【用途・製剤】 種子にコーヒーの 5 倍の caffeine を含む．caffeine に似た guaranine と呼ばれる成分を含み，穏やかで持続性の興奮作用を示す．このため，先住民の間では野生の種子を採収し，滋養や強壮剤として用いていた．現在では需要が多いため広く栽培され，清涼飲料水の原料として利用される．日本でもガラナジュースとして売られている．OTC：アンプ内服液，キョービタ・L，新ゼリアス V10，若甦インペリアルソフトカプセル α，ストルピン液，正官庄高麗帝王液，ダンパール，ハイエナル "88" 内服液（コーヒー風味），ハイゼリー SG50，満天飛龍改，ユンケルゾンネロイヤル，ビタパッション「ゴールド・50」，ファイトタイム V，チョコラ BB ハイパーなど．

ガラナ子

果実

ガラナ　花

セイヨウトチノキ / マロニエ *Aesculus hippocastanum* L. (Hippocastanaceae/ トチノキ科　APG：Sapindaceae / ムクロジ科) 付表 p.139

【植物】 落葉高木．高さ 30 m 以上．葉は奇数羽状複葉．春に円錐花序に白い花をつける．バルカン半島（ギリシア，アルバニア，セルビア等）原産．果実に棘があり，日本原産のトチノキと区別される．

【生薬】 Horse Chestnut seed, Hipocastani Semen, buckeye, Spanish chestnut〔種子〕
樹皮，花，葉も薬用にする．

【用途・製剤】 収れん，抗浮腫，抗炎症薬．ドイツの Commission E では，マロニエの種子は，静脈の不調に起因する足のさまざまな疾患の治療に効果があるとしている．例えば，足の痛みや重い感じ，激痛を伴うふくらはぎの痙攣，足の瘙痒感や浮腫などに効果がある．化粧品原料にも用いる．

マロニエ　種子

果実　　セイヨウトチノキ　5月

マテ　*Ilex paraguariensis* A.St.Hil. (Aquifoliaceae / モチノキ科) 付表 p.139

【植物】 常緑小高木．高さ 3 ～ 15 m．葉は対生し，楕円形から倒卵状楕円形で鋸歯があり，やや厚く，長さ 3 ～ 12 cm．春に，葉腋に淡緑色の花をつける．果実は直径 5 mm ほどで赤く熟す．南米原産で，ブラジル，パラグアイ，アルゼンチン北部に自生．栽培もされる．

【生薬】 マテチャ，yerba Mate, kali chaye, Paraguay tea〔葉〕
成分として，キサンチン類（カフェイン他）やタンニンを含み，ビタミンやミネラルも多い．

【用途・製剤】 嗜好品．南米では栄養摂取源でもある．古代からブラジルやパラグアイの先住民が使用してきた．ドイツの Commission E では，マテチャは精神的および肉体的疲労によいとしている．

マテ　4月

マテチャ

カスカラサグラダ　*Rhamnus purshiana* DC. (Rhammaceae / クロウメモドキ科) 付表 p.139

【植物】 落葉小高木．高さ 3 ～ 6 m．葉は互生で，枝先に叢生する．春に散形花序に白い花をつける．果実はほぼ球形で，赤褐色から黒色に熟す．米国とカナダの西岸部山地原産．

【生薬】 カスカラサグラダ〔樹皮〕
成分として，アントロン配糖体やアントラキノン類を含む．カスカラサグラダはスペイン語で「聖なる樹皮」の意．

【用途・製剤】 緩下薬として便秘に用いる．医薬品用途専用だが，インターネットでは多くのサプリメントが販売されている．OTC：新ウィズワン．

カスカラサグラダ　果実

コラム：六陳八新，陳皮，橘皮，青皮

生薬の世界には，六陳八新（りくちんはっしん）という用語がある．古いものの品質が良いとされる生薬が六つあり，新しいものの品質が良いとされる生薬が八つあることを表したことばである．一般に，六陳には，狼毒，呉茱萸，半夏，橘皮，枳実，麻黄の 6 種類が，八新には，蘇葉，薄荷，菊花，桃花，赤小豆，塊花，沢蘭，款冬花の 8 種類が入るとされる．なお，前記の 14 種類の生薬以外でも，古いものが良い生薬をすべて六陳と呼び，新しいうちに使うべき生薬をすべて八新とする説もある．

成熟したウンシュウミカンの皮を乾燥した生薬に，チンピ（陳皮：日本薬局方収載）とキッピ（橘皮：日本薬局方外生薬規格収載）がある．陳皮と橘皮の違いは，収穫しておよそ 1 年未満の新しいものを橘皮，1 年以上経過した陳旧品を陳皮と呼んで区別し，陳皮は六陳の一つとして古いものが良品とされる．また同じウンシュウミカンの未熟な果実又は果皮を乾燥したものを生薬セイヒ（青皮；日本薬局方外生薬規格収載）という．陳皮と青皮では薬能・用途が異なり，陳皮は上中二焦に適用し，気をめぐらして余分な湿を除く作用があり，芳香性健胃，駆風，去痰，鎮嘔，鎮咳薬として，食欲不振，嘔吐，咳嗽などに良いとされる．一方，青皮は中下二焦に適用し，気のうっ滞を除く作用が強く，ストレスのため込み，イライラや鬱々とした気分を除いてくれる作用があるとされる．このように同じ植物に由来する生薬であるが，効能が異なり，期待する効果により使い分ける必要がある．

ナツメ　9月　　花　6月

ナツメ *Ziziphus jujuba* Mill. var. *inermis*（Bunge）Rehder（Rhamnaceae / クロウメモドキ科）付表 p.124

【植物】 落葉高木，高さ 10 m に達する．葉は互生し短柄がある．花は初夏に咲き，果期は 9～10 月．核果は長楕円球形，表面滑らかで紅褐色に熟す．中国東北部の南部地域～華北に自生する．日本でも古来栽培，ときに野生化．

【生薬】 タイソウ（局）　大棗〔果実〕

弱い特異なにおいがあり，味は甘い．成分として zizyphys saponin 類や zizybeoside 類のサポニンを含有．

【用途・製剤】 緩和，強壮，利水，鎮痛薬．筋肉の急迫症状による痛み，知覚過敏を緩和し，咳嗽，煩躁，身体疼痛，腹痛を治し，作用の強い薬物を温和にする．滋養強壮薬として精神不安などに用いる．作用は甘草に似ているが，甘草と異なり利水（利尿）の効がある．

漢方処方：甘麦大棗湯，桂枝湯，葛根湯，呉茱萸湯，柴胡桂枝湯，四君子湯，炙甘草湯，小建中湯，大柴胡湯，当帰建中湯，当帰四逆加呉茱萸生姜湯，麦門冬湯，半夏瀉心湯，平胃散，防已黄耆湯，補中益気湯，六君子湯など．OTC：各種漢方処方製剤のほか，EX. ハイノウサンキュウトウ，あい気散，命の母生薬内服液，イベリス 3000EX，雲仙錠など多数．補気の方剤には大棗と生姜を一緒に用いることが多い．これは生姜の刺激性を大棗で緩和し，大棗によって生じる腹部膨満感を生姜で減少させて，互いの副作用を抑えながら脾胃の機能を補うことができるので，他の補気薬の作用を高めることができる．

タイソウ

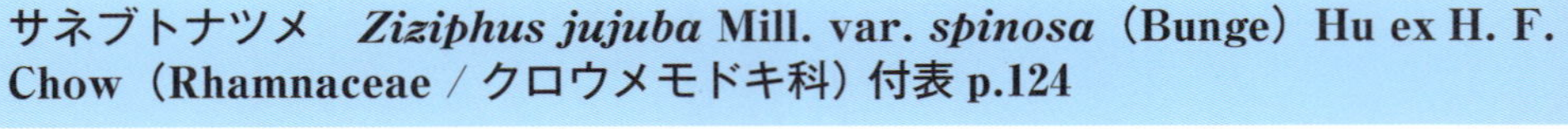

サネブトナツメ　*Ziziphus jujuba* Mill. var. *spinosa*（Bunge）Hu ex H. F. Chow（Rhamnaceae / クロウメモドキ科）付表 p.124

【植物】 落葉小高木．ナツメと近縁の植物で，ナツメの母種ともいわれる．枝は暗褐色で托葉が変化したするどい刺がある．葉には短い葉柄があり互生する．鈍鋸歯があり卵形または狭い卵形．葉の表面には光沢がある．夏，集散花序をつける．核果はナツメより小さいが種子は大きい．ヨーロッパ南部，アジア東部及び南部に分布．

【生薬】 サンソウニン（局）　酸棗仁〔種子〕

わずかに油臭があり，緩和でやや油様である．成分として jujuboside 類のサポニン，betulinic acid などのトリテルペンを含有．

【用途・製剤】 強壮，健胃，鎮静，催眠薬．精神安定作用，鎮静作用があり，心因性の不眠または多眠，神経症，健忘，口渇，動悸，虚弱体質者の多汗，寝汗などに応用する．

漢方処方：加味温胆湯，加味帰脾湯，帰脾湯，酸棗仁湯など．

OTC：各種漢方処方製剤のほか，安神湯，イスクラ天王補心丹 T，奥田脳神経薬，肝生，参茸栄衛丸，天王補心丸など．

サンソウニン

サネブトナツメ　9月

ブドウ　9月　　赤ブドウ

ブドウ　*Vitis vinifera* L.（Vitaceae / ブドウ科）付表 p.124, 139

【植物】 落葉のつる性木本．茎と葉と対生する巻きひげがある．葉は有柄．初夏，円錐花序を新しい枝の葉に対生し，小花をつける．液果は球形で，褐色～紫黒色に熟す．アジア西部原産で，世界各地で栽培される．

【生薬】 ブドウ酒（局）〔ブドウ又はその他の品変種の果実を発酵して得た果実酒〕

淡黄色又は帯赤紫色～赤紫色の液体で，特異な芳香があり，味はわずかに渋く，やや刺激性である．

【用途・製剤】 日本薬局方ブドウ酒（局）の原料で，食欲増進，強壮，興奮，下痢，不眠症，無塩食事療法に用いる．またリモナーデ剤にも加えられる．OTC：アンチスタックス；成分である赤ブドウ葉乾燥エキス混合物（商品名：アンチスタックス）は *V. vinifera* L. のタンテュリエ（Teinturier）と呼ばれている種類の赤ブドウの葉を原料としているもので，西洋ハーブ医薬品として日本で初めて承認された有効成分，下肢の静脈の血流が滞ることによって引き起こされる足のむくみ，だるさ，重さ，疲れ，つっぱり感・痛みなどの静脈還流障害を改善する．

赤ブドウ葉

日本薬局方ブドウ酒とワイン

フユボダイジュ / リンデン *Tilia cordata* Mill.（Tiliaceae / シナノキ科 APG：Malvaceae / アオイ科）付表 p.139

フユボダイジュ　6月

【植物】 Lindenの名称で知られ，その基原植物には，フユボダイジュ（Small-leaved Lime），ナツボダイジュ（Large-leaved Lime），セイヨウシナノキ *T.* × *europaea* Hayneの3種がある．
フユボダイジュ：高さ35 mに達する高木で枝葉が密生．若い枝は初め有毛，のち無毛．葉は長さ5～7 cm，裏面は灰白色で主脈に沿って褐色毛がある．下垂した花序に5～11個の花をつける．ヨーロッパからコーカサス山脈に分布．
ナツボダイジュ：高さ30 m前後．若い枝は褐色を帯び，有毛．葉は濃緑色から黄緑色で長さ12 cm，幅10 cmほどで質はやや厚い．下面は淡緑色で，軟毛や白色の直立毛がある．6月下旬に3～6個の花が下垂して咲く．ヨーロッパに分布，ヨーロッパや北米では街路樹として植栽．
セイヨウシナノキ：ナツボダイジュとフユボダイジュの自然雑種とされる．
【生薬】 リンデン〔花〕
【用途・製剤】 花をLinden Teaとして，古来，様々な用途に用いてきた．発汗作用があり，かぜ，インフルエンザ，上気道カタルなどに飲用する．また，神経系の緊張を緩和する作用があり，精神不安状態に有効で，偏頭痛や不眠症の緩和，落ち着きのない子供の治療に効果があるとされている．

リンデン

ウスベニアオイ　6月

ウスベニアオイ / マロウ *Malva sylvestris* L.（Malvaceae / アオイ科）付表 p.139

【植物】 多年生草本，まれに二年草．茎は円柱形で直立し，高さ30～200 cm．よく分枝し，まばらに毛がある．葉は長い葉柄があり，腎臓形または丸い心臓形，径4～8 cmで掌状に5～9浅裂し，縁に鈍きょ歯がある．初夏～秋に，葉腋に2～8個の花がつく．花は淡桃紫色から淡紅色で濃い色の筋が入る．径2～4 cmほどで花弁は5枚．ヨーロッパ，西アジア，北アフリカ原産．
【生薬】 マロウ〔花，葉〕
【用途・製剤】 葉と花，時に根を薬用とし，緩和，抗炎症，緩下薬．わずかに収斂性があり，胃腸を刺激し，多量に用いると穏やかな瀉下作用を示す．また，咳と気管支炎の治療にも用いられる．薬用以外には，食用として，生の若葉と花をサラダに混ぜ，若葉は野菜として用いる．花と葉は，ハーブティーとして，また，お風呂に入れて浴湯料としても利用する．

マロウ

ローゼルソウ / ローゼル *Hibiscus sabdariffa* L.（Malvaceae / アオイ科）付表 p.139

ローゼルソウ　11月

【植物】 一年生草本．高さ1～1.5 m．茎は直立する．9～11月頃，葉腋にクリーム色の花をつける．果実は成熟すると萼（がく）や総苞片が赤色の多汁・肉質となる．アフリカ原産とされ，現在では熱帯各地で栽培される．
【生薬】 ローゼル〔萼，苞〕
【用途・製剤】 薬用としては，乾燥した若い萼を利尿薬や緩下薬として用い，アフリカ，アジアで，咳の薬，傷薬，利尿薬として用いられる．
お茶やハーブティー（ハイビスカスティー）の赤色着色剤．酸味があり，ソース，ジャム，ゼリーやシロップ，さらに，清涼飲料水やワインなどに用いられるほか，発酵させてローゼル酒（Sorrel Drink）をつくる．インドネシアでは香辛料としてカレーに入れ，チャツネに酸味の調味料として用いる．若い葉や果実は野菜として利用され，種子から油がとられる．

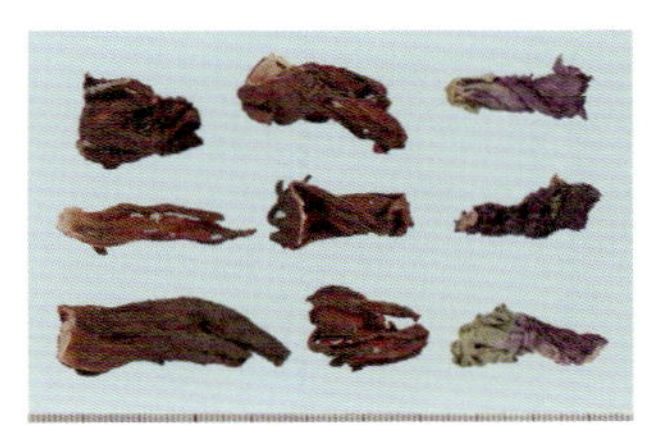
ローゼル

萼　12月

アジアワタ　8月

ワタ　*Gossypium arboreum* L. var. *obtusifolium*（Roxb.）Roberty（Malvaceae / アオイ科）付表 p.139

【植物】一年生草本．高さ 30 〜 60 cm．葉は長柄あり，掌状 3 〜 5 中裂，裂片は卵状だ円形．秋に淡黄色の花をつける．さく果は球形で熟すれば開裂して白綿を現す．東アジアの温帯からアフリカまでの各地で栽培．別名，インドワタ，ナンキンワタ，アジアワタ，シロバナワタ．

【生薬】綿実〔種子〕

脱脂綿〔種子に生える毛を脱脂・漂白したもの〕

原綿はセルロースを主成分（87%）とする．

綿実油〔種子から得た脂肪油を精製したもの〕

微黄色の液体で，においはない．

【用途・製剤】綿実は民間的に催乳薬とすることがある．綿実油はサラダ油，オリーブ油の代用として利用されるほか，マーガリンや石鹸の原料となる．

ワタ　果実　11月

カカオ　*Theobroma cacao* L.（Sterculiaceae / アオギリ科　APG：Malvaceae / アオイ科）付表 p.147

【植物】常緑小高木．高さ 4 〜 10 m．樹幹直径は 30 〜 40 cm に達する．花は幹に直接つき（幹生花），黄白色の花弁をもつ小さな花を群生する．果実は大型紡錘状で，内部に白いパルプ質に覆われた約 40 個の種子を内蔵する．熱帯アメリカ原産で，熱帯各地で栽培される．

【生薬】カカオ脂（局）〔種子から得た脂肪〕

黄白色の堅くてもろい塊で，わずかにチョコレートようのにおいがあり，敗油性のにおいはない．融点 32 〜 36℃，体温で溶解する．

種子をカカオ脂の原料とする．種子にはプリンアルカロイドの caffeine，theobromine など，脂肪酸の stearic acid，oleic acid，palmitic acid などを含む．

【用途・製剤】カカオの種子を炒って種皮を除き，圧搾して得た脂肪をカカオ脂と呼び，坐剤用基剤，化粧品基剤，製菓原料（チョコレート，ココア）に用いられる．

カカオ　内部

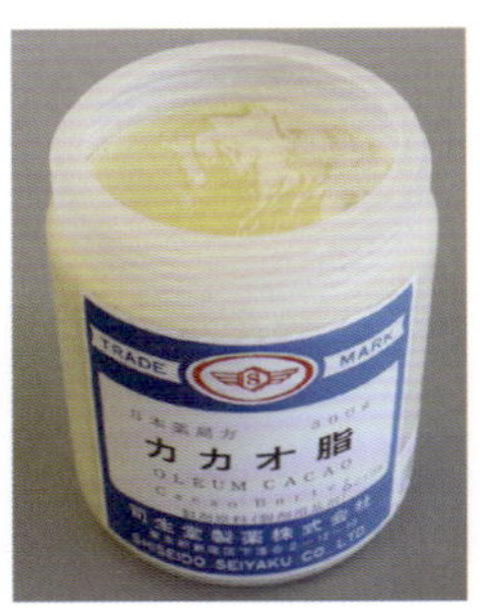

カカオ脂

カカオ　6月

ジンコウ　5月

ジンコウ　*Aquilaria agallocha*（Lour.）Roxb.（Thymelaeaceae / ジンチョウゲ科）付表 p.139

【植物】常緑高木．高さは，ときに 30 m に達する．葉は互生し，楕円状披針形あるいは披針形でやや革質，鋭頭で全縁．葉は長さ 5.5 〜 9 cm．花期は 3 〜 4 月で，葉腋からでる散形花序に白い花をつける．がく筒は鐘形で 5 裂し，裂片は卵形．

【生薬】ジンコウ（局外）沈香〔材，特にその辺材の材質中に黒色の樹脂が沈着したもの〕

わずかな香気があり，薫べると芳香を発する．沈香は白檀とともに香木として有名である．傷ついた木部に樹脂が染み込み長年かけて沈着した材が沈香として取り扱われている．枯死した樹に自然に溜まったものを良品とするが，最近では，幹に人工的に傷をつけて樹脂を分泌させ，数年たった後に採集する方法が行われている．沈香中の芳香成分として benzylacetone や *p*-methoxybenzylacetone などが知られている．樹脂が染み込んだ材は比重が重く，水に沈むことから沈香という名がつけられたとされている．

【用途・製剤】鎮静，解毒，健胃薬．漢方処方：沈香降気湯，丁香柿蒂湯，五香湯，沈香飲など．OTC：イスクラ開気丸，大草六神丸金粒，救心感應丸 氣，小児薬樋屋奇応丸，敬震丹，降圧丸，至宝三鞭丸（小粒），能活精，ユンケル心臓薬，虔脩ホリ六神丸，救心六神丸など．一般的には薬用よりむしろ高級線香などの香料として用いられる．

ジンコウ

チャボトケイソウ／パッションフラワー *Passiflora incarnata* L.（Passifloraceae／トケイソウ科）付表 p.140

【植物】 つる性の多年生草本．葉は３～７の奇数に切れ込む．花は５数性で，花弁とがく片は同じように見え，糸状によれて基部が紫色の部分は副花冠である．雌しべは３本，雄しべは５本で，いずれも先端が分岐している．南米原産．花が円形で，雌しべを時計の針などに例えると「時計」そのものにみえるので，この和名がついた．花が美しいことから，様々な品種が作出され，世界中で栽培されている．

【生薬】 パッションフラワー〔全草〕

全草を生もしくは乾燥したものを茶剤として利用する．成分としてインドールアルカロイド（harmaline など），フラボノイド類が含まれている．

【用途・製剤】 中枢性の鎮静作用が知られ，過度の緊張，精神不安，イライラ感，不眠に，単独または他の鎮静作用のあるハーブとブレンドして茶剤として利用される．

パッションフラワー

チャボトケイソウの交配種　７月

トウガン９月

トウガン *Benincasa cerifera* Savi（= *B. hispida*（Thunb.）Cogn.）（Cucurbitaceae／ウリ科）付表 p.124

【植物】 つる性の一年生草本．葉は大きな円形で浅く５裂し，細かい毛がある．巻きひげは分岐せず伸びる．夏から秋に葉腋に花を１つつける．花のがく片は５個，花冠は５裂し，裂片は円頭で少ししわ状に縮んでいる．果実は円形か楕円形で非常に大きくなり，果皮は堅く初め白い毛があるが，だんだん抜け落ちて，ろう質を分泌して粉白になる．熱帯アジア原産．

日本の本草書「本草和名」には「白冬瓜，加毛宇利」という記述があり，別名としてそのように呼ぶ地域もある．本来，冬瓜は「トウガ」と呼ぶのが正しく，東国なまりで「トウガン」になったといわれる．

【生薬】 トウガシ（局）　冬瓜子〔種子〕

においがなく，味は緩和でわずかに油様である．８～９月頃，果実を切り，中の種子を取り出して水洗いして，日干しにして乾燥させる．

【用途・製剤】 消炎，利尿，緩下薬．漢方処方：大黄牡丹皮湯．OTC：駆瘀血丸，大黄牡丹皮湯．民間薬：痔疾に煎液で外用する．

トウガシ

キカラスウリ *Trichosanthes kirilowii* Maxim. var. *japonica*（Miq.）Kitam. オ（Cucurbitaceae／ウリ科）付表 p.124

【植物】 つる性の多年生草本．キカラスウリは，雌雄異株．葉は心円形で，浅裂，全体に毛がない．花は白色で花弁の先は糸のように細長く無数に切れ込む．夏の夕方に開花し，翌朝にはしぼむ．果実は長さ約 10 cm の卵形で，熟すると黄色になる．本州以西に分布．

オオカラスウリは，キカラスウリに似るが，葉は深く３～５裂で葉の表面に短い剛毛がある．巻ひげは３分枝，萼片には小さなトゲがある．中国，九州に分布する．

【生薬】 カロコン（局）　括楼根〔根〕，カロニン　括楼仁〔種子〕

カロコンは，においがなく，味はわずかに苦い．秋から冬にかけて，肥大した根を採集し，輪切りまたは縦切りにしてコルク層を除き天日で乾燥させたものが括楼根．熟した果実より種子を取り出し，天日で乾燥させたものが括楼仁．オオカラスウリ　*T. bracteata* auct. non（Lam.）Voigt（= *T. laceribracteata* Hayata）も同様に用いる．

【用途・製剤】

カロコン；止瀉，解熱，利尿，催乳，鎮咳薬．漢方処方：柴胡桂枝乾姜湯，柴胡清肝湯など．OTC：前記漢方処方製剤，アクマチック，強胸虚散，強結胸散，強清肝散，強力蘇命湯，口紫湯，止血，シノミッテルカプセル，蘇命湯エキストラクト，ダイアベトン，糖解錠，乳泉など．民間薬：根，種子ともに煎じて解熱，鎮咳，利尿に用いる．根に大量のデンプンを含有し，天花粉としてあせもなどに用いる．

カロニン；解熱，消腫薬．漢方処方：柴胡陥胸湯，小陥胸湯など．OTC：ウチダの柴陥湯，晃勤湯，小児用ヒューゲン（分包），ホノピレチン「せき」など．

キカラスウリ　果実

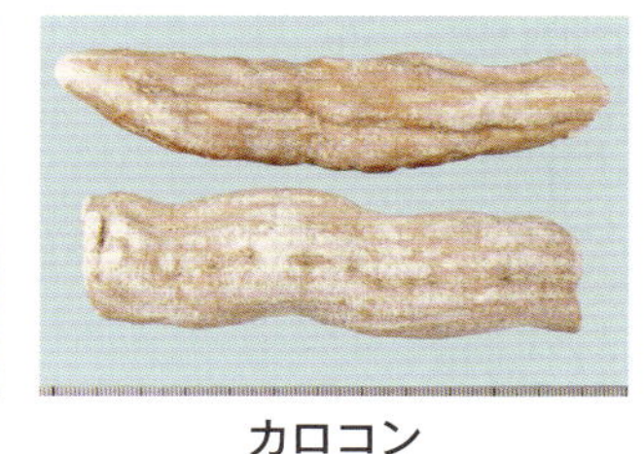

カロコン

果実　11 月　　雌花　　雄花　７月

キカラスウリ

ヒシ　9月　　果実 10 月末

ヒシ *Trapa japonica* Flerow（Trapaceae / ヒシ科　APG：Lythraceae/ミソハギ科）付表 p.140

【植物】 一年生の水生草本．葉は水中葉と水上葉があり，水中葉は根状で対生または輪生する．水上葉はひし形で稜があり，径約 5 cm，葉縁は鋸歯状，表面は滑らかで裏面は葉脈が隆起していて毛がある．花は白色で 4 弁，1 日花で花柄およびがく片には軟毛がある．花後は水中にもぐり結実する．果実は扁平の逆三角形で，両端に鋭い刺が 2 本ある．この刺は内側のがく片が残り成長し，変化したものである．日本全土の沼，池に自生する．

ヒシノミ

【生薬】 ヒシノミ（局外）　菱実〔果実〕

ほとんどにおいはなく，砕くとき，内部にわずかに特異な味がある．9 ～ 10 月頃，果実を採取する．ヒメビシ *T. incisa* Siebold et Zucc.，メビシ *T. japonica* Flerow var. *rubeola* (Makino) Ohwi の果実も同様に用いる．

【用途・製剤】 滋養強壮，解熱薬．OTC：コイクシン，腰専門．民間薬：消化促進にヒシの種子を生食あるいは茹でて食べる．

メマツヨイグサ / イブニングプリムローズ *Oenothera biennis* L.（Onagraceae / アカバナ科）付表 p.140

【植物】 多年生草本．茎は高さ 30 ～ 150 cm，下部から枝を多数出して立つ．茎葉は長楕円状披針形で先端はとがり，ふちに浅い波状の鋸歯がある．花弁・萼は 4 枚，柱頭は 4 裂し，雄しべは 8 本．花は小さく，直径 3 ～ 4 cm. 花期は 7 ～ 9 月．花は 1 日花で，夕方に咲き，朝にはしぼみ橙色を帯びる．果実はさく果．種子は長さ 1 ～ 2 mm．オオマツヨイグサによく似るが，花がオオマツヨイグサより小さいことから，この名前がついた．北米原産．

ツキミソウ種子

【生薬】 ツキミソウ　月見草，イブニングプリムローズ〔種子油〕

成分：γ -linolenic acid が含まれている．

【用途・製剤】 月見草オイルとして，湿疹などの治療にそのまま肌に塗る，更年期障害や関節痛などにも利用されるが効果がないことが示唆されている．

メマツヨイグサ　9月

ユーカリ　4月

ユーカリ *Eucalyptus globula* Labill.（Myrtaceae / フトモモ科）付表 p.147

【植物】 常緑高木．樹皮は褐色で不規則に剥げ落ちる．葉は幼木では対生，成木になると互生．葉縁は全縁，油点があり，厚く鎌状に湾曲した披針形で葉を揉むと特有の芳香がある．花は花弁と萼片が合着して木質の蕾に蓋があり雄蕊が束になってふたを落として白色の花を開花する．花後はさく果をつける．オーストラリア原産．

【生薬】 ユーカリ油（局）〔葉〕

無色～微黄色の透明の液で，特異な芳香及び刺激性の味がある．新鮮な葉を採取して乾燥させ，水蒸気蒸留して精製したものがユーカリ油．

【用途・製剤】 消炎，防腐，防臭，去痰薬．香料．OTC：エアーサロンパス EX，新エフレチン，新フジパップ温感，ズッキノン a，タイガーバーム，ドルマイン H 坐剤，メンソレータム軟膏 c，テイカパップ - ハイ，カコナールかぜパップ，カゼピタン ハップ，ヴィックス ヴェポラップなど．民間薬：外用として神経痛，リウマチ，筋肉疲労などの患部に直接塗布する．また，化粧品の香料や蚊の忌避剤の皮膚クリームなどにも利用される．

ユーカリ葉

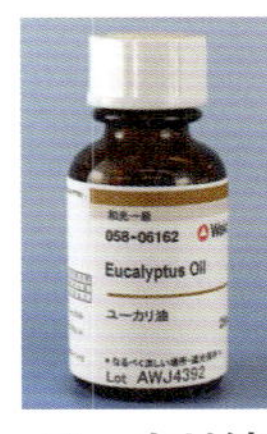

ユーカリ油

チョウジ / クローブ *Syzygium aromaticum*（L.）Merr. et L. M. Perry（Myrtaceae / フトモモ科）付表 p.124, 147

【植物】 常緑高木．高さ 4 ～ 7 m．集散花序を頂生し多数の花をつける．蕾は長さ 1 ～ 2 cm，4 稜のある柱状の花床の上に厚い 4 枚のがく片と，多数の雄しべを包む 4 枚の花弁がある．モルッカ諸島原産，アンボン島，マレーシアのペナン島，マダガスカル島などで栽培される．

【生薬】 チョウジ（局）　丁子〔蕾〕

特異なにおいがあり，味は舌をやくようで，後にわずかに舌を麻痺させる．開花前の花弁が丸く閉じている時期のものを採取して乾燥し，生薬や香料に用いる．多量の精油を含む．主成分は eugenol（70 ～ 90 %）．他にタンニンも含む．チョウジはその形は釘状なので同音の丁の字をあてて丁子と名付けられ，また英名のクローブ Clove もフランス語の Clou（釘を意味する）に由来する．産地のモルッカ諸島とは，インドネシアのスラウェシ島とニューギニア島の間に散在する島々のことで，古くから香料の産地として知られ，香料諸島の別名をもつ．

【用途・製剤】 芳香性健胃薬．漢方では，健胃，吃逆抑制薬とみなされる処方に配剤される．漢方処方：柿蔕湯，丁香柿蔕湯など．OTC：イストサン胃腸内服液，宇津救命丸，液キャベコーワ L，大草胃腸散，太田胃散，海馬補腎丸，敬震丹，三宝はぐきみがき，ザッツ，シオノギ胃腸薬 K　細粒，歯痛剤新今治水，新三共胃腸薬〔細粒〕，新フジサワ胃腸薬クール，ソルマック EX2，タイガーバーム，中将湯，日野実母散，薬用養命酒など．丁子油の原料．丁子油は口腔内殺菌薬として歯科領域で用いられる．さらに化粧品や薬品の賦香料として使用され，利用範囲が広い．丁子は香辛料（クローブ）として肉料理などにも利用され，現在，日本ではほとんどが香料や香辛料用として輸入されている．丁子油は江戸時代には万能薬として重宝され，髪のびん付け油や刀剣の錆止めとしても使われた．

チョウジ　7 月末

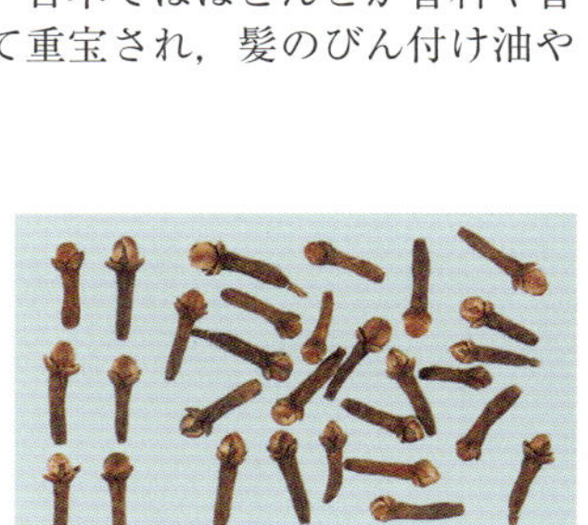

チョウジ

収穫したチョウジの天日干し（ジャワ島）

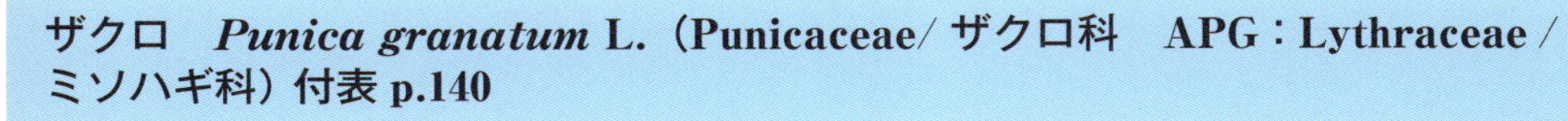

ザクロ　*Punica granatum* L.（Punicaceae/ ザクロ科　APG：Lythraceae / ミソハギ科）付表 p.140

【植物】 落葉高木．高さ 5 ～ 6 m．葉はほぼ対生，長楕円形で光沢があり，鈍頭．初夏，葉腋に赤橙色の花を開き，果実は球形で紅熟，種子を多数内蔵する．インド北西部から地中海沿岸が原産とされ，世界各地で栽培される．日本には平安時代末期以前に中国から渡来し，観賞用あるいは食用の庭木として栽培される．

【生薬】 ザクロヒ，セキリュウヒ　石榴皮〔樹皮，根皮〕

成分として，揮発性アルカロイドの pelletierine，タンニンの granatin A，B などを含む．

【用途・製剤】 条虫（サナダムシなど）駆除薬：かつて寄生虫の多かった時代に用いられたが，大量使用により嘔吐や下痢などの副作用があることから，今は用いられない．民間薬：果皮を煎じて口内炎，扁桃炎，口内炎のうがい薬にする．種子の外種皮は甘酸っぱいゼリー状で，生食の他，ジュース等，食用に利用される．

ザクロ　6 月　　果実　10 月

ザクロヒ

ミロバランノキ　*Terminalia chebula* Retz.（Combretaceae / シクンシ科）付表 p.140

【植物】 落葉高木．高さ 20 ～ 30 m．葉は互生か，やや対生，卵形又は楕円形で長さ 7 ～ 25 cm と大きい．6 ～ 8 月頃，穂状花序に黄色い花をつける．9 ～ 10 月に結実し，成熟した核果は 2.5 ～ 4.5 cm で，黄褐色の卵球形をなす．

【生薬】 カシ（局外）　訶子〔果実〕

成分として，chebulinic acid，chebulagic acid をはじめとするタンニン及び関連ポリフェノール類を多量に含む．特異な弱いにおいがあり，味は苦く酸味があり，渋い．

【用途・製剤】 収れん止瀉，鎮咳，止血薬．漢方処方：雲林参苓白朮散，響声破笛丸など．OTC：エスエス響声破笛丸料エキス顆粒 A，ササクール A など．インドのアーユルヴェーダ医学で，種々の病気に幅広く用いられる要薬の一つ．日本へ輸入されるものは主に皮なめしに使用される．

カシ

ミロバランノキ

カンレンボク　8月　　果実　12月

カンレンボク / キジュ　*Camptotheca acuminata* Decne.（Nyssaceae / ヌマミズキ科　APG：Cornaceae / ミズキ科）付表 p.153

【植物】 落葉高木，高さ 20 ～ 30 m に達す．葉は光沢のある長楕円形で全縁，はっきりした葉脈を持ち互生する．夏に淡黄色の花弁のない花を散形に付け，花は雄蕊が伸びて散る雄性期の後に雌蕊が伸びる雌性期があり，中央の花序の花が終わると周りの花序が咲きだすという特性をもつ．中国雲南省の山地に自生．中国では街路樹として植栽されることがある．

【生薬】 キジュカ　喜樹果〔果実〕，キジュコン　喜樹根〔根〕

植物全体にキノリン系アルカロイドの camptothecin を含有し，中国で薬用に果実，根，根皮が用いられる．

【用途・製剤】 乾癬に外用，抗癌剤として白血病，胃癌，膀胱癌，結腸癌，肝臓癌にヌマミズキ科の植物には，ヌマミズキやハンカチノキなど 10 ～ 20 種が知られる．キジュ（喜樹）は喜びの木とされ，英名は happy tree．中国では「福の木」として街路樹や庭園に植えられる．材は家具や製紙に利用．米国の抗癌剤スクリーニングにおいて強力な抗癌活性を持つ camptothecin が 1966 年に発見されたが，毒性が強く製剤化にはいたらなかった．その後ヤクルト本社が開発を継続し，カンプトテシン誘導体の塩酸イリノテカン（商品名：カンプト）を開発，大腸癌，肺癌，婦人科癌などに適用されている．

キジュカ

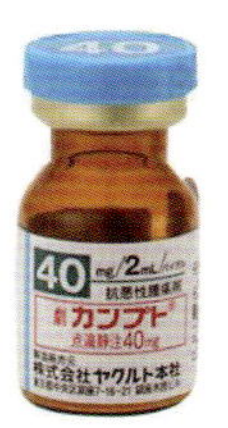

カンプトテシン点滴静注

コラム：薬の歴史

チンパンジーも薬草を利用

アフリカのタンザニア・マハーレ国立公園で寄生虫病にかかって餌を摂らずに弱ったオスのチンパンジーがある日森に入り，普段食べることのないヴェルノニア（*Vernonia amygdalina*，キク科）の皮をはいで髄を食べていることが観察された．そして数日後には体調を取り戻したという．初期の人類においても本能的あるいは食経験の中で食物と薬草を選択してきたと考えられる．神農本草経（AC 25 ～ 220 頃）で知られる古代中国の医療と農耕を教えた伝説の皇帝，神農は赤い鞭で百草を払い薬草と毒草を検証したといわれる．そのため多くの植物を食べたために 1 日 70 回も中毒したと伝えられている．時に類人猿にも薬草を利用することがあるが，加工を施し保存し，他の薬物と組み合わせて医薬として高度な利用法に発展させたのは私達人類のみで，薬草は大きな文化遺産といえるでしょう．

アヘン（Opium）を巡って

さらに薬の歴史についてケシを例として追ってみよう．最も古い文明をもたらしたシュメール人はメソポタミア文明（BC 3800 頃）として，太陽暦や高度な数学と共に薬草療法を行っていた．バグダッドの南部ウルク市で発掘された粘土板（BC3000 頃）には，ケシやベラドンナなどの 200 種を超える薬物が記載されていることから伺い知ることができる．この中でケシが「喜びの草」として記述され，さらにアヘンの採取方法についても記している．またこれと同時代のものとしてギリシャのクレタ島で発掘された「ケシの女神」像には，3 本のケシ坊主のついたティアラにつくケシの実にはアヘンを採った痕が彫られている．一方，古代エジプトにおいてはエーベルス・パピルス（医学書，BC 1550 頃）の中に見られる．この中には，811 処方が記載され，アヘン，ケイヒ，サフランなど 700 種以上の薬物が掲載されている．病気の症状，治療薬の投与法，薬の種類が述べられており，アヘンについては幼児の泣き鎮めに効果があると記されている．このパピルスは驚くことに紀元前 3400 年頃の文書を書き写したものといわれている．

紀元以降に移って，ローマの医師のディオスコリデスは医学書マテリア・メディカ（AC 78）を著し，その中には地中海諸国の生薬約 600 種を収載している．ケシについては「豆粒ほど服用すると痛みを和らげ，眠りを誘い，消化促進，咳止め，腹部疾患の治癒効果があり，量が多過ぎれば昏睡に陥り，やがて死に至る」と記述され，アヘンの薬理効果を的確にとらえている．その後いろいろな薬物書に登場するが，科学的な取り扱いが行われたのは 19 世紀に入ってからのことである．1806 年，ドイツのアインベックの薬剤師ゼルチュルネルは，薬局の仕事をしながらアヘンに含まれる睡眠物質ついて研究を重ねていた．ある時アヘンにアンモニア水をかけたところ粉末が析出した．さらにこの粉末に薄い硫酸を加え処理し，アルコールから再結晶を行い，純粋なモルヒネの硫酸塩を得ることに成功した．また自らも服用して睡眠効果を明らかにし，1816 年にギリシャ神話の夢の神モルペウスにちなみ「モルヒネ」と命名して発表したのである．ダルトンが分子説を発表したのが 1803 年であるので，当時化学分野においてセンセーショナルな発見となった．その後，ストリキニーネ（1818 年），アトロピン（1819 年），キニーネ，カフェイン（1820 年）と続々と有用なアルカロイドが単離された．モルヒネはアルカロイドとして初めて純粋に単離された化合物で，当時の化学者に大きな影響を与えたことはいうまでもない．

神農像

シュメールの楔形文字板

ケシの女神像

エーベルス・パピルス（wikipedia）

サンシュユ　*Cornus officinalis* Siebold et Zucc.（Cornaceae / ミズキ科）付表 p.124

【植物】 落葉小高木．高さ4～5 m．葉は有柄で対生．若い枝の外皮は鱗状にはがれる．4月頃，葉に先立って4個の総苞に包まれた黄色い小花が集まる散形花序を形成する．花弁4で反り返り，雄しべ4，雌しべ1，その基部に丸い花盤1があり蜜を分泌する．子房下位．果実は花托が成長し偽果を形成し，長楕円形で，秋に赤熟する．果肉は柔軟でやや酸味がある．中国原産，中国，韓国に自生，栽培．日本では庭木とし栽植．早春，葉よりも先に花が咲くことから，ハルコガネバナの名でも呼ばれる．

【生薬】 サンシュユ（局）　山茱萸〔偽果の果肉〕

弱いにおいがあり，酸味があり，ときにわずかに甘い．成分として loganin などイリドイド型モノテルペン配糖体，タンニンなどを含む．茱萸の茱とは赤い実を，萸はグミのような果実（特にゴシュユの実）のことを指す．

【用途・製剤】 滋養，強壮，収れん，止血薬．漢方では，腎機能の補完や強壮の効果があるとされ，中高年向けの代表的な漢方処方である八味地黄丸などに配合される．漢方処方：六味丸，八味地黄丸，牛車腎気丸など．OTC：前記漢方処方製剤のほか，アナロンキング，イスクラ杞菊地黄丸，イスクラ参馬補腎丸，イスクラ双料杞菊顆粒 S，エナジニン G，海馬補腎丸，強活腎散，金蛇精ロイヤル，杞菊妙見丸，ゼナキング，ナンパオ，ハルンケア内服液，ユンケル黄帝ゴールドなど．民間薬：頻尿，夜尿症，滋養強壮など．サンシュユ酒（薬酒）：疲労回復，冷え性など．

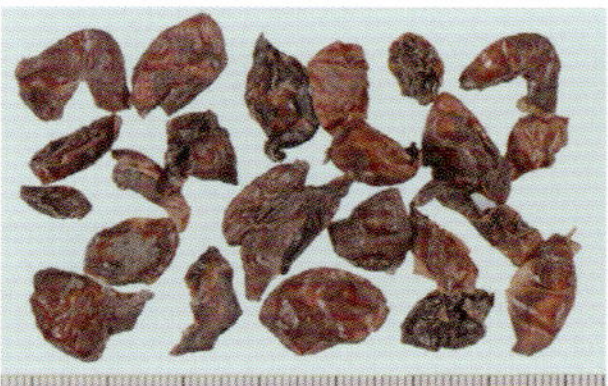

サンシュユ

果実　11月

サンシュユ　3月

ウド　*Aralia cordata* Thunb.（Araliaceae / ウコギ科）付表 p.125, 140

【植物】 多年生草本．高さ1～2 m．葉は大形，2～3回羽状複葉で互生．初秋に茎頂に多数の散形花序をつけ，のちに黒色多汁の小さな液果をつける．日本，朝鮮半島，中国に分布．「ウドの大木」という言葉があるが，実際は「木」ではなく草本植物である．

【生薬】 ドクカツ（局）　独活〔根茎〕

特異なにおいがあり，初めわずかに特異な味があり，後にやや辛く，わずかに麻痺性である．

ワキョウカツ（局外）　和羌活〔根〕

特異なにおいがあり，味はわずかに苦い．成分としてクマリン，タンニン，ジテルペン類などを含む．独活の名は中国ではウドに対してではなく，セリ科シシウド等の地下部に対して用いられた．

【用途・製剤】 和羌活：発汗，解熱，鎮痛，消炎，利尿薬，かぜ，頭痛，めまいなどに用いる．漢方で疼痛，知覚麻痺，冷え，関節痛などを目標に配剤される．漢方処方（独活）：十味敗毒湯，独活湯，独活葛根湯．OTC（独活）：前記漢方処方製剤のほか，真澄，鼻療（顆粒），腰専門など．民間薬：かぜの解熱，頭痛，歯痛，神経痛に煎液を用いる．若い茎を山菜として，また地下ムロで栽培して軟白し野菜の“ウド”として食用とする「軟化うど」，「軟白うど」は東京の特産物．

ウド　8月

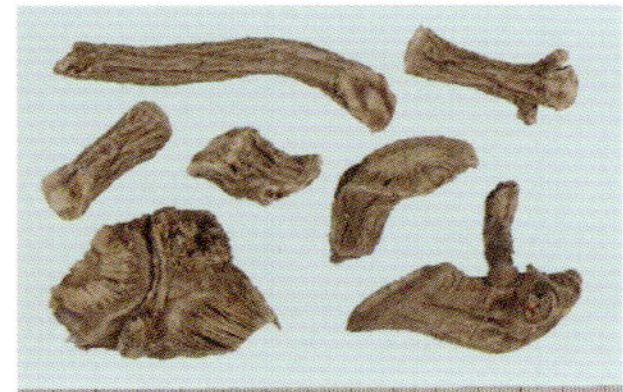

ワキョウカツ

ワドクカツ

タラノキ　*Aralia elata*（Miq.）Seem.（Araliaceae / ウコギ科）付表 p.140

【植物】 落葉低木．高さ5 m．全体に刺がある．葉は2～3回羽状複葉で大きく，茎頂付近に多数集着し，ふつう両面に刺がある．小葉は卵形で鋸歯があり，下面帯白色．8月頃，茎頂に小さな散形花序が多数集まった大きな複円すい状花序を形成する．花は白色で小さい．果実は小球状で熟れると黒くなる．

【生薬】 タラコンピ（局外）タラ根皮〔根皮〕

弱いにおいがあり，味はわずかに収れん性がある．成分としてトリテルペンサポニンなどを含む．

【用途・製剤】 民間薬：神経痛や糖尿病に用いられる．タラの芽はウドと並ぶ人気の山菜．

タラコンピ

タラノキ　8月

エゾウコギ　7月

花

エゾウコギ *Eleutherococcus senticosus* (Rupr. et Maxim.) Maxim. (= *Acanthopanax senticosus* (Harms) Rupr. et Maxim.) (Araliaceae / ウコギ科) 付表 p.125

【植物】落葉低木．高さ6～8 m．雌雄異株．枝や葉柄に下向きの細く鋭い刺が多数ある．葉は5枚（ときに3枚）の小葉からなる掌状複葉．夏，枝先に花柄を伸ばし，小花を散形につける．中国，シベリア，日本に自生する．日本の北海道に自生することから，北海道（蝦夷地）の五加（ウコギ）ということでこの名で呼ばれる．他にロシアのアムール州，サハリン州，中国の黒竜江省，吉林省にも分布．

【生薬】シゴカ（局）　刺五加〔根茎〕

わずかに特異なにおいがあり，味はほとんどないかわずかに甘く，収れん性がある．成分として，フェニルプロパノイド配糖体 eleuteroside B，リグナン配糖体 eleutheroside D を含有する．

【用途・製剤】健胃，強壮薬．OTC：オットコール内服液，サースモン煌樹，ファイト GO，リポビタンゴールド N，スーパーカロリアンなど．別名をシベリア人参という．1980 年のモスクワオリンピックでは，ソ連がこれを選手団の強化に利用していたとして話題になった．中国では“足の不自由な子供を即座に歩かせる”ともいわれた．

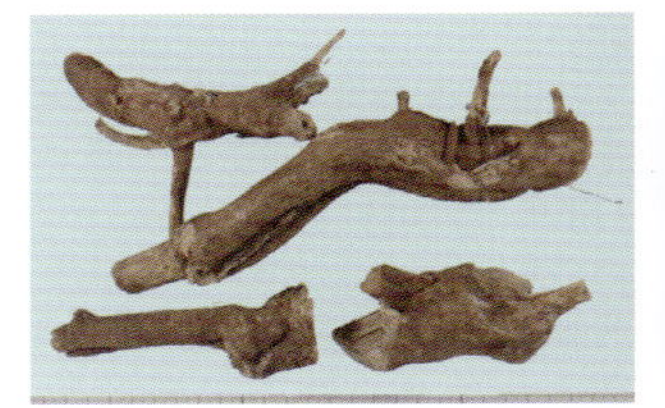

シゴカ

ヒメウコギ　5月

ヒメウコギ *Eleutherococcus sieboldianus* (Makino) Koidz. (=*Acanthopanax sieboldianus* Makino) (Araliaceae / ウコギ科) 付表 p.140

【植物】落葉低木．高さ1～2 m．多く分枝し，枝は針状のとげがある．葉は5枚の小葉からなる掌状複葉．小葉の縁には鋸歯がある．雌雄異株．初夏に淡黄色の小花が散形花序につける．中国原産．

【生薬】ゴカヒ　五加皮〔根皮〕

葉にはトリテルペン配糖体 sieboldianoside A, B，sapindoside B などを含有．

【用途・製剤】根は強壮，鎮痛薬．関が原敗戦で上杉家が米沢 30 万石に転封となった折，食用となるウコギ（五加）を生垣として栽培奨励した．現在も米沢市周辺（置賜地方）ではウコギが伝統野菜となっている．OTC：参寶．薬酒：五加皮酒．

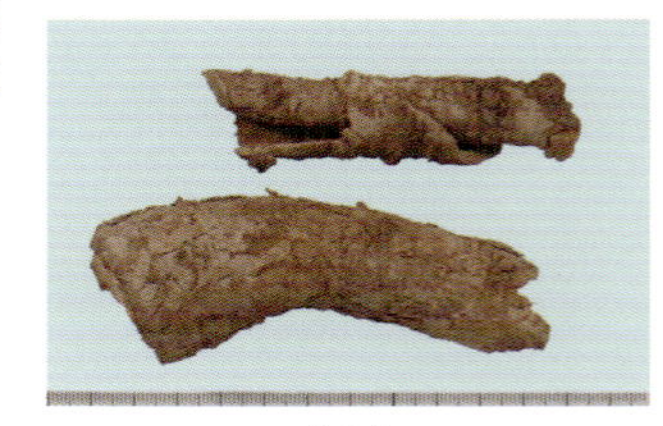

ゴカヒ

サンシチニンジン　5月

サンシチニンジン *Panax notoginseng* (Burkill) F.H. Chen ex C. Chow et W.G. Huang (Araliaceae / ウコギ科) 付表 p.140

【植物】多年生草本．高さ 30 ～ 60 cm．根は太く多肉質で倒円すい形か円柱形．こぶ状突起がある．茎は直立し分岐しない．葉は掌状複葉で小葉は5～7個．6～8月に茎頂の散形花序に小花を多数つける．雲南省や広西壮族自治区の海抜 1200 ～ 1800 m の地域で栽培される．

【生薬】サンシチ　三七，デンシチ　田七〔紡錘状の根〕

成分として薬用ニンジンと同種類のトリテルペノイド配糖体 ginsenoside Rb_1 他を含有する．

【用途・製剤】止血，補血，強壮薬．植えてから収穫されるまでに3～7年も掛かることから，「三七人参」と名付けられた．別名「金不換」と呼び，中国では長い間海外輸出が禁止されていたが，近年，世界各国に輸出されるようになった．

地下部

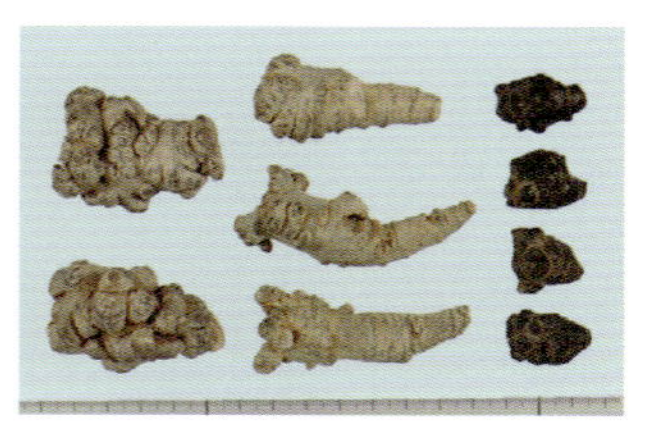

サンシチニンジン

オタネニンジン　*Panax ginseng* C. A. Mey.（Araliaceae / ウコギ科）付表 p.125

オタネニンジン栽培畑（長野県小諸）

【植物】多年生草本．高さ 60 cm．根は白色多肉の直根．葉は掌状複葉．初夏に散形花序を頂生．液果は扁球形で赤熟する．中国東北部，朝鮮半島北部，シベリア南部の林中に自生．中国，朝鮮半島，日本で栽培．

【生薬】ニンジン（局）　人参〔根〕

細根を除いた根又はこれを軽く湯通ししたもの，特異なにおいがあり，味は初めわずかに甘く，後にやや苦い．成分として，ginsenoside Rb_1，Rg_1 などを含有．

コウジン（局）　紅参〔根〕

根を蒸したもの，特異なにおいがあり，味は初めわずかに甘く，後にやや苦い．

人参は神農本草経の上品に収録され，重要生薬の一つである．流通する生薬の大半は栽培品で，生産までに 4 ～ 6 年を要する．韓国で自生品は非常に高価なものとして珍重される．日本に自生はないが江戸時代に徳川幕府直轄で栽培化が日光などで試みられ，その後福島，山形，島根，長野などに普及した．植物名は，幕府が種子を「御種人参」と称して配布しことに由来するといわれる．人参には根の調製法の違いなどにより白参など別の呼称もある．同類生薬として北米北部～カナダ南部に自生するアメリカニンジン *P. quinquefolius* L. の根が「花旗参」「西洋人参」「広東人参」の名で用いられる．

【用途・製剤】強壮，強精，補気，胃腸機能改善などを目的として多くの漢方処方に配合される．漢方処方：四君子湯，大建中湯，人参湯，小柴胡湯など．OTC：ニンジン；1000 品目以上の OTC に配合されている，コウジン：活命参，甦脈宝内服液，こどもレバコール，コンドロハイ 900E，ジャッコウオンなど．滋養強壮を目的とした食品，健康茶にも用いられる．アメリカニンジンはオタネニンジンと同様に強壮作用があり，涼性であるため，ほてりやのぼせなどがみられる滋養強壮にも用いられる．

果実　7 月

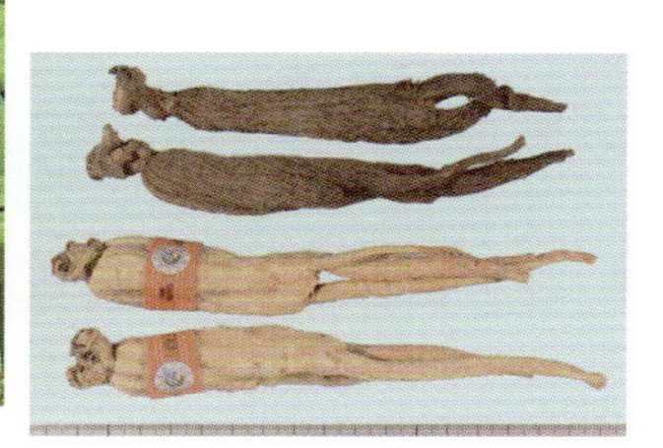

紅参（上）　白参（下）

花　5 月

畝端の日当りの良い人参は比較的太い

湯通し用の人参の髭根除去

乾燥上がりの紅参

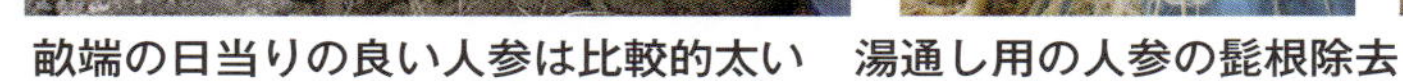

人参市場（韓国）

アメリカニンジン栽培畑

野生アメリカニンジン

アメリカニンジン

トチバニンジン　*Panax japonicus*（T. Nees）C. A. Mey.（Araliaceae / ウコギ科）付表 p.125

【植物】多年生草本．高さ 50 ～ 80 cm．直根がなく，竹節状の根茎が地中を長く横走する．地上部の形状はオタネニンジンとほぼ同じであるが液果は球形で．果実は赤熟する．ときに果実の半分が黒色となる．日本各地の森林の陰地に自生．伊豆半島や南九州に自生のものを亜種とすることもある．

【生薬】チクセツニンジン（局）竹節人参〔根茎〕

弱いにおいがあり，味はわずかに苦い．長く横走する根茎が竹の節に似ることから竹節人参と称する．成分として，chikusetsusaponin IV などを含有．

【用途・製剤】鎮咳去痰，解熱，健胃，強壮薬．人参と比べ，健胃，解熱，去痰作用が勝るといわれ，人参の代用として小柴胡湯，半夏瀉心湯などに配合．

OTC：NF カロヤンアポジカ Σ，ウチダの続命湯，ウチダの木防已湯エキス散，甘草瀉心湯，片仔黄，熊胆円など．かつては日本各地で採集でき地上部形態がオタネニンジンに酷似することから，人参の代用として用いられたこともある．毛乳頭細胞活性化効果があるとして育毛剤に配合される（カロヤン®）．

地下部　　トチバニンジン　5 月

チクセツニンジン

トウキ　6～8月

トウキ　*Angelica acutiloba*（Siebold et Zucc.）Kitag.（Umbelliferae /セリ科　APG：Apiaceae /セリ科）付表 p.125

【植物】多年生草本．高さ 40～90 cm．茎は帯紫色．葉は根生し，1～2 回三出羽状複葉．全草に強い香気がある．6～8 月，複散形花序を頂生し，白色の小花をつける．奈良県，群馬県，北海道などで栽培される．ホッカイトウキ *A. acutiloba* Kitag. var. *sugiyamae* Hikino は昭和初期に選抜，固定化されたといわれ，トウキと同様に用い当帰と比べると主根太く側根の数が少なく暗色である．

【生薬・栽培】トウキ（局）当帰〔根〕

特異なにおいがあり，味はわずかに甘く，後にやや辛い．成分として，ligustilide などのアルキルフタリドを含有する．

栽培：春に播種し，1 年間育成後翌春に定植して育成，晩秋に収穫する．抽苔（花穂の立ち上がり）した株は根が木質化して薬用に使用できない．そこで 2 年目に花を咲かせないように「めくり」と呼ばれる生長点の摘心を行う独特の栽培法がなされる．栽培 2 年目の 11～12 月頃，茎葉を付けたまま掘り取り，土のついた状態で翌年 2 月頃まで乾燥させる．乾燥した根は 60 ℃程度の湯に 1 時間程浸して柔らかくした後，板の上で揉み（湯もみ），日陰で 1～2 か月間乾燥させるとデンプンが糖化し甘味の増した生薬となる（伝統的な調整法）．

【用途．製剤】強壮，鎮痛，鎮静，補血薬．月経不順，貧血，血行障害，更年期障害など各種の婦人科疾患に広く用いられることから「婦人の要薬」といわれる．また外用剤として諸種の皮膚疾患に用いられる．漢方処方：当帰芍薬散，防風通聖散，加味逍遙散，四物湯，十全大補湯，補中益気湯，人参養栄湯，抑肝散，乙字湯など．家伝薬：中将湯，実母散など．外用剤：紫雲膏や神効当帰膏（当帰膏）．OTC：前記漢方処方の製剤のほか，ナンパオ，ラムールQ，チョコラ EF ケア，ユンケルスター，リコリス「ゼンヤク」ゴールド，ルル滋養内服液，キューピーコーワ液，ゼナ F-I, II など．

上：ホッカイトウキ
下：ヤマトトウキ

ホッカイトウキ

トウキ

当帰の乾燥（奈良県，2 月）

湯もみ（2 月）

アンジェリカ

アンゼリカ / アンジェリカ　*Angelica archangelica* L.（Umbelliferae /セリ科　APG：Apiaceae /セリ科）付表 p.140

【植物】二年生～多年生草本．高さ 1～2 m．茎や葉柄は太くなる．夏に複散形花序を頂生し，緑白色の小花をつける．ヨーロッパ北部，ヨーロッパ東部，およびアジアの一部の湿原や山地の冷涼地に自生．ポーランド，オランダ，ドイツなどで栽培，

【生薬】アンゼリカ根 / アンジェリカ根〔根および根茎〕，アンジェリカシード〔果実〕

【用途．製剤】German Commission E monograph では，軽度の胃痙攣，満腹感，膨満感などによる食欲不振，胃部不快感などへの利用が認められている．鎮静効果や抗菌効果を持つことから，古くから邪悪なものから身を守るハーブとされてきた．シャルトルーズ修道院に伝えられるリキュールには，アンジェリカ（種子）をはじめ 130 種類のハーブが用いられているといわれ，リキュールの女王として人気がある．茎や葉は砂糖漬けにしてケーキやクッキーにゼリーとして用いられるが，日本ではアキタブキが代用される．

リキュール

左：アンジェリカルート；右：アンジェリカシード

ヨロイグサ *Angelica dahurica*（Hoffm.）Benth. et Hook. f. ex Franch. et Sav.（Umbelliferae / セリ科　APG：Apiaceae / セリ科）付表 p.125

【植物】 多年生草本．高さ１～２m．茎は直立し，葉は根生し，２～３回三出複葉．７～８月に複散形花序を頂生又は腋生し，白色の小花を多数つける．シベリア，中国東北部，朝鮮半島，日本に分布．鎧草（ヨロイグサ）の名前の由来は，樹木のようにどっしりしてかなり遠くからでも目立つという説と葉に見られる刻みとその重なり具合が鎧（よろい）のように見えるところに由来するという説がある．

【生薬】 ビャクシ（局）　白芷〔根〕

特異なにおいがあり，味はわずかに苦い．成分としてフロクマリン類 byakangelicol，byakangelicin 他を含有．

【用途・製剤】 消炎・排膿薬．漢方処方：荊芥連翹湯，疎経活血湯，清上防風湯，五積散，川芎茶調散など．OTC：JPS かっ香正気散液，エンピーズ，漢方ニキビ薬Ｎ「コタロー」，金蛇精（糖衣錠）など．皮膚の痒みをとり，血管拡張の作用があることから古来中国の宮廷女性達により，肌を潤しむくみを取るとして美容用に用いられていた．

ビャクシ

ヨロイグサ　7月

ノダケ　9月

ノダケ *Angelica decrusiva*（Miq.）Franch. et Sav.（=*Peucedanum decrusivum*（Miq.）Maxim.）（Umbelliferae / セリ科　APG：Apiaceae / セリ科）付表 p.125

【植物】 多年生草本．高さ 1m ほど．葉は１回羽状複葉．小葉は卵状ないし被針形，葉柄はなく，葉縁は分裂し，鋸歯がある．秋，複散形花序に暗紫色の多数の小花をつける．日本各地，朝鮮半島，中国に分布する．江戸時代以降にノダケという呼び名となった．それ以前はノゼリと呼ばれていた．「野竹（のだけ）」とは，直立し葉柄の基部が袋状に膨らんでいる茎の様子が竹に似ているから，という説が一般的である．

【生薬】 ゼンコ（局）　前胡　〔根〕．

特異なにおいがあり，味はわずかに苦い．成分としてクマリン類 nodakenin, nodakenetin, decursidin 他を含有する．日局では，白花ゼンコと紫花ゼンコの２種類が規定されており，紫花ゼンコの基原植物はノダケ，白花ゼンコの基原植物は，*Peucedanum praeruptorum* Dunn である．

【用途・製剤】 解熱，鎮痛薬．漢方処方：参蘇飲，荊防敗毒散など．OTC：イスクラ平喘顆粒，ベンザ調薬Ｊ末など．

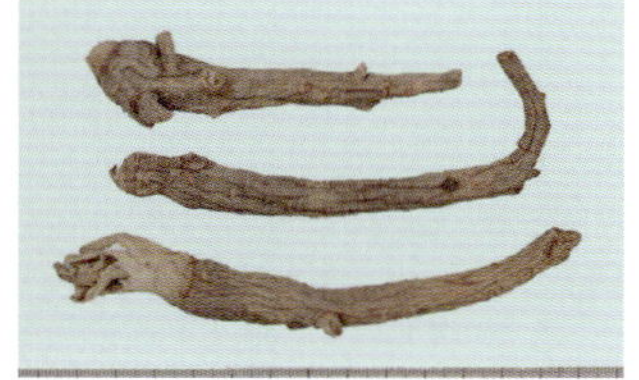

ゼンコ

シシウド *Angelica pubescens* Maxim.（Umbelliferae / セリ科　APG：Apiaceae / セリ科）付表 p.140

【植物】 多年生草本．高さは１～２m．茎は中空．葉は２～３回羽状複葉，小葉は卵形から長楕円形．花は秋に大型の複散形花序に白い５弁の小花を多数つける．果実は楕円形で両側は翼状になる．日本国内の山野に自生する．

【生薬】 トウドクカツ（局外）　唐独活〔根茎〕

中国産のシシウドが用いられており，日本産は以前用いられていたが，現在日本市場ではみられない．成分としてジテルペン類 pimaradienoic acid, *ent*-kaurenoic acid 他を含有する．特異なにおいがあり，味はわずかに苦い．

【用途・製剤】 解熱，鎮痛薬．

トウドクカツ

シシウド　8月

ミシマサイコ　9月

ミシマサイコ　*Bupleurum falcatum* L.（= *B. stenophyllum*（Nakai）Kitag.）（Umbelliferae/ セリ科　APG：Apiaceae/ セリ科）付表 p.125

【植物】 多年生草本，高さ 0.4 ～ 1 m．8 ～ 10 月，複散形花序を頂生，小形で黄色い 5 弁花をつける．東アジアの北緯 30° 以北に分布．日本では関東以西の日当たりの良い山地に自生．近年日本各地，韓国，台湾などで栽培．江戸時代，東海道の三島の宿に投宿する旅人は，柴胡という薬を買うことがならわしになっており，三島周辺から出荷されたサイコの品質が高かったため，ミシマサイコと呼ばれるようになった．野生のミシマサイコは乱獲等により減少し，宮崎，鹿児島県などでわずかに産する．絶滅危惧種に指定されている．

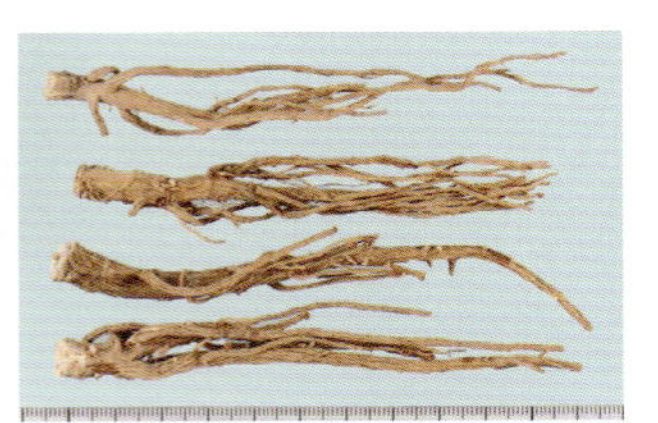
サイコ

【生薬】 サイコ（局）　柴胡（根）
特異なにおいがあり，味はわずかに苦い．saikosaponin 類のサポニンなど含有．
【用途・製剤】 解熱鎮痛，消炎薬．漢方では往来寒熱，胸脇苦満，眩暈などを目標に配合．漢方処方：小柴胡湯，柴胡桂枝湯，加味逍遙散，抑肝散，柴胡加竜骨牡蠣湯，四逆散，大柴胡湯，神秘湯，補中益気湯，乙字湯など．OTC：レスティ顆粒，「モリ」ちくのう錠，エーベル，リコリス「ゼンヤク」ゴールドなど．

オカゼリ　*Cnidium monnieri*（L.）Cusson（Umbelliferae / セリ科　APG：Apiaceae / セリ科）付表 p.126

【植物】 多年生草本，高さ 40 ～ 70 cm，葉は有柄，2 回羽状中裂し，裂片は長だ円形．花は夏に複散形花序を腋生または頂生し，白い小花をつける．果実はだ円形で長さ 2 ～ 3 mm，幅 1 ～ 2 mm の双懸果で，通常 10 条のろく（肋）線を有する．中国東北部，シベリア，朝鮮半島に分布．
【生薬】 ジャショウシ（局）　蛇床子〔果実〕
特異なにおいがあり，かめば特異な香気があり，後やや麻痺性である．テレビンようの芳香があり，精油の pinene，camphene，bornyl isovalerate，クマリン誘導体などを含有．蛇床子は神農本草経の上品に収載されている．わが国ではセリ科のヤブジラミの成熟果実を蛇床子といっている．
【用途・製剤】 漢方では補陽・止痒・殺虫薬．古来，婦人の陰疾の要薬．抗菌，抗ウイルス（インフエンザウイルスなど）作用が報告されている．漢方処方：蛇床子湯，禿鶏など．OTC：エスモンロイヤル，ゼナキング，ユンケルファンティ，エナックロイヤルなど．

ジャショウシ

オカゼリ　6月

コウホンの近縁種　7月

コウホン　*Ligusticum sinense* Oliv.（Umbelliferae / セリ科　APG：Apiaceae / セリ科）付表 p.140

【植物】 多年生草本．高さ 70 ～ 120 cm．茎は直立し，中空，表面には縦の溝がある．葉は大型の三出羽状複葉で互生する．根は太い．開花時期は 7 ～ 9 月．中国の河南，江西，湖北，四川，雲南に分布．
【生薬】 コウホン（局外）　藁本，唐藁本（根茎および根）
特異なにおいがあり，味は始めわずかに苦く，後やや麻痺性．精油の buty，メチルオイゲノールなどを含有．日本ではセリ科のヤブニンジンや中国原産のカサモチを和藁本と称して藁本の代用とする．神農本草経の中品に収載されている．
【用途・製剤】 藁本は「太陽経の風薬」といわれ，頭痛，とくに頭頂部の頭痛には不可欠の要薬とされる．去風，散寒，止痛薬．中枢麻痺，抗痙攣，鎮痛，血圧降下，抗真菌などの作用が報告されている．漢方では，解表，去風湿，止痛薬として，頭痛や腹痛，鼻炎，皮膚瘙痒症（皮膚のかゆみ）などに用いられる．漢方処方：羌活防風湯など．民間薬：鎮痛，鎮痙薬，疥癬などにも応用．

コウホン

センキュウ *Cnidium officinale* Makino（=*Ligusticum officinale*（Makino）Kitag.）（Umbelliferae / セリ科 APG：Apiaceae / セリ科）付表 p.126

センキュウ栽培地（北海道）

9月

【植物】 多年生草本．高さ 30 ～ 60 cm．葉は長い柄があり，2 ～ 3 回羽状複葉．晩夏から秋に花茎の先端に白い小花を複散形状に多数つけるが果実は結実しない．根茎は節が重なり合うように塊状に肥大している．全株に特有の香りがある．暖かい気候での生育はよくなく，夏季にあまり気温が上がらない北海道や東北地方，長野などの冷涼地で栽培されている．果実は結実しないため栽培は根茎を分割して種芋として行っている．

【生薬】 センキュウ（局） 川芎 〔根茎〕

特異なにおいがあり，味はわずかに苦い．

神農本草経には，生薬名として芎藭（きゅうきゅう）で記載されている．しかし四川省産の生薬がもっとも品質がよかったことから，四川芎藭と呼んでいたものが簡略化されて川芎となった．根茎は乾燥しにくいため，通常は 60 ～ 80℃のお湯で 15 ～ 20 分間湯通ししてから乾燥させる．加熱することにより根茎内のデンプンが糊化するため虫害の発生を防ぐ効果が出る．センキュウは重要な漢薬原料の一つであるが日本には自生していない．そのため日本に自生している他の植物をセンキュウの代用としていた．例えば同じセリ科のオオバセンキュウ *Angelica genuflexa* Nutt. やシラネセンキュウ *Angelica polymorpha* Maxim. などが例である．成分として，cnidilide，ligustilide などのアルキルフタリドを含有する．

【用途・製剤】 補血，強壮，鎮静，鎮痛，駆瘀血などを目的に各種婦人科疾患の漢方処方に配剤される．漢方では，うっ滞した気をめぐらし，風邪（ふうじゃ）・湿邪を除く，血の巡りを良くし，止痛する薬能がある．風寒による頭痛・めまい，脇や腹の疼痛，筋肉麻痺，無月経，難産，後産の下りきらないもの，化膿性の腫れ物などを主治する．貧血，冷え症，月経障害などに用いる家庭薬の原料として多く使用される．漢方処方：温経湯，温清飲，芎帰膠艾湯，四物湯，十味敗毒湯，当帰芍薬散，女神散，抑肝散，川芎茶調散，疎経（そけい）活血湯など．OTC：アクトマン，アロパノール，命の母生薬内服液，エベナ L，漢方ナイトミンなど．また，その香気のため入浴剤としても利用される．

地下茎部

調製

センキュウ

Notopterygium incisum

キョウカツ

Notopterygium incisum K. C. Ting ex H. T. Chang（Umbelliferae / セリ科 APG：Apiaceae / セリ科） 付表 p.126

【植物】 多年生草本．高さ 1 m に達する．根出葉および下部の葉は 2 ～ 3 回三出型に深裂する．茎には稜がある．花序は大型で，花は淡黄色．本種を含め同属植物 3 種が中国西部に分布する．

【生薬】 キョウカツ（局） 羌活 〔根茎および根〕

特異なにおいがあり，初めわずかに特異な味があり，後にやや辛く，わずかに麻痺性．成分として，notoptenol，notoptol などクマリン類を含有．

「神農本草経」には，「独活一名羌活，一名羌青，一名護羌使者」とあり，羌活は独活と同一物であるとする説があるが，最近の研究からは，羌活が「神農本草経」中で独活の一名とされた背景には産地との関連があり，古来，独活は羌地に産するものが正品で，それ以外の地に原植物が異なる独活が生じたため，正品独活を「羌独活」と呼ぶようになり，訛って「羌活」になったことが発表された．つまり羌活は古来の正品独活であったと考証された．しかしながら現在は，日本においては以下のような区分になっている：(1)「羌活」(局) はセリ科の *N. incisum*，*N. forbesii* の根茎および根，(2)「独活」(局) はウコギ科のウド *Aralia cordata* Thunb. の根茎，(3)「唐独活」(局外) はセリ科のシシウド *Angelica pubescens* Maxim. またはその近縁植物の根と規定されている．一方，中華人民共和国薬典においては，(1)「羌活」はセリ科の *Notopterygium incisum*，*N. forbesii* であり日本と同一となっているが，(2)「独活」はセリ科の *A. biserrata*（R. H. Shan & Yuan）C. Q. Yuan & R. H. Shan（= *A. pubescens* f. *biserrata*）が基原植物として収載されている．

【用途・製剤】 漢方では，筋肉や関節のこわばりや疼痛，関節痛，眼疾患，皮膚の瘙痒，痙攣性疾患に応用される．漢方処方には羌活を配合する処方，独活を配合する処方，また独活と羌活の両方を配合する処方があり，区別して利用される．羌活は疼痛，知覚麻痺，冷えなどを治し，止痛する．漢方処方：駆風解毒湯，荊防排毒散，清上蠲痛湯，疎経活血湯，川芎茶調散，大防風湯など．独活は疼痛，知覚麻痺，冷え，関節痛などに用いる．漢方処方：十味敗毒湯，独活葛根湯など．OTC：イスクラ頂調顆粒，サンワロン D，のどぬーる ガラゴック，ロイルック錠など．

ウイキョウ　7月

ウイキョウ / フェンネル　*Foeniculum vulgare* Mill.（Umbelliferae / セリ科　APG：Apiaceae / セリ科）付表 p.126, 147

【植物】 多年生草本．高さ１～２m，葉は２回羽状複葉，裂片は深裂し糸状，全草に独特な芳香がある．夏，大きな複散形花序を頂生し，黄色の小花をつける．ヨーロッパ原産，温帯各地で栽培される．いくつかのタイプがあり，薬用や香辛料に用いられる「スウィートフェンネル（甘茴香）」や「スウィートローマンフェンネル」，茎の基部が球根状に膨らみ根や茎葉が食用に利用される「フローレンスフェンネル」などがある．

【生薬】 ウイキョウ（局）　茴香，フェンネル〔果実〕

特異なにおい及び味がある．成分として，anethole などの精油成分を含有する．

「茴香」，「小茴香」，「フェンネルシード」の名で流通する．秋に２個の果実が合わさった双懸果をつけ，互いに密着する２個の分果の各々には５本の隆起腺（肋線 c）谷の部分（果谷 vl）があり（形態図 a），果谷の下と各分果の接合面の下に油道（vt）をもち精油を蓄えている（形態図 b）．内果皮と種皮は密着中に胚乳（esp）及び胚が見られる．

【用途・製剤】 漢方では温補薬に分類され「寒証体質」の人に，体熱の産生を高めて寒を去る薬とされる．西洋においては，腸内のガスを排出する駆風薬として消化不良に用いられ，むくみをとり，痩身効果のあるハーブとされる．カレー料理の主原料として用いられる．魚料理，ピクルスの味付け，ザワークラフト，カレー，またクッキー等の焼き菓子，リキュール類の香りつけに用いられる．

ウイキョウ

漢方処方：安中散，安中散加茯苓など．OTC：太田胃散，JPS漢方胃腸薬，スクラート胃腸薬S，パンクターゼ胃腸内服薬，ハイウルソ内服薬，キャベジンコーワ細粒，第一三共胃腸薬など各種．指定医薬部外品：アルペンうがい（ウイキョウ油），カゼピタンぬる（ウイキョウ油）など．指定医薬部外品とは，薬事法改正で医薬品から医薬部外品になったもので，厚生労働大臣が指定する医薬部外品．

【果実の形態】 を追加．果実は２個の果実が合わさった２分果で，担柱と呼ばれる柄で２個の果実が吊り下げられた二果双懸果，２個に分離する．厚い果皮には凹凸があり，山の部分は肋線と呼ばれ維管束が見られる．谷の部分（果谷）の果皮に油道を持つ．果皮の内側に種皮があり，内部に胚乳と胚が収められている．

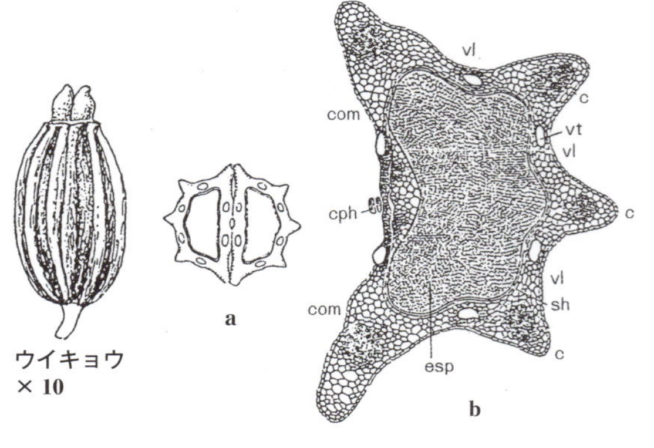

ウイキョウ　形態図（Tschirch）

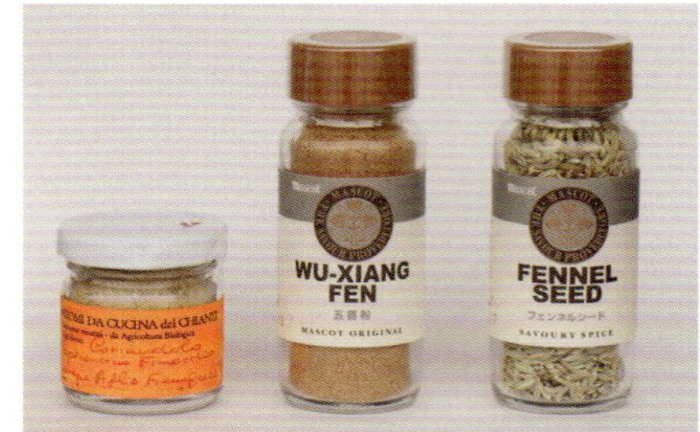

ウイキョウ入りスパイス

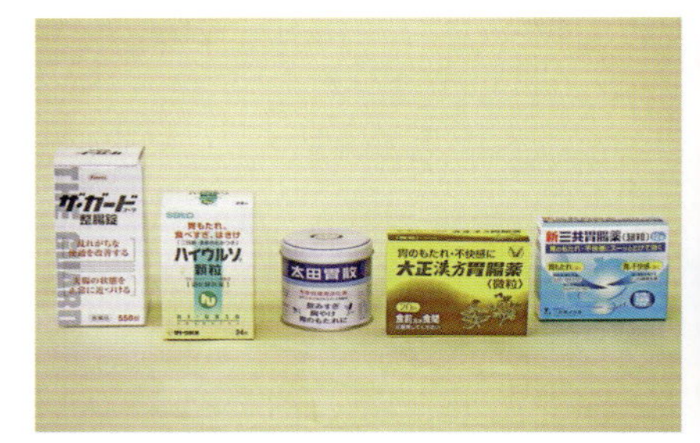

ウイキョウ入り胃腸薬

ハマボウフウ　*Glehnia littoralis* F. Schmidt ex Miq.（Umbelliferae / セリ科　APG：Apiaceae / セリ科）付表 p.126

【植物】 多年生草本．高さ５～35 cm．葉は１～２回三出複葉．６～７月に白色の長軟毛を密生する複散形花序を頂生し，白色の小花を付ける．アジア東部，北米西武の海岸砂地に分布．日本にも自生又は栽培．

【生薬】 ハマボウフウ（局）　浜防風，北沙参（中国）〔根及び根茎〕

弱いにおいがあり，味はわずかに甘い．成分として imperatorin などのクマリン類を含有する．

【用途・製剤】 漢方ではボウフウ（防風）の代用として用いられる．日本では民間で感冒薬，神経痛に用いてきた．また八百屋防風とも呼ばれ，野菜として，香りが良いことから若芽を刺身のつまとして用いる．

医療用漢方製剤：コタロー竜胆瀉肝湯エキス細粒やオースギ荊芥連翹湯エキスGには，ハマボウフウが使用されており，ツムラ荊芥連翹湯エキス顆粒（医療用）ではボウフウが使用されている．OTC：ウチダの荊芥連翹湯，少粒タウロミン，サンワ十味敗毒湯エキス錠，ストレージタイプSA，リュウセーヌN「コタロー」など．

ハマボウフウ

ハマボウフウ
6月

ヤブニンジン　*Osmorhiza aristata*（Thunb.）Rydb.（Umbelliferae / セリ科　APG：Apiaceae / セリ科）付表 p.140

【植物】 多年生草本．高さ 40 ～ 60 cm．茎は直立して分枝し，茎葉に白毛がある．葉は再羽状複葉，小葉は卵形であらい鋸歯がある．根はやや堅く，根茎は太くて斜上する．北海道，本州，四国，九州の丘陵地の林内などに普通に生育する．

【生薬】 ワコウホン（局外）　和藁本〔根茎〕

特異なにおいがあり，味は初めやや甘く，後にやや辛い．藁本の原植物は中国産のセリ科の *Ligusticum sinense* Olive の根茎，根を乾燥したもので，現在市場に流通している日本産の藁本（和藁本）はセリ科のヤブニンジン *O. aristata* の根茎である．

【用途・製剤】 藁本は感冒頭痛，鼻炎や副鼻腔炎による頭痛，腹痛，婦人病の諸痛などに応用される．和藁本は藁本の代用として同様の薬効を期待して使用されている．漢方処方：加味八脈散，駆風触痛湯，羌活防風湯など．

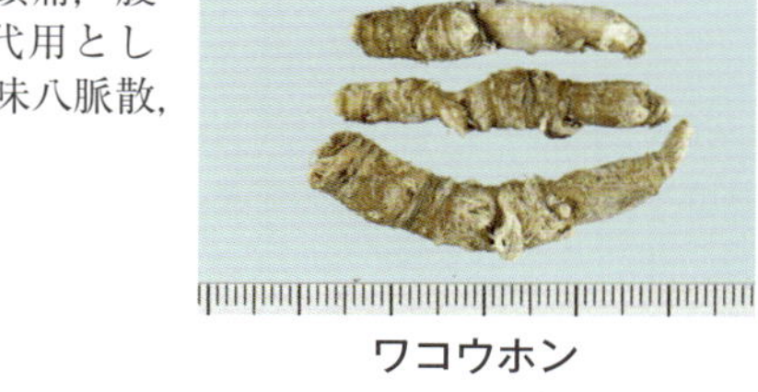

ワコウホン

ヤブニンジン　4 月下旬

トウスケボウフウ　8 月

ボウフウ

ボウフウ / トウスケボウフウ　*Saposhnikovia divaricata*（Turcz.）Schischk.（Umbelliferae / セリ科　APG：Apiaceae / セリ科）付表 p.126

【植物】 多年生草本．高さ 30 ～ 80 cm．7 ～ 8 月頃，複散形花序を頂生し，双懸果は卵形で未熟時にはいぼ状突起がある．中国（黒竜江，山西，河北，山東の北部など）に自生．日本には江戸時代に導入された株が生き残っている．

【生薬】 ボウフウ（局）　防風〔根および根茎〕

弱いにおいがあり，味はわずかに甘い．成分として，deltoin などのクマリン類を含有する．奈良県大宇陀の森野藤助が生薬を得るために栽培し始めたので，「トウスケボウフウ」の別名がある．

【用途・製剤】 防風とは「風邪を防ぐ」という意味であり，発汗，解熱，鎮痛薬で，感冒，頭痛，めまい，身体疼痛に用いる．その作用は葛根に似て緩和である．湿疹や化膿性疾患に用いる．

漢方処方：十味敗毒湯，消風散，清上防風湯，防風通聖散，荊芥連翹湯，川芎茶調散，疎経活血湯，大防風湯，治頭瘡一方，釣藤散，当帰飲子，立効散など．

OTC：JPS 漢方顆粒-45 号，アンラビリ SS，ココスリム，コッコアポ A 錠，ナイシトール 85，恵痔（エキス顆粒）など．

クマコケモモ　*Arctostaphylos uva-ursi*（L.）Spreng.（Ericaceae / ツツジ科）付表 p.126

【植物】 常緑低木．高さ 20 cm．4 ～ 6 月に枝端に淡紅色鐘形の小花が集まってつき，花冠は先端五裂．液果は球状で紅熟する．北欧，アジア，北米の寒冷な高地に自生．日本には分布しない．

【生薬】 ウワウルシ（局）〔葉〕

弱いにおいがあり，味はわずかに苦く，収れん性である．現在は，わが国には主としてスペイン，フランス，ドイツから輸入している．成分として，arbutin などの配糖体を含む．

【用途・製剤】 葉の煎液を服用する場合もあるが，ほとんどはウワウルシの葉の粗粉末を，精製水を用いて熱水抽出したウワウルシ流エキス（局）として利用され，尿路消毒薬，利尿薬として膀胱炎，尿道炎，腎盂炎，腎炎などに用いられる．ウワウルシには arbutin を主成分とするフェノール配糖体類やタンニン類が含まれている．この arbutin が体内で加水分解されてヒドロキノンになり，これが尿路殺菌作用を示すとされている．最近では，美白効果を期待して化粧品に配合される．

【類似植物】 日本ではコケモモ *Vaccinium vitis-idaea* L. の葉をウワウルシの代用品としてことがあったが，現在は使用されない．

果実　9 月　　クマコケモモ　5 月

ウワウルシ

果実 9 月

コケモモ　7 月

オオミツルコケモモ　5月　　果実　10月

オオミツルコケモモ / クランベリー　*Vaccinium macrocarpon* Aiton（Ericaceae / ツツジ科）付表 p.141

【植物】 常緑の小低木．茎は細く，長さは20 cmほどで，まばらに分枝する．葉の先端は尖り，縁は全縁でやや裏面側にまくれ，裏面はやや粉白色．葉は互生，葉柄はなく，葉身は卵状長楕円形または狭卵形．7月頃，前年枝の先から短毛が密に生えた1～4本の花柄を伸ばし，その先端に下向きに淡紅色の花を1個ずつつける．花冠は4裂し，裂片は長さ7～9 mmで，背面に反り返る．果実は球形の漿果で，径1 cmほど，9～10月頃赤く熟す．北欧，北米などの寒帯地域に分布．国内では，北海道，本州の中部地方以北の寒冷地に自生する．

【生薬】 クランベリー　〔果実〕

クランベリーの名前は花が鶴（クレイン）に似ていたことから付けられた．成分としてフェノール類 quinic acid, anthocyanin, arbutin や，フラボノール配糖体 hyperodide, myricitrin，他を含有する．

【用途・製剤】 通常，果実はクランベリーとして食用にするが，健康食品として，膀胱炎などの尿路感染症の予防・症状軽減の効能が期待される．

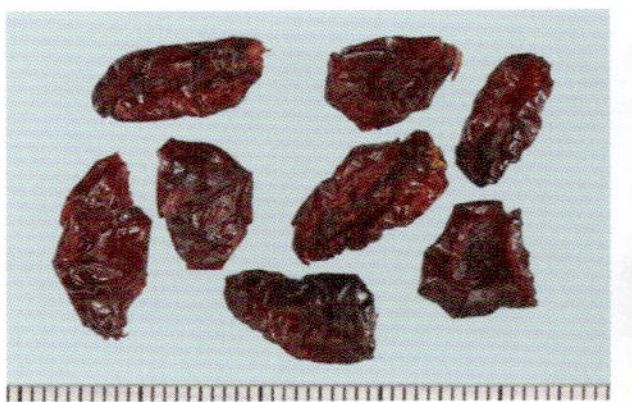

クランベリー

ビルベリー　*Vaccinium myrtillus* L.（Ericaceae / ツツジ科）付表 p.141

果実　7月　　ビルベリー　4月下旬

【植物】 青色の食用果実を付ける低灌木の一種である．一般的にビルベリーと呼ばれる．ブルーベリー（*Vaccinium* sect. *cyanococcus* A. Gray）の近縁種であるため，区別するために common Bilberry あるいは Blue Whortleberry とも呼ばれる．種小名の myrtillus は，果実および葉がギンバイカ（myrtle）のものと似ていることに由来する．カナダ，フィンランド，スウェーデン，ノルウェーなどに分布する．

【生薬】 ビルベリー〔果実〕

成分としてフラボノイド類 anthocyanin 他を含有する．

【用途・製剤】 抗酸化作用，毛細血管保護作用，眼精疲労や視力の改善などの効果を期待して，健康食品などに用いられている．しかし，anthocyanin を豊富に含有する品種はあるが，現在まで視力回復効果を証明するようなヒトでの報告は認められていない．ヨーロッパの歯科医は，ビルベリーの赤色の果汁を，子供に正しい歯の磨き方を示すために使用する．

ビルベリー

カキノキ　*Diospyros kaki* Thunb.（Ebenaceae / カキノキ科）付表 p.141

【植物】 落葉高木．樹高3～9 m．幹は直立して多く分枝．若枝には細毛が密生．葉は互生．楕円形で長さ7～17 cm．鋭頭で全縁．花期は6月．雌花は葉腋に単生し，雄花は2～3個の淡黄色花を集散花序につける．日本，朝鮮半島，中国に分布．

【生薬】 シテイ（局外）　柿蒂〔宿存するがく（萼）〕

においがなく，味はわずかに収れん性である．がく（萼）はトリテルペン類 ursolic acid, oleanolic acid, betulinic acid を含有する．果実にはビタミンC・カロテン・ミネラルなどを含む．

【用途・製剤】 吃逆（しゃっくり）止めの効果を有する．

漢方処方：柿蒂湯．OTC：ネオカキックス細粒「コタロー」(中身は柿蒂湯)．柿渋（柿漆）をとるのにマメガキや渋柿が用いられる．未熟な果実を砕き2日間ほど発酵させ，かすを除くと柿渋が得られる．民間薬として，火傷，霜焼，血下降下や解毒などに用いられると共に，染色の型紙や水溶性タンパク質と結合して沈殿を生じる性質から清酒の清澄剤として利用される．

カキノキ　12月　　花　5月

マメガキ　10月

シテイ

アンソクコウノキ *Styrax benzoin* Dryand.（Styracaceae / エゴノキ科）

付表 p.126

【植物】 常緑高木．高さ 20 m 前後．樹皮は灰色，若い枝に褐色の星状毛がある．葉は有柄で，互生．長卵形で先がとがる．夏に総状花序を頂生または腋生し，白色～淡紅色で芳香のある五弁花をつける．インドネシアのスマトラ，ジャワに分布．
宗教儀式の薫香としてもちいられた．

【生薬】 アンソクコウ（局）安息香〔樹脂：樹皮に傷を付けてにじみ出る樹脂を集める〕
成分として cinnamic acid，benzoic acid のエステル，vanillin を含有．

【用途・製剤】 宗教儀式の薫香として用いられた．漢方では，意識障害，胸や腹の痛み，産後のめまい，小児のひきつけなどに用いられる．漢方処方：蘇合香丸など．食品の防腐薬や石鹸やポマードの香料として用いられる．ベンゾインの名前でアロマオイルとして売られている．

アンソクコウ

アンソクコウノキ

レンギョウ　3～4月

レンギョウ *Forsythia suspensa* (Thunb.) Vahl（Oleaceae/ モクセイ科）

付表 p.126

【植物】 落葉低木．高さ 1.5 ～ 3m．枝は株立し，節間は中空で，髄にはふつう膜状の仕切りがない．葉は単葉，卵形で粗い鋸歯があり，しばしば三深裂した葉が見られる。3月～4月に葉より先に鮮黄色の花を下垂する．雌雄異株．果実はさく果（蒴果）で，長さ約 1.5cm 程度，先のとがった長卵形．中国原産．

【生薬】 レンギョウ（局）連翹〔果実〕
弱いにおいがあり，味はわずかに苦い．arctin などのリグナン，rutin などフラボノイドを含有．

【用途・製剤】 抗菌作用があるとされている．消炎，排膿，解毒薬として漢方処方に配合される．漢方処方：駆風解毒散（湯），荊芥連翹湯，柴胡清肝湯，清上防風湯，防風通聖散，十味敗毒湯，治頭瘡一方など．OTC：アクマチック，イスクラ天津感冒片，イスクラ涼解楽，洗肝明目湯，響声破笛丸，強清肝散，銀翹解毒丸，コマチ散，春香，十一味敗因散，清気散など．

レンギョウ

トウネズミモチ *Ligustrum lucidum* Aiton（Oleaceae / モクセイ科）

付表 p.141

【植物】 常緑高木．高さ 5 m 前後，まれに 10 m 以上．幹は直立し，樹皮は灰褐色．枝がよく茂る．葉は対生し，革質，濃緑色でつやがあり，楕円形．6～7月頃，円すい花序を出し，4 弁の小さな花をつける．果実は球状楕円形で 8 ～ 10 mm，成熟すると黒紫色になる．中国中南部原産で日本でもよく栽培される．モチノキに似た木で，ネズミの糞のような果実をつけるので，トウネズミモチの名前になったとされる．

【生薬】 わずかに特異なにおいがあり，味はわずかに甘くやや苦い．

【用途・製剤】 足腰が弱ったことによるふらつきやかすみ目など，体力が衰えてきたときの滋養強壮に用いられる．焼酎などに漬けて薬酒として用いることも多い．OTC：エストロングS，春源精，春甦精，參寶，ハイクタンゴールドX，ブロニー，メディキング内服液，トッカピン FXⅡ など．指定医薬部外品：チョコラ BB ハイパー，トップカイザーゴールド，ビタグルコン EX，ビタシーゴールド D など．

ジョテイシ

花　7月

トウネズミモチ　12月

オリーブ　5月　　果実　11月

オリーブ　*Olea europaea* L.（Oleaceae / モクセイ科）付表 p.141, 147

【植物】 常緑高木．葉は革質．長楕円形．初夏，葉腋より小枝を分かち，淡黄色鐘状の小花をつけ，花冠先端は4裂．液果は紫黒色で楕円状．地中海沿岸（イタリア，フランス，スペイン）が主な産地．国内では小豆島で栽培されている．

【生薬】 オリブ油（局）〔果実を圧搾して得た脂肪油〕オレイン酸（70% 以上含有）～有するポリフェノールの一種

淡黄色の油で，敗油性でないわずかなにおいがあり，味は緩和である．オレイン酸をはじめとする脂肪酸のトリグリセリド類を主成分とする．チロソールエステルである oleocanthal には，抗炎症作用と抗酸化作用が知られる．

オリブリーフ〔葉〕

抗酸化作用を有する oleuropein, トリテルペン（oleanolic acid, maslinic acid など）を含有．

【用途・製剤】 オリブ油は局所保護作用を有し，油性溶剤の目的に用いる．

OTC：オリブ油（皮膚の保護，日焼け炎症の防止，火傷，かぶれによい）．果実は食用に供される．オリブリーフは，糖尿病，高血圧，免疫機能を高めるとされるハーブティーなどで利用される．

オリーブオイル

オリーブリーフ

マチン　*Strychnos nux-vomica* L.（Loganiaceae / マチン科）付表 p.126

【植物】 常緑高木．高さ 10 m 余．枝の節部に木質の短刺がある．葉は対生，葉柄があり，卵形，全縁，3～5本の縦脈が顕著である．複集散花序を頂生する．花冠は帯緑白色で円筒状，先端5裂．液果は橙紅色，球状．インド原産．

【生薬】 ホミカ（局）（馬銭子）〔種子〕

においがなく，味は極めて苦く，残留性である．

成分としてインドール系アルカロイド strychnine, brucine，イリドイド配糖体 loganin などを含有する．

【用途・製剤】 苦味健胃薬．ホミカエキス，ホミカチンキとして利用．多量服用により痙攣を起こすことがある．インドでは木を熱病，消化不良の薬に用いる．“nux-vomica”は「嘔吐を起こさせる木の実」という意味．江戸時代以降，殺鼠剤として広く用いられ，また忍者や岡っ引きが目潰しに用いたという記録がある．

ホミカ

マチン　果実

オオバリンドウ　6月

オオバリンドウ　*Gentiana macrophylla* Pall.（Gentianaceae / リンドウ科）付表 p.141

【植物】 多年生草本．高さ 20～60 cm．主根は太く長くねじれる．根出葉はロゼット状．茎葉は互生し，葉身は被針形または長楕円状披針形，全緑で5本の葉脈が明瞭．花は集散花序，花冠は筒状～鐘状で藍紫色．さく果は楕円形．中国東北部，黒竜江，内蒙古河北の海抜 2000～3000 m に分布．

【生薬】 ジンギョウ（局外）　秦艽〔根〕

特異なにおいがあり，味は苦く残留性である．成分として，セコイリドイド配糖体 gentiopicroside 他を含有する．

【用途・製剤】 解熱，鎮痛，消炎薬．漢方処方：秦艽羌活湯，秦艽防風湯，秦艽別甲湯など．

OTC：「クラシエ」独活寄生丸エキス顆粒，イスクラ独歩顆粒，恵痔（エキス顆粒）など．

ジンギョウ

ゲンチアナ *Gentiana lutea* L.（Gentianaceae / リンドウ科）付表 p.127

【植物】 多年生草本．高さ1～2m．茎は直立し，分枝しない．根生葉は大形で，5～7本の顕著な縦脈がある．夏に，茎頂及び葉脈に黄色の鐘状花を3～5個ずつ輪散状につける．花冠は5～7裂する．中欧，南欧～小アジアの亜高山に分布．
【生薬】 ゲンチアナ（局）〔根及び根茎〕
特異なにおいがあり，味は初め甘く，後に苦く残留性である．成分として，gentiopicroside などの苦味配糖体などを含有．一般的には根を掘り出したあと自然発酵させてから日干しにする．発酵によって特異な芳香が生じる．ヨーロッパでは伝統的に利用されており，古代ギリシャの医師ディスコリデスが著した「薬物誌」にも記載されている．
【用途・製剤】 苦味健胃薬として胃腸薬に配合される．OTC：胃健錠，太田胃散，シオノギ胃腸薬K　細粒，スクラート胃腸薬S（散剤），ソルマックEX2，第一三共胃腸薬グリーン錠，陀羅尼助丸，中外胃腸薬S，パンシロン胃腸内服液など．
フランスのリキュール「スーズ®」の原料として用いられる．茎を乾燥したものが高級時計の部品の研磨に用いられる．

ゲンチアナ

地下部

ゲンチアナ　7月

トウリンドウ　8月

トウリンドウ *Gentiana scabra* Bunge var. *scabra*（Gentianaceae/ リンドウ科）付表 p.127

【植物】 多年生草本．高さ30～60 cm．葉は無柄で対生し，卵形～卵状披針形で3主脈が目立つ．葉縁には小突起があってざらつく．花は紫色で柄がなく，数個が茎頂や上部の葉脈に上向きで束生する．9～10月に開花する．根は長く，20 cm 以上に達し淡黄褐色で多数束生，根茎は短い．中国東北部に自生．日本のリンドウはトウリンドウの変種（var. *buergeri*）で葉縁のざらつきが少ない．
【生薬】 リュウタン（局）　竜胆〔根及び根茎〕
弱いにおいがあり，味は極めて苦く，残留性である．*G. manshurica* Kitag. および *G. triflora* Pall. も同様に用いる．成分として，gentiopicroside などの苦味配糖体を含む．
【用途・製剤】 苦味健胃薬として胃腸薬に配合される．漢方では，尿路疾患改善などの処方に配合される．漢方処方：竜胆瀉肝湯，加味解毒湯など．OTC：前記漢方処方の製剤のほか，グレニアチン，御嶽山日野百草丸，黒玉龍膽丸など．

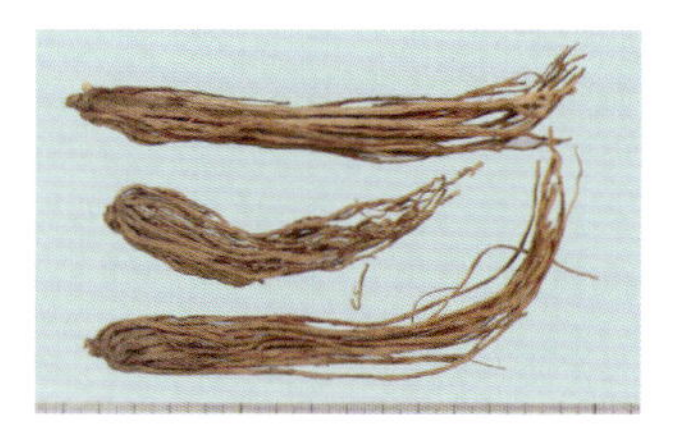
リュウタン

センブリ

センブリ *Swertia japonica*（Schult.）Makino（Gentianaceae / リンドウ科）付表 p.127

【植物】 二年生草本．高さ20～30 cm，茎は四角く，直立し，暗紫色を帯びる．葉は細長い線形で対生する．全草に強い苦味がある．8～10月，円すい花序を頂生する．花冠は白色で紫色のすじがあり，5深裂する．日本，朝鮮半島，中国に分布．日当りのよい山野に自生又は栽培．
【生薬】 センブリ（局）　当薬〔全草〕
わずかににおいがあり，味は極めて苦く，残留性である．成分として，swertiamarin などの苦味配糖体を含有．お湯で千回振り出してもなお苦いと表現されたことから「せんぶり」の名がある．適切な薬という意味で「当薬」の字を用いるようになったとされる．夏の花期に通常採取される．
【用途・製剤】 苦味健胃薬として単独で，あるいは胃腸薬に配合される．
OTC：赤玉止瀉薬，御岳百草丸，ザ・ガードコーワ整腸錠PC，第一三共胃腸薬グリーン錠，陀羅尼助丸，パンシロンG，片仔黄，赤玉はら薬整腸丸Aなど．芳香性健胃薬原料の苦味チンキ（局）に配合される．日本各地の山野に自生したことから一般的な民間薬（胃腸薬）として江戸時代にはすでに用いられ，センブリ茶などに利用．毛細血管拡張，毛乳頭細胞活性化効果があるとして育毛剤に配合される（センブリエキス）．

トウヤク

センブリ畑（小諸）　9月

インドジャボク

インドジャボク *Rauwolfia serpentina* (L.) Benth. ex Kurz (Apocynaceae / キョウチクトウ科) 付表 p.141, 150

【植物】 常緑の小低木．高さ 0.5 ～ 1 m．葉は茎の上部に 3 枚が輪生，または対生し，楕円形で長さ 10 ～ 15 cm．花は茎頂付近に散房状につき，白色または淡赤色．果実は黒熟し，光沢がある．根とストロンは肥厚する．インド，タイ，ミャンマー，マレー半島，インドネシアなどに分布．

【生薬】 ラウオルフィア〔根および根茎〕

インドジャボク（印度蛇木）の名前は，インド周辺に自生し，根の形がヘビのようであるからつけられた．インドールアルカロイドの reserpine，ajmarine を含有．

【用途・製剤】 インドの伝統医学であるアーユルヴェーダ医学では，古来民間薬として，蛇咬傷，解熱，抗赤痢，子宮収縮促進，老化防止などに用いられてきた．ラウオルフィアから抽出したレセルピン（日局）は高血圧症，精神不安症，末梢循環障害に使用され，またアジマリン（日局）は不整脈に使用される．

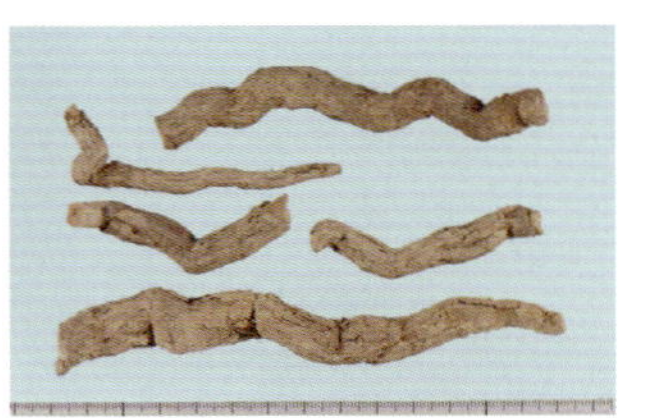

ラウオルフィア

ニオイキンリュウカ / ニオイストロファンツス *Strophanthus gratus* (Wall. et Hook. ex Benth.) Baill. (Apocynaceae / キョウチクトウ科) 付表 p.141, 151

【植物】 つる性の常緑低木．長さ 7 m 以上になる．茎葉は無毛．葉は対生し，漏斗状花冠のある花を頂生する．花冠は 5 裂し，外面は紅紫色，内面は白桃色で，芳香を発する．果実は大形の袋果で 2 つが対生する．アフリカ西部に自生し，熱帯各地，特にジャワで栽培される．同属の *Strophanthus kombe* Oliv. は常緑つる性低木で，高さ 4 ～ 5 m に達する．葉は楕円形，革質で対生．茎葉に粗毛がある．花冠は漏斗状で 5 裂し，先端が糸状となり長く垂れる．種子は有柄で上端には毛がある．

【生薬】 ストロファンツス子〔種子〕

種子の芒を除いて乾燥したもの．*S. kombe*，*S. hispidus* DC. などの種子を同様に用いる．成分として，G-strophantthin を含有する．

【用途・製剤】 強心配糖体を含み，ジギタリスに似た強心作用がある．消化管からはほとんど吸収されないが，注射による作用発現は極めて即効性である．強心利尿薬・G-strophanthin（ウアバイン）の製造原料となる．ソマリ族が矢毒として用いていたほど毒性が強いので，民間薬として使用するのは危険である．

ストロファンツス子

ニオイストロファンツス

ニチニチソウ

ニチニチソウ *Catharanthus roseus* (L.) G. Don (Apocynaceae / キョウチクトウ科) 付表 p.153

【植物】 多年生草本，温帯では一年生草本．高さ 30 ～ 70 cm．葉は有柄，長楕円形で対生し，全縁．夏から秋にかけて集散花序を頂生，または腋生する．花冠は淡紅色から紅紫色，または白色で，上部は 5 裂し，高杯形となる．マダガスカル島原産で，熱帯各地に野生化している．また，園芸用に栽培される．

【生薬】 生薬名なし〔全草〕

【用途・製剤】 日局ビンクリスチン硫酸塩，日局ビンブラスチン硫酸塩の製造原料．ニチニチソウには「ビンカアルカロイド」と総称される 60 種以上のアルカロイドが含まれ，そのうち，vincristine と vinblastine は，少量で癌細胞，腫瘍に対して増殖を抑制する作用があり，抗悪性腫瘍薬として用いられる．医療用医薬品：エクザール注射用 10 mg（ビンブラスチン硫酸塩 10 mg 含有），オンコビン注射用 1 mg（ビンクリスチン硫酸塩 1 mg 含有）．抗悪性腫瘍以外に便通，消化促進にも用いられる．毒性が強く，脱毛，嘔吐，白血球減少などの副作用があるので素人の利用は危険である．

コンズランゴ *Marsdenia cundurango* Rchb. f.（Asclepiadaceae / ガガイモ科 APG：Apocynaceae キョウチクトウ科） 付表 p.127

【植物】 大型つる性の低木．全体に乳液があり，茎は径 10 cm になる．葉は対生し．卵状心形で有柄．花は円錐花序を腋生する．アンデス（ペルー，エクアドル）の高地に分布．

【生薬】 コンズランゴ（局）〔樹皮〕，コンズランゴ流エキス（局）
わずかに弱いにおいがあり，味は苦い．成分として，condurangoglycoside 類のプレグナン配糖体を含有する．

【用途・製剤】 苦味健胃薬．アンデス地方では消化によい強壮薬として使われてきた．20 世紀初めにはがんの治療薬として広く信じられていた．苦味成分が胃酸の分泌を刺激し，食べ物の消化を高めるため神経性胃弱の治療にも有効とされる．製剤：コンズランゴ流エキス「司生堂」．OTC：ロンターゼ内服液．

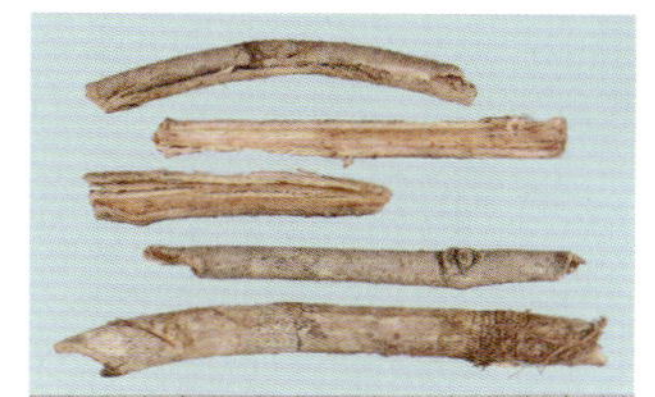
コンズランゴ

花 8月　　コンズランゴ

ギムネマ 12 月

ホウライアオカズラ / ギムネマ *Gymnema sylvestre* (Retz.) Schult.（Asclepiadaceae / ガガイモ科 APG：Apocynaceae / キョウチクトウ科） 付表 p.141

【植物】 つる性木本．インド南部を中心に，インドネシア，中国南西部など熱帯から亜熱帯地方にかけて広く自生する．岩の多い丘陵地の樹木にからみつくように生える．インド原産．

【生薬】 ギムネマ葉 〔葉〕
トリテルペン配糖体などを含有する．

【用途・製剤】 葉をギムネマ葉と称し，皮膚病，肥満症や糖尿病に用いられる．含有する成分 gymnemic acid ギムネマ酸には甘味を一時的に抑制する効果がある．また，ギムネマ酸は腸管からの糖の吸収を抑制するといわれている．

ギムネマ葉

トコン *Cephaelis ipecacuanha* (Brotero) A. Rich. (Rubiaceae / アカネ科) 付表 p.127

【植物】 常緑の矮性小低木．高さ 30 cm．下部から走出枝を出し，不定根を付ける．根は一部がやや念珠状に肥厚し，他は細く平滑．ブラジル，アマゾン川流域の密林地帯に分布．種小名の ipecacuanha は，アマゾン原住民トゥピ族の言葉で「吐き気を催す草」を意味する．

【生薬】 トコン（局） 吐根 〔*C. ipecacuanha* 又は *C. acuminate* H. Karst. の根および根茎〕
弱いにおいがあり，その粉末は鼻粘膜を刺激し，味はわずかに苦く，辛く，不快である．イソキノリン型アルカロイド emetine, cephaeline 他を含有する．

【用途・製剤】 催吐薬．少量服用により，去痰作用を示す．これらの薬理作用は emetine などのアルカロイドに起因する．一方，emetine はアメーバ赤痢に対し殺虫効果も併せ持つ．トコンシロップ（誤食，誤飲処置用）が日本薬局方に収載されている．医療用医薬品：ドーフル散「第一三共」．OTC：浅田飴，ドッペル錠せきどめ，ジスコールせきどめ錠 S など．

トコン

トコン 8月

アカキナノキ　3月

アカキナノキ　*Cinchona succirubra* Pav. ex Klotzsch（Rubiaceae/ アカネ科）付表 p.141, 150

【植物】常緑高木．高さ 20 m に達する．樹皮は赤みをおび，葉は対生で時がたつと赤色に変色．葉腋に花序を出し，淡緑色の花を付ける．南米北部アンデス原産，現在はジャワ，スマトラの高地で栽培される．同族の数種も用いられる．「キナ」の名前は，インカの言葉で「熱を防ぐ皮」を意味する Kina-kina，Kinkina に由来．属名はペルー提督の妻 Cinchon 伯爵夫人に因む．
【生薬】キナヒ　キナ皮〔樹皮〕
樹皮にアルカロイドの quinine，cinchonine，quinidine など含有．
【用途・製剤】医療用製剤：塩酸キニーネ，硫酸キニーネ，硫酸キニジン末，錠，硫酸キニジン錠など．主成分のキニーネはマラリアの特効薬として有名で，硫酸キニジンは抗不整脈薬として用いられている．また解熱鎮痛，苦味健胃，強壮薬として用いることもある．ペルーの先住民族は現在でも熱や消化器系の病気や感染症に用いている．近年では合成マラリア薬が作られるようになり，生薬の需要は激減．トニックウォーターの製造に用いられる．

キナヒ

クチナシ　*Gardenia jasminoides* J. Ellis（Rubiaceae/ アカネ科）付表 p.127

【植物】常緑低木．高さ 2 m．葉は対生，ときに輪生，長さ 10 cm．6～7月，枝頂に芳香のある白い大型の花をつける．花冠は 6 裂，果実は楕円形で 6 稜があり先端にがく片が宿存する．黄赤色に熟し，中に種子が多数ある．日本（静岡県以西），中国，台湾に分布．和名は果実が熟しても開かないことから“口無”に由来．種形容語の jasminoides は「ジャスミンのような匂いのある」の意．栽培されるのは八重咲きのものが多く，雄しべが花弁に変化して八重となっているので結実しない．
【生薬】 サンシシ（局） 山梔子（果実）
弱いにおいがあり，味は苦い．完熟した果実を乾燥したもの．果実の形態が丸様のものをサンシシ，長様のものをスイシシという．geniposide などのイリドイド配糖体や crocin などの配糖体，カロテノイド系色素を含有する．
【用途・製剤】クチナシには，消炎，胆汁分泌調整，鎮静，止血，解熱などの作用があり，打撲やねんざに用いられるほか，食用や染料にも利用され，用途は広い．漢方では消炎，利尿，止血薬として黄疸，吐血などに用い，生薬写真中の果実の丸いタイプが好まれる．漢方処方：治打撲一方，黄連解毒湯，温清飲，五淋散，加味逍遙散，柴胡清肺湯，防風通聖散，茵陳蒿湯など．OTC：ロイヒ温シップ，済婦Ｃ内服液，「モリ」シンニョウ錠など．色素は飛鳥時代から布地を黄色に染める染料として用いられ，現在でも“栗きんとん”などの食品の着色料に用いられる．

クチナシ果実　11月

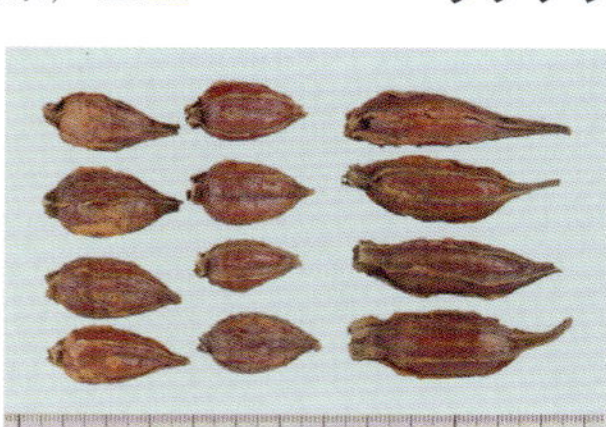
サンシシ　　スイシシ

花　6月

コーヒーノキ　4月

コーヒーノキ　*Coffea arabica* L.（Rubiaceae / アカネ科）付表 p.141

【植物】常緑小高木．高さ 4 m，枝はややつる状に伸びる．葉は対生し，広楕円形．葉腋に白い 5 裂花を集着．花はジャスミンに似た香りをもつ．熱帯圏では周年開花．果実は球型で赤く熟す．果実の形や色から別名コーヒーチェリーと呼ばれ，果肉には甘みがあり，中に種子が 2 個ある．コーヒー属には約 30 種あるが，アラビア，エチオピア原産のアラビカ種とロブスタ種がよく用いられる．
【生薬】コーヒー豆〔種子〕
コーヒー豆には caffeine のほか，chlorogenic acid などのタンニン，脂肪油などを含有する．
【用途・製剤】caffeine は，少量では中枢神経に作用して精神的安定効果や疲労回復，利尿効果を示す．果皮を取り除いた果実は，世界中で嗜好飲料コーヒー（珈琲）として愛飲されている．古くはイスラムの僧院で睡魔撃退のためや，強精薬の目的にも利用された．コーヒー原料用に商品作物として熱帯地方で大規模に栽培されるほか，観葉植物として鉢植えで利用される．コーヒー豆の摂取は，高血圧症，脳動脈硬化症の人の場合には，できるだけ常用を避けることが安全である．カフェイン含有 OTC：カフェクール 200，エスタロンモカ錠，アスゲン鼻炎カプセルＳなど．

ガンビールノキ / アセンヤク *Uncaria gambir* Roxb.（Rubiaceae / アカネ科）付表 p.127

【植物】 つる性の常緑低木．葉腋に生じた鉤で他物によじ登る．葉は対生．狭卵形．長さ 10 cm．腋生の長い花梗の先に小型の花を頭状に集着する．マレー半島，マラッカ海峡沿岸に自生．

【生薬】 アセンヤク（局） 阿仙薬〔葉および若枝から得た水製乾燥エキス〕

わずかににおいがあり，味はきわめて渋く，苦い．成分として catechin 類，gambiriin 類のタンニンを含有．収穫した葉付きの小枝を釜などに入れ水で 6 ～ 8 時間煮る．葉の色が黄色に変色したら，葉を取り除き，浸出液を煮詰め，濃厚となった液を桶などに移し冷却し，粘土様の塊に凝固させる．角切りにして日干しにする．阿仙薬は，江戸時代に作られた和名で，阿煎薬とも書く．名前の由来は不明．

【用途・製剤】 口中清涼剤原料，止瀉薬，整腸薬．漢方処方：響声破笛丸など．OTC：虔脩六神丸，新バック液，セイドー A，龍角散ダイレクトスティックピーチ，ワクナガ胃腸薬 L，正露丸，救命丸，百草，萬金丹など．多量のタンニンを含むことから薬用以外に皮なめしに用いられる．また褐色染料としても利用される．

アセンヤク

ガンビールノキ

カギカズラ　6 月

カギカズラ *Uncaria rhynchophylla*（Miq.）Miq.（Rubiaceae / アカネ科）付表 p.127

【植物】 つる性木本．葉腋に鈎状の刺を生じ他物によじ登り，10 m 以上に達する．鈎は節ごとに 2 個の節と 1 個の節が交互になる．葉は対生で，卵形．夏に葉腋に花柄を出し，汚白色の花を球状に付ける．花冠は長筒状で 5 裂．日本では，本州（千葉以南），四国，九州に分布する．

【生薬】 チョウトウコウ（局） 釣藤鈎〔刺〕

においと味は，ともにほとんどない．*U. sinensis* Havil., *U. macrophylla* Wall. のとげも同様に用いる．紫色を帯びた鋭い鈎のものが良品とされる．*U. sinensis* は中国の固有種で中南部の山林に生える．*U. macrophylla* は中国南部から東南アジアに分布．成分として rhynchophylline，hirstine などのアルカロイドを含有．

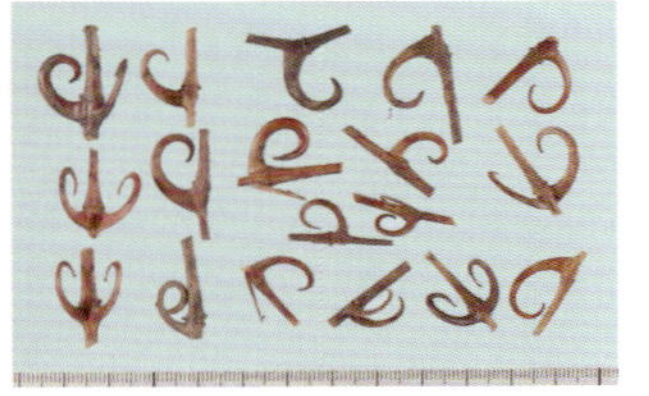

チョウトウコウ

【用途・製剤】 釣藤鈎は高血圧に伴う頭痛，めまい，立ちくらみ，精神的興奮症状，小児の引きつけなどに用いる．漢方処方：釣藤散，抑肝散，抑肝散加陳皮半夏，抑肝散加芍薬黄連，七物降下湯など．OTC：前記漢方処方の製剤のほか，イララック，ブネッテン，メチオンパール，抑肝眩悸散，エスティ錠など．

キャッツクロウ *Uncaria tomentosa* DC.（Rubiaceae / アカネ科）付表 p.141

【植物】 つる性大型木本．高さ 30 m に達することもある．葉は楕円形で対生．葉柄の付け根にネコの爪のような形の鈎が出ていることから，現地で Cat's claw「ネコの爪」と呼ぶ．花は黄色．南米ペルー原産で，標高 400 ～ 800 m のアマゾンに自生する．ギアナ原産の同属植物 *U. guianensis* J.F.Gmel も同じ名で呼ばれ，同様に用いられる．*U. guianensis* は橙赤色の花をつける．樹皮を切ったとき，*U. tomentosa* は黄色であるが，*U. guianensis* は赤色である．

【生薬】 キャッツクロウ Cat's claw〔樹皮，葉〕

成分として，oxyindole alkaloid の mitraphylline, rhynchophylline などを含む．

【用途・製剤】 中央ペルー・アマゾンの先住民族が伝承薬としていたもので，インカ帝国時代から関節炎やリウマチの治療に使われてきた．蔓を切ったときに溢れ出る樹液を飲み，消化器や免疫系疾患の改善に用いたようである．近年，抗癌作用や抗炎症作用が明らかになり，世界保健機関（WHO）は，1994 年 5 月，副作用のない抗炎症剤として公式に認定した．多くの健康食品が販売されている．

キャッツクロウ

キャッツクロウ　11 月

ネナシカズラ *Cuscuta japonica* Choisy（Convolvulaceae／ヒルガオ科）付表 p.141

【植物】 一年生草本．つる性の完全寄生植物．他の植物に巻きつき吸盤で栄養を吸収する．葉は退化し鱗片状．秋に短い小穂状花序を生じ小花を密につける．農作物にとっては害草である．日本はじめ東アジアの温帯に分布する．

【生薬】 トシシ　菟絲子〔種子〕

ネナシカズラ，マメダオシ *C. chinensis* Lam. や *C. epilinum* Weihe の種子を乾燥したもの．

【用途・製剤】 滋養，強壮，強精，止瀉薬として，排尿障害や腰痛などにも用いられる．

漢方処方：左帰飲，右帰飲，茯菟丸，大菟絲子丸，石斛夜光丸など．OTC：エナックロイヤル，新ゼリアス V10，ゼナキング，ドックマンビガー，ユンケルゾンネゴールド錠，レオピンロイヤル（トシシエキス），参寶（トシシ末）など．

ネナシカズラ　10 月

トシシ

サツマイモ *Ipomoea batatas*（L.）Poir. var. *edulis*（Thunb.）Kuntze（Convolvulaceae／ヒルガオ科）付表 p.149

【植物】 つる性の多年生草本．茎は地上をはい，折ると乳液が出る．葉縁に欠刻のあるアメリカイモ *I. batatas* var. *batatas* Poir. とサツマイモ *I. batatas* var. *edulis* に分けることもある．不定根は塊状．花は日本ではまれにしか咲かない．中米原産．

【生薬】 カンショデンプン（サツマイモ澱粉）(塊根から得られたデンプン)．

デンプンの形状は球形または卵形の単粒であるが 1 個のアミロプラストの中に複数の臍を生じる複粒．径は 8 ～ 25 μm．同心性または偏心性で紋は明瞭．臍の部分裂隙状あり．

【用途・製剤】 カンショデンプンは，そのほとんどが糖化用として利用される．しかしながら，一部の食品では，葛粉の代替品として利用されている．これはカンショデンプンの糊液がゲル化しやすいという特徴を利用したものであり，他の一般的なデンプンでは同じような食感を得ることができないことによる．

サツマイモ　8 月

サツマイモ市場（パプアニューギニア）

アサガオ *Pharbitis nil*（L.）Choisy（=*Ipomoea nil*（L.）Roth）（Convolvulaceae／ヒルガオ科）付表 p.127

【植物】 つる性の一年生草本．茎は長く，他物に巻き付く．葉は互生し，3 裂して基部は心形，腋生の長い花柄上にロート状の花冠がつく．球形のさっ果は 3 裂し，中に 6 個の種子がある．熱帯アジア原産．中国，日本各地で栽培．奈良時代に薬用として渡来し朝顔と呼ぶようになったが，その後花の美しさから栽培・品種改良が盛んに行われ園芸品種がきわめて多い．

【生薬】 ケンゴシ（局）　牽牛子〔種子〕

性状：砕くときわずかににおいがあり，味は油様でわずかに刺激性である．

種皮の色が黒色～灰赤褐色のものを黒牽牛子，灰白色～淡褐色のものを白牽牛子と呼ぶが，効能に差はない．

【用途・製剤】 緩下薬として粉末を配合薬として用いるが，分量を増やすと峻下薬となる．漢方では，瀉下薬や利尿薬として，浮腫や腹水，喘息，痰飲，食滞，便秘などに用いる．漢方処方：茵蔯散，牽牛散など．OTC：済婦 C 内服液，ウエストン S，丸薬七ふく三快錠など．

アサガオ　8 月

ケンゴシ

ムラサキ *Lithospermum erythrorhizon* Siebold et Zucc.（Boraginaceae / ムラサキ科）付表 p.127

【植物】 多年生草本．茎は直立し，高さ 80 cm．全体に粗毛あり．葉は長楕円形で数本の脈が縦走する．初夏に花冠 5 裂の白い小花をつける．果実は最初黒く，熟すと白くなる．根は紫色．中国，朝鮮半島，日本に分布し，かつては日本全国にみられたが，現在は環境省レッドデータブックに登録される絶滅危惧種．栽培化がすすめられている．属名の *Lithospermum* は石の種子，種小名の *erythrorhizon* は赤い根という意味．

【生薬】 シコン（局） 紫根〔根〕

弱いにおいがあり，味はわずかに甘い．ナフトキノン類の shikonin などを含有する．

【用途・製剤】 抗炎症，創傷解毒，火傷治療薬．漢方処方：紫根牡蛎湯，紫雲膏など．古代から紫色の染色剤として珍重された．

OTC：アピトベール，ウチダの紫雲膏，口内炎パッチ大正 A，紫根牡蛎湯エキス細粒 G「コタロー」，大正口内軟膏，内服ボラギノール EP，リトスペール軟膏など．

ムラサキ　6 月

乾燥根

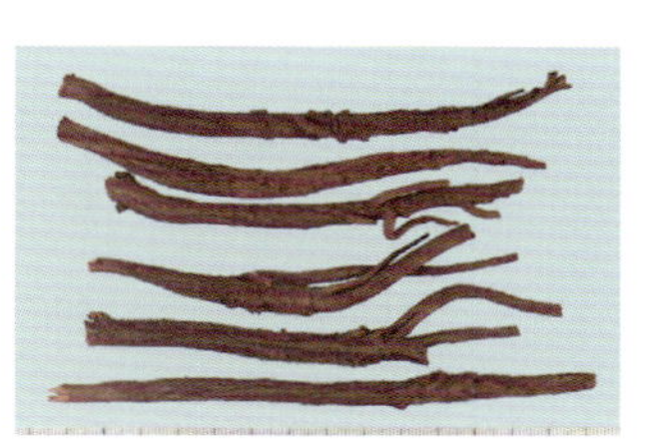

シコン

種子

ハマゴウ *Vitex rotundifolia* L. f., ミツバハマゴウ *V. trifolia* L.（Verbenaceae / クマツヅラ科　APG：Lamiaceae / シソ科）付表 p.141

【植物】 落葉小低木．幹が砂地を這って伸びる．茎と葉は特異な香りがする．夏に紫色唇形小花を枝先につける．果実は球形．本州以南，東アジア，豪州の海岸砂地に分布．ミツバハマゴウは葉が 3 小葉．奄美大島以南に分布．

【生薬】 マンケイシ（局外） 蔓荊子〔果実〕

特異なにおいがあり，味はわずかに辛い．精油，フラボノイドなどを含有．

【用途・製剤】 鎮静，鎮痛，消炎薬．漢方処方：洗肝明目湯，蔓荊子散，蔓荊子湯など．OTC：ウチダの洗肝明目湯，滋腎明目湯エキス細粒 G「コタロー」，仁寿（エキス顆粒），清上けん痛湯エキス細粒 G「コタロー」など．民間薬：入浴剤として神経痛や手足のしびれに用いる．

ハマゴウ　8 月

マンケイシ

ミツバハマゴウ

コラム：薬草で染色

アニリン染料やモーブ染料の開発，またパーキン反応として知られる英国人のウィリアム・パーキンは，キニーネ合成の研究過程でアニリンが化学変換されて濃い紫色に呈色するのを見て，アニリン色素の合成法を 1856 年に発表した．この時，弱冠 18 歳の青年であった．この合成染料の発明までは，染色には全て天然染料が用いられていた．

我が国では古く聖徳太子が，制定した冠位十二階を七色十三階とした絹織物を儀式のときに着用したといわれている．また，源氏物語の中には，夕霧や匂宮が丁子染めの黄金色をした衣服を着用してほのかに芳香を発すると共に女性のもとに訪問するという場面が出てくる．この丁子染めの黄金色の色再現が困難であったが，再現に成功したとの報道があった．古代の染色を現代において再現することは大変難しいようである．

草木染めには多くの種類の薬草が用いられる．例えば，アイ，アカネ，ゲンノショウコ，ムラサキ，ベニバナ，ビワ，ウコン，キハダ，ヨモギ，ドクダミ，ゴバイシなどがよく用いられる．アイ，ベニバナ，ムラサキ以外の草木染めでは，染料を繊維に定着させるために，色々な媒染剤が使用される．有機媒染剤としてはタンニンが使用され，また無機媒染剤としては木の木灰や泥が用いられたが，現在では 4 配位あるいは 6 配位をとるアルミニウム，鉄，クロム，銅，錫，ニッケル，チタンなどのイオンが使われている．媒染剤の種類を変えることにより違った色の発色が見られる．

コラム：薬草で染色（つづき）

アイ, ムラサキ, ベニバナ（絹:媒染剤未使用）

ウコン（絹：チタン（左）；ウール；銅（右）媒染）

ベニバナ（絹：サフロール・イエロー，チタン（左）；錫（右）媒染）

ヨモギ（アサ：チタン（左）；絹：銅（中），アルミ（右）媒染）

ゲンノショウコ（絹：鉄（左），銅（中），アルミ（右）媒染）

ゴバイシ（絹･綿:牛乳前処理（左），未処理（右）共にチタン媒染）

コラム：植物色素

植物色素はカロテノイド，クロロフィル，ベタレイン，フラボノイドの４群が主流．カロテノイドは赤～黄色で，人参のルテインやトマトのリコペンがある．クロロフィルは一般に緑だが，藻類では構造の異なるフコキサンチンなどが圧倒的に多くなり，褐色から赤色となる．ベタレインは分子内に窒素を有する化合物でオシロイバナ，ケイトウ，マツバボタンなど少数の植物にしか存在せず，赤～橙～黄色を示す．またベタレインには活性酸素消去能がある．フラボノイドではアントシアニンが有名．その色は赤，青，紫など実に多彩な上，効能として網膜色素のロドプシンの生合成を促進することにより目に良いといわれ，視力を謳うサプリに配合されている．

これら以外の色素としてキノン類がある．セイヨウアカネの根やアロエの花にはアントラキノン類が含まれ黄～橙色を発色している．しかし特筆すべきはムラサキ（紫根）で，根皮に含まれるナフトキノン類のシコニンが鮮やかな紫色で生理作用として繊維芽細胞増殖作用があり，昔から虫刺され，火傷，切り傷に使われてきた．一方，皇室や貴族では衣装のための染料として利用されてきた．古代の式礼服の最上位色は紫であり，これは紫根からの染料が大変貴重であったことによる．シコニンは培養技術で得られるようにもなり，1980 年代にはこれを配合した口紅が発売され，その色と潜在的な薬理効果への期待から大人気となった．

シコン染め

レモンバーベナ / コウスイボク / ベルベーヌ *Aloysia triphylla* (L' Hér.) Britton (= *Lippia citriodora* (Lam.) Kunth) (Verbenaceae / クマツヅラ科 APG : Lamiaceae / シソ科) 付表 p.141

レモンバーベナ 7月

【植物】 落葉低木．高さ 1 ～ 3 m．葉は披針形で黄緑色，長さ 10 cm，幅 2 cm，通常 3 枚の葉が輪生し，強いレモンの香りを放つ．夏から秋に白または淡紫色の小さな花を多数つける．アルゼンチン，チリ原産．別名：レモンバーベナ，ボウシュウボク（防臭木）．英名：lemon verbena.

【生薬】 レモンバーベナ〔葉〕

主要成分はモノテルペンの citral，geraniol，nerol，linalool など．

【用途・製剤】 鎮静，消化促進，解熱薬．ハーブティーにするほか，料理の香り付けに使う．ポプリやサッシュ，クッションの詰め物にし，不快な臭いを消すのに用いる．

レモンバーベナ

セイヨウニンジンボク 6月

セイヨウニンジンボク / チェストツリー *Vitex agunus-castus* L. (Verbenaceae / クマツヅラ科 APG : Lamiaceae/ シソ科) 付表 p.142

【植物】 落葉低木．高さ 2 ～ 3 m．葉は対生し，5 ～ 7 枚の小葉からなる掌状複葉．7 ～ 8 月に茎頂に小さな淡紫色の花からなる円錐花序をつける．果実は球形で黒色，下半分を緑褐色の萼が覆う．ヨーロッパ南部，アジア西部原産．別名：イタリアニンジンボク．英名：Chaste tree, Monk's pepper

【生薬】 チェストツリー〔葉および果実〕

チェストベリー〔果実〕

【用途・製剤】 生理不順，更年期障害，月経前症候群（PMS）改善．女性ホルモンバランスを改善するハーブとして知られる．OTC：プレフェミン．果実に芳香と辛味があり，胡椒の代用とした．

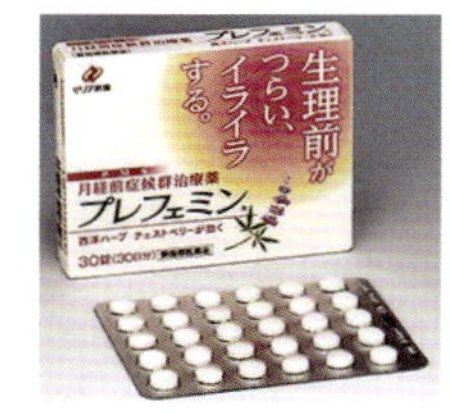

プレフェミン

チェストベリー

コラム：ハーブ（Herb）

ハーブは，一般にヨーロッパで薬草やスパイスなどに用いられる植物を指している．ハーブは一般に**キッチンハーブ**と**メディカルハーブ**に大別することができるが明確に分かれるものではない．キッチンハーブとして利用されるものは，香りや辛味，苦味を楽しむためにハーブティ，野菜として利用され，また園芸を目的に流通しているものが多い．メディカルハーブは何らかの薬用効果を期待し用いられるもので代表的なハーブをあげてみた．これらのハーブ類の多くは，揮発性の芳香成分である精油（essential oil）成分を含有しておりラベンダーやローズマリーといったシソ科植物が最も多くあげられる．その他にキク科，セリ科植物なども見られる．

代表的なメディカルハーブ

植物名（ハーブ名／和名）	科　名	原　産　地	利　用
ローズ / バラ	バラ科	ヨーロッパ～アジア	花粉症，湿疹，便秘
ローズヒップ / イネバラ果実	バラ科	ヨーロッパ北部	貧血
マロウ / ウスベニアオイ	アオイ科	南ヨーロッパ	風邪，胃炎
フェンネル / ウイキョウ	セリ科	地中海沿岸	消化促進，安眠，頭痛
ラベンダー	シソ科	地中海沿岸	安眠，筋肉疲労，生理痛
タイム / タチジャコウソウ	シソ科	ヨーロッパ，アジア	風邪
ヒソップ / ヤナギハッカ	シソ科	地中海沿岸～中央アジア	風邪，駆虫
ペパーミント / セイヨウハッカ	シソ科	ヨーロッパ	花粉症，便秘
ローズマリー / マンネンロウ	シソ科	地中海沿岸	筋肉疲労，貧血，便秘
セージ / ヤクヨウサルビア	シソ科	地中海沿岸	安眠，消化促進
マジョラム / マヨラナ	シソ科	地中海沿岸	筋肉疲労，生理痛
カモミール / カミツレ	キク科	ヨーロッパ～西アジア	安眠，風邪，花粉症
カレンデュラ / キンセンカ	キク科	地中海沿岸	風邪予防，湿疹
ステビア	キク科	パラグアイ，ブラジル	消化促進，糖尿病
レモングラス	イネ科	インド	貧血

コラム：ハーブ（つづき）

収穫したラベンダー

キッチンハーブの利用　フレッシュハーブとして，バジル，ローズマリー，タイム，セージ，ロケット，チャービル，タラゴン，フェンネル（葉），チャイブなどが代表的で，ミント，キャラウェイ，タイムなどは，クッキー，パウンドケーキなどによく利用される．スパイスとしては，軽く炒ったクミン，フェンネル，キャラウェイなどのシード類が利用される．また数種のハーブをブレンドしたブレンドハーブとして用いられる．ハーブティーには単味であるいはブレンドされ，紅茶にはローズマリー，ミント，シナモン，クローブなどがよく利用される．また化粧料として化粧水や石鹸に，ローズマリー，ラベンダー，カモミール，オレンジフラワー，ローズ，ウィッチヘーゼルなどが用いられる．

精油（エッセンシャル・オイル）　ハーブや花，果実から精油をとる方法は，10世紀末のアラブ人アウィケンナがバラの花を用いた蒸留法を発明し，バラ水や各種の香水を製したと伝えられ，薬用や香水などに利用されてきた．芳香成分には，炭素数10個からなるモノテルペン類（リモネン，ゲラニオール，メントールなど）が多く，その他に炭素数15個からなるセスキテルペン（ファルネソールなど）や，また芳香族系化合物では，バニリンやケイヒアルデヒドなどのようにアルデヒド基をもつもの，チモール（テルペン系），オイゲノールのようにフェノール性水酸基をもつもの，アネトールなど水酸基がエーテルとなるものおよびクマリンなどが知られる．これらの多くの芳香族化合物はフェニル基に3個の炭素が結合したフェニルプロパノイドの構造をもっている．

精油を得るためには，**水蒸気蒸留法**，**油脂吸着法**，**有機溶剤抽出法**，**圧搾法**，**超臨界流体抽出法**が知られている．

水蒸気蒸留法　水蒸気と共に加熱して芳香成分を得る方法で，広範な沸点をもつ精油成分が得られる．精油は一般に水より比重が軽く水に溶けにくいため，蒸留して得られた水層の上に精油層として分離する．また，水層には微量の精油が含まれ**ハイドロゾル**として用いられる．

水蒸気蒸留装置

ランビキ

ランビキ内部

水蒸気蒸留装置　右の窯にハーブを入れ加熱することにより水蒸気と共に精油が共沸してくると左の窯では冷やされて精油が得られる．

ランビキ　蘭学とともに伝来した蒸留器で，精油やハイドロゾルを得る器具．下段に水と植物を入れ加熱沸騰させ，蒸気は上段に入っている冷却水によって冷やされ陶器の壁を伝わり，中段のまわりの溝を通って排出口から排出される．また上段の温まった水は水を足すことにより冷たい水に入れ替わる．

日本薬局方精油定量器　フラスコに精油を含有する生薬と水を入れる．また右下の目盛りのある部分に水をあらかじめ入れた後にフラスコを加熱する．精油は水蒸気と共に共沸してくるが，冷却器により冷やされ滴下する．一般に精油は水より比重が軽く水に溶けにくいため，水層の上に精油層ができる．加熱終了後に下のコックから水を抜き精油量を量る．日本薬局方ではあらかじめキシレンを目盛りのついた器具に入れておき，精油をトラップする方法がとられている．

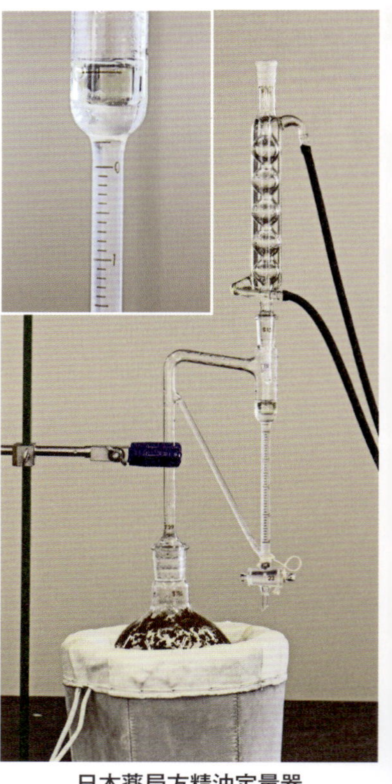

日本薬局方精油定量器
精油層（左上）

ヒキオコシ *Isodon japonicus*（Burm. f.）H. Hara（= *Plectranthus japonicas*（Burm. f.）Koidz.）（Labiatae / シソ科　APG：Lamiaceae / シソ科）付表 p.142

【植物】 多年生草本．高さ1mほど．茎は四稜形，葉は対生し，葉身は広卵形，葉縁は鋸歯状，葉先は尖り，長さ5～15cm，幅4～8cm程．葉脈上には短い毛がある．9～10月に，枝先の葉腋に円錐花序を出し，多数の小花をつける．花の色は薄紫色で，花冠は小さく長さ5～7 mmの唇形花で，上唇は4裂し反り返り，内に紫色の斑点がある．その昔，弘法大師が山を歩いているときに，腹痛で倒れている人に出会った．そのとき，ヒキオコシの搾り汁を与えたところ，たちまち元気となったことから，ヒキオコシ（引き起こし），また延命草と名付けられたといわれる．

【生薬】 エンメイソウ（局外）　延命草〔地上部〕

わずかなにおいがあり，味は極めて苦い．秋，地上部を刈り採る．成分として強苦味のジテルペン類を含む．

【用途・製剤】 民間薬：腹痛，消化不良，食欲不振時に，健胃薬として用いる．OTC：奥田胃腸薬L（細粒），金袋胃腸薬分包細粒，ソルマックEX2，陀羅尼助丸，赤玉小粒はら薬，胃腸反魂丹，クミアイ赤玉胃腸丸など．

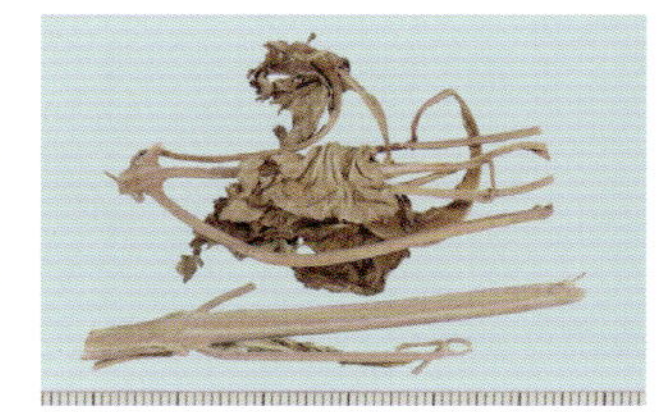

エンメイソウ

ヒキオコシ　10月

メハジキ　7月下旬

メハジキ *Leonurus japonicus* Houtt.（Labiatae / シソ科　APG：Lamiaceae / シソ科）付表 p.127

【植物】 二年生草本．茎は四角く，高さ1～1.5mほどになる．葉は対生し，細く3つに深裂している．全体に短い毛がある．二年目の7～10月頃，茎の上部の節に，薄紫色の唇形花を数個ずつつける．日当たりのよい野原や道端に生育する．

【生薬】 ヤクモソウ（局）益母草〔全草〕，ジュウイシ　茺蔚子〔種子〕*L. sibiricus* L.も同様に用いる．

ヤクモソウは，わずかににおいがあり，わずかに苦く，収れん性である．秋，花期の全草を採集し，日干しにしてよく乾燥させる．成分としてアルカロイド，フラボノイドなどを含有する．

【用途・製剤】 駆瘀血薬，利尿薬．漢方処方：芎帰調血飲，芎帰調血飲第一加減，天麻鈎藤飲など．OTC：エヘナL，キュウキイン「コタロー」，芎帰調血飲第一加減エキス〔細粒〕50，婦人の巡り，薬用養命酒など．民間薬：産前産後の調子を整えるために用いられる．また，月経不順を治すには種子を単独で用いる．

ヤクモソウ

ウツボグサ *Prunella vulgaris* L. var. *lilanacia* Nakai（=*P. vulgaris* L. subsp. *asiatica*（Nakai）H. Hara）（Labiatae / シソ科　APG：Lamiaceae / シソ科）付表 p.128

【植物】 多年生草本，日当たりのよい肥沃な草地に生える．高さ約30cm位に達する．葉は対生し，全株に白く粗い毛が密生する．花は，6～7月頃，茎頂に紫色の唇形花を穂状につける．基部からは走出枝が出て増える．結実するため真夏に花穂のみが褐色に変色することから，夏枯草（カゴソウ）といわれている．

【生薬】 カゴソウ（局）　夏枯草〔花穂〕

ほとんどにおい，味がない．夏，花穂が褐色になり始めた頃，花穂のみを採取して天日で乾燥させる．成分としてトリテルペン，サポニン，タンニンを含有する．神農本草経下品に収載されているが，漢方処方にはほとんど用いられていない．

【用途・製剤】 消炎，利尿薬．漢方処方：収涙飲，止涙補肝湯など．OTC：コイクラセリド，三和生薬腎臓仙など．民間薬：煎液を利尿剤として腎臓炎，膀胱炎などに用いる．外用には口内炎，扁桃炎に煎汁でうがいをする．茶剤として暑気払いに用いる．

カゴソウ

ウツボグサ　6月　　8月

ラベンダー *Lavandula angustifolia* Mill.（Labiatae / シソ科 APG：Lamiaceae / シソ科）付表 p.142

ラベンダー 7月

【植物】半木本生植物．高さ1mほど．葉は線形～線条披針形，全縁で厚みがある．全体が灰緑色を帯び芳香を有する．夏に長い花茎をのばし，小型の唇形花を輪状につけ，全体が穂状となる．花は赤紫が多いが変化に富む．栽培品の多くは本種とヒロハラベンダー *L. latifolia* Vill. との交雑種とみられる．ヨーロッパ原産．英名：lavender, English lavender.

【生薬】Lavender Flower, Lavendula Flos〔Dried flower〕

【用途・製剤】German Comission E では，ラベンダーの花は，不安，不眠，神経性胃炎，腹部膨満感，神経性の腸の不快感などに内服し，また，温泉療法は，循環器系の機能障害によいとしている．一方で，米国の大学教授，専門家で構成される Natural Standard Herb & Supplement で弱い催眠性，抗菌性，抗不安性が論じられ，その際に，中枢神経系抑制薬との相加作用について危険性が示唆されている．ラベンダー油：食品，香粧品，洗剤等の香料として用いる．ヨーロッパ植物療法で利胆茶材の添加物．

ラベンダー

ハッカ *Mentha arvensis* L. var. *piperascens* Malinv. ex Holmes（=*M. canadensis* L.）（Labiatae / シソ科 APG：Lamiaceae / シソ科）付表 p.128, 147, 153

ハッカ 9月

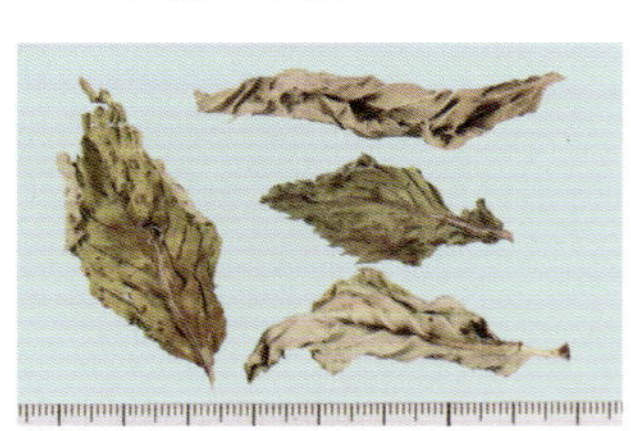

ハッカ

【植物】多年生草本．高さ 20 ～ 60 cm．根元より多数の地下茎が横走する．葉は対生で，表裏に多数の腺毛がある．全草に芳香がある．夏～秋に，淡紫色の小唇形花が茎の上部葉腋につき，輪散花序をなす．日本，中国，シベリアに自生．英名：Japanese peppermint.

【生薬】ハッカ（局）薄荷〔地上部〕

特異な芳香があり，口に含むと清涼感がある．成分として，menthol，menthone などを含有．

ハッカ油（局）薄荷油〔地上部を水蒸気蒸留して得た油を冷却し，固形分を除去した精油〕

特異で爽快な芳香があり，味は初め舌をやくようで，後に清涼となる．

ハッカ水（局）〔精製水に 0.2 %のハッカ油を含む〕

【用途・製剤】ハッカは，芳香性苦味健胃薬．漢方処方：加味逍遙散，響声破笛丸，銀翹散，荊芥連翹湯，柴胡清肝湯，滋陰至宝湯，清上防風湯，川芎茶調散，防風通聖散など．OTC（ハッカ含有製剤）：前記漢方処方の製剤のほか，アクマチック，イスクラ涼解楽，ウチダの洗肝明目湯，強清肝散，銀翹解毒丸，ササラック，春香など．ハッカ油およびハッカ水は，発汗解熱，止痛解毒，鎮咳去痰，健胃，清涼薬として，口腔，鼻腔，皮膚外用薬に用いる．OTC（ハッカ油含有製剤）：アセモゴールド，液キャベコーワG，エスエスぴったりハップ，シップサール A3，新エフレチン，新キーパー U 顆粒，新ゼリア胃腸薬，新フジパップ温感，新薬温膏 D，タイガーバーム，大正ルゴール ピゴン，ラクールタッチなど．指定医薬部外品：新コルゲンコーワうがいぐすりなど．

ハッカ油

l-メントール

セイヨウハッカ / ペパーミント / コショウハッカ *Mentha*×*piperita* L.（Labiatae / シソ科 APG：Lamiaceae / シソ科）付表 p.142

【植 物】多年生草本. スペアミントとウォーターミントの交配種と考えられている. ハッカに似た形状であるが, 花は穂状花序をなす. ヨーロッパ, 北アメリカに生育する. 英名:peppermint.

【生薬】ペパーミント葉 /peppermint leaf〔葉〕，ペパーミント油 /peppermint oil〔精油〕

【用途・製剤】清涼感及び抗アレルギー作用を期待してのど飴に，抗菌作用を期待してアロマセラピー，化粧品原料に用いられる．また，ハーブティーとして使用すると共に香料として菓子，歯磨き，化粧品に，リキュールには色素及び香料として利用される．OTC：レメク．Peppermint leaf について，The Complete German Commission E monographs は，胃腸，胆嚢および胆管の痙攣性の疾患に内服するとし，The British Herbal Compendium は，消化不良，腹部膨満感，大腸や胆管の異常によいとしている．

《メモ》精油の主成分は menthol である．Natural Standard Herb & Supplement により，アレルギー / 過敏症のあるヒト，妊娠時の使用に注意が促されている．

ペパーミント葉

セイヨウハッカ 8月

ネコノヒゲ / クミスクチン *Orthosiphon aristatus*（Blume）Miq.（Labiatae / シソ科 APG：Lamiaceae / シソ科）付表 p.142

【植物】多年生草本．高さ 1 m．茎は赤紫色，四角柱状で基部は木質化する．春から秋にかけて白または淡いピンク色の花をつける．咲いた時の形態が猫のヒゲに見えることから別名を「ネコノヒゲ」，英名「Cat's whiskers」という．東南アジア原産．
【生薬】クミスクチン〔地上部または葉〕
成分として，ミネラル（カリウム塩），rosmarinic acid（ポリフェノール）を含有している．
【用途・製剤】古くから民間的に利尿薬として利用されており，ヨーロッパでは医薬品原料として現在でも盛んに利用されている．沖縄では，腎臓病や膀胱炎，むくみや関節炎などの治療を目的に全草を煎じたものが服用される．一般に新芽の葉を乾燥してクミスクチン茶として飲用し，カリウム塩による利尿作用や血圧降下作用を期待して用いられている．腎臓疾患の改善が目的であるが，ダイエット茶としても知られている．抗アレルギー作用，抗炎症作用も示すことから，花粉症，アトピー性皮膚炎などの改善効果なども期待されている．

クミスクチン

クミスクチン　9 月

ケイガイ　6 月

ケイガイ *Schizonepeta tenuifolia*（Benth.）Briq.（= *Nepeta tenuifolia* Benth.）（Labiatae / シソ科 APG：Lamiaceae / シソ科）付表 p.128

【植物】一年性草本．高さ 60 ～ 100 cm．茎は直立し，全草に芳香があり有毛．葉は対生し，羽状に深裂し，裂片は全縁である．初夏から夏に薄紫色の小花が茎の上方各節に輪生に密生し，数段の塊になって穂状をなして咲く．中国北部原産で，日本でも栽培される．
【生薬】ケイガイ（局）荊芥〔花穂〕
特異な芳香があり，口に含むとわずかに清涼感がある．精油 menthone を多く含む．
【用途・製剤】鎮痛，抗炎症，発汗，解熱，駆風，止血などの作用のほか，腫毒を除去する．漢方処方：治頭瘡一方，当帰飲子，銀翹散，駆風解毒湯，防風通聖散，荊芥連翹湯，十味敗毒湯，荊防敗毒散，五物解毒湯，消風散，清上防風湯，川芎茶調散など．OTC：前記漢方処方の製剤のほか，ウチダの洗肝明目湯，銀翹解毒丸，口紫湯，こどもパブロン鼻炎液 S，真澄，中国風邪丸，鎮吐，ネオ小町錠など．

ケイガイ

シソ *Perilla frutescens*（L.）Britton var. *crispa*（Benth.）W. Deane（Labiatae / シソ科 APG：Lamiaceae / シソ科）付表 p.128

【植物】一年性草本．高さ 0.2 ～ 1 m．全株に疎毛を有し，特異な芳香（モノテルペン：ペリルアルデヒド，リモネンなど）がある．8 ～ 10 月，白から紫の総状花序が頂生または上部葉腋につく．葉は緑色から紫紅色で，平坦なもの，ちりめん状のしわのあるものなどがある．葉身は長さ 5 ～ 12 cm，幅 5 ～ 8 cm 先端はやや尖り，辺縁には鋸歯があり，基部は広いくさび状である．中国中南部原産，日本各地で栽培または野生化している．エゴマ（荏胡麻，*P. frutescens* var. *frutescens*）は，シソの母種で東南アジアが原産とされ，乾燥種子から搾油した脂肪油がエゴマ油．
【生薬】ソヨウ（局）蘇葉〔葉および枝先〕
特異なにおいがあり，味はわずかに苦い．成分として，perillaldehyde などの精油，anthocyanin を含有．
シソシ（局外）紫蘇子〔果実〕
ほとんどにおいはなく，かめば特異な香気がある，味はわずかに油様である．医薬品として用いられるシソの葉（ソヨウ）は，帯紫色のものが通例である．精油含量が高く，においの強いものが良品．
【用途・製剤】ソヨウ：芳香性健胃，鎮咳去痰，解熱薬．漢方処方：藿香正気散，杏蘇散，九味檳榔湯，半夏厚朴湯，香蘇散，柴朴湯，参蘇飲，神秘湯など．OTC：前記漢方処方の製剤のほか，小児用ヒューゲン（分包），新佐藤胃腸薬 L など．指定医薬部外品：エスエスのど飴ＥＸ，キャベ２コーワドリンクなど．
シソシ：降気，鎮咳，潤腸薬．漢方処方：紫蘇子湯，蘇子降気湯など．OTC：前記漢方処方の製剤のほか，神心，壽徳湯，便秘湯など．
香辛料：梅干しの色付け，七味唐辛子に配合，和食の薬味，刺し身のつまにも使用．

シソ　10 月　　シソ栽培

河北省　シソを乾燥させている

ソヨウ

シソシ

パチョリ　4月

パチョリ　*Pogostemon cablin*（Blanco）Benth.（Labiatae / シソ科　APG：Lamiaceae / シソ科）付表 p.128

【植物】 多年生草本．高さ 30 ～ 100 cm．茎の断面は方形，基部は匍匐する．葉は楕円形で対生し，両面に短毛が密生．花は穂状で頂生し，特異の匂いのする淡紅色の小さな花をつける．フィリピン原産．
別名：ハイコウソウ（排香草）．
【生薬】 カッコウ（局）藿香〔地上部〕
特異なにおいがあり，味はわずかに苦い．patchoulol など精油を含む．
【用途・製剤】 止瀉，胃液分泌促進，解熱効果があり，胃腸症状のある風邪，急性胃炎，熱射病，頭痛などに用いる．匂いが強く，他の匂いを消す目的に用いることもある．漢方処方：雲林参苓白朮散，藿香正気散，藿香平胃散，加味理中湯，香砂平胃散，香砂六君子湯，五香湯，三味湯，丁香柿蒂湯，人参養胃湯など．OTC：藿香正気散の製剤，香砂六君子湯の製剤，ガロール健芯液，鎮吐，不瘻湯，凌雲など．

カッコウ

タンジン　*Salvia militiorrhiza* Bunge（Labiatae / シソ科　APG：Lamiaceae / シソ科）付表 p.128

【植物】 多年生草本．高さ 50 cm．茎は奇数羽状複葉で対生する．小葉は卵形から広披針形で，鋸歯があり，裏面には毛が密生している．初夏から夏に茎の上部より総状花序を出し，青紫色の花を輪生する．花軸には腺毛が密生する．根は赤い．中国原産で四川省では栽培されている．別名：カラコトジソウ．
【生薬】 タンジン（局）丹参〔根〕
成分として，tanshinone 類などのフェナントラキノンを含む．わずかににおいがあり，味は初め甘く，後にわずかに苦く渋い．
【用途・製剤】 通経，血管拡張，血液循環，鎮痛薬として，月経困難症，疼痛，腫物の治療に用いる．漢方では，血液浄化，精神安定，止痛薬．漢方処方：清営湯，治腰膝髀云々方，天王補心丹，冠心調血飲など．OTC：アスゲン長城冠丹元顆粒，安神補心丸，イスクラ冠元顆粒，冠源活血丸，環元清血飲エキス細粒 G「コタロー」など．

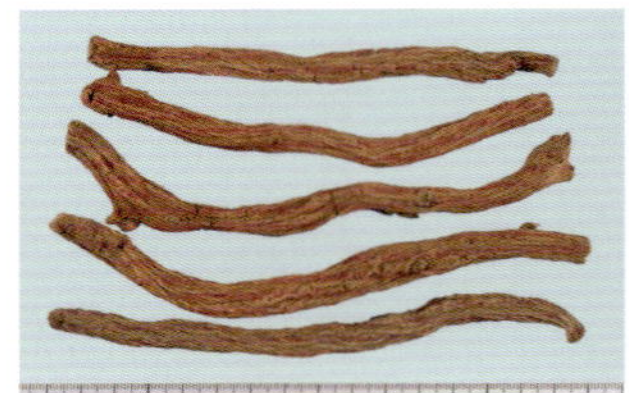

タンジン

タンジン　6月

コガネバナ　9月

コガネバナ　*Scutellaria baicalensis* Georgi（Labiatae / シソ科　APG：Lamiaceae / シソ科）付表 p.128

【植物】 多年生草本．高さ 50 cm．茎は叢生し斜上する．葉は対生し，披針形で全縁．夏に穂状花序に紫色の花をつける．根は黄色く太く，円錐形で木質である，ときどき緑色を帯びる．中国北部，朝鮮原産．
【生薬】 オウゴン（局）黄芩〔周皮を除いた根〕
ほとんどにおいがなく，味はわずかに苦い．成分として，フラボノイドの balcalin，wogonin を含む．内部形態：栽培の黄芩と野生の黄芩を比較すると，道管の配列が栽培黄芩では放射状に配列しているのに対し，野生黄芩では年輪状を呈していることが認められる．
【用途・製剤】 消炎，利胆，解熱，利尿，止瀉薬．漢方処方：温清飲，黄連解毒湯，柴胡加竜骨牡蛎湯，柴胡桂枝湯，三黄瀉心湯，小柴胡湯，大柴胡湯，半夏瀉心湯，防風通聖散，乙字湯，女神散など多数．OTC：上記漢方処方の製剤など．

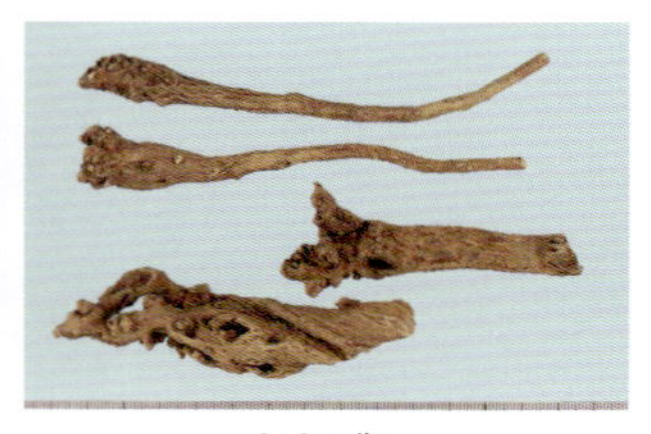

オウゴン

根

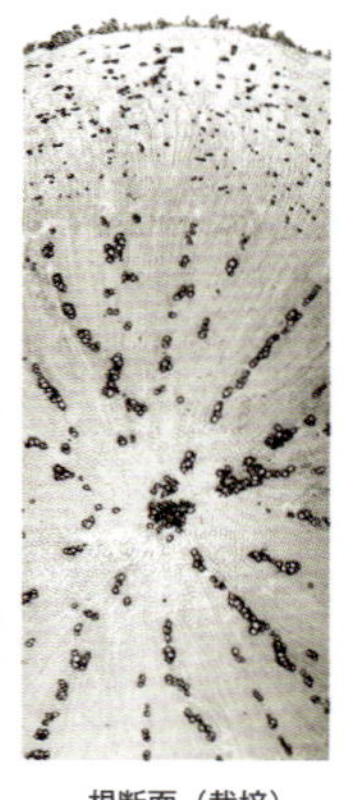

根断面（栽培）

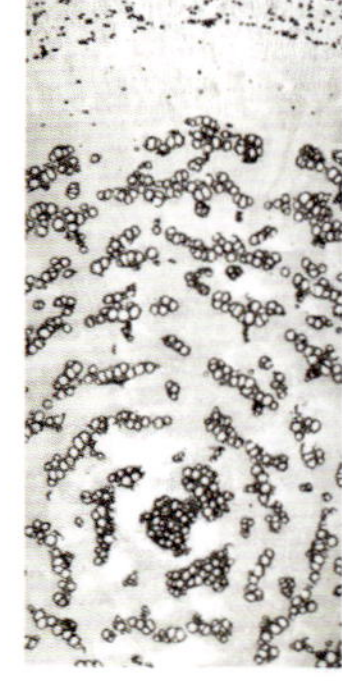

根断面（野生）

オウゴンの内部形態

マンネンロウ／ローズマリー *Rosmarinus officinalis* L.（Labiatae／シソ科 APG：Lamiaceae／シソ科）付表 p.142

【植物】 常緑性低木．葉は針形で対生し，長さ 3 cm，光沢があり，両側が裏側に巻き込む．葉裏は綿毛が密生し，白味を帯びる．花は前年の枝につき，淡紫色で 1 cm ほどの唇形花で 2 本の雄ずい花冠から突き出ている．花期は秋から初夏．多数の品種があり，立ち性と匍匐性がある．地中海沿岸地方原産．英名：rosemary.

【生薬】 ロズマリン葉〔葉〕

【用途・製剤】 強壮，血液循環促進，消化促進，抗酸化，抗菌，発汗作用を有し，古代ギリシャ時代より記憶力や集中力を高めるハーブと伝えられる．German Commission E. monograph は，消化不良に対する内服とリウマチおよび血行不良に対する外用を認めている．rosmarinic acid に抗アレルギー効果，carnosic acid に神経成長因子を高める効果が認めれ，アルツハイマー病やパーキンソン病に対し有効性期待されている．食用：肉料理などに盛んに使われる．含有する rosmand，carsond は抗酸化力が極めて強く，ローズマリーは肉や脂肪の保存に用いられる．

ロズマリン葉

ローズマリー　3 月

ヤクヨウサルビア／セージ *Salvia officinalis* L.（Labiatae／シソ科 APG：Lamiaceae／シソ科）付表 p.142

【植物】 常緑低木あるいは多年生草本．高さ 50 ～ 70 cm．よく分枝して 5 ～ 7 月に唇形花冠の花穂を出す．葉は長楕円形で長さ 7 cm，縮れた毛を有する．南ヨーロッパ地中海沿岸原産．サルビア属の多くの植物がハーブとして使われ，精油原料とされている．英名：common sage．別名：サルビア．

【生薬】 サルビア葉〔葉〕

【用途・製剤】 鎮静，消化促進，解熱，殺菌作用を有する．鎮静薬，健胃薬として服用し，咽頭炎にうがい薬とする．German Commission E monograph は，多汗症や外用での鼻粘膜・喉の炎症への利用を認めている．アルツハイマー病の認識能や口唇ヘルペスに有効ではないかといわれている．ハーブティや各種の料理に使われ，抗菌力，抗酸化力があることから防腐効果と肉の臭み消しの効果のある香辛料としてソーセージなどに使われる．またソーセージの語源となった．

セージ　5 月

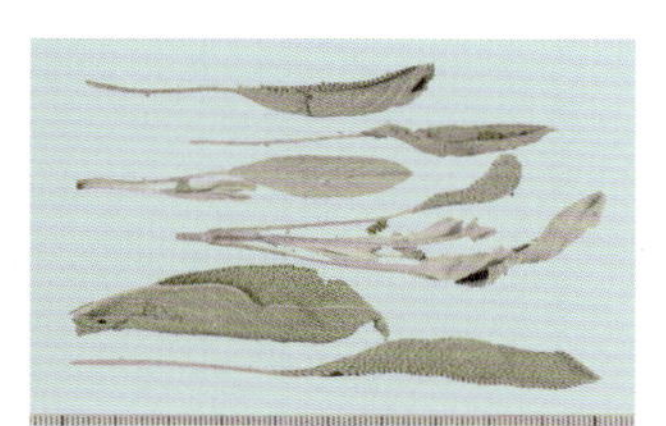
サルビア葉

タチジャコウソウ／タイム *Thymus vulgaris* L.（Labiatae／シソ科 APG：Lamiaceae／シソ科）付表 p.152

【植物】 常緑小低木．高さ 20 cm．葉は広披針形で全縁，長さ 10 mm．初夏に淡紅色の花をつける．ヨーロッパ南部地中海沿岸原産．英名：common thyme.

【生薬】 タイム〔全草〕

【用途・製剤】 去痰，抗気管支炎，健胃，駆風薬として内服，抗充血，抗菌，防臭薬として外用する．German Commission E monograph は，気管支炎，百日咳，上部気管支炎などへの使用を認めている．また消化の改善のために用いられてきた．食用：各種料理やソースに用いられ，防腐効果が強いことからハムやソーセージに使われる．タイムの主成分の thymol は抗菌作用が強く，フェノールの 25 倍といわれる．

タイム

タイム　5 月

新鮮な根　　ベラドンナ　6月

ベラドンナ　*Atropa belladonna* L.（Solanaceae／ナス科）付表 p.128

【植物】 大型の多年生草本．高さが1～1.5 m．葉は輪生，葉腋から葉と同数の枝を出して広がり，花は淡赤紫色のつり鐘形．果実は液果で熟すると黒紫色．ヨーロッパ，西アジア，北アフリカ原産．葉の表面に触れるとかぶれる場合がある．学名の「アトロパ」はギリシャ神話にでてくる運命の三女神の一人，運命を断ち切る女神アトロポスより．植物名の「Bella Donna」は，「美しい女性」を意味するイタリア語．ルネサンス期，ベネチアの女性がエキスを点眼して瞳孔を開かせることにより，美しく見せようとした．

【生薬】 ベラドンナコン（局）〔根〕

ほとんどにおいがない．夏から秋に採取した葉，茎をベラドンナ，3～4年生株の掘り出した根をベラドンナコンという．いずれもトロパンアルカロイドの hyoscyamine，atropine を含む．誤食すると痙攣，全身麻痺になり，死に至ることがある．

【用途・製剤】 散瞳薬，麻酔薬，抗潰瘍薬．

毒性が強いため，ベラドンナエキス，硫酸アトロピンなどの原料に用いられる．これらは抗コリン作用を示すことによる副交感神経遮断薬で，胃酸などの分泌抑制作用がある．OTC：アルガード鼻炎内服薬 Z，エスタック鼻炎カプセルなど．

ベラドンナコン

トウガラシ　*Capsicum annuum* L.（Solanaceae／ナス科）付表 p.129

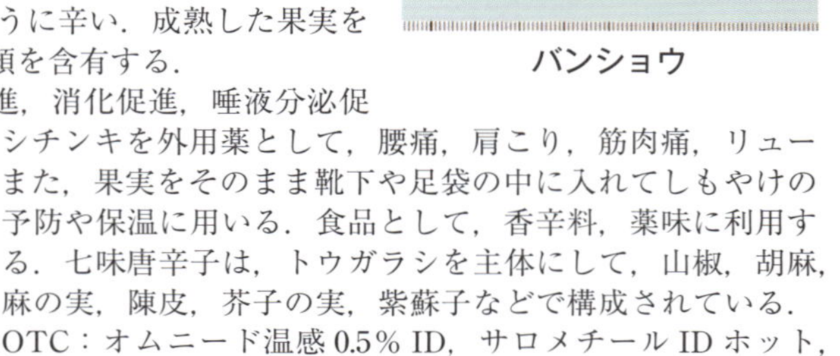

バンショウ

【植物】 熱帯では多年草または低木，温帯では一年草．高さ約60 cm で枝は分岐する．8～9月頃，白い五弁花をつける．果実は皮針形で長さ約5 cm，茎に上向きにつく．形の大小，色，辛味の程度などで，種類は多岐にわたる．南米原産．

【生薬】 トウガラシ（局），バンショウ　蕃椒〔果実〕トウガラシエキス（局），トウガラシチンキ（局）

弱い特異なにおいがあり，味は焼くように辛い．成熟した果実を採取する．辛味成分として capsaicin 類を含有する．

【用途・製剤】 辛味性健胃薬．食欲増進，消化促進，唾液分泌促進，強壮などの作用がある．トウガラシチンキを外用薬として，腰痛，肩こり，筋肉痛，リューマチ，関節炎，神経痛などに用いる．また，果実をそのまま靴下や足袋の中に入れてしもやけの予防や保温に用いる．食品として，香辛料，薬味に利用する．七味唐辛子は，トウガラシを主体にして，山椒，胡麻，麻の実，陳皮，芥子の実，紫蘇子などで構成されている．OTC：オムニード温感 0.5% ID，サロメチール ID ホット，サロンパスホット，サンポーシップホット，新ノイガンハップホット，トクホンハップ（温），ニューホルキス温感，ハリックス 55EX 温感，フェイタスシップ温感，腰痛パテックス，ロイヒ温シップ，キンカン，ベルクリーン S 軟膏など．

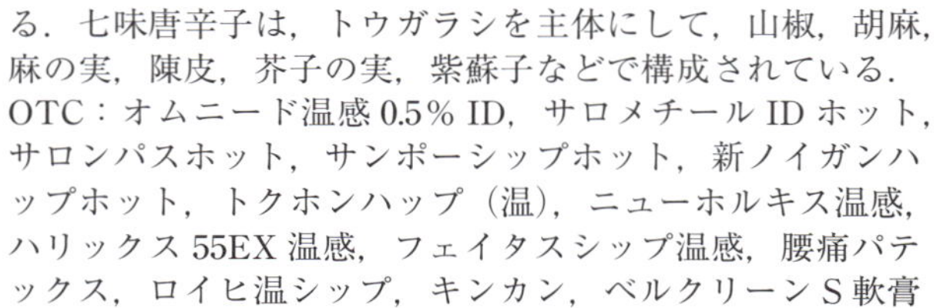

七味唐辛子

トウガラシ　8月

果実　10月

チョウセンアサガオ　9月

チョウセンアサガオ　*Datura metel* L.，シロバナチョウセンアサガオ　*D. stramonium* L.（Solanaceae／ナス科）付表 p.142

【植物】 一年生草本．高さ1～1.5 m．茎は直立して淡緑色で全体に無毛．葉は広卵形で先端が尖っている．8～9月頃，アサガオに似た白い花を午後に開く．果実は球形で刺のあるさく果で，淡褐色の種子が多数入っている．熱帯アジア原産．

【生薬】 ダツラヨウ〔葉〕，マンダラゲ　曼陀羅華，ダツラ子（マンダラシ）曼陀羅子〔種子〕

開花期の葉を採取し，乾燥させる．成分に hyoscyamine，scopolamine などのトロパンアルカロイドを含む．

【用途・製剤】 臭化水素酸スコポラミンの原料，過去に鎮痙，咳止めに用いられたが，毒性が強いので使用されない．華岡青洲が世界で初めて全身麻酔による乳がん手術を行った．この時使用した全身麻酔薬の「通仙散」は，曼陀羅華が主薬として処方され，烏頭，白芷，当帰，川芎など数十種の生薬が配合されているといわれているが，詳細は不明である．OTC：ストナリニ S など．

ダツラヨウ

マンダラシ

クコ　*Lycium chinense* Mill.（Solanaceae /ナス科）付表 p.129

クコ　10 月

【植物】落葉低木．高さ 1 ～ 2 m，茎はややつる状になり無毛．夏～秋に，葉腋に紫色の小花をつける．液果は鮮紅色で光沢がある．全体に特有の異臭がある．中国原産．日本にも移入し各地にみられる．

【生薬】

ジコッピ（局）　地骨皮〔根皮〕

特異な弱いにおいがあり，味は初めわずかに甘い．成分として，kukoamine A，B，betaine などアルカロイドを含有．

クコシ（局）　枸杞子〔果実〕

特異なにおいがあり，味は甘く，ときにわずかに苦い．成分として betaine および carotene などのカロテノイドを含有．

クコヨウ　枸杞葉〔葉〕

地骨皮，枸杞子には，ナガバクコ *L. barbarum* L. も同様に用いる．

ジコッピ　　クコシ

【用途・製剤】漢方では，ジコッピは強壮，消炎，解熱薬，クコシは強壮薬として処方に配合される．

ジコッピ（地骨皮）：漢方処方：滋陰至宝湯，清心蓮子飲など，OTC：清心蓮子飲エキス顆粒 H，ユリナール（中身は清心蓮子飲），ユンケルスーパー黄帝液 II など．

クコシ（枸杞子）：漢方処方：杞菊地黄丸など，OTC：オットビン，クコビタドリンク，ゼナ F-II，リポビタン D ロイヤル，リゲイン STYLE など，そのほか食用に．

クコヨウ（枸杞葉）：江戸時代に滋養強壮のため食用とされ，近年は血圧降下を期待した健康茶として利用される．

タバコ　11 月

タバコ　*Nicotiana tabacum* L.（Solanaceae /ナス科）付表 p.142

【植物】一年生草本，熱帯では多年草．高さ 2 m で分枝せず，全株に粘着性腺毛を密生する．葉は大型で互生し，葉柄は欠くか短い．夏に，円すい花序を頂生し，淡紅色の花をつける．南米ボリビアのアンデス山地原産で，世界各地で栽培される．

【生薬】タバコ葉　煙草〔葉〕

【用途・製剤】葉を発酵し，乾燥させたものを葉巻，煙草として用いる．タバコにはアルカロイド成分である nicotine や anabasine が含まれる．硫酸ニコチンは殺虫剤として農薬に用いられる．ニコチンは中枢神経に作用して依存性を示す．nicotine は毒性を有することから乳幼児が煙草を誤食した場合，死に至る危険性がある．「nicotine」の名はタバコをフランスに持ち帰った外交官ジャン・ニコット（Jean Nicot）に由来する．

ハシリドコロ　*Scopolia japonica* Maxim.（Solanaceae / ナス科）付表 p.129, 151

【植物】多年生草本．高さ 30 ～ 60 cm．根茎は結節状で横臥し，先端に地上茎を単生する．全草無毛．葉は互生し，有柄．早春に，葉の展開とともに開花する．山地のやや陰湿地に自生．

【生薬】ロートコン（局）　莨菪根〔根茎及び根〕

特異なにおいがある．*S. carniolica* Jacq.，*S. parviflora*（Dunn）Nakai の根茎及び根も同様に用いる．生理活性の強いアルカロイド成分を含むことからロートコンは劇薬に指定されている．成分として，hyoscyamine，scopolamine などのアルカロイドや scopolin のクマリン配糖体を含有する．江戸時代末期にシーボルトによって伝えられたベラドンナ根と同様の作用のある国内植物として見出された．「莨菪」とは「莨を誤食し狂い走る」と江戸時代の本草学者が記したことに由来する．本来の「莨」とは中国の *Hyoscyamus niger* L. var. *chinensis* Makino であり，日本のハシリドコロに間違ってあてたものとされる．

【用途・製剤】ロートエキス（局），アトロピン硫酸塩水和物（局），スコポラミン臭化水素酸塩水和物（局）の製造原料．ロートエキスは鎮痛，鎮痙薬や胃酸過多などに適用される．アトロピンは一般的に副交感神経遮断薬として点眼薬，解毒薬などに適用．スコポラミンは鎮痛，鎮痙薬などに用いられる．OTC：ロートエキス配合製剤；アクロミンカプセル A，キャベジンコーワ錠，サクロン S，小中学生用ストッパ下痢止め，新宇津こども下痢止め，新三共胃腸薬〔錠剤〕，大正胃腸薬 S，パンシロン AZ 胃腸薬，ビオフェルミン止瀉薬，廣貫堂赤玉はら薬 S など．春先のハシリドコロの新芽は山菜のフキノトウに酷似するため，誤食による中毒被害がある．

ロートエキス散

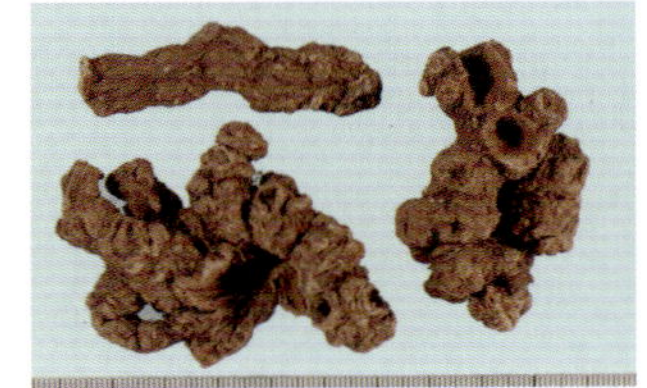
ロートコン

新鮮な根茎　　ハシリドコロ　5 月

ジャガイモ　ジャガイモ果実

ジャガイモ　*Solanum tuberosum* L.（Solanaceae / ナス科）付表 p.149

【植物】 多年生草本．高さ 50 cm．冷涼な気候を好む．初夏に星形の花をつける．地中の主茎より地下茎を側生し，先端が肥大し塊茎（イモ）となる．イモからの芽の配列（画像参照）は葉が茎を 2 回回って重なる 2/5 葉序と一致し，イモが根茎であることが分かる．南米アンデス高地原産であるが世界で広く栽培され，多くの品種がある．ジャガイモの芽には，ソラニンなどの有毒なアルカロイドを含有し，誤食すると嘔吐などを引き起こし，死に至ることもある．
【生薬】 特異なにおいがあり，味は甘く，ときにわずかに苦い．
【用途】 バレイショデンプン（局）バレイショ澱粉（塊茎から得たでんぷん），白色の粉末．
球形または卵形の単一デンプン粒であるが，しばしば複粒または半複粒が混在する．長径 70 µm，しばしば 100 µm 以上に達する．偏心性で層紋は明らか，臍は点状．他のデンプンと同様に賦形剤，食料，製薬用材料，糊料として用いる．

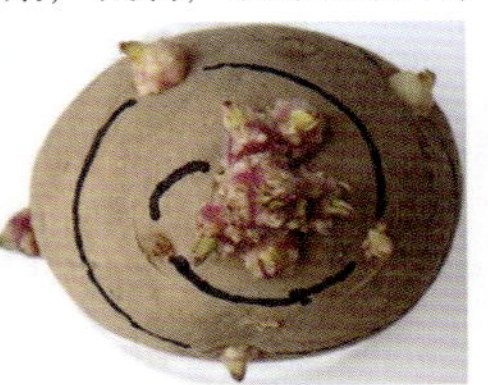

芽の位置と葉の配置

【類似薬】 コムギデンプン（局），コメデンプン（局），トウモロコシデンプン（局）
かつてカタクリ粉は，本来日本北東部の原野などに自生するユリ科のカタクリ *Erythronium japonicum* Decne. の鱗茎から取れるデンプンであるため，片栗粉と呼ばれていたが，現在は自生の減少に伴い性質の似ているバレイショデンプンをカタクリ粉と呼んでいる．

ジギタリス　*Digitalis purpurea* L.（Scrophulariaceae / ゴマノハグサ科 APG：Plantaginaceae /オオバコ科）付表 p.142, 151

【植物】 二年生又は多年生草本．高さ 1 m．茎は直立し，葉は細かいチリメンじわがあり，全面に短い軟毛を有し，苦味がある．花は紫紅色．花柄のもとに 1 個の苞葉を持つ．萼は 5 個の離片萼，花冠は 5 裂する合弁，暗紫色の多数の蜜標が見られる．雄蕊は 4 本中 2 本が長い二強雄蕊，子房は子房下位で 2 心皮 2 室，胚珠は 2 個の心皮の縁に位置する側膜胎座である．ヨーロッパ南部原産で，観賞用，薬用として世界各地で栽培される．和名のキツネノテブクロという名前は英名の Fox-glove を訳したもの．日本には明治初期に薬用として渡来した．
【生薬】 ジギタリス〔葉〕．60℃以下で乾燥し，葉柄および主脈を除いて細切したもの．
【用途・製剤】 強心利尿薬．digitoxin（局）製造原料．ジギタリス強心配糖体には心筋に直接作用して収縮力を高め，拍出量を増やし，脈拍数を減少させる作用がある．直接作用のほかに心機能の改善による二次的利尿作用，嘔吐作用がある．
【注意・中毒】 ジギタリス製剤は劇薬に指定されている薬物で副作用が強く，ジギタリス中毒はよく知られている．ジギタリス中毒の症状は，急性中毒として悪心，頭痛，嘔吐，下痢，視覚異常，錯乱，不整脈，中枢神経麻痺などがあり，慢性中毒では蓄積作用があり，適量でも連続投与で急性中毒と同様の症状が現れる．さらには不整脈が現れて心停止を来して死亡することもある．ジギタリス製剤は，有効血中濃度域と中毒血中濃度域が近く，用量を間違えると危険なため，TDM の対象となることがある． セイヨウオトギリ（p.21，セント・ジョンズ・ワート）を含む健康食品は，ジギタリス製剤の代謝を促進して作用を弱めるおそれがあるためジギタリス製剤との同時摂取は避けなければならない．

花のアップ

花を開いた図

子房断面

ジギタリス　6 月上旬

ケジギタリス　6 月上旬

ケジギタリス　*Digitalis lanata* Ehrh.（Scrophulariaceae / ゴマノハグサ科 APG：Plantaginaceae /オオバコ科）付表 p.142, 151

【植物】 多年生草本．高さ 1 m ほど．ジギタリスによく似ているが，やや小型．花は白色で薄茶色の模様があり，ジギタリスの花に比べ小さい．葉は葉柄がなく，長披針形でしわはなく，ほとんど鋸歯がない．茎の上部・花穂に軟毛又は腺質絨毛がある．ヨーロッパ原産．
【生薬】 ケジギタリス〔葉〕
【用途・製剤】 強心利尿薬．digoxin（局），lanatoside C（局），deslanoside 製造原料（局）．
ジギタリス製剤である digoxin と digitoxin について，digitoxin は肝代謝性の薬剤であり，この観点から腎不全患者では digitoxin の方が使いやすい場合がある．また digoxin が速効性であるのに対して，digitoxin は遅効性であるという違いもある．

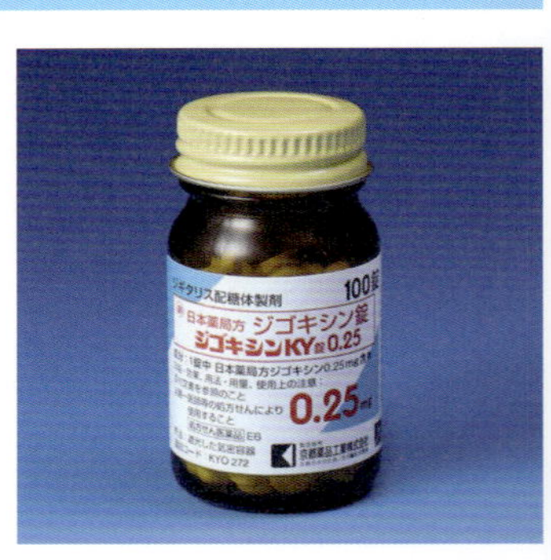

ジゴキシン（京都薬品工業）

ジオウ／アカヤジオウ *Rehmannia glutinosa* Libosch. var. *purpurea* Makino (= *R. glutinosa* (Gaertn.) Libosch. ex Fisch. et C.A.Mey., = *Rehmannia glutinosa* (Gaertn.) DC.)（Scrophulariaceae/ ゴマノハグサ科 APG: Orobanchaceae ハマウツボ科）付表 p.129

アカヤジオウ　5 月

【植物】 多年生草本．高さは 30 cm ほど．茎は直立し，全体に柔らかい白色の毛で被われている．春に葉間から花茎を伸ばし，唇形をした筒状で紅紫色から淡紅紫色の花を総状につける．果実は先端がやや尖って丸味を帯び，中に多数の小さな種子がある．根は黄白色を呈し，長く地中を這って肥厚する．中国原産．中国の中北部から北部，東北部，内モンゴルに分布．日本では江戸時代から栽培されるようになり，現在では奈良県でわずかに栽培されている．植物の和名アカヤジオウは，紅紫色の花をつけるジオウという意味がある．またジオウの名は，根の色または中国の黄土に植えられていたことに由来．

近縁植物：アカヤジオウとよく似て全体がやや大型で，花穂が長く，総状花序となるカイケイジオウ *R. glutinosa* Libosch. がある．また花が淡黄色のものはシロヤジオウという．

【生薬】 ジオウ（局）　地黄〔根〕

特異なにおいがあり，味は初めわずかに甘く，後にやや苦い．加工調製法の違いにより次のような種類がある．「鮮地黄」「鮮生地」：11 ～ 12 月ごろに根を掘り取ったそのままのもの，「乾地黄」：掘り取って風通しのよい場所で日干しにしたもの（一般に「地黄」と呼ばれる生薬は，この乾地黄をさす），「熟地黄」：鮮地黄を酒とともに蒸し器に入れて黒色になるまで蒸して乾燥させたもの．成分として，glutinoside，catalpol などのイリドイド配糖体を含有．

【用途・製剤】 地黄（乾地黄）は，しびれを取り去り，筋肉の発育不良の治療に用いる．一方，鮮地黄は，乾地黄とほぼ同様な効能であるが，血行障害で，うっ血による症状や内出血，鼻血，吐血などの激しい症状に止血，通経効果があるとされる．熟地黄は，ホルモンを分泌させて増血を助ける作用があり，強壮効果があるとされる．漢方では，保健強壮薬，尿路疾患用薬，皮膚疾患用薬，婦人薬とみなされる処方に配合される．漢方処方：温清飲，芎帰膠艾湯，荊芥連翹湯，牛車腎気丸，三物黄芩湯，滋陰降下湯，七物降下湯，四物湯，炙甘草湯，十全大補湯，消風散，疎経活血湯，当帰飲子，人参養栄湯，八味地黄丸，竜胆瀉肝湯，六味丸など．OTC：前記の漢方処方製剤のほか，イスクラ杞菊地黄丸，オットビン，金蛇精ゴールドⅡ，ゼナ キング，中将湯，ナンパオ，ハルンケア内服液，ボーコレンなど．

ジオウ蒸し工程の釜の内部

カンジオウ（左），ジュクジオウ（右）

アカヤジオウの根

ゴマノハグサ *Scrophularia buergeriana* Miq.（Scrophulariaceae / ゴマノハグサ科）付表 p.142

ゴマノハグサ　7 月

【植物】 多年生草本．高さ 0.6 ～ 1.2 m．茎は直立し，その断面は四角形．葉は卵形あるいは卵状楕円形で対生し，上部ではときに互生する．夏に集散花序を出し，長さ 8 ～ 9 mm の暗紫色の壺状の花をつける．花序軸と花柄には腺毛がある．根は肥大する．本州～九州，朝鮮半島，中国に分布．ゴマノハグサとは葉の形がゴマの葉に似ていることに由来．絶滅危惧Ⅱ類に分類されている．

【生薬】 ゲンジン（局外）　玄参〔根〕

特異なにおいがあり，味はわずかに甘く，後わずかに苦い．玄参とは“黒い人参”の意味．近縁植物のゲンジン *S. ningpoensis* Hemsl. も生薬ゲンジンとして同様に用いられる．

【用途・製剤】 消炎，治瘡薬として，のどの腫痛，鼻炎，でき物などに利用する．滋陰，清熱，除煩，解毒の効能があり，熱病による口渇や煩躁・発斑，結核による発熱，頸部リンパ節腫，咽喉腫痛，不眠症，自汗，盗汗，鼻血，吐血，便秘，腫れ物などに用いる．また熱病（実熱）にみられる脱水症状や陰虚による熱症状（虚熱）に用いる．咽喉や口舌部の疼痛に用いる．また咽喉痛に煎じてうがい薬とする．漢方処方：加味温胆湯，玄参升麻湯など．OTC：雲胆（エキス顆粒），タイツコウ軟膏，ナンパオ，養陰清肺シロップなど．

ゲンジン

ビロードモウズイカ / マレイン *Verbascum thapsus* L.（Scrophulariaceae / ゴマノハグサ科）付表 p.142

【植物】 二年生草本．茎は高さ 0.9 ～ 2.5 m．全体に灰白色の毛を密生する．根生葉は花時まで残り，長さ 30 cm になる．茎上の葉は無柄で基部は茎にそって下方に流れ，ひれ（翼）をつくる．総状花序は長さ 50 cm になり，花柄は短く，基部に 1 包葉．花冠は黄色，外面に星状毛を密生．果実（さく果）は球形で毛が密生する．ヨーロッパ原産で，欧州，北アフリカ，アジア，アメリカ，オーストラリアに分布．

【生薬】 マレイン mullein〔花，葉〕

わずかににおいがあり，味はほとんどない．

【用途・製剤】 古代から皮膚や喉や呼吸器の病気などの治療に使われ，せき，風邪，気管支炎などには，乾燥した花で作ったお茶を服用し，打ち身による炎症や関節痛には，葉を植物油で浸出し，その油を外用する．ビロードモウズイカのエキスには，毛母細胞のもとになる CD 34 タンパク質を含む細胞を増やす効果があることが判明し，育毛剤に応用されている．

マレイン

ビロードモウズイカ　7 月

キササゲ　9月

花　6月上旬

キササゲ　*Catalpa ovata* G. Don（Bignoniaceae / ノウゼンカズラ科）付表 p.129

【植物】落葉性小高木．高さは 10 m，幹の直径は 60 cm に達することがある．キリの葉に似た，やや三角形状の広卵円形の大きな葉を対生または 3 個輪生．花は漏斗状で黄白色，内面に紫褐色の斑点を生じ，夏に 10 花ぐらいを円錐状に頂生する．さく果はササゲのように細長く 20 ～ 30 cm 位になり，枝の先に 10 本ほどが房状に下垂し，両端に毛のある扁平な種子を多数内蔵する．和名は果実がマメ科のササゲに似て細長く，木に生じることから名づけられた．中国中南部の原産，日本には古くから渡来して野生化した．近縁植物のトウキササゲ *C. bungei* C. A. Mey. は中国に自生し，栽培され，同様に用いられる．キササゲに似ているが花冠は白色で紫点がある．

【生薬】キササゲ（局），シジツ 梓実〔果実〕

弱いにおいがあり，味はわずかに渋い．緑色からやや褐色を呈した頃の果実を用いる．成分として，catalposide などのイリドイド配糖体を含有．

【用途・製剤】キササゲは，非常に利尿作用が強く，腎炎やネフローゼによる顕著なむくみやタンパク尿を起こしたときの利尿剤として利用される．糖尿病合併症の糖尿病性腎症に効果があるといわれている．漢方では頭痛や眩暈，眼の充血の改善を目的とした処方に配剤される．OTC：金原キササゲ，キササゲ「松浦」，腎仙散など．民間薬：尿量が減少したときの利尿薬とする．なお，キササゲの根皮は生薬名を，梓白皮（しはくひ）と呼ばれ，解熱，解毒剤として利用する．

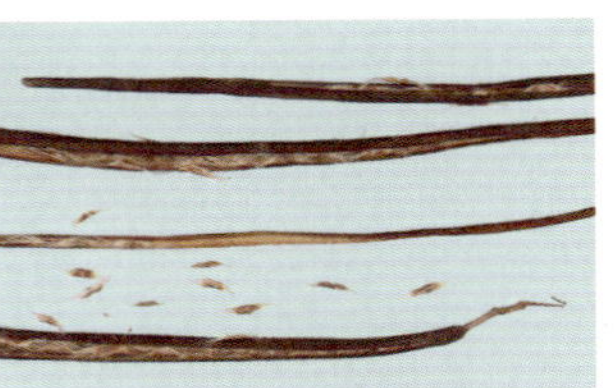

キササゲ

デビルズクロウ　*Harpagophytum procumbens* DC. ex Meisn.（Martyniaceae / ツノゴマ科）付表 p.142

【植物】多年生草本．高さは 50 cm 程度．周囲に伸び広がる．根は 2 m ぐらいまで深く頑丈な主根をもつ．二次貯蔵根はサツマイモのように水平に分かれる．葉は大きく，粘着性の腺毛に覆われ，灰色がかった緑色を呈する．果実は成熟するにしたがって，木質化し，放射状に多数が伸び，逆刺のついた突起の形状を呈する．突起の先端部分は鋭く堅く，動物に刺さったり，毛に絡みついたりして，動物に運ばせる．アフリカ南部原産で，カラハリ砂漠に多く見られる．デビルズクロウ（悪魔の爪）の名の由来は，果実が鋭い鉤爪状の棘があることから悪魔の爪を連想させることによる．また“ライオン殺し“の別名は，このトゲが大型動物を苦しめるところから付けられている．

【生薬】デビルズクロウ　Devil's claw　〔二次貯蔵根〕

薬用には，二次貯蔵根である側根の塊茎を利用する．二次貯蔵根は 3 種のイリドイド配糖体等を含有する．

【用途・製剤】成分の一つであるハルパゴシド（変形モノテルペン）には消炎・鎮痛作用があり，腰痛，リウマチや関節炎の痛みの緩和に利用されている．民間薬：南部アフリカの先住民は，苦味強壮薬として，胃腸障害，消化不良，関節炎の痛みなどに用いた．ヨーロッパでは苦味健胃薬として，食欲不振や消化不良に用い，また，関節炎の治療に利用してきた．

デビルズクロウ

地下部

デビルズクロウ

ゴマ　8月

ゴマ　*Sesamum indicum* L.（Pedaliaceae / ゴマ科）付表 p.129, 147

【植物】一年生草本．高さ 90 cm．花は筒状で淡紫色を帯び，夏から秋にかけて茎上部の葉腋に単生．果実はやや四角張った円柱状で，種子は小さく，黒色から淡黄褐色を呈する．種子の色によって黒ゴマ，白ゴマ，金ゴマなどと呼ばれる．ゴマは比較的乾燥した熱い土地を好み，原産地はアフリカとされる．エジプトには，紀元前 1300 年にすでに栽培されていた記録があり，インドには紀元前 1000 年には伝わった．世界各地の温帯や熱帯各地で栽培されている．縄文時代の遺跡から種子が出土している．胡麻という名称は，シルクロードを通じて中国へは西側に位置するインドから渡来したため，西を意味する「胡」と種子を「麻の実」に例えて付けられた．この漢名の胡麻を音読みして，ゴマという名称になった．

【生薬】ゴマ（局）　胡麻　〔種子〕，ゴマ油（局）〔種子から得た脂肪油〕

においがなく，味はわずかに甘く，やや油様である．ゴマ油は，微黄色澄明の油で，においはないか又はわずかに特異なにおいがあり．味は緩和である．成分として，sesamin などリグナン類，linoleic acid など脂肪酸を含有．

【用途・製剤】薬用には主として種子の脂肪油（ゴマ油）が軟膏の基剤などとして利用される．またまれではあるが，生薬として胡麻を漢方処方に配剤することがある．漢方処方：胡麻；消風散，胡麻散料など，胡麻油；紫雲膏，中黄膏など．OTC：ゴマ；前記漢方処方の製剤など．

ゴマ　種子　　ゴマ油

ホンオニク　*Cistanche salsa*（C. A. Mey.）Beck（Orobanchaceae／ハマウツボ科）付表 p.129

【植物】 寄生性の多年生草本．高さは 1 m に達する．茎は地表より直立し，多肉質．基部が肥厚した円柱形で，黄色～褐色の多数の鱗片葉が密につく．夏期に，茎頂に多数の淡紫色の鐘形の花をつける．さく果は球形．シベリア，モンゴル，中国北西部の砂地に生育．

【生薬】 ニクジュヨウ（局）肉蓯蓉〔鱗片を付けた茎〕特異なにおいがあり，味はわずかに甘く，後にわずかに苦い．*C. deserticola* Y. S. Ma，カンカニクジュヨウ *C. tubulosa*（Schenk）Wight も同様に用いる．成分として，verbacoside，echinacoside などのフェニルエタノイドを含有．

【用途・製剤】 強壮，強精，便秘薬．漢方処方：大補黄耆湯，鹿茸大補湯，蓯蓉潤腸丸，肉蓯蓉丸など．OTC：エスファイトゴールド内服液，エナックロイヤル，延若禿鶏内服液，キョーピン，金蛇精ゴールドⅡ，グロスキュー，サースモン煌樹，四川蟲草益精，至宝三鞭丸，春源精，春甦精，参茸栄衛丸，參寶，ゼナ キング，長命丸，ドックマンビガー，ナンパオ，ブロニー，マムシホルモ，薬用養命酒，ユースゲンキング，ユンケル黄帝ゴールド，リポビタンDロイヤル，ロクジョンなど．指定医薬部外品：トップカイザーゴールド．カンカニクジュヨウ *C. tubulosa* の肉質茎は「医薬品的効能効果を標ぼうしない限り医薬品と判断しない成分本質（原材料）」に該当する．

ホンオニク

ニクジュヨウ

オニク　7月

オニク／キムラタケ　*Boschniakia rossica*（Cham. et Schltdl.）B. Fedtsch.（Orobanchaceae／ハマウツボ科）付表 p.143

【植物】 寄生性の一年生草本．高さは 15～30 cm．茎は地表より直立し，多肉質．円柱形で，基部は塊状をなし，黄色～褐色の狭三角形で先が尖った多数の鱗片葉を付ける．晩夏から初秋にかけて茎頂に多数の淡紫色の鐘形の花をつけ，花後に枯死する．球形のさく果は 2 裂する．北アメリカ西部，東アジア北部に生育し，北海道，本州中部以北の高山のミヤマハンノキ，低山のミヤマヤシャブの根に寄生する．

【生薬】 ワニクジュヨウ（局外）和肉蓯蓉〔全草〕
においがなく，味はわずかに甘く，後にわずかに苦い．

【用途・製剤】 強壮，強精，便秘薬．漢方：鹿茸大補湯，蓯蓉潤腸丸，肉蓯蓉丸．

ワニクジュヨウ

オオバコ　*Plantago asiatica* L.（Plantaginaceae／オオバコ科）付表 p.129

【植物】 多年生草本．葉は根生し，葉身は卵形で長さ 10 cm．花茎は長さ 10～30 cm．初夏に，小さな花を穂状に付ける．さく果は長さ 4 mm，中に 6～8 個の細種子がある．温帯～熱帯，北海道～沖縄の人里近くの草原，路傍に自生する．

【生薬】 シャゼンシ（局）車前子〔種子〕
においはなく，味はわずかに苦く，粘液性である．成分として，イリドイド配糖体の aucubin 多糖：plantasan 等を含有．
シャゼンソウ（局）車前草〔花期の全草〕
わずかににおいがあり，味はない．成分として aucubin，フェマルエタノイドの plantamajoside などを含有．

【用途・製剤】 ともに，鎮咳，去痰，消炎，利尿，止瀉薬．漢方処方（シャゼンシ）：牛車腎気丸，五淋散，清心蓮子飲，竜胆瀉肝湯，明朗飲．OTC（シャゼンシ）：前記漢方処方の製剤のほか，肝生，ケンエーコフコール，光明，小児用ヒューゲン（分包），腎仙散（ジンセンサン），長命丸，ヒューゲン，ホノピレチン「せき」など．OTC（シャゼンソウ）：コーフパウダー，コールトップB，ジキニン液D，ストナプラス2，タイワケシノールシロップ，ベリコデエース錠，ベリコデ咳シロップ，リココデシロップなど．指定医薬部外品（シャゼンソウ）：ルルのど飴 DXG．民間薬：シャゼンソウを胃病や高血圧に，シャゼンシを眼病に用いる．インドオオバコ *P.ovata* Forsk.（サイリウム，イサゴール）の種皮は水溶性の食物繊維を多量に含み，便秘やダイエットに利用される．

オオバコ　6月

インドオオバコ

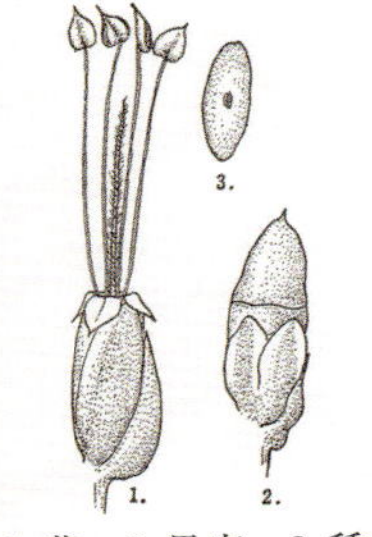

1. 花，2. 果実，3. 種子
オオバコ　形態

シャゼンシ

シャゼンソウ

スイカズラ　5月下旬

スイカズラ　*Lonicera japonica* Thunb.（Caprifoliaceae / スイカズラ科）付表 p.130

【植物】つる性常緑の低木，葉は楕円形．初夏に葉腋に芳香のある白い花をつけ，後に黄変する．中国，朝鮮半島，日本に分布．スイカズラの名は，花を口に含むとよい香りがして甘いことから．
【生薬】ニンドウ（局）　忍冬〔葉及び茎〕
ほとんどにおいがなく，味は収れん性で，後わずかに苦い．成分として，loganin などのイリドイド配糖体を含有．
キンギンカ（局外）　金銀花〔花〕
特異なにおいがあり，味はわずかに渋くて甘い．chlorogenic acid，フラボノイドの lutolin を含有する．
【用途・製剤】ニンドウは，利尿，解毒薬．漢方処方：紫根牡蛎湯など．OTC：ウチダの紫根牡蠣湯，紫根牡蛎湯エキス細粒 G「コタロー」，治頭瘡一方（エキス顆粒），ネオ小町錠，腰専門など．外用薬として湿疹や化膿症に，忍冬茎として腫れ物などに用いられる．浴湯料として腰痛や冷え性などに．キンギンカは，抗炎症薬．漢方処方：荊防敗毒散銀翹散など．OTC：イスクラ天津感冒片，銀翹解毒丸，荊防敗毒散エキス細粒 G「コタロー」，五物解毒湯エキス〔細粒〕20，松鶴太陽（エキス顆粒），中薬快鼻膏など．

キンギンカ　　ニンドウ

ニワトコ　*Sambucus racemosa* L. subsp. *sieboldiana*（Miq.）H. Hara（Caprifoliaceae / スイカズラ科　APG：Adoxaceae / レンプクソウ科）付表 p.143

【植物】落葉低木～小高木．高さ 3 ～ 5 m．枝は成長するにつれ緑色から灰色に変化する．葉は 3 ～ 5 対の奇数羽状複葉．小葉は長さ 6 ～ 12 cm で，ひ針形または長楕円形で細かい鋸歯がある．春に微黄白色の花をつける．髄が肥大するのが特徴．中国，朝鮮，日本に分布．
【生薬】セッコツボク　接骨木〔幹，枝〕，セッコツボクカ　接骨木花〔花〕
ほとんどにおいがなく，味は収れん性で，後わずかに苦い．
接骨木の名は枝の黒焼きとうどん粉，酢を加えたものを骨折した患部に塗布して副木をあて治療したことによる．
【用途・製剤】セッコツボクは消炎，利尿薬として，打撲や浮腫の治療に用いる．OTC：延寿神経痛リウマチス湯，桔梗智辨水気下し，三和生薬腎臓仙．
セッコツボクカは発汗薬．

セッコツボク

ニワトコ　4月

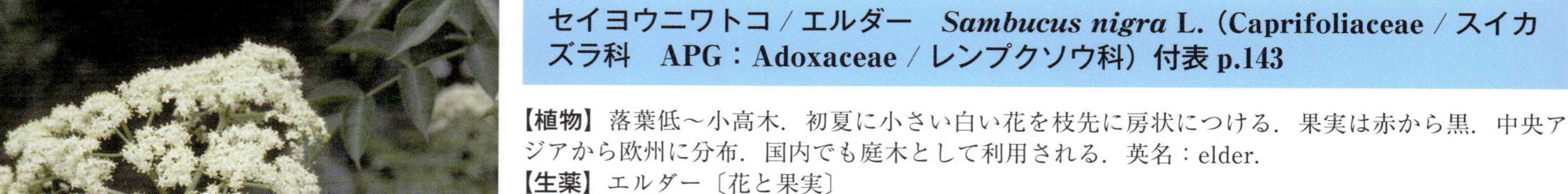

セイヨウニワトコ / エルダー　*Sambucus nigra* L.（Caprifoliaceae / スイカズラ科　APG：Adoxaceae / レンプクソウ科）付表 p.143

【植物】落葉低～小高木．初夏に小さい白い花を枝先に房状につける．果実は赤から黒．中央アジアから欧州に分布．国内でも庭木として利用される．英名：elder.
【生薬】エルダー〔花と果実〕
【用途・製剤】花は風邪を引いたときの発汗，疼痛・炎症の緩和，利尿剤に，果実は利尿，緩下，発汗剤のほか，香味料に用いられてきた．花は干してハーブティーに，果実はジャムや果実酒に利用する．

セイヨウニワトコ　5月

エルダーフラワー

カノコソウ *Valeriana fauriei* Briq.（Valerianaceae / オミナエシ科 APG：Caprifoliaceae / スイカズラ科）付表 p.130

【植物】多年生草本．高さ 30 ～ 100 cm．茎の基部からストロンを延ばす．初夏，茎頂に多数の淡紅色の小花をつける．植物体を乾燥すると臭気を発する．アジアに産し，日本では自生は少ない．名の由来はつぼみが赤く，花はピンクでちょうど鹿の子模様に見えることから．

【生薬】カノコソウ（局） 吉草根，纈草根〔根茎および根〕

強い特異なにおいがあり，味はわずかに苦い．成分として，bornyl isovalerate，kessylalcohol acetate などの精油成分を含有．ヨーロッパ産のワレリアナ根（セイヨウカノコソウの根）と同効薬と考え，カノコソウチンキの原料生薬として第 4 改正日本薬局方から収載されている．北海道で栽培され，根と根茎を夏に掘り上げ，水洗いした後，日干しにする．

【用途・製剤】通経薬．鎮静薬．浸剤またはチンキ剤として用いる．粉末は婦人用薬などの配合剤の原料となる．OTC：イララック，漢皇日新實母散（かんこうにっしんじつぼさん），女性保健薬命の母 A，ヒポレス，ラムールQ など．

カノコソウ，収穫した地下部（9 月）

カノコソウ，根茎の分割作業（9 月）

カノコソウ

カノコソウ 5 月

セイヨウカノコソウ 5 月

セイヨウカノコソウ *Valeriana officinalis* L.（Valerianaceae / オミナエシ科 APG：Caprifoliaceae / スイカズラ科）付表 p.143

【植物】多年生草本．高さ 20 ～ 150 cm．直立性の多年草で，茎頂に多数の淡紅色の小花をつける．

【生薬】バレリアナ根〔根〕

少なくともローマ時代から鎮静薬，緩和薬として用いられてきた．1 世紀のディオスコリデスはこの生薬をフウ（phu）と呼んでおり，この語源はこの植物が変なにおいをもつことに由来する．また，アミノ酸の一種であるバリンの名は本植物が由来になっている．ヨーロッパ薬局方には VALERIAN ROOT の名で収載され，根茎，根，ストロンを薬用部位として規定しており，精油含量（乾燥品で 3 mL/kg 以上）とセスキテルペン酸含量（バレレン酸を 0.1% 以上）が規定されている．

【用途・製剤】鎮静薬，緩和薬，筋肉の痙攣を除く，不安を取り除く，血圧降下の目的で粉末を錠剤やカプセル剤として，またチンキ剤として用いられる．インドネシアの伝承薬であるジャムウにも，鎮静作用を期待して用いられる．

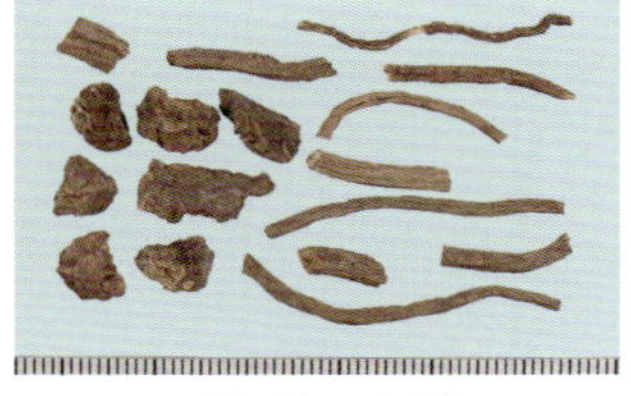
バレリアナ根

トウシャジン / マルバノニンジン *Adenophora stricta* Miq.（Campanulaceae / キキョウ科）付表 p.143

【植物】多年生草本．高さ 0.6 ～ 1 m．茎葉は互生し，卵形または長楕円形できょ歯がある．花期は 8 ～ 9 月，花序はほぼ穂状で紫色の鐘形の花をつける．他のツリガネニンジン属の植物とは，茎や萼筒に白毛がある点で異なる．根茎は太く，根は紡錘形である．中国原産で，日本では古くから栽培され，東北地方では野生化もしている．

【生薬】シャジン（局外）沙参〔根〕

わずかに特異なにおいがあり，味はわずかに甘く，やや粘液性である．神農本草経の上品に収載されているが，種々の本草書の記載から「沙参」の原植物は 1 種だけではなく，産地によってさまざまな植物の根が用いられていたようである．現在の中国では本植物の根を基原とする生薬を南沙参という．北沙参はハマボウフウの根に由来する．

【用途・製剤】鎮咳薬，去痰薬，強壮薬．単味もしくは漢方処方中に用いられる．中国では，沙参麦門冬湯，益胃湯に配合されることもあるが，日本の漢方では用いられることは少ない．

シャジン

トウシャジン 9 月下旬

ヒカゲツルニンジン　花　7月

ヒカゲツルニンジン / マンサン / ヤマツルニンジン　*Codonopsis pilosula* （Franch.）Nannf.（Campanulaceae /キキョウ科）付表 p.130

【植物】つる性の多年生草本．切ると白色の乳液を分泌する．葉の両面に毛がある．花は鐘型で淡青色である．中国，朝鮮半島に分布．日本にも分布しているツルニンジン *C. lanceolata* （Siebold et Zucc.）Trauty は花の外面が淡緑色で内側に褐色の斑点がある．中国，韓国ではヒカゲノツルニンジンと同様に薬にする．
【生薬】トウジン（局）党参〔根〕
主要成分はステロイド類の taraxasterol，フラボノイドの apigenin，luteolin，cynaroside，セスキテルペン類の lodonolactone，サポニン類の tangshenoside 等．*C. tangshen* Oliv. の根も同様に用いる．
【用途・製剤】鎮咳，強壮，健胃．漢方処方：天王補心丹，独活寄生湯など．OTC：「クラシエ」独活寄生丸エキス顆粒，安神補心丸，イスクラ健胃顆粒 S，イスクラ天王補心丹 T，エストルギー湧ゴールド，天王補心丸，ユンケル黄帝-L など．

トウジン

キキョウ　*Platycodon grandiflorus*（Jacq.）A. DC.（Campanulaceae / キキョウ科）付表 p.130

【植物】多年生草本．高さ 40 ～ 100 cm．植物体を切ると白い乳液を出す．6 ～ 9 月に青紫色の花をつけ雌雄同花で雄蕊が雌蕊より先に熟し（雄蕊先熟）．雄蕊と雌蕊の成熟時期をずらして自家受粉を避けている．栽培品種には白花や八重もある．東アジアに自生し，日本各地の丘陵や山地でみられるが，近年減少傾向にあり絶滅が危惧されている．
【生薬】キキョウ（局）桔梗根〔根〕
わずかににおいがあり，味は初めなく，後にえぐくて苦い．根をそのまま乾燥した皮付き桔梗（生干桔梗）と，コルク皮を除去した皮去り桔梗（晒桔梗）があり，品質は晒桔梗のほうが高いとされている．主要成分はサポニン類の platycodin A ～ D. polygalacin D，多糖類の inulin など．
【用途・製剤】去痰，鎮咳，鎮痛，鎮静，解熱薬．漢方処方：延年半夏丸，藿香正気散，桔梗湯，響声破笛丸，杏蘇散，荊防敗毒散，鶏鳴散，鶏鳴散加茯苓，五積散，柴胡陥胸湯，十味敗毒湯，小柴胡湯加桔梗石膏，参蘇飲，竹茹温胆湯，防風通聖散など．OTC：前記漢方処方の各種製剤，ベンザ調薬J末，龍角散，浅田飴，新トニン咳止め，セキセチン SP 錠，パブロンせき止め，ヒストミンせき止め，マピロンせき止め錠，咳止めフツナロンA，ノドローチ，改源咳止液W など．
万葉集にでてくる朝顔はキキョウとされる説が一般化している．韓国ではキキョウをトウジといい，根を塩漬けなどにして食用とされる．

キキョウ　8月

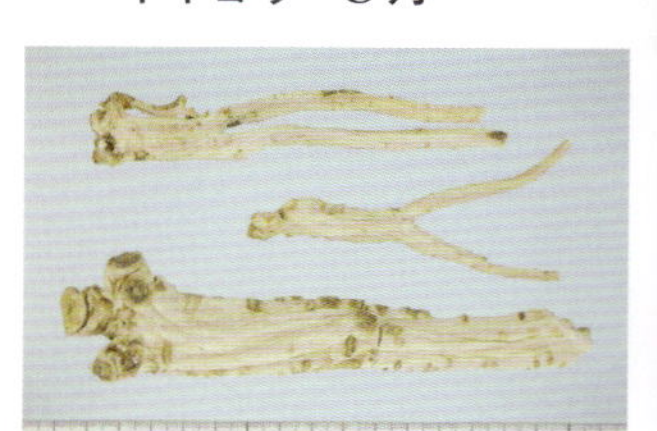
キキョウ

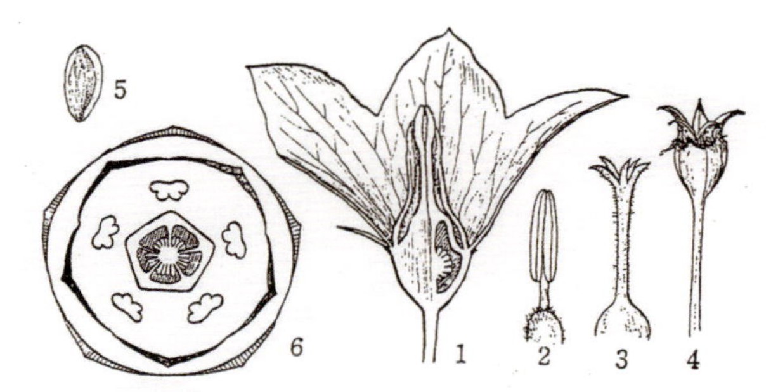

キキョウ　形態

雄蕊が先熟

雌蕊が成熟

セイヨウウサギギク / アルニカ *Arnica montana* L.
(Compositae / キク科 APG：Asteraceae / キク科) 付表 p.143

【植物】 多年生草本．全体に白い軟毛が生える．高さ 20 ～ 60 cm．根生葉はロゼット状で小形，茎葉はへら形で対生し，長さ 6 ～ 12 cm，幅 2 ～ 3 cm，わずかに鋸歯がある． 6 ～ 8 月に，長い花茎の先に径 5 cm ほどの 1 個の黄色い頭花をつける．英名：arnica.

【生薬】 アルニカ花〔花〕，アルニカ根〔根〕

根には苦味質のアルニシン，アルニドールが含まれる．花はアルニである．花が満開のとき，根，茎，葉及び花を収穫し，刻んで圧縮してアルコールに数週間漬ける．抽出された原液は，様々な製品に使用される．

【用途・製剤】 欧米では，花と根は神経系及び血管等の循環器系を興奮する作用があるとされていて，打撲や捻挫，外傷，リウマチ，関節等の消炎作用などに対して，ジェルあるいは外用チンキ剤，軟膏として用いる．ただし，含有される成分に有毒性が認められているため，通常，内服や開いた傷口に直接使われることはない．アルニカ軟膏はアルニカ油を一割程度含有している．

OTC（外用）：サロメチール・ゾル，パテックスうすぴたシップなど．

《メモ》アルニカの含有成分は，セスキテルペンラクトンの helenalin，ピロリチジンアルカロイドの tussilagine，isotussilagine 等である．Arnica はラテン語で「子羊」に由来する． Montana はラテン語の「山に生える」に由来する．

セイヨウウサギギク 7 月

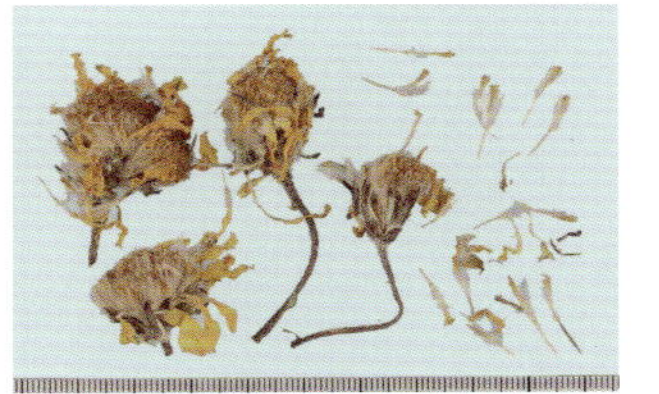

アルニカ花

アーティチョーク / チョウセンアザミ *Cynara scolymus* L.（Compositae / キク科 APG：Asteraceae / キク科）付表 p.143

【植物】 常緑の多年生草本． 高さ 1.4 ～ 2 m． 葉は深裂し，銀色で，長さ 50 ～ 82 m． 蕾は直径 8 ～ 15 cm，総苞は多肉質，花は管状で紫色である．英名：artichoke.

【生薬】 アーティチョーク葉〔葉と茎〕，アーティチョーク〔総苞〕

【用途・製剤】 葉を利尿，強壮，食欲増進などに用いる．含有成分ケイ皮誘導体 cynarin およびジテルペン cynaropicrin の発見により，肝機能を高め，血中のコレステロールを抑える作用はあるとされた． ヨーロッパで，頭花は強壮，利尿，食欲増進，肝機能を高め，血中のコレステロールを抑えるなどの効用があるとされ，コレステロールを分解するシナーラの製薬原料にもされている．

《メモ》蕾は食用，イタリアやフランスで好まれ，ローマ時代から食べられていた．タケノコに似た風味で，茹でて肉料理の付け合せ，サラダやワインのつまみなどに，ドレッシングやソースなどをつけて食べたり，芯の部分は炒めるなどする． 総包片を一枚ずつはがし，根元の肉厚の部分を食べる．

アーティチョーク 7 月

アーティチョーク

キンセンカ / トウキンセンカ / カレンデュラ *Calendula officinalis* L.
(Compositae / キク科 APG：Asteraceae / キク科) 付表 p.143

【植物】 一年生草本． 高さ 25 ～ 50 cm． 茎は 4 稜形で，中部で分枝し，腺毛がある． 葉は互生し，長さ 5 ～ 17 cm，全縁でくも毛がある． 頭花は直径 3 ～ 7 cm で，黄色～橙色． 頭花の中心部は両性の筒状花で，外側に雌性の舌状花がつく．総苞片は長さ 1 ～ 1.5 cm で，縁毛がある．頭花は果時にも上向きのままである． 痩果は冠毛がなく，強く曲がり，背に多数の突起がある．英名：marigold.

【生薬】 キンセンカ花，金盞花 /marigold/pot marigold〔頭花〕，カレンドラ〔全草〕

【用途・製剤】 全草は利尿，発汗，瀉下，通経薬． 『British herbal pharmacopoeia』や『Herbal Medicine, Expanded Commission E Monographs』によれば，口腔内あるいは咽喉粘膜の炎症には内用あるいは局所投与し，切り傷，咽頭炎，皮膚炎，下腿潰瘍，腫れものなど，皮膚や粘膜の炎症の治療には外用する．

トウキンセンカ花

トウキンセンカ 3 月

ゴボウ　7月

ゴボウ　*Arctium lappa* L.（Compositae/ キク科　APG：Asteraceae / キク科）付表 p.130

【植物】二年生草本．高さ 3 m に達する．茎はよく分枝する．葉は有柄で，卵形～心臓形．多肉の主根がまっすぐ地下に伸び，栽培品種によっては長さ 40 ～ 150 cm にもなり，また著しく肥大するものもある．ヨーロッパ，シベリア，中国東北部に分布．日本には自生していなかったが，縄文時代の貝塚から出土するなど，古くから薬用もしくは食用として用いられていた．

【生薬】ゴボウシ（局）牛蒡子，アクジツ 悪実〔果実〕；バードック〔根〕

ほとんどにおいはなく，味は苦く油様である．成分として，arctin などリグナン類を含有．市場品はほとんどが中国産で，中国東北部と浙江省に産し，特に浙江省産の品質が良いとされる．

【用途・製剤】解熱，解毒，去痰，消炎薬として，感冒，咳嗽，咽喉痛，麻疹などに応用する．漢方処方：消風散，銀翹散，駆風解毒散（湯），柴胡清肝湯など．OTC：前記漢方処方の製剤のほか，アクマチック，イスクラ天津感冒片，イスクラ涼解楽，強清肝散，銀翹解毒丸，銀翹散エキス顆粒Ａクラシエ，口紫湯など．バードック（burdock）のハーブ名で根を湿疹，ニキビ，じんましんなどの皮膚疾患や緩下，利胆を目的に使われる．

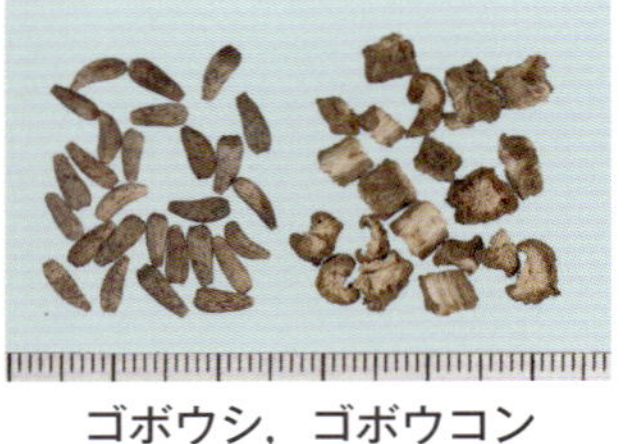

ゴボウシ，ゴボウコン

シオン　*Aster tataricus* L.f .（Compositae / キク科　APG：Asteraceae / キク科）付表 p.143

【植物】多年生草本．高さ 1 ～ 1.5 m．茎は直立し，上部で少数分枝．根生葉は叢生し，へら状長楕円形，鈍頭で花期にはない．茎葉は互生し，卵形から長楕円形．8 ～ 10 月に散房花序に多数の淡紫色頭花をつける．根茎は短く，細根を多数叢生する．本州中国地方，九州，朝鮮半島，シベリアに分布．平安時代から観賞用に栽培された．近年，造成や採取によって自生地が減少し，絶滅が危惧されている．

【生薬】シオン（局外）紫苑〔根および根茎〕

特異なにおいがあり，味はわずかに苦い．

【用途・製剤】鎮咳，去痰薬として，慢性の咳嗽，喘息，血痰などに応用する．漢方処方：杏蘇散，紫苑散，四順湯，射干麻黄湯，止嗽湯など．OTC：ガノンせき止め錠．

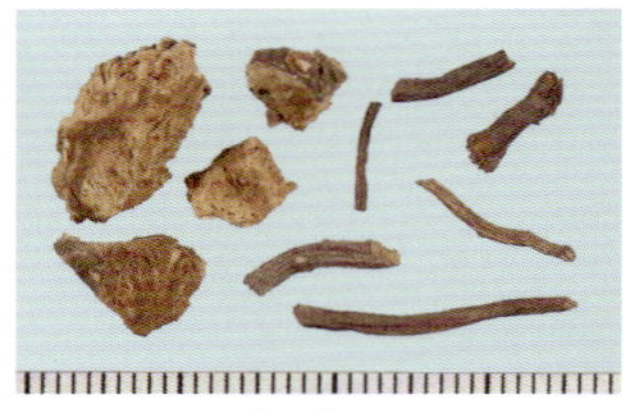

シオン

シオン　9月

カワラヨモギ　*Artemisia capillaris* Thunb.（Compositae / キク科　APG：Asteraceae / キク科）付表 p.130

【植物】多年生草本．下部は木質化して亜低木となる．高さ 30 ～ 100 cm．茎葉は互生し，2 回羽状全裂で，裂片はつねに糸状になる．花をつけない茎は地に接し，羽裂した葉を叢生する．秋に小形の頭花を密につける．日本およびアジアの川岸，海岸に分布．

【生薬】インチンコウ（局）茵陳蒿〔頭花（日本）〕

特異なにおいがあり，味はやや辛く，わずかに麻痺性である．生薬・茵陳蒿は，日本，中国，韓国でそれぞれ原植物や薬用部位が異なり，中国では本植物の春の幼苗もしくは秋の花蕾を，韓国ではイワヨモギの茎を用いる．成分として，capillin，capillene などの精油を約 0.1 % 含み，その他 esculetin クマリン類，capillarin のイソクマリン，capillarisin のクロモン類，フラボノイドを含有する．

【用途・製剤】消炎，利胆，解熱，利尿薬として，黄疸，肝炎などに応用する．漢方処方：茵陳蒿湯，茵陳五苓散など．OTC：前記漢方処方の製剤のほか，お熱散，活力・M，甘露飲エキス細粒 G「コタロー」，ジヨッキ，腎仙散（ジンセンサン），ネオ腎仙湯，ヘパリーゼロイヤル，摩耶肝臓湯，摩耶清肝散など．

カワラヨモギ　10月

カワラヨモギ　越冬芽

インチンコウ

ミブヨモギ *Artemisia maritima* L.（Compositae / キク科　APG：Asteraceae / キク科）付表 p.143, 151

【植物】 多年生草本．高さ 50 ～ 100 cm．茎はよく分枝する．葉は羽状に深裂．茎と葉はともに白い綿毛に覆われる．夏から秋に小さな頭花をつける．ヨーロッパ原産で，国内各地で栽培される．京都府の壬生で栽培したのでミブヨモギと名付けられた．

【生薬】 シナ（シナカ）〔茎，葉〕

成分として，santonin を含有．セメンシナ *A. cina* O. Berg et C. F. Schmidt やクラムヨモギ *A. kurramensis* Qazilb. も santonin を含有し，santonin 原料とされる．

【用途・製剤】 駆虫薬 santonin の原料．OTC（santonin 含有 OTC）：虫下しセメン錠 S.

ミブヨモギ　11 月

ヨモギ　9 月

ヨモギ *Artemisia princeps* Pamp.（=*A. indica* Willd. var. *maximowiczii*（Nakai）H. Hara）（Compositae / キク科　APG：Asteraceae / キク科）付表 p.130

【植物】 多年生草本．高さ 50 ～ 100 cm．茎はよく分枝する．葉の下面には綿毛が密生し，灰白色．秋に複総状花序に小さな頭花をつける．九州から本州の山野に自生する．

【生薬】 ガイヨウ（局）艾葉〔葉及び枝先〕

特異なにおいがあり，味はやや苦い．オオヨモギ（ヤマヨモギ）*A. montana*（Nakai）Pamp. の葉及び枝先も同様に用いる．モグサ（艾）：葉の裏の絨毛を精製したもので主に灸に用いる．5 ～ 8 月に採取した葉を臼でつき，篩にかけ陰干しする工程を繰り返して作られる．伊吹もぐさの名でよく知られるが，百人一首にある藤原実方朝臣の伊吹のさしも草より由来する．主に新潟県，富山県などで生産．

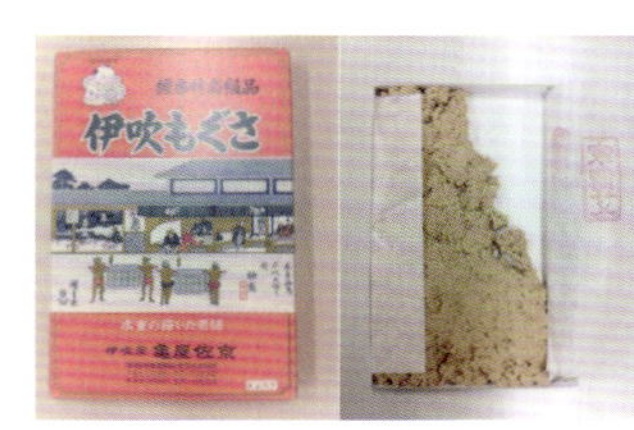

ガイヨウ，モグサ（右 2 検体）

伊吹もぐさ

【用途・製剤】 漢方で出血，吐瀉，腹痛の治療に用いる．葉の裏側の毛はモグサ（艾）として灸に利用される．漢方処方：芎帰膠艾湯．OTC：前記漢方処方の製剤のほか，肝生，強下血散，強ワグラスW．入浴剤として腰痛，神経痛に用いる．

オナモミ *Xanthium strumarium* L. subsp. *sibiricum* (Patrin ex Widder) Greuter (Compositae/ キク科　APG: Asteraceae/ キク科）付表 p.144

【植物】 一年生草本．高さ 20 ～ 100 cm．葉は卵状三角形．夏から秋に頭花をつける．雌雄異花．果実は総苞片がツボ状に変化した偽果で，長楕円形で，表面に 1 ～ 2 mm の鈎状の刺がある．偽果を割ると中に痩果が 2 個入っている．オナモミはアジア原産とされるが，現在では帰化植物であるアメリカ大陸原産のオオオナモミやイガオナモミが分布を広げ，在来のオナモミは環境省レッドリストに収載され絶滅危惧Ⅱ類に指定されている．

【生薬】 ソウジシ 蒼耳子〔偽果〕オオオナモミ *X. orientale* L. subsp. *orientale*, イガオナモミ *X. orientale* subsp. *italicum*（Moretti）Greuter も同様に用いる。

成分として，セスキテルペンや脂肪油を含有．

【用途・製剤】 鎮痛，消炎薬．頭痛やアレルギー性鼻炎などに用いる．漢方処方：蒼耳散．OTC：イスクラ鼻淵丸，精華鼻淵丸，中薬快鼻膏，中薬 鼻淵膏（びえんこう）．果実（偽果）は鈎状の刺をもつことから，ひっつき虫として子供が投げて遊ぶ．

ソウジシ

オナモミ　8 月

オケラ　雌花 10 月上旬　　両性花

オケラ　*Atractylodes japonica* Koidz. ex Kitam.（Compositae / キク科　APG：Asteraceae / キク科）付表 p.130

【植物】 多年生草本．高さ 30 ～ 100 cm．雌雄異株で両性花（青色の葯が見られる）をつける株と雄花をつける株が見られる．秋に筒状花からなる頭状花序をつける．頭花には，魚の骨状で緑色の総苞がある．本州，四国，九州の草地や明るい林下に自生．

【生薬】 ビャクジュツ（局）白朮〔根茎〕

特異なにおいがあり，味はわずかに苦い．オケラの根茎の周皮を取り除き，あるいはそのまま日干し乾燥したものをワビャクジュツ（和白朮），オオバナオケラ（次項）の根茎から調製されたビャクジュツをカラビャクジュツ（唐白朮）といって区別している．ワビャクジュツの外面は，周皮を除いたものは淡灰黄色～淡黄色，周皮を付けたものは淡褐色で，粗いしわがある．一方，カラビャクジュツの外面は，灰黄色～暗褐色で，ところどころこぶし状の突起がある．生薬・朮には現在，「白朮」と「蒼朮」の 2 種類があり区別されているが，漢の時代までは「朮」という一つの名称で利用されていた．「神農本草経」では上品に「朮」として収載されている．「白朮」，「蒼朮」の区別は 6 世紀ころから始まったと考えられ，それまでは「朮」といえば「蒼朮（ホソバオケラ *A. lancea* の根茎を乾燥したもの）」を意味した．成分として，atractylon, atractylenolide 類の精油成分を含有．

【用途・製剤】 芳香性健胃薬．漢方処方：苓桂朮甘湯，六君子湯，補中益気湯，防風通聖散，十全大補湯など．OTC：コッコアポ A 錠，大正漢方胃腸薬（内服液），赤玉神教丸など．

オケラ祭：京都八坂神社で行われる一年の安泰を祈る神事である．燈明を作り出すための行事である．この燈明（白朮火（おけらび））は，削り屑と薬草のオケラをたいて邪気を払う．参拝者は吉兆縄に火を移して持ち帰り，一年の安泰，無病息災を祈願する．これをオケラ参り（おけら詣り）という．東京の上野五條天神では，病鬼を祓う儀式が節分に行われる．オケラ（白朮）は独特のにおいがあることから，昔から厄除けに用いられてきた．元旦には，薬酒である屠蘇散（酒）を飲んで，一年の健康を願う．屠蘇散は，正式には「屠蘇延命散」という．中国三国志時代の名医「華佗」の処方した薬であるといわれる．屠蘇散には白朮，山椒，防風，桂皮，桔梗，陳皮などが配剤されている．これを清酒またはみりんに浸けたものを屠蘇酒（お屠蘇）と呼ぶ．

オケラ，オオバナオケラ，ホソバオケラの地下部

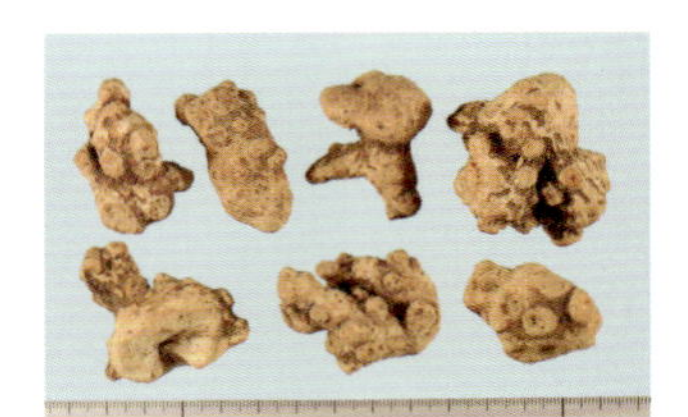

ワビャクジュツ

オケラ参り

上野五條天神　うけらの神事

オオバナオケラ　*Atractylodes macrocephala* Koidz.（Compositae / キク科　APG：Asteraceae / キク科）付表 p.130

【植物】 多年生草本．高さ 30 ～ 80 cm．下部の葉は 3 ～ 5 全裂する．全体にオケラに似ているが，頭花は大型で，花冠は紫紅色．根茎は肥大し，こぶし状である．中国浙江省など華中に分布する．

【生薬】 ビャクジュツ（局）白朮〔根茎〕

特異なにおいがあり，味はわずかに甘くて，後にわずかに苦い．日本ではカラビャクジュツ（唐白朮）と称している．これが本来の白朮である．産地，形態，加工法により様々な呼び方がある．日本ではカラビャクジュツは需要が少ないが，中国では本品を白朮としている．

【用途・製剤】 芳香性健胃薬として胃腸薬に用いる．漢方では，消化器系の疾患，水分代謝障害，食欲不振，疲労倦怠感を主治する目的で，五苓散，十全大補湯，苓桂朮甘湯など多くの処方に用いる．

集荷された新鮮なビャクジュツ

オンドル内のカラビャクジュツ

新鮮なカラビャクジュツ

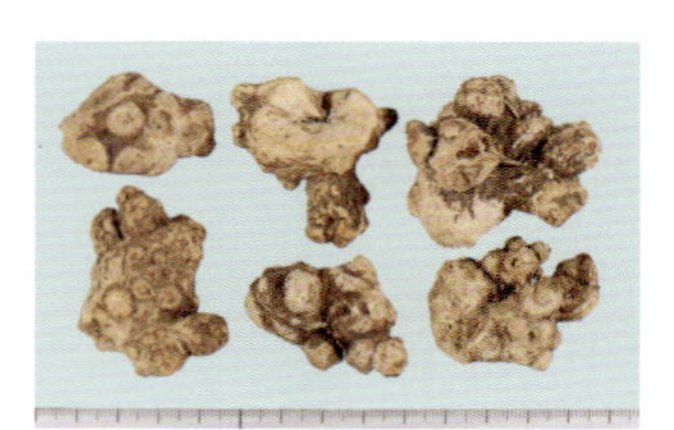

カラビャクジュツ

オオバナオケラ　9 月下旬

ホソバオケラ *Atractylodes lancea*（Thunb.）DC.（Compositae / キク科 APG：Asteraceae / キク科）付表 p.131

ホソバオケラ

【植物】 多年生草本．高さ 30 ～ 80 cm．形状はオケラに似るが葉が細い．秋に白～帯紅紫色の頭花をつける．雌雄異株．中国に野生し，日本には江戸時代に導入され佐渡蒼朮（さどおけら）と称される．

【生薬】 ソウジュツ（局）蒼朮〔根茎〕

しばしば白色綿状の結晶を析出する（生薬画像参考）．特異なにおいがあり，味はわずかに苦い．日局では，ホソバオケラ，シナオケラ *A. chinensis* Koidz. およびこれらの種間雑種を基原植物として規定している．中国ではホソバオケラを南蒼朮，シナオケラを北蒼朮と呼び，これらの根茎はソウジュツとして用いる．日本ではホソバオケラの根茎をとくに古立蒼朮と呼び，良質品は切断面に白い綿状の結晶がみられる．主要成分は atractylodin, hinesol, β-eudesmol などである．

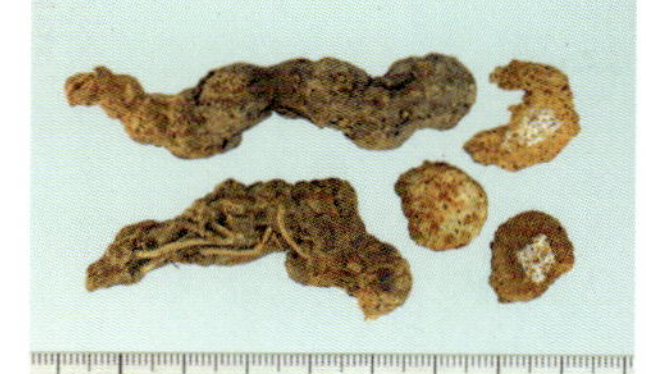
ソウジュツ（古立蒼朮）

【用途・製剤】 利尿，発汗，健胃，整腸薬：漢方処方：補中益気湯，柴苓湯，加味帰脾湯，加味逍遙散，五苓散，十全大補湯，当帰芍薬散，人参養栄湯，半夏白朮天麻湯，六君子湯など．OTC：前記漢方処方の各種製剤．中将湯，イノセアプラス錠，ザッツ錠，新キャベジンコーワS，新セルベール整胃〈細粒〉，セルベール，ピーマTP健胃錠など．

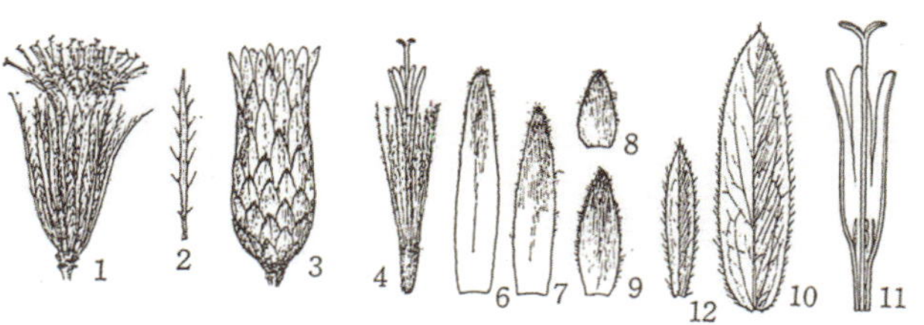

図 ソウジュツ（蒼朮）Atractylodes lancea （キキョウ目 キク科）
1. 魚骨状苞をつけた頭花 2. 魚骨状苞 3. 総苞 4. 雌小花
6, 7, 8, 9. 総苞片 10, 12. 葉 11. 雌小花の縦断

ソウジュツ 形態

ベニバナ *Carthamus tinctorius* L.（Compositae / キク科 APG：Asteraceae / キク科）付表 p.131

ベニバナ

【植物】 二年生草本．高さ 1 m．葉は硬く，大小不同の鋭い鋸歯がある．夏に開花．頭花は球形で，管状花よりなり，咲きはじめは黄色で，次第に赤味を帯びる．エジプト原産とされ，世界各地で栽培．日本では，平安時代に千葉県長南町で栽培され，後に山形県最上地方や埼玉県桶川市や上尾市周辺で栽培された．英名：saffower.

【生薬】 コウカ（局）紅花〔管状花をそのまま，または，黄色色素の大部分を除いたもの〕．

特異なにおいがあり，味はわずかに苦い．

赤色～赤褐色の花冠と黄色の花柱及び雄しべからなるが，まれに未熟の子房を混有することがある．主要成分は紅色色素の carthamin，黄色色素の safflor yellow である．

紅花の産地として，山形県が最上紅の名でよく知られる．紅花や紅餅の調製には，早朝の朝露の葉や総苞の棘が柔らかい時間に黄色から紅色に変わりつつある頭花を摘みそのまま乾燥させて生薬の紅花（乱花）が得られる．これは主に漢方処方や食品加工品に用いられる．染色用の紅花は，江戸時代に色素の鮮度を保つため紅餅に加工して京都に運ばれた．紅餅の製法は，収穫した紅花に水を加えよく踏み水溶性の黄色色素（safflor yellow）を溶かしだす．次によく水洗いを繰り返して黄色色素を抜く．陰干しして 2 ～ 3 日発酵させると粘り気を帯びてくる．これを臼でつき団子状に丸めた後，むしろに挟み足で踏んで煎餅状にし，天日乾燥すると紅餅が得られる．発酵させることにより鮮やかな紅が得られるという．

京紅は本紅ともいい，製法は紅餅を木綿の袋に入れ灰汁を加えアルカリ性にしてよく揉み，赤色色素の carthamin を溶出する．これに木綿布を入れ烏梅（うばい）で作った酸性溶液を加えると carthamin が布地に吸着される．この操作を何度か繰り返すと布地に吸着量が増してくる．この布地を少量の灰汁につけ carthamin の濃厚液を得る．これに烏梅の酸性溶液を加えると carthamin による紅色色素が沈殿する．これを濾しとり，ハマグリの貝殻などに重ね塗りする．紅の使用は指や紅筆に水をつけて用い，重ね塗りすると玉虫色や黄金色に輝くという．

carthamin の構造は 1929 年に黒田チカによって発表されたが，1974 年に isocarthamin であることがわかり，1975 年に新たな構造式が小原平三郎らによって発表された．絶対構造は 1996 年に佐藤慎吾らにより決定された．

ベニバナ油は種子を搾って得られる油で，サラダ油やマーガリンの原料とされる．

ベニバナ油

ベニバナ

【用途・製剤】 通経，駆お血，血圧降下，血流改善，抗炎症，鎮痛薬．腹痛，婦人病，冷え性，更年期障害などの血行障害の治療に用いる．漢方処方：葛根紅花湯，芎帰調血飲第一加減，折衝飲，通導散，治頭瘡一方，など．OTC：前記漢方処方の製剤のほか，アスゲン長城冠丹元顆粒，イスクラ冠元顆粒，エベナ L，冠源活血丸，冠心調血飲エキス顆粒，冠脉通塞丸クラシエ，女性保健薬 命の母 A，日野実母散，薬用養命酒など．

小町紅

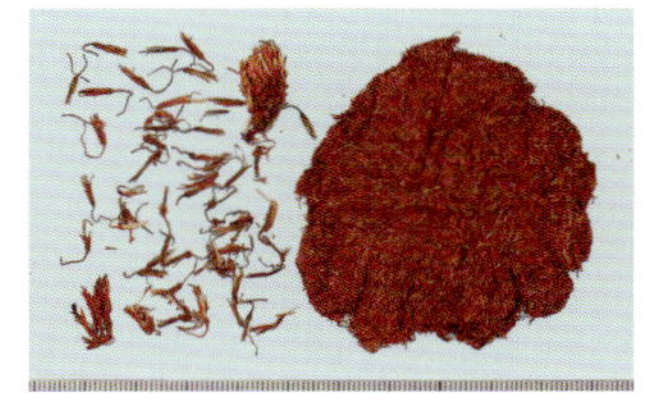
コウカ（左） 紅餅（右）

ベニバナ 種子（痩果）

シロバナムシヨケギク　*Tanacetum cinerariifolium*（Trevir.）Sch. Bip.（Compositae／キク科　APG：Asteraceae／キク科）付表 p.143

【植物】 多年生草本．高さ 30 ～ 60 cm，全株白い毛に覆われる．葉は 2，3 回羽状深裂．初夏，茎頂に径 3 cm の頭花をつける．舌状花は白色で 15 ～ 20 個．バルカン半島原産で，現在は世界各地で栽培される．

【生薬】 ジョチュウギクカ　除虫菊花〔頭花〕

【用途・製剤】 かつて，粉末を蚊取り線香や農業用殺虫剤の原料とした．シロバナムシヨケギクは，バルカン半島のダルマチア地方原産の植物で，明治時代に日本に渡来した．1890 年に蚊取り線香が発明され，需要が増大し，20 世紀初めには各地（和歌山，愛媛，香川，岡山，北海道，広島など）で盛んに栽培されるようになって，日本は除虫菊の世界的な産地であった．その後，殺虫成分であるピレスロイドの合成が可能となり，現在では，合成ピレスロイドが殺虫剤に利用されている．

シロバナムシヨケギク　5 月

ジョチュウギク花

キク　*Chrysanthemum morifolium* Ramat.（Compositae／キク科　APG：Asteraceae／キク科）付表 p.131

【植物】 多年生草本．多彩な品種が作出され広く栽培される．その起源は中国で唐の時代に生まれたシマカンギクとチョウセンノギクとの雑種と考えられている．

【生薬】 キクカ（局）菊花〔頭花〕

特異なにおいがあり，味はわずかに苦い．

【用途・製剤】 解熱，解毒，鎮痛，消炎薬．漢方では，かすみ目，つかれ目，のぼせ，頭重，めまい，排尿困難，頻尿，むくみ，視力低下などに用いられる．漢方処方：杞菊地黄丸，杞菊妙見丸など．OTC：JPS 釣藤散料エキス錠 N，イスクラ杞菊地黄丸，ウチダの洗肝明目湯，クラシエ釣藤散料エキス錠，杞菊地黄丸エキス細粒 G「コタロー」，杞菊妙見丸，清目地黄丸，ベルアベトン K など．

旧暦の 9 月 9 日は重陽と呼ばれ，五節句の一つである．旧暦の 9 月 9 日は新暦では 10 月半ばにあたり，ちょうど菊の花が満開の時期であることから，重陽を別名，菊の節句ともいう．元々は重陽に，菊の花を浮かべた酒を飲み，邪気を祓い，長寿を祈るという中国の行事が，平安時代頃に日本へ伝わって宮中行事となったとされる．江戸時代には，重陽が五節句（人日（1 月 7 日），上巳（3 月 3 日），端午（5 月 5 日），七夕（7 月 7 日），重陽（9 月 9 日））の一つとして定められた．

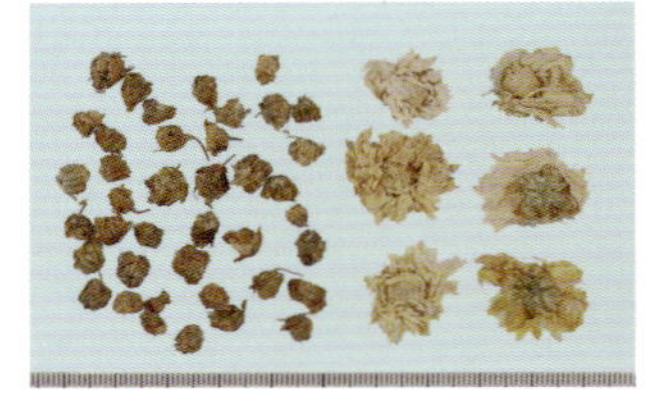

キクカ　右：杭菊，左：シマカンギク由来

キク（抗菊）　11 月

シマカンギク　11 月上旬

シマカンギク　*Chrysanthemum indicum* L.（Compositae／キク科　APG：Asteraceae／キク科）付表 p.131

【植物】 多年生草本．茎は高さ 30 ～ 60 cm，下部は倒れやすい．地下茎を横に伸ばして増える．葉は深緑色で互生し，葉柄がある．葉身は卵円形でふつう 5 つに羽裂し，鋸歯があり，長さ 3 ～ 5 cm，幅 2.5 ～ 4 cm で，上面には光沢があり，下面には軟毛がある．秋に径約 2 cm の黄色い頭花を散房状につける．この花を油に漬け，薬用にしたところからアブラギクの別名がある．近畿地方以西の日本，朝鮮，中国に分布．

【生薬】 キクカ（局）菊花〔頭花〕左側

特異なにおいがあり，味はわずかに苦い．

【用途・製剤】 キクと同様に用いる．

ムラサキバレンギク / エキナセア *Echinacea purpurea*（L.）Moench（Compositae / キク科　APG：Asteraceae / キク科）付表 p.143

【植物】多年生草本．高さ約 80 cm．夏から秋に茎頂に径 10 cm 程度の赤紫色の頭状花序をつける．名前は終期の花の形が「バレン（火消しの纏(まとい)）」に似ていることに由来．北米原産，日本各地で栽培される．
【生薬】エキナセア〔根及び地上部〕
【用途・製剤】免疫賦活作用が知られ，風邪，感染症，皮膚病の治療と予防に利用される．アメリカ先住民の伝承薬．

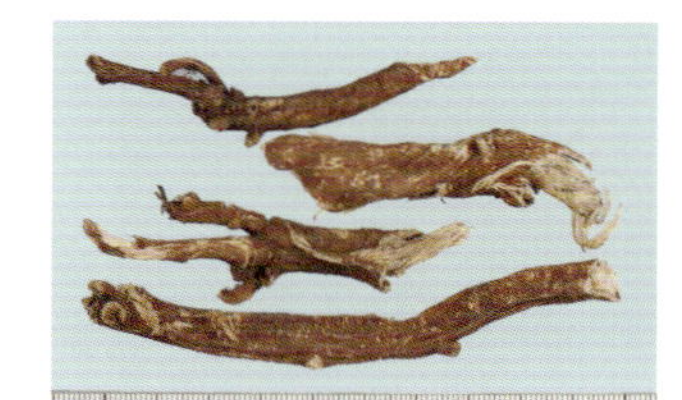
エキナセア

地下部　　ムラサキバレンギク　7月下旬

ステビア　9月下旬

ステビア / アマハステビア *Stevia rebaudiana*（Bertoni）Bertoni（Compositae / キク科　APG：Asteraceae / キク科）付表 p.143

【植物】多年生草本．高さ 50 cm ～ 1 m．基部は木質化する．葉は先が尖った楕円形．夏から秋，枝先に白い筒状花をつける．パラグアイ原産で，日本各地で栽培される．
【生薬】ステビア〔葉〕
葉にジテルペン配糖体の stevioside や rebaudioside を含有する．
【用途・製剤】パラグアイ，ブラジルの先住民グアラニー族は，甘味料としての他，心臓病，高血圧などの疾患に利用していた．ハーブとしては，糖尿病，高血圧や強壮剤として用いられる．stevioside はショ糖の 300 倍の甘味があり，甘味料として清涼飲料水に利用されている．

ステビア

ナツシロギク / フィーバーヒュー *Tanacetum parthenium*（L.）Sch.Bip.（Compositae / キク科　APG：Asteraceae / キク科）付表 p.143

【植物】多年生草本．高さ 50 cm．茎は盛んに分枝し，白色の頭状花序を多数つける．西アジア，バルカン半島原産で，世界各地で栽培される．
【生薬】フィーバーヒュー，マトリカリア〔葉〕
セスキテルペンラクトン及び精油を含有する．ヨーロッパでは古くから知られる薬用ハーブであり，庭に植えられてきた．英名の feverfew は，解熱を意味するラテン語 febrifugia による．
【用途・製剤】欧州域の伝承薬で，解熱，偏頭痛，関節炎，炎症性疾患の治療に利用する．含有するセスキテルペンラクトンの parthenolide は炎症に関連する転写因子である NF-κB を阻害することで抗炎症作用を示す．また，抗がん剤候補化合物として注目される．

ナツシロギク

ナツシロギク　6月

ローマカミツレ / ローマンカモマイル *Chamaemelum nobile* (L.) All. (Compositae / キク科 APG：Asteraceae / キク科) 付表 p.143

ローマカミツレ 7月

【植物】 多年草．草丈30 cmでカミツレによく似るが，カミツレより舌状花の数が多く一回り大きい頭花をつけ，花床に鱗片があり中は空洞にならない点でカミツレと区別される．八重咲き品種も栽培される．花及び全草に特有の快い香りをもつ．ヨーロッパ原産．英名：English chamomile.

【生薬】 ローマカミツレ花〔頭花〕

【用途・製剤】 月経不順，駆風剤．茶剤として芳香性苦味剤，食欲不振，消化促進，鎮静を目的に使用される．外用では，口や傷の洗浄，浴剤として用いられる．スペインではシェリー酒の風味づけに用いられる．

ローマカミツレ花（八重咲き）

カミツレ *Matricaria chamomilla* L. (Compositae / キク科 APG：Asteraceae / キク科) 付表 p.143

カミツレ 5月

【植物】 一年生草本．高さ40～70 cm．多数の枝に分かれる．葉は細裂．春～初夏に径2.5 cmの頭花をつける．舌状花は白色，管状花は黄色で，芳香がある．ヨーロッパ原産．薬用として世界各地で栽培される．ジャーマンカミツレ，ジャーマンカモミールとも呼ばれる．英名：German chamomile.

【生薬】 カミツレ花 /German chamomile〔頭花〕

主要成分は，精油（0.5～0.9%）(+)-α-bisabolol，α-farnesene，matricinの他，クマリン類のherniarinやフラボノイド類のapigeninなど．

【用途・製剤】 発汗，駆風，消炎薬．リンゴに似た香りがあり，安眠やリラックスを目的に，単独あるいは複数のハーブ類とブレンドし，ハーブティーとして飲まれることが多い．水蒸気蒸留で抽出される精油は青色を呈する．OTC：アスミンかぜカプセル，アセスE，アセスメディクリーン，ジキニン顆粒IP，パロタックスなど．指定医薬部外品：カコナールかぜパップ

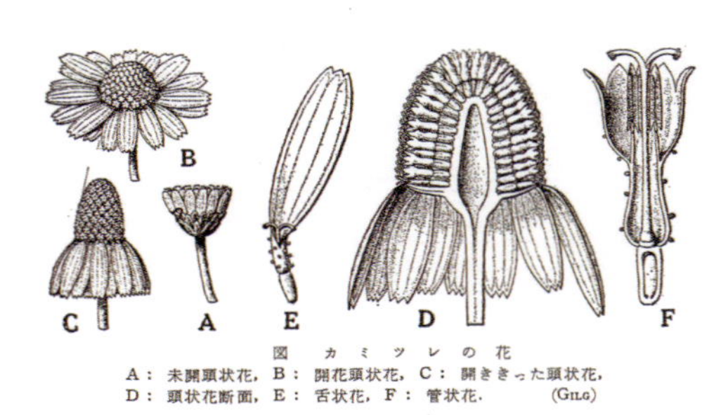

カミツレ 形態

カミツレ花

マリアアザミ / オオアザミ *Silybum marianum* (L.) Gaertn. (Compositae / キク科 APG：Asteraceae / キク科) 付表 p.144

【植物】 一年生草本．高さ1～1.5 m．葉に鋭い刺と白い斑模様があるのが特徴．夏に赤紫色の管状花からなる頭花をつける．オオアザミ，ミルクシスル（Milk thistle）とも呼ばれる．南ヨーロッパ，北アフリカからアジアに広く分布し，日本にも帰化植物として分布．

【生薬】 マリアアザミ実 /Cardui mariae fructus/ blessed milk thistle/ St. Mary thistle〔果実〕

果実の色は白色，灰色や黒色がある．ヨーロッパでは2000年以上前から民間薬として用いられ，近年では肝機能改善のためのサプリメントとして利用される．主要成分はフラボノリグナン類であるsilybinin, silychrystin, silydianin等で，これらを総称してシリマリンと呼んでいる．

【用途・製剤】 中世ヨーロッパの文献に肝臓に良いとされる記述がみられる．German Comission E（ドイツ連邦保険庁の薬用植物評価委員会）においては，標準化した種子抽出物の慢性肝炎，肝硬変への使用が承認されている．日本においてはサプリメントとして利用される．

マリアアザミ 5月

マリアアザミ果実（痩果）

モッコウ *Saussurea lappa*（Decne.）C.B.Clarke（Compositae / キク科 APG：Asteraceae /キク科）付表 p.131

【植物】 多年生草本．高さ 2 m．大形の根生葉がある．茎頂に 1 ～数個の頭花をつける．頭花は径 3 cm，管状花で暗紫色．インドのカシミール地方に原産し，中国南部の高地で栽培．
【生薬】 モッコウ（局）木香〔根〕
特異なにおいがあり，味は苦い．主要成分は dehydrocostuslactone，saussurea lactone など．
【用途・製剤】 芳香性健胃，整腸，利尿薬．漢方処方：加味帰脾湯，九味柀榔湯，芎帰調血飲第一加減，丁香柿蒂湯，香砂六君子湯，五香湯，参蘇飲など．OTC：前記漢方処方の製剤のほか，赤玉止瀉薬，アスゲン長城冠丹元顆粒，安神湯，イスクラ開気丸，液キャベコーワL，太田胃散〈内服液〉，冠源活血丸，敬震丹，塩釜蛮紅華湯，紫丹精，仁壽，ツムラの薬養酒，日野実母散，胃腸反魂丹，ソルマックゴールド胃腸液など．

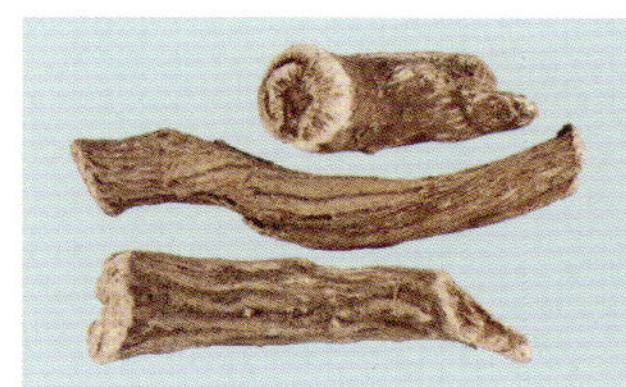
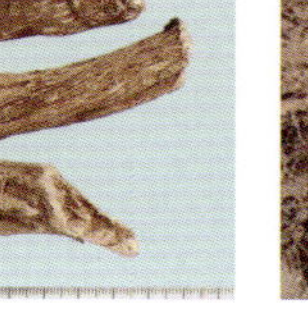
モッコウ

モッコウの根

花　7 月

モッコウ　7 月

セイヨウタンポポ　4 月

カントウタンポポ *Taraxacum platycarpum* Dahlst.（Compositae / キク科 APG：Asteraceae /キク科）付表 p.143, 144

【植物】 日本には地域ごとに異なる種のタンポポが生育しており，カントウタンポポは関東を中心に分布．都市の周辺には外国産のタンポポが帰化している．植物体に乳液を含む．春に開花する頭花は舌状花のみからなり，黄色が多いが白花の種（*T. albidum* Dahlst.，シロバナタンポポ）もある．総苞片が反り返るものはセイヨウタンポポ（ダンディライオン）（*T. officinale* Weber ex F.H.Wigg.）とされるが，在来種との種間雑種も多いため正確な同定は難しい．
【生薬】 ホコウエイ 蒲公英〔全草〕，ホコウエイコン 蒲公英根〔地下部〕
主要成分はステロイド類の taraxasterol，脂肪酸，多糖類の inulin など．
【用途・製剤】 葉は苦味健胃薬．根には健胃，利尿，催乳薬．また，乾燥した根を焙煎したものをタンポポコーヒーとして飲用する．ヨーロッパ，アメリカではセイヨウタンポポの生葉をサラダに供する．漢方処方：蒲公英湯など．OTC：乳泉など．

カントウタンポポ

カンサイタンポポ　4 月

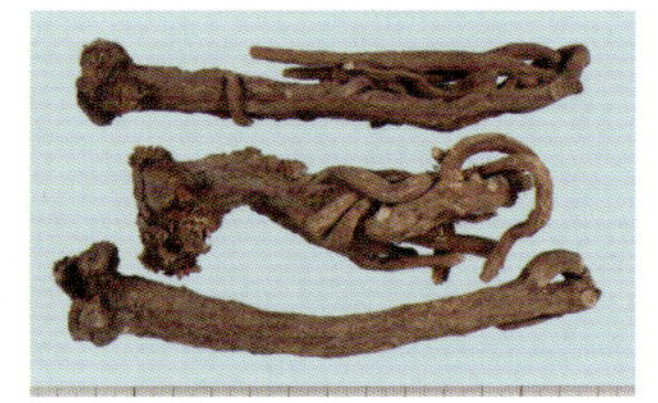
ホコウエイコン

フキタンポポ *Tussilago farfara* L.（Compositae /キク科　APG：Asteraceae /キク科）付表 p.144

【植物】 多年生草本．高さ 20 cm．葉はフキに似た丸い腎臓形で，長い葉柄があり有毛．春，葉が展開する前に鱗片状の葉を有する花茎を出し，その先端に径 3 cm くらいの黄色の頭花をつける．ユーラシア大陸，アフリカ北部原産．英名：coltsfoot.
【生薬】 カントウカ 款冬花〔開花前の頭花〕，フキタンポポ葉〔葉〕
主要成分はフィトステロール類の fradiol，テルペノイド類の farfaranone，その他タンニンなど．
【用途・製剤】 鎮咳去痰薬．漢方処方：知母茯苓湯，補肺湯，射干麻黄湯など．薬用ハーブとして葉が気管支炎等に用いられる．

フキタンポポ　3 月

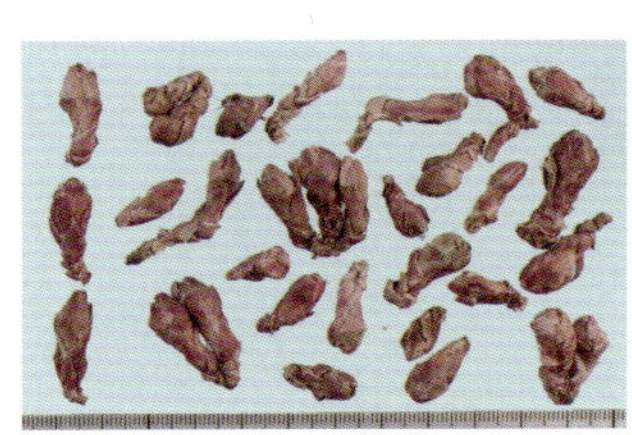
カントウカ

サジオモダカ　7月

サジオモダカ *Alisma orientale* (Sam.) Juz. (=*A. plantago-aquatica* L. var. *orientale* (Sam.) Sam.) (Alismataceae /オモダカ科) 付表 p.131

【植物】 水性の多年生草本．根茎は短く，葉が根生し，葉柄は 50 cm．葉身は長さ 17 cm，幅 7 cm になり卵状楕円形．花茎は 1 m 以上で，夏に径 7 mm の白い 1 日花が開花する．国内では中部以北に分布．

【生薬】 タクシャ（局）沢瀉〔塊茎〕

わずかににおいがあり，味はやや苦い．水分代謝をよくする生薬として知られる．四川省地域から産出される川沢瀉，福建省地域から産出される建沢瀉がよく知られている．成分として，alisol A，B などのトリテルペンを含有する．

【用途・製剤】 漢方では利尿，止渇，鎮暈の目的で少尿，尿意頻数，口渇，めまいの症状に用いる．漢方処方：胃苓湯，茵蔯五苓散，五苓散，当帰芍薬散，八味地黄丸，牛車腎気丸，猪苓湯，半夏白朮天麻湯，杞菊地黄丸，竜胆瀉肝湯など．OTC：前記漢方処方の製剤のほか，イスクラ八仙丸 T，威徳，オオクサ豊温，花月，強活腎散など．

サジオモダカ　花

タクシャ

ニンニク *Allium sativum* L. (Liliaceae/ユリ科　APG：Alliaceae / ネギ科) 付表 p.144

【植物】 多年生草本．高さ約 60 cm．葉は広線形，扁平で 2 ～ 3 枚が互生する．夏に茎の先に散形花序を出し，白紫色の不完全花をつけ結実しない．総苞葉は長く鳥のくちばし状．鱗茎は大型で 5 ～ 6 個の小鱗茎を含む．草全体に特異な臭気がある．中央アジア原産とする説があるが，現在では世界中で栽培されている．英名：garlic.

【生薬】 タイサン 大蒜〔鱗茎〕

【用途・製剤】 香辛料や野菜として広く用いられるが，民間療法で，健胃，整腸，低血圧，駆虫，強壮を目的に用いられる．成分として，cysteine のスルホキシドである無味無臭の allin を含み，細胞が壊されるとアリナーゼという酵素によって分解され刺激性の強い強臭の allicin を生じる．さらに allicin はビタミン B_1 と会合し allithiamine となりチアミナーゼ（ビタミン B_1 分解酵素）から分解されにくい形で吸収される．古代ギリシャでは匂いが強いことからニンニクを口にしたものは神殿に入ることを許されなかった．一方，古代ローマも強い臭気を嫌ったが，強壮作用があることとして，兵士や奴隷に食べさせた．OTC：（ニンニクエキス）；アンメルシンコンドロパワー錠，ウエルボーン・B 錠，オキソピン，キヨーレオピン w，キヨーレオピンキャプレット w，パワーファイト錠，レオピンファイブ w，（加工大蒜）；オットコール Pα，春源精，天平宝漢，ビタラル，リズミカル DA，ワンテン Pα，フジミン D30 ロイヤル，リキドー皇精 cp，など．

ニンニク　6月

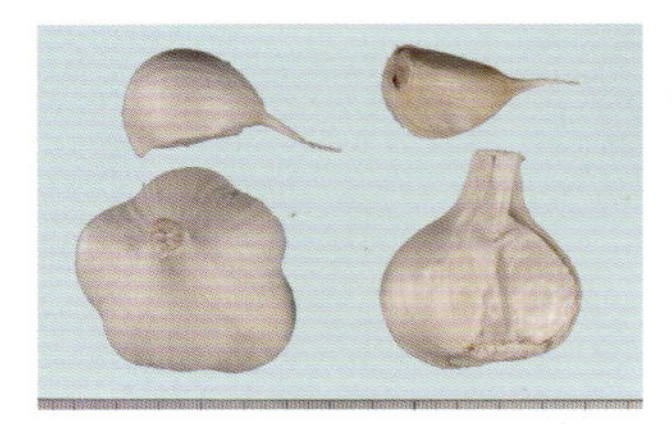

タイサン

ラッキョウ

ラッキョウ *Allium chinense* G.Don (Liliaceae/ ユリ科　APG：Amaryllidaceae/ ヒガンバナ科) 付表 p.144

【植物】 多年生草本．高さ 30 ～ 50cm. 鱗茎はやや扁平な長卵形．10 ～ 11 月頃，鱗茎から花茎をだし，赤紫色の小花を散形花序につける．花被は 6 片で，雄しべ 6，雌しべ 1，種子はつけない．中国中部～東部原産で日本でも栽培される．

【生薬】 ガイハク（局外）　薤白〔鱗茎〕　成分として，含硫化合物の methyl propyl sulfide，スピロスタン系サポニン，多糖類の fulctan などを含有する．

ガイハク

アロエ・フェロックス　3月

ケープアロエ / アオワニ / アロエ　*Aloe ferox* Mill.（Liliaceae / ユリ科，APG：Asphodelaceae / ワスレナグサ科）付表 p.131

【植物】 大型の木本性多肉植物，高さ 6 m．葉はロゼット状で厚みある長披針形，長さ 1 m．円すい状総状花序を頂生する．南アフリカ原産（ケープ地方，レソト，ナタール）．
【生薬】 アロエ（局）〔葉から得た液汁を乾燥したもの〕
特異なにおいがあり，味は極めて苦い．*A. africana* Mill.，*A. spicata* Baker の液汁も同様に用いる．成分として，barbaloin 類のアントロン配糖体を含有する．
【用途・製剤】 大腸性瀉下薬，少量で健胃薬．常習便秘薬の原料として用いる．OTC：DHC アロエ便秘薬，アロエ便秘薬，快腹丸，カイベールアロエプラス，クレンジル，小太郎漢方の生薬便秘薬 Ns，新サラリン，十方便秘薬，スルーラックデトファイバー，大草丸，ナチュラートコーワ，本草アロエ錠，薬草便秘薬，ロストール錠，熊膽圓，マイスットなど．民間薬：キダチアロエ *A. arborescens* Mill. の葉の液汁を胃腸病や便秘に内服し，火傷，擦り傷，切り傷などに外用する．

アロエ（ロカイ）

キダチアロエ　*Aloe arborescens* Mill.（Liliaceae / ユリ科　APG：Asphodelaceae / ワスレナグサ科）付表 p.144

【植物】 小型の木本性多肉植物．高さ 30 ～ 50 cm．寒さには弱いが暖地であれば戸外でも越冬できる．冬に花茎が伸びて，橙色の花を多数つける．アフリカ原産で，日本では園芸用に盛んに栽培されている．別名：アロエ，キダチロカイ．
【生薬】 キダチアロエ　木立蘆薈〔多肉葉の液汁〕
葉は「医薬品的効能効果を標ぼうしない限り医薬品と判断しない成分本質（原材料）」リストに，アロエの葉液汁は「専ら医薬品として使用される成分本質（原材料）」リストに収載されている．
【用途・製剤】 民間的に単味で使用．葉の液汁をそのまま，または葉のすり下ろしを服用し，あるいは，生の葉を輪切りにして水で煮出した煎液を服用し，緩下作用による便秘改善に用いる．前出のアロエ（ロカイ　蘆薈）の方が，瀉下成分が多量に含まれていて緩下作用が強い．葉肉を切り開き，透明なゼリー状部分を火傷や虫刺されなどの患部に付着させると患部に防護膜が生じ，治りが早まるとされる．

キダチアロエ　1月

ハナスゲ　6月

ハナスゲ　*Anemarrhena asphodeloides* Bunge（Liliaceae/ ユリ科　APG：Asparagaceae / クサスギカズラ科）付表 p.131

【植物】 多年生草本．高さ 50 ～ 100 cm．葉は根生し，広い線形で長さ 20 ～ 70 cm．5 ～ 7 月に長穂状花序を出し，淡紫～淡青紫色のつぼみを多数つける．花は夜間にラッパ状に開く．中国東北部，華北に自生．
【生薬】 チモ（局）知母〔根茎〕
弱いにおいがあり，味はわずかに甘く，粘液性で，後に苦い．成分として，timosaponin 類のサポニン，mangiferin のキサントンを含有する．
【用途・製剤】 消炎，解熱，鎮静，利尿，血糖降下薬で，煩熱，口渇症状の緩和．漢方処方：桂枝芍薬知母湯，酸棗仁湯，消風散，白虎湯，白虎加人参湯，知母茯苓湯，滋陰降火湯，滋陰至宝湯，辛夷清肺湯など．OTC：前記漢方処方の製剤のほか，安神湯，威徳，活歩源，強力蘇命湯，サモンエース，三宝はぐきみがき，サンワロン T，止血，滋腎通耳湯エキス細粒 G「コタロー」，知柏壮健丸，「モリ」ちくのう錠など．

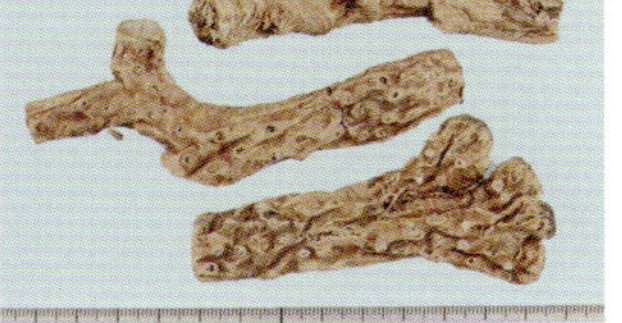
チモ

クサスギカズラ *Asparagus cochinchinensis*（Lour.）Merr.（Liliaceae / ユリ科　APG：Asparagaceae クサスギカズラ科）付表 p.131

【植物】半つる性の多年生草本．直立せず，茎の長さは 2 m に達する．全体無毛．葉は長さ 1.5 mm 程の鋭三角形の乾膜質に退化し，その葉腋から長さ 1.5 cm の葉状茎が出る．雌雄異株．6 月に淡黄白～緑白色の花を葉腋に 1 ～ 3 個つける．果実は球形で赤熟する．根は大型の紡錘状．中国中南部の海岸地域の乾燥帯に自生．

【生薬】テンモンドウ（局）天門冬〔根被の大部分を除いた根を通例蒸したもの〕

特異なにおいがあり，味は初め甘く，後わずかに苦い．成分として asparasaponin などのサポニンを含有する．

【用途・製剤】鎮咳，去痰薬で，口渇症状を緩和する．漢方処方：甘露飲，滋陰降火湯，清肺湯，天王補心丹など．OTC：前記漢方処方の製剤のほか，安神補心丸，パナックス・ケイギョクなど．

テンモンドウ

クサスギカズラ　6 月

クサスギカズラ

イヌサフラン　10 月上旬

イヌサフラン *Colchicum autumnale* L.（Liliaceae / ユリ科，APG：Colchicaceae / イヌサフラン科）付表 p.144, 151

【植物】多年生草本．高さ 20 cm．春に葉を出す．葉は広線形で，長さ 15 ～ 20 cm．夏に葉は枯れる．鱗茎は卵形で，直径 4 ～ 8 cm．9 ～ 10 月に花茎を伸ばし，サフランに似た淡紅色から白色の花をつける．ヨーロッパ中南部から北アフリカ原産．花が綺麗で観賞用として栽培される．

【生薬】コルヒクム子〔種子〕，コルヒクム根〔根〕

成分として，アルカロイドの colchicine を含有．

【用途・製剤】痛風の急性発作に有効な日局コルヒチン製造原料．医療用医薬品：コルヒチン錠．鎮痛薬として利用されるが，嘔吐や下痢，皮膚の知覚過敏，呼吸困難などの副作用を示し，重症の場合には死亡することがある．colchicine は，細胞分裂中の植物細胞において，紡錘糸形成を阻害する作用があり，その結果，DNA 量が倍加した細胞を生じるため，植物の倍数体作成に利用される．

アミガサユリ *Fritillaria verticillata* Willd. var. *thunbergii*（Miq.）Baker（= *F. thunbergii* Miq.）（Liliaceae / ユリ科）付表 p.131

【植物】多年生草本．高さ 50 cm．葉は輪生．初春に，内面に網目模様のある花を下向きにつける．半球形の 2 個の鱗茎片からなる鱗茎をもつ．中国原産．

【生薬】バイモ（局）貝母〔りん茎〕

特異な弱いにおいがあり，味は苦い．成分として，peimine（verticine）などのステロイドアルカロイド多数を含有．

【用途・製剤】鎮咳，去痰，排膿薬．漢方処方：清肺湯，滋陰至宝湯，四順湯，収嗽湯，清咳湯，通明利気湯，当帰貝母苦参丸，当帰養血湯など．OTC：前記漢方処方の製剤のほか，潤肺糖漿，清肺治喘丸，養陰清肺シロップ，六活 AN 錠．

バイモ　　川貝母

アミガサユリ　りん茎

アミガサユリ　4 月

オニユリ　7月下旬

オニユリ *Lilium lancifolium* Thunb., ハカタユリ *L. brownii* F. E. Br. ex Miellez var. *colchesteri* (Van Houtte) E.H.Wilson ex Elwes (Liliaceae / ユリ科) 付表 p.132

【植物】 オニユリ：多年生草本．高さ1～2 m．茎は直立し，披針形の葉をたくさんつける．上部の葉腋には珠芽をつける．夏に茎頂に，暗紫色の斑点のある赤橙色の花を多数つける．花は下向きに咲き，花被片は著しく反り返る．りん茎は扁球形で多くのりん片葉が重なり合っている．日本各地，中国，朝鮮半島に自生．ハカタユリ：多年生草本．高さ70～150 cm．茎に紫色の筋がある．花は白色で，花被の外面は紫褐色．りん茎は径5 cm．中国原産．

【生薬】 ヒャクゴウ（局）百合〔りん片葉〕

ほとんどにおいがなく，わずかに酸味および苦味がある．成分として，ステロイドサポニンを含有．多量のデンプンを含む．*L. brownii* F. E. Brown ex Miellez, イトハユリ *L. pumilum* Redouté の鱗片葉も同様に用いる．

ビャクゴウ

【用途・製剤】 消炎，鎮咳，利尿，鎮静作用があり，乾咳や慢性の咳嗽（がいそう）に用いる．漢方処方：辛夷清肺湯，四陰煎，百合固金湯，百合滑石散，百合知母湯など．OTC：辛夷清肺湯の各種製剤．鱗茎は食用にもなる．

ハカタユリ　7月

ジャノヒゲ *Ophiopogon japonicus* (Thunb.) Ker Gawl. (Liliaceae / ユリ科 APG：Asparagaceae/ クサスギカズラ科) 付表 p.132

【植物】 常緑の多年生草本．葉は多数が叢生し，線形，長さ10～30 cm．根に紡錘状の肥大部を生じる．花期は7～8月．果実（果皮が早く落ち種子がむき出しになっている）は濃青色．各地の樹林下に自生する．蛇の髭，または，別名・龍の髭とも呼ばれ，その名前の由来は，葉の形が龍の髭に似ているからだとされるが，ジョウノヒゲが転訛したとの説もある．ジョウとは，能で用いる老人の面のことで，葉の様子がそのあご髭に似ているところから名づけられたものといわれる．なお，属名の *Ophiopogon* は，ophio（蛇）＋ pogon（ひげ）の意味で，和名をそのまま訳したものである．

【生薬】 バクモンドウ（局）麦門冬〔根の肥大部〕

わずかににおいがあり，味はわずかに甘く，粘着性である．成分として，ophiopogonin 類のステロイドサポニン，ophiopogonone 類のホモイソフラボノイドを含有．

【用途・製剤】 止渇，消炎，滋養強壮，鎮咳薬．漢方処方：麦門冬湯，釣藤散，温経湯，甘麦大棗湯，炙甘草湯，辛夷清肺湯など．OTC：アルシンゴールド液 II，安神補心丸，イスクラ天王補心丹 T，ウチダの双鈎順気，エナックロイヤル，エフストリンせきどめ液10，カイゲン咳止錠，新ビタクールゴールド液，ストナ漢方かぜフルー，ナンパオなど．麦門冬湯は痰が切れにくく，のどに絡んだりする咳に効果があり，からぜき，気管支炎，気管支ぜんそく，咽頭炎，しわがれ声などに用いられる．

ジャノヒゲ　7月

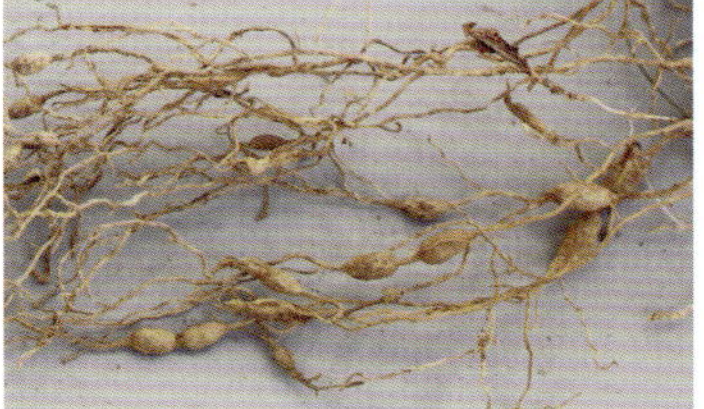

地下部

バクモンドウ

ナルコユリ　5月

ナルコユリ *Polygonatum falcatum* A. Gray (Liliaceae / ユリ科 APG：Asparagaceae/ クサスギカズラ科) 付表 p.132

カギクルマバナルコユリ

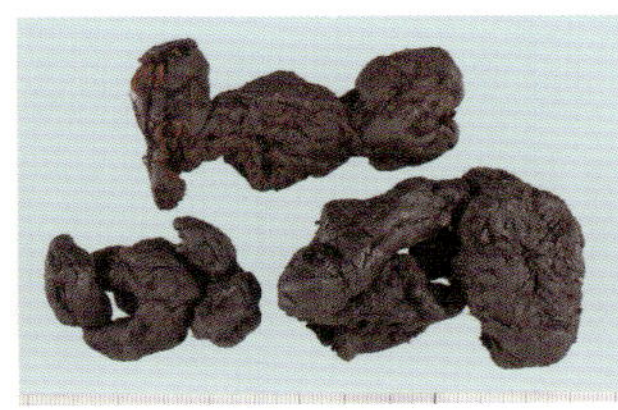

オウセイ

【植物】 多年生草本．高さ数十 cm．茎は稜がなく，葉は互生し，2列につき，長さ10～15 cm で，披針形から楕円形まで変化し，基部は短柄又は無柄．初夏に長さ約2 cm の緑白色の花を下垂する．地下茎は横に長く，1年に一節ずつ増える．よく似た植物にアマドコロ *P. odoratum* (Mill.) Druce var. *pluriflorum* (Miq.) Ohwi やホウチャクソウ *Disporum sessile* D. Don ex Schult. et Schult. f. がある．アマドコロは茎に稜があるのに対してナルコユリの茎には稜がなく，触ると丸い．また，ホウチャクソウは茎が枝分かれをすることで区別できる．属名の *Polygonatum* は，根茎に，多く（polys）の節（gonu）があることに由来し，和名のナルコユリは，花をつけた姿が，鳴子に似ていることによる．

【生薬】 オウセイ（局）黄精〔根茎〕

弱いにおいがあり，味はわずかに甘い．*P. kingianum* Collett & Hemsl., カギクルマバナルコユリ *P. sibiricum* Redouté, *P. cyrtonema* Hua の根茎も同様に用いる．

【用途・製剤】 滋養，強壮薬．漢方処方：昇圧湯．OTC：エスファイトゴールド内服液，金蛇精ロイヤル，ユンケル黄帝ロイヤル，ゼナ F1 などの滋養強壮，肉体疲労などを目的として服用される多くのビタミン含有保健薬に配合される．

ナメラサンキライ *Smilax glabra* Roxb.（Liliaceae / ユリ科 APG：Smilacaceae / サルトリイバラ科）付表 p.132

【植物】つる性木本．太い塊茎がある．茎は分枝し，1～4 mに達する．葉は互生し，長さ5～15 mm の葉柄があり，基部から1/4～3/5の部分は狭い翼となり，その先は巻きひげとなる．葉身は楕円形～卵状楕円形で，長さは6～15 cm，幅1～7 cm．6～11月に葉腋に短い花柄を伸ばし，散形花序をつけ，10～30個の花をつける．雌雄異株．11月～4月に径6～10 mmの黒い実をつける．中国南部，台湾，インド，ミャンマー，タイ，ベトナムなどに分布．

【生薬】サンキライ（局） 山帰来〔塊茎〕

わずかににおいがあり，味はほとんどない．成分として，smilax saponin 類，astilbin などのフラボノイドを含有する．

【用途・製剤】利湿，清熱，清血，解毒薬．解毒薬として慢性の皮膚疾患，梅毒性皮膚疾患などに用いられる．漢方処方：桔梗解毒湯，小解毒湯，小百中飲など．

OTC：家庭薬原料として，丸薬七ふく，新大草延寿丸，ドクソウガンE便秘薬などの生薬製剤に配合され，便秘および便秘に伴う諸症状の改善に用いられる．また，尿量減少に効果がある生薬製剤（トチモトのサンキライP，サンキライなど）として用いられる．

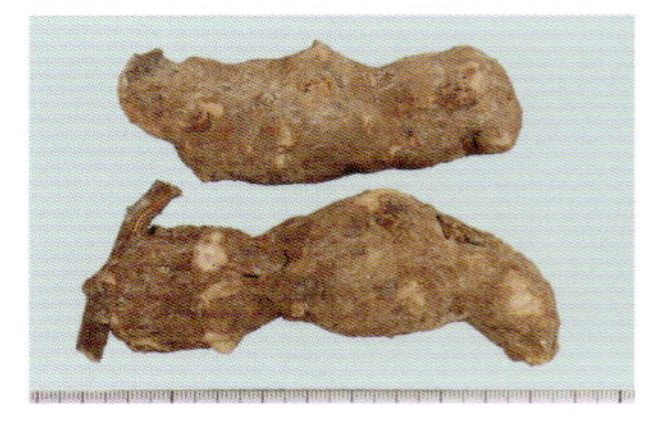

サンキライ

ナメラサンキライ

雄花 7月下旬 ヤマノイモ 雌花

ヤマノイモ *Dioscorea japonica* Thunb.（Dioscoreaceae / ヤマノイモ科）付表 p.132

【植物】落葉するつる性の多年生草本．雌雄異株．地下に長大な多肉の担根体を伸ばす．8～9月頃に白色の穂状花序を腋生．さく果には翼が3枚ある．葉は対生で基部にむかごがつく．各地の山野に自生する．ジネンジョ（自然薯）ともいう．属名は古代ギリシャの自然科学者P. Dioscorides への献名．

【生薬】サンヤク（局） 山薬〔根茎（担根体）〕

ほとんどにおい及び味がない．根に粘液のグルコプロテイドを含む．中国原産で，食用のため栽培されているナガイモ *D. polystachya* Turcz.（= *D. batatas* Decne.）も同様に用いる．

【用途・製剤】滋養強壮，止瀉，鎮咳，止渇，健胃薬．漢方では胃腸虚弱，食欲不振，慢性胃炎，性欲減退などを目標に配合．漢方処方：八味地黄丸，六味丸，参苓白朮湯など．OTC：ゼナキング，牛黄清心元，ユンケルスター，サモンSゴールドなど．

サンヤク

ナガイモ 雄花

サフラン *Crocus sativus* L.（Iridaceae / アヤメ科）付表 p.132

【植物】多年生草本．高さ約15 cm，球茎は径2.5 cm，葉は狭線形で多数が叢生する．10～11月頃，直径3 cmほどの淡紫色の花をつける．雌しべの柱頭は濃い赤色で3本に分離し，その周りに黄色の雄しべがある．地中海沿岸～インドに分布，日本でも栽培される．

【生薬】サフラン（局）〔柱頭〕

強い特異なにおいがあり，味は苦く，唾液を黄色に染める．柱頭を薬用とし，番紅花の別名．カロチノイド配糖体の crocin，picrocrocin を含む．最も高価な植物性生薬（1 g採取に約300個の花）．紀元前から薬用や香味料・染料などに用いられてきた．日本へは江戸後期に伝わり，現在ではスペイン，イラン，中国などから輸入．国内では大分，熊本県などで少量生産され国内生産量の8割以上が大分県竹田市で生産．

【用途・製剤】鎮静，鎮痛，通経作用があり，主に婦人薬などの原料．OTC：能活精，エベナL，日野実母散など．色素：サフランSP-30．香辛料．アーユルヴェーダでは，生理痛，生理不順，更年期障害，インポテンツ，肝臓肥大，ヒステリー，うつ病，リウマチ，咳，慢性的下痢などに用いられる．また，色，香りが良く気分を落ち着かせるので，アロマセラピーにも用いられる．世界三大スープの一つである南フランスのブイヤベース，スペインのパエリアやインド料理のサフランライスには欠かせないスパイス．

サフラン 10月上旬

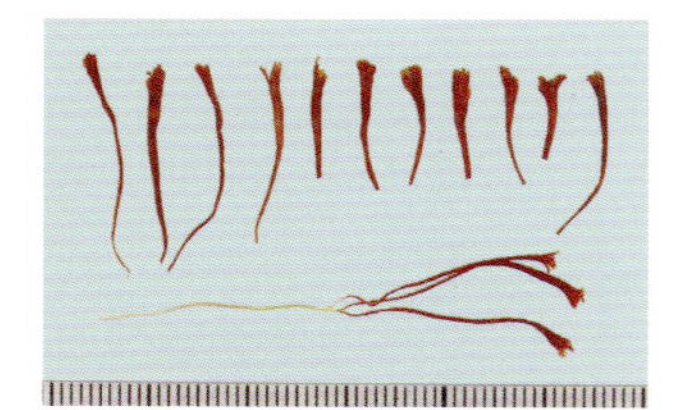

サフラン 雌ずい全形（下）

サフラン農家（大分県竹田市）11月上旬

イグサ／イ／トウシンソウ ***Juncus effusus*** **L.（＝*J. decipiens*（Buchenau）Nakai）（Juncaceae／イグサ科）付表 p.144**

【植物】 多年生草本．高さ 20 ～ 60 cm．茎は円筒状で径 1 ～ 2 mm，細かい縦じわがある．茎の下部の節間は短く，赤褐色の鱗片葉をつける．夏に茎の上部に花序を出し多数の花をつける．花は径 3 mm，緑褐色の花被片 6 個，雄しべは 3（6）個，雌しべは 1 個．果実はさく果で 3 裂する．湿地に生える．

【生薬】 トウシンソウ（局外）灯芯草〔花茎の髄または地上部〕わずかににおいがあり，味はほとんどない．

主要成分は，フラボノイドの luteolin, 多糖類の araban, xylan，フェナントレン誘導体の effusol I 及び II など．

【用途・製剤】 利尿，鎮静薬．灯芯草の名は，かつて油を灯して明かりを採っていた頃，この植物の髄を灯芯として使用したことに由来する．現在でも和蝋燭の芯にイグサの髄を用いる．漢方処方：加減胃苓湯，加味解毒湯，神効湯，分消湯（実脾飲）など．OTC：滋腎明目湯エキス細粒 G「コタロー」，瑞祥湯，分消湯エキス細粒 G「コタロー」など．

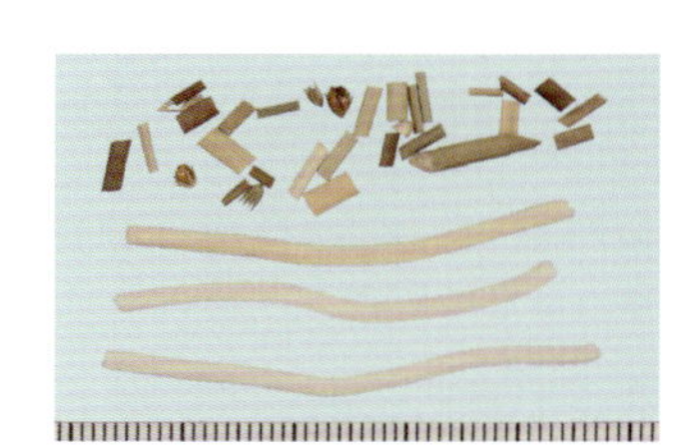

トウシンソウ

イグサ　6月

ハトムギ　8月

ハトムギ ***Coix lacryma-jobi*** **L. var. *ma-yuen*（Rom.Caill.）Stapf（Gramineae／イネ科　APG：Poaceae／イネ科）付表 p.132**

【植物】 一年生草本．高さ 1 ～ 1.5 m．葉は広線形で長さ 30 ～ 60 cm，幅 2 ～ 4 cm．夏に葉腋より長短不同の柄を持つ花穂数個が束になって出る．子房を包む膨らんだ二葉鞘から雄花穂が延びもとに 2 本の花柱が見られる．えい果は長楕円形で堅い苞鞘（総苞片が堅く変化したもの）に包まれる．中国南部原産で日本でも栽培される．

【生薬】 ヨクイニン（局）薏苡仁〔種皮を除いた種子〕

弱いにおいがあり，味はわずかに甘く，歯間に粘着する．主要成分はデンプン，タンパク質，palmitic acid, stearic acid など．

【用途・製剤】 健胃，解熱，利尿，解毒薬．また肌荒れ改善やイボ取りの目的で用いられる．漢方処方：参苓白朮散，清湿湯，薏苡仁湯，桂枝茯苓丸加薏苡仁，麻杏薏甘湯など．

OTC：前記漢方処方の製剤のほか，DHC ビタピリン W，NEW エバレッシュ B26，アルフェ MD，イボコロリ内服錠，雲仙散，エバセタミン，カルディナ錠 F，スルーラックデルジェンヌ，セロラ BB ドリンクライト，チョコラ BB ドリンクビット，痛散湯など．

ヨクイニン

チガヤ ***Imperata cylindrica*** **（L.）Raeusch.（Gramineae／イネ科　APG：Poaceae／イネ科）付表 p.132**

【植物】 多年生草本．高さ 30 ～ 80 cm．葉は線形で，長さ 20 ～ 50 cm．晩春に長さ 10 ～ 20 cm の銀白色の円錐花序をつける．地下茎は横走し，乳白色で 2 ～ 3 cm ごとに節がある．熱帯～温帯の原野，河原に自生する．

【生薬】 ボウコン（局）茅根〔細根及びりん片葉をを除いた根茎〕

ほとんどにおいがなく，味は初めなく，後にわずかに甘い．主要成分はトリテルペンの cylindrin, arundoin などである．

【用途・製剤】 消炎性利尿，解熱，浄血，止血薬．漢方処方：茅根湯，茅葛湯など．OTC：腎仙散（じんせんさん），ネオ腎仙湯．

チガヤ群生　5月

チガヤ　花穂

ボウコン

イネ *Oryza sativa* L.（Gramineae／イネ科 APG：Poaceae／イネ科） 付表 p.132, 149

【植物】一年生草本．高さ 50 ～ 100 cm．熱帯では多年生の仲間もある．葉は広線形で表面はざらつく．長い葉鞘がある．茎頂に円錐花序を出し，風媒花としてえい果をつける．熱帯アジア原産で，世界各地で栽培される．

【生薬】コウベイ（局）粳米〔えい果；もみを去った種子（玄米）〕

弱いにおいがあり，味はわずかに甘い．主要成分はデンプン，dextrin，oryzabran A ～ D，ビタミン B_1 の他に，ferulic acid，phytic acid（IP），α-aminolutyric acid（GABA）を含有する．

コメデンプン（局）〔えい果から得たでんぷん〕

【用途・製剤】健胃，止瀉，滋養，強壮薬．漢方処方：竹葉石膏湯，桃花湯，麦門冬湯，白虎湯，白虎加桂枝湯，白虎加人参湯，補肺湯など．OTC：前記漢方処方の各種製剤．

イネ 8月

コウベイ

ハチク *Phyllostachys nigra*（Lodd. ex Loud.）Munro var. *henonis*（Bean ex Mitford）Stapf ex Rendle（Gramineae／イネ科 APG：Poaceae／イネ科）付表 p.144

【植物】木本．直立性で稈は高さ 20 m，径 10 cm に達する．節は 2 環状．節間は 10 ～ 40 cm，節から 2 ～ 4 枝を出し，枝はよく分枝する．葉は枝先に 3 ～ 5 個ずつ付き，披針形で長さ 5 ～ 10 cm，幅 5 ～ 12 mm，裏面はやや白く基部近くに軟毛がある．葉舌は山形で縁に刺毛がある．竹の皮は外面に疎毛．

【生薬】1）チクジョ（局外）竹茹，竹筎〔稈の内層〕．2）チクヨウ（局外）竹葉〔葉〕．3）チクレキ（局外）竹瀝〔稈を火で流れ出た液汁〕

においがなく，味はほとんどない．ハチクのほか *P. bambusoides* Siebold et Zucc.（マダケ），*Bambusa tuldoides* Munro の稈の内層も同様に用いる．主要成分はトリテルペン類の friedelin，lupenone，taracerol．

【用途・製剤】1）解熱，鎮吐薬．漢方処方：温胆湯，黄連竹筎湯，竹筎温胆湯，清肺湯など．OTC：前記漢方処方の各種製剤．2）解熱，鎮咳薬．漢方処方：銀翹散，竹葉石膏湯など．3）鎮咳，去痰薬．清湿化痰湯，竹瀝達痰丸など．

ハチク 3月

チクジョ

チクヨウ

サトウキビ *Saccharum officinarum* L.（Gramineae／イネ科 APG：Poaceae／イネ科）付表 p.152

【植物】多年生草本．高さ 2 ～ 4 m．葉は広線形で長さ 1 ～ 2 m，裏面の中肋は隆起する．茎は径 2 ～ 6 cm で中実，茎の搾汁は 12 ～ 18 % のショ糖を含み非常に甘い．茎頂に円錐花序をつけ，花は灰白色．熱帯各地で栽培され，日本では主に沖縄県及び奄美群島で栽培される．

【食品，化学薬品】白糖（局）〔茎の搾汁〕

サトウキビの絞り汁を煮詰めて黒砂糖が得られる．これを温水に溶かして煮詰めて結晶化させると砂糖が得られる．

【用途・製剤】製糖原料とする他，食品化学工業や工業用エタノール製造の原料とするなど多様な用途がある．香川県や徳島県で生産される和三盆の原料植物はサトウキビと同属別種のカラサトウキビ *S. sinense* Roxb. で竹糖と呼ばれる．漢方処方：前胡建中湯．

サトウキビ収穫（ニューギニア）

サトウキビ市場（フィジー）

サトウキビ

クロザトウ

オオムギ *Hordeum vulgare* L.（Gramineae / イネ科　APG：Poaceae / イネ科）付表 p.132

オオムギ

【植物】二年生草本．高さ 70 ～ 100 cm．葉はやや短く，斜めに立ち，青白色をしている．長さ 4 ～ 8 cm の穂状花序を出す．小穂が 6 列見える六条オオムギと 2 列に並ぶ二条オオムギに大別され，えい果を結ぶ．

【生薬】バクガ（局）麦芽〔えい果を吸水させ発芽後乾燥したもの〕．
えい果を吸水させる事によりアミラーゼが活性化しでんぷんが麦芽糖（maltose）に分解される．黄耆建中湯や大建中湯などに使われる膠飴（P114，134）は，米，小麦，粟などの粉に麦芽を混ぜて糖化させ，煮詰めて水飴状にしたもの．

【用途・製剤】食欲不振，腹部膨満感，嘔吐など．漢方処方：加味平胃散，半夏白朮天麻湯，化食養脾湯など．押麦として食用にするほかに，ビール，ウイスキーの醸造に使われる．

バクガ

コムギ *Triticum aestivum* L.（Gramineae / イネ科　APG：Poaceae / イネ科）付表 p.144, 149

コムギ　5 月　　花　4 月

【植物】一～二年生草本．高さ 70 ～ 100 cm．葉は線形～長針形で，長さ 18 ～ 35 cm，質は柔らかく先端は垂れる．長さ 6 ～ 12 cm の穂状花序を出し，えい果を結ぶ．西アジア原産．主要穀物として世界各地で栽培される．

【生薬】ショウバク 小麦〔種子〕，フショウバク 浮小麦〔痩せた種子を乾燥したもの〕においおよび味はほとんどない．

【用途・製剤】小麦は，精神不安による不眠等に用いる．浮小麦は，盗汗や虚汗の解熱薬とする．漢方処方：甘麦大棗湯，厚朴麻黄湯，牡蠣散（浮小麦）など．OTC：前記漢方処方の製剤．コムギから製したコムギデンプンは医薬品の結合剤，賦形剤，崩壊剤として用いられる．

ショウバク

トウモロコシ *Zea mays* L.（Gramineae / イネ科　APG：Poaceae / イネ科）付表 p.134, 144, 147, 149

トウモロコシ　7 月

【植物】一年生草本．高さ 1 ～ 6 m．葉は線形で，長さ 50 ～ 100 cm．雄花序は茎の頂きに出る．雌花序は葉腋に付き，中軸が紡錘状に肥厚する．原産地は中央アメリカあるいは南アメリカ北部と考えられている．コロンブスによりヨーロッパに導入，日本への渡来はポルトガル人により 1579 年といわれる．世界各地で栽培され，近年ではアジアやアフリカでの生産が顕著に増加している．トウモロコシは代表的な他家受粉作物であるため多くの品種（ハイブリッド品種）があり，植物体や果実の形質は多彩である．1930 年代からハイブリッド品種が普及し始め，米国では 1930 年代から 1980 年代までの 50 年間で 1 ヘクタールの収量が 4 倍に上がるなど，最も品種改良が盛んな植物の一つである．

【生薬】コウイ（局）膠飴〔デンプンを加水分解して糖化したもの〕キャッサバ，ジャガイモ，サツマイモ，イネのデンプンも同様に用いる．ナンバンゲ　南蛮毛〔雄しべ〕，別名：ギョクショクショズイ　玉蜀黍蕋
主成分はビタミンA（β-クリプトキサンチン）やビタミンK．

【用途・製剤】利尿，降圧，利胆薬として，浮腫性の疾患に用いる他，南蛮毛を煎じてお茶として飲まれる．OTC：桔梗智辨水気下し．トウモロコシデンプン（局）はコムギデンプン（局）と同様に，医薬品の結合剤，賦形剤，崩壊剤として用いられる．主要穀物として世界各地で栽培される．

コウイ（膠飴）

トウモロコシデンプン

ナンバンゲ

ビンロウ／ビンロウジュ *Areca catechu* L.（Palmae／ヤシ科，APG：Arecaceae／ヤシ科）付表 p.133

【植物】 常緑高木．高さ 15 ～ 20 m．幹は肥大しない．葉は羽状複葉で，小葉は被針形．花は雌雄異花で複総状花序．一房に 150 ～ 250 の長楕円形の果実をつける．マレー半島原産で，熱帯各地で栽培される．

【生薬】 ビンロウジ（局）檳榔子〔種子〕

弱いにおいがあり，味は渋くてわずかに苦い．アルカロイドの arecoline を含有．

ダイフクヒ 大腹皮〔果皮〕

【用途・製剤】 条虫駆除薬．縮瞳薬でもあるアレコリン臭化水素酸塩の製造原料．漢方処方：延年半夏湯，女神散，九味檳榔湯（檳榔子），藿香正気散（大腹皮）など．OTC：前記漢方処方の製剤のほか，喜谷實母散，調血湯，流毒湯など．南アジアや東南アジアでは嗜好品として未熟な種子をベテルチューイング（コショウの仲間のキンマの葉や茎と消石灰などを混ぜて口の中で咀嚼すること）として利用される．現在はベテルチューイングによる発がん作用が報告されている他，歯が黒くなるという副作用から，利用は減少傾向にある．

ビンロウの嗜好品

ビンロウジ（上）ダイフクヒ（下）

ビンロウジュ　7月

ココヤシ

ココヤシ *Cocos nucifera* L.（Palmae／ヤシ科　APG：Arecaceae／ヤシ科）付表 p.148

【植物】 常緑高木，高さ 30 m に達する．葉は羽状複葉で小葉は線形．葉柄の基部に褐色毛をつける．花序を腋生し，大型で長だ円形の石果を 2 ～ 20 個つける．広く熱帯各地の海岸地域で栽培される．

【生薬】 ヤシ油（局）〔種子油から得た脂肪油〕

わずかに特異なにおいがあり，味は緩和である．

【用途・製剤】 ココヤシは極めて利用価値が高い植物で，茎は材木として，葉は屋根に葺き，葉の繊維は敷物やカゴに，果実の皮の繊維からロープやたわしが作られ，また燃料にもなる．さらに，果実の中にある液状の胚乳はココナッツジュースとして飲用に，周囲の固形の胚乳はそのまま，あるいはココナッツミルクとして食用に供される．固形胚乳の部分を乾燥したものはコプラと呼ばれ，これを圧搾して得られる油をヤシ油（ココナッツオイル）という．ヤシ油は洗剤や石鹸の材料，マーガリンやホイップクリーム，コーヒーフレッシュの原料となり，また，乳幼児食や病人食などにも利用される．さらに絞りかすは有機肥料，家畜の飼料となり，まさしく捨てるところがない利用価値の高い植物である．

ココナッツオイル　ココナッツミルク

ノコギリヤシ／ソウパルメット *Serenoa repens*（W. Bartram）Small（Palmae／ヤシ科　APG：Arecaceae／ヤシ科）付表 p.144

【植物】 常緑低木．高さ 2 ～ 4 m．一属一種．地下にほふく茎を出して群落をつくる．茎頂に径 1 m の扇型の葉を叢生する．葉柄は長さ 1 m．両縁に鋸歯状の刺を出すことがある．夏に葉よりも高い総状花序を出し，芳香のある白～クリーム色の小花をつける．果実は長さ 2 ～ 3 cm で赤味を帯びた洋梨型．北米南東部沿岸地帯原産．

【生薬】 ノコギリヤシ　Saw Palmetto〔果実〕，シュロシ　棕櫚子〔果実〕

【用途・製剤】 果実は中国で古くから泌尿器疾患の治療に用いられてきた．近年の臨床報告で，前立腺肥大症に有効であったという報告と無効であったという報告が共にある．なお，ドイツの Commission E はノコギリヤシを摂取する場合には医師による定期的な診断を受けるべきであると指摘している．わが国では健康食品として出回っている．

ノコギリヤシ

ノコギリヤシ

セキショウ　*Acorus gramineus* Sol. ex Aiton（Araceae / サトイモ科　APG：Acoraceae / ショウブ科）付表 p.144

【植物】多年生草本．葉は横走する根茎から出て長さ 20 ～ 50 cm で光沢がある剣状．全体に芳香がある．4 ～ 5 月頃，叢生する葉中より葉状の花茎が立ち，頂端に黄色の肉穂花序をつける．本州，四国，九州および中国，ヒマラヤ地方の温帯，暖帯に分布，主に渓流沿いに生える．
【生薬】セキショウコン（局外）　石菖根〔根茎〕
特異な芳香があり，味は清涼で，やや辛く，わずかに麻ひ性である．
【用途・製剤】漢方では芳香性開竅薬として，開竅，鎮静，健胃，解毒の効能があり，めまい，健忘，耳鳴，聴覚障害，昏睡，癇癪，精神障害，精神不調，高熱時の意識障害や小児のひきつけなどに用いられるほか，健胃薬として胃痛，腹痛，てんかん，リウマチ，腫瘍などに用いられる．漢方処方：神仙解語湯，清心温胆湯など．民間薬：浴湯料として足腰の冷え，筋肉痛，関節痛，打ち身，ねんざに適量を布に煮出してから，浴槽に入れて入浴する．なお，中国では菖蒲といえばセキショウ（石菖根）のことをさす．

セキショウコン

セキショウ　4 月

ショウブ　5 月

ショウブ　*Acorus calamus* L.（Araceae / サトイモ科　APG：Acoraceae / ショウブ科）付表 p.144

【植物】多年生草本．根茎が発達し，多数の線形の葉を出す．葉は長さ 50 ～ 100 cm，鋭尖頭で中肋がある．初夏に多肉の花序を出し，多数の淡黄緑色の花をつける．植物体には芳香がある．原野の湿地，沼沢に自生する．
【生薬】ショウブコン　菖蒲根〔根茎〕
独特の芳香があり，味は苦くやや不快である．
【用途・製剤】ショウブはセキショウよりも大きく収穫しやすいため，日本ではショウブの方を薬用としてきた．漢方での効能は石菖根と同じである．民間薬：菖蒲根は芳香性健胃薬や浴湯料として身体を温め，神経痛，リウマチなどに用いられる．端午の節句にショウブの葉を風呂に入れる菖蒲湯や，軒に挿して戸口にヨモギをつるす風習がある．

ショウブコン

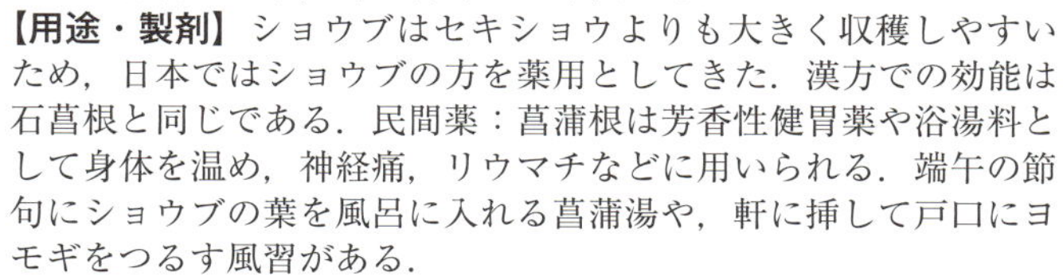

マイヅルテンナンショウ　*Arisaema heterophyllum* Blume（Araceae / サトイモ科）付表 p.145

【植物】多年生草本．葉は 1 枚で 13 ～ 19 片の小葉からなる．初夏に肉穂花序を出し，花序の延長部は糸状，総苞は通常緑色．日本，中国に自生．
【生薬】テンナンショウ（局外）　天南星（塊茎）
ほとんどにおいはなく，味は初め緩和で，後にえぐい．*A. erubescens* Schott，*A. amurense* Maxim. などの塊茎も同様に用いる．また，中国では、*A. consanguineum* Schott の塊茎も天南星として用いる．
【用途・製剤】漢方では清湿化痰，祛風止痛の作用があり，去痰，咳嗽，めまい，頭痛，卒中，意識障害，しびれ感，痙攣，ひきつけなどに用いる．また抗腫瘍作用があるされる．漢方処方：清湿化痰湯，三生散，舒筋立安散など．

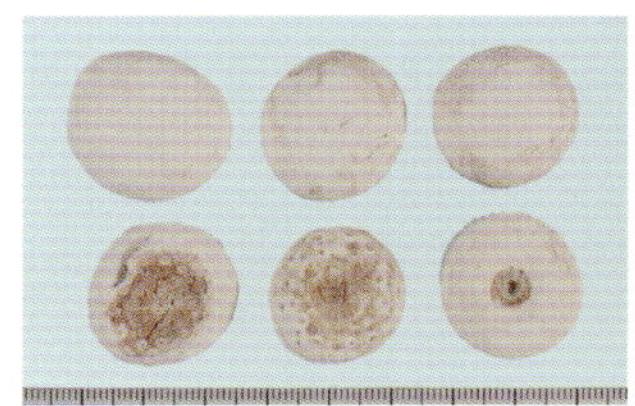
テンナンショウ

A. consanguineum

マイヅルテンナンショウ　6 月

カラスビシャク　7月

カラスビシャク　*Pinellia ternata*（Thunb.）Breitenb.（Araceae / サトイモ科）付表 p.133

【植物】多年生草本．高さ 15 ～ 30 cm．初生の葉は卵状心形の単葉であるが，その後，楕円～披針形の小葉を持つ 3 出複葉を出す．初夏に肉穂花序を出す．中国，日本に自生．仏炎苞の内部は下部に雌花，上部に雄花をつけ，最上部は髭状の付属体となる．半夏生：二十四節季の一つで半夏が生える頃は夏至から数えて 11 日目（7 月 2 日頃），この日は天から毒気が降ると言われ井戸に蓋をして毒気を防ぎこの日に採った野菜は食べないとされた．一般的には「梅雨明け」を示す指標の一つ．ヘソクリ：カラスビシャクの塊茎から茎と外皮と根を除去した球状の核の中央には凹みがある．農家のお年寄りが孫の子守りをしながら内職でカラスビシャクのヘソをクリ抜いて小遣いかせぎしたことから「ヘソクリ」と呼んだ．

【生薬】ハンゲ（局）　半夏〔コルク層を除いた塊茎〕

ほとんどにおいがなく，味は初めなく，やや粘液性で，後に強いえぐみを残す．えぐみ成分として，3,4-dihydroxybenzaldehyde の配糖体を含有する．採取した塊茎は塩水につけ，土皮を除去した後，塩抜きして乾燥．

【用途・製剤】鎮咳去痰，鎮嘔鎮吐薬．漢方処方：小柴胡湯，小半夏加茯苓湯，半夏瀉心湯，半夏厚朴湯，半夏白朮天麻湯など．OTC：「クラシエ」漢方柴胡加竜骨牡蛎湯エキス顆粒，安静錠，ウチダの理気利心，延寿（エキス顆粒）など．

花形態
（上部雄花，下部雌花）

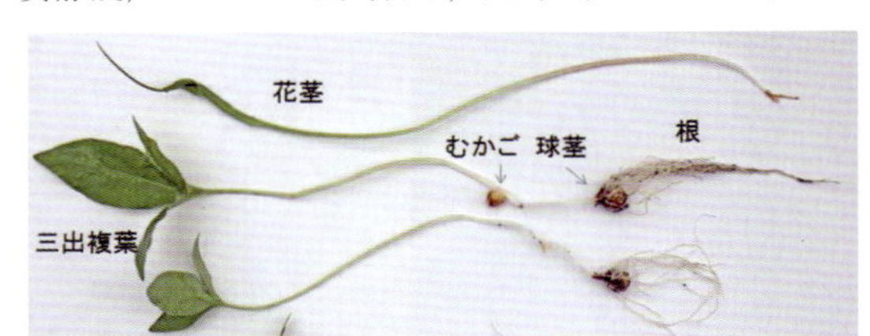

カラスビシャク

ハンゲの選別

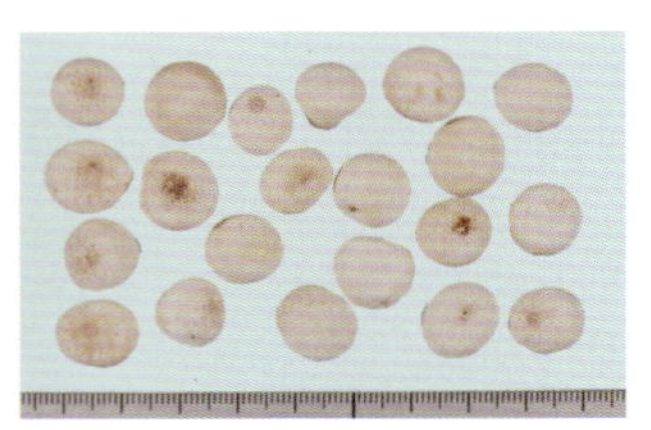

ハンゲ

ハマスゲ　*Cyperus rotundus* L.（Cyperaceae / カヤツリグサ科）付表 p.133

【植物】多年生草本．高さ 20 ～ 40 cm．葉は幅が 2 ～ 6 cm の線形．花序は単純～1 回分岐．長楕円形のかく果をつける．茎の断面は三角形で茎部は肥厚し，特有の香気がある．世界各地の温暖地域に分布．「浜ノ菅（はまのすげ）」と呼ぶように海浜砂地や河川敷などに群生し，根絶が難しいやっかいな雑草として園芸家からは嫌われる．

【生薬】コウブシ（局）　香附子〔根茎〕

特異なにおい及び味がある．古くから薬草として知られ，「正倉院薬物」の一つである．根茎の形がトリカブト（附子）を小さくしたような形に似て，芳香があることから「香附子」の名がついた．成分として cyperol, cyperone などのセスキテルペン類を含有する．

【用途・製剤】芳香性健胃，鎮静薬．漢方処方：香蘇散，五積散，女神散，香砂六君子湯など．OTC：アスゲン長城冠丹元顆粒，ウチダの香蘇散，花月，カゼンエース，敬震丹，香寿など．

コウブシ

ハマスゲ　7月

コウリョウキョウ　5月下旬

コウリョウキョウ　*Alpinia officinarum* Hance（Zingiberaceae / ショウガ科）付表 p.133

【植物】常緑の多年生草本．高さは 2 m に達する．葉は狭披針形で，長さ 30 cm．花は緑白色．花筒部は 1 cm，唇弁は長卵形，白地に赤の脈がある．根茎は木質，赤褐色で，径 2 cm，長さ 2 ～ 8 cm．円柱形でところどころに細根の跡があり，芳香と辛味がある．中国原産．別名を白ウコンという．英名は Lesser galangal（レッサー・ガランガル）．

【生薬】リョウキョウ（局）　良姜〔根茎〕

特異なにおいがあり，味はきわめて辛い．成分として，cineole などテルペノイドや kaempherol フラボノイドを含有する．

【用途・製剤】芳香性健胃薬．漢方処方：安中散．OTC：「クラシエ」漢方安中散料エキス顆粒，イイラック漢方胃腸薬細粒，金袋胃腸薬分包細粒など．

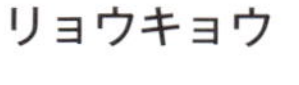

リョウキョウ

ヤクチ *Alpinia oxyphylla* Miq.（Zingiberaceae / ショウガ科）付表 p.133

【植物】 多年生草本．高さ 1 ～ 3 m．茎は叢生し，直立．葉は互生し，狭披針形で長さ 20 ～ 35 cm．3 ～ 5 月頃，葉の基部より穂状花序を腋生し，花をつける．果実は楕円形～紡錘形で熟すと赤褐色．中国南部（海南島，雷州半島）原産．

【生薬】 ヤクチ（局）益智〔果実〕

特異なにおいがあり，わずかに苦い．益智の語源は，「智を益する」，つまり「知力を増す」の意味．

【用途・製剤】 芳香性苦味健胃薬，整腸薬．食欲不振，消化不良に配合剤とされる．漢方処方：参耆湯，縮泉丸，沈香天麻湯，神効湯，安神復醒湯，三味湯，升麻附子湯など．OTC：灌頂，ユンケルゾンネロイヤル，養成煎，涼讃湯．

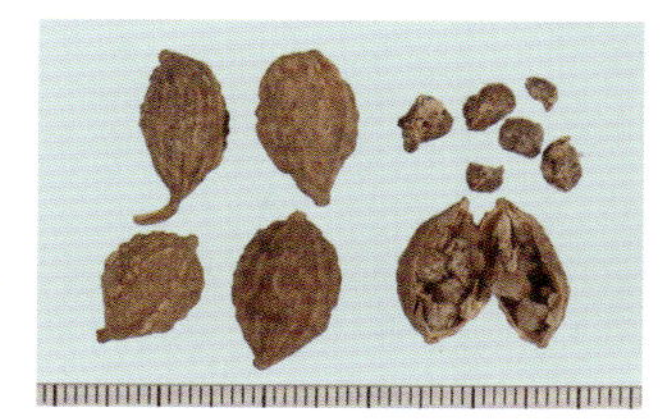
ヤクチ

ヤクチ　4 月

ソウズク

ソウズク *Alpinia katsumadai* Hayata（Zingiberaceae／ショウガ科）付表 p.145

【植物】 多年生草本．高さは 3 m に達する．葉は長さ 50 ～ 65 cm 程度の線状披針形．4 ～ 6 月頃，茎頂より総状花序を出し，1 cm 程度の乳白色の筒状花をつける．果実は球形で赤色に熟す．ベトナム，タイ，中国南部原産．

【生薬】 ソウズク（局外）草豆蔻〔種子の塊〕

砕くとき特異な芳香があり，味は辛くてやや苦い．

【用途・製剤】 芳香性健胃，消化，駆風薬．漢方では健胃，嘔吐を止める効能がある．漢方処方：枳縮二陳湯，厚朴温中湯など．

ソウズク

シュクシャ *Amomum villosum* Lour. var. *xanthioides*（Wall. ex Baker）T.L.Wu & S.J.Chen（Zingiberaceae / ショウガ科）付表 p.133

【植物】 多年生草本．高さ 1 ～ 2 m．茎は円柱状で直立．葉は互生し，狭披針形で長さ 15 ～ 35 cm．4 ～ 5 月ころ，根茎より花茎を伸ばし，穂状花序をつける．蒴果は，球形～楕円球形で，熟しても緑色のまま．ベトナム，タイ，中国南部に分布．*A. villosum* Lour. var. *villosum* と *A. longiligulare* T.L.Wu．の種子と同様に用いる．

【生薬】 シュクシャ（局）縮砂〔種子〕

砕くと特異な芳香があり，味は辛い．ハナミョウガ *A. japonica*（Thunb.）Miq. の種子を伊豆縮砂といい，シュクシャの代用とした．

【用途・製剤】 芳香性健胃，整腸薬．漢方では，気をめぐらし，胃腸系を調える効能がある．

漢方処方：安中散，香砂六君子湯，香砂平胃散，香砂養胃湯など．OTC：安中散料エキス錠，イイラック漢方胃腸薬細粒，エスタック漢方「響声破笛丸料」エキス顆粒，太田漢方胃腸薬Ⅱ〈錠剤〉，新マミオス胃腸薬，大正漢方胃腸薬，タケダ漢方胃腸薬 A 末〈分包〉，パンシロン，ワクナガ生薬胃腸薬など．

シュクシャ

シュクシャ　果実　8 月

シュクシャ

ビャクズク *Amomum kravanh* Pierre ex Gagnep.（Zingiberaceae / ショウガ科）付表 p.145

【植物】 多年生草本．高さ 2 m．葉は 2 列互生し，狭楕円形か披針形で長さ 40 ～ 60 cm．4 ～ 5 月ころ，茎の基部から花柄を出し，白色の左右相称花をつける．さく果は球形で 4 稜があり，径 1.5 ～ 1.8 mm ほどで裂開しやすい．熟すと黄色．カンボジア，タイ，中国南部に分布．

【生薬】 ビャクズク 白豆蔻〔果実〕

味は辛い．*Amomum compactum* Sol. ex Maton（= *A. kepulaga* Sprague & Burkill.）の果実も同様に用いる．

【用途・製剤】 芳香性健胃，駆風薬．漢方処方：香砂養胃湯，三仁湯，白豆蔻湯など．OTC：イスクラ開気丸，精華香砂養胃丸，命祐（エキス顆粒）など．

ビャクズク　　花　5 月

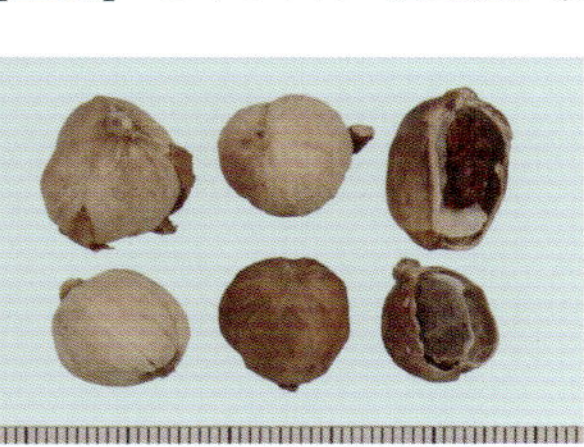
ビャクズク

ウコン　7月

ウコン／ターメリック　*Curcuma longa* L.（Zingiberaceae／ショウガ科）付表 p.133

【植物】 多年生草本，高さ 40 ～ 100 cm．葉は有柄．長楕円形で太い主脈があり，無毛．秋，葉間より穂状花序を伸ばし，薄緑色の苞の中に黄色い花をつける．6 枚の花被を持ち，外花被 3 枚，内花被 3 枚からなる．外花被は癒合して筒状になっている．内花被 3 枚は，基部は癒合して，先端は 3 つに分かれて花の上と左右下側に出る．唇弁のように見える雄ずいがある．国内では結実せず，根茎で繁殖．根茎は特有の香気があり，黄～橙赤色．熱帯アジア原産，熱帯各地で栽培される．

【生薬】 ウコン（局）　鬱金，郁金，ターメリック〔根茎〕

特異なにおいがあり，味はわずかに苦く刺激性で，含有成分の curcumin 類により唾液を黄色に染める．地上部が枯れた 10 ～ 11 月頃に根茎を掘り上げ，洗浄後，主根茎から枝分かれしている側根茎を分割してコルク層を除き，湯通しするか蒸した後，日干しにする．根茎から長く出ている根の途中や末端に生じる紡錘状の塊根は良品とされるが，現在流通はしない．4500 t 程輸入．

同類生薬：キョウオウ（*C. aromatica* Salisb.）姜黄，別名ハルウコンの根茎は，生薬名ハルウコンの名称で流通する．

【用途・製剤】 芳香健胃薬，利胆薬．漢方処方への配合はまれである．着色料として尊ばれ，中国の皇帝の衣服や高僧の袈裟の色付けに使用された．鬱金染めの鬱金という色は赤みを帯びた鮮やかな黄色で，虫を寄せつけないことから着物を包む「たとう紙」や風呂敷に使われ，鬱金の字から金が増えるとして鬱金染めした財布が用いられた．またウコンで下染してからベニバナで染める紅鬱金や紅緋という色が好まれ，紅花染による紅色は退色しやすいこともあり，その下染として用いられた．カレー粉は 18 世紀末にイギリスで考案されたもので，20 ～ 40％程度ウコン粉末を含有する．また高価なサフランの代用としてパエリア，ブイヤベースあるいはたくあん，バターの色付けに利用され，日本はインドに次ぐウコンの消費国となっている．漢方処方：開気丸，中黄膏など．OTC：済婦 C 内服薬，スクラート胃腸薬 S，薬用養命酒，新黒丸，熊膽圓，キャベ 2 コーワ，大正健胃胃腸薬，ハイウルソグリーン S，黒丸ドリンク，ソルマック EX2，ツムラ胃腸内服液，パクタターゼ胃腸内服薬，ピーマ胃腸内服薬など．

ウコン　地下部

ウコン

ウコン　キョウオウ　ガジュツ

キョウオウ（ハルウコン）

ハルウコン　地下部

ハルウコン　4月

ガジュツ／ムラサキウコン　*Curcuma zedoaria*（Christm.）Roscoe（Zingiberaceae／ショウガ科）付表 p.133

【植物】 多年生草本．高さ 1 m．葉は有柄で長く，広楕円形，鋭先頭．初夏に穂状花序を出す．根茎は肥大する．インド，ヒマラヤ原産で，熱帯各地，日本（屋久島）で栽培される．

【生薬】 ガジュツ（局）　莪迷　〔根茎〕*C. phaeocaulis* Valeton, *C. kwangsiéusis* S. G. Lee et C. F. Lieng の根茎も同様に用いる．

特異なにおいがあり，味は辛くて苦く，清涼感がある．国内生産は約 200 t．

【用途・製剤】 芳香健胃薬．漢方処方：虔脩感應丸，虔脩本方六神丸など．OTC：恵命我神散，ストマーゼ顆粒，パンクターゼ胃腸内服薬，ビオフェルミン健胃消化薬錠，シグナル胃腸薬「顆粒」・「錠剤」，ステイブ胃腸薬，ワクナガ胃腸薬 L など．

ガジュツ

ガジュツ　地下部

ガジュツ　6月

ショウズク / カルダモン　*Elettaria cardamomum* Maton（Zingiberaceae / ショウガ科）付表 p.134

ショウズク　花・果実　6月

【植物】 多年生草本．高さ 3 m 近くになる．葉は長い葉鞘があり，ひ針形．60 ～ 90 cm の総状花序を根茎から数本出し，長楕円形のさく果をつける．果皮は無臭であるが，種子には特有の香気がある．インドシナ原産．

【生薬】 ショウズク（局）　小豆蔻　〔果実（用時，果皮を除いて種子のみ用いる）〕

特有の香りがあり，味は辛くてわずかに苦い．

【用途・製剤】 芳香性健胃薬．OTC：ソルマックゴールド胃腸液．香辛料：種子の乾燥物をカルダモンとして用いる．「スパイスの女王（the queen of spices)」と呼ばれ，カレー料理には欠かせない．

ショウズク

ショウズク　果実

ショウガ　花　6月

ショウガ / ジンジャー　*Zingiber officinale*（Willd.）Roscoe（Zingiberaceae / ショウガ科）付表 p.134

【植物】 多年生草本．高さ 60 ～ 100 cm．葉は有柄で長楕円形．鋭先頭．熱帯では夏に穂状花序を出し，一日花をつける．温室内で栽培するとまれに開花する．インド原産といわれ，世界各地で栽培される．

【生薬】 ショウキョウ（局）　生姜，カンキョウ（局）乾姜〔根茎〕

特異なにおいがあり，味はきわめて辛い．日本では，ショウガの新鮮な根茎をそのまま乾燥させたものを「生姜」，外皮を取り去り乾燥したものを「乾生姜」，蒸して乾燥したものを「乾姜」と称している．また，乾燥を早めるために石灰をまぶして乾燥することがあり，表面に白粉が付着している．中国では，生のショウガを「鮮姜」あるいは「生姜」と称し，そのまま乾燥したものを「乾姜」と呼ぶ．したがって，［傷寒論］に掲載されている葛根湯などで用いる生姜は，本来，新鮮なひねショウガを意味し，日本でいう生薬「生姜」，「乾生姜」ではない．そのため，日本の「生姜」あるいは「乾生姜」を使用する場合は，減量して利用する．

【用途・製剤】 芳香性健胃薬，矯味薬．漢方処方：葛根湯，柴胡桂枝湯，補中益気湯，半夏瀉心湯，半夏厚朴湯など．OTC：新エスタック顆粒，ルルかぜ内服液，液キャベコーワ A，イッケル，シオノギ S 胃腸薬顆粒，ソルマック S，太田胃散（内服液），ルルのど飴 G などに配合．食品関係では“しょうが”あるいはジンジャーと称し，矯味薬としてあらゆる料理に利用している．また，飲み物のジンジャーエールはショウガの味と風味をきかした炭酸清涼飲料として世界中で飲まれている．生姜湯は熱湯にすり下ろしたショウガを入れ砂糖を加えた飲み物で，寒いときに体を温め，咳を止めるということで，多くの商品が売られている．ショウガと白糖を使った菓子，生姜糖が古くから知られる．関東の芝大神宮，二宮神社の大祭は通称「ショウガ祭り」といわれ，境内にショウガの市が立ったことから名付けられた．

ショウガ

ショウキョウ（羽を回転させ皮を去る）

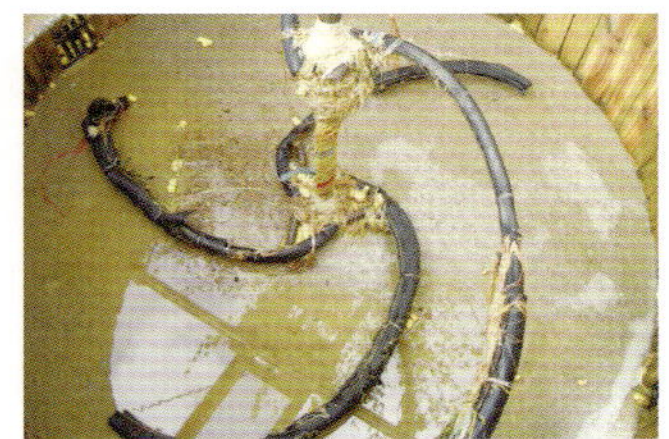

ショウキョウ（皮去り設備の円筒内にあるのが皮）

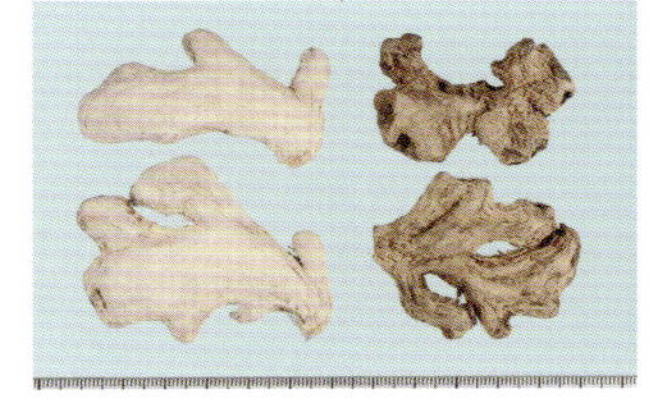

ショウキョウ（左），カンキョウ（右）

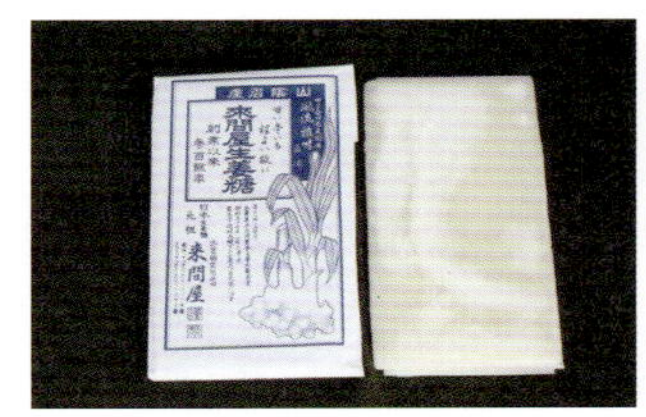

生姜糖

ショウガ祭り（だらだら祭り，芝大神宮）

コウキセッコク　7月

コウキセッコク / ニオイセッコク *Dendrobium nobile* Lindl.（Orchidaceae / ラン科）付表 p.145

【植物】 常緑の多年生草本．高さ 30 ～ 50 cm．岩石または樹上に着生する．茎はやや扁平で，多くの節があり，叢生する．葉は互生し，基部は抱茎．葉身はやや革質でひ針形．花は先端が赤紫色を帯びた白い花を頂生または側生する．中国（四川省，貴州省）原産．中国名は金釵石斛あるいはラテン名から訳された高貴石斛．日本にはセッコク *D. moniliforme*（L.）Sw. が自生．

【生薬】 セッコク　石斛〔茎〕

セッコクの基原植物は非常に種類が多く，また年中採集されるが，秋以降の採集品が良品とされる．同属のホンセッコク *D. officinale* K. Kimura et Migo（鉄皮石斛）の茎が正品で，中国南部に産する．日本に自生するセッコクも同様に用いる．茎を巻いて加工したものは耳環石斛または楓斗と呼ばれる．

【用途・製剤】 強壮，強精，解熱薬．発熱性疾患で脱水症状を呈するものに良い．口渇，食欲不振，胃腸障害に．セッコクは生（鮮石斛）で用いた方が清熱・生津の効力は強く，熱性疾患による口渇には鮮石斛，一般的な陰虚による口渇には乾石斛を用いる．漢方処方：石斛夜光丸など．OTC：甘露飲エキス細粒 G「コタロー」，ロクジョンなど．

ホンセッコク　7月

セッコク　5月

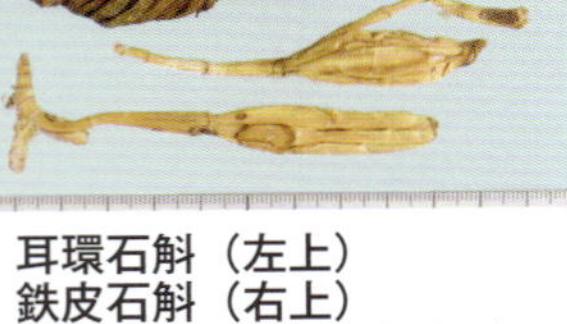

耳環石斛（左上）
鉄皮石斛（右上）
石斛（東京市場品）（下）

オニノヤガラ　*Gastrodia elata* Blume（Orchidaceae / ラン科）付表 p.134

【植物】 多年生草本．腐生ランで，ナラタケ菌と共生している．茎葉とも褐色．高さ 60 ～ 100 cm．葉は鱗片状に退化．6 ～ 7 月，茎頂に穂状花序をつけ，つぼ形の花を多数開く．日本の中北部，中国，台湾の山林陰湿地に分布．オニノヤガラの名は，茎が黄赤色で鬼の用いる矢にたとえ「鬼の矢柄」といわれる．

【生薬】 テンマ（局）　天麻　〔塊茎を蒸したもの〕

特異な臭気があり，味はほとんどない．人工栽培が可能となり，栽培品の生産が増加している．ジャガイモで製した偽物（洋天麻，貴天麻）があるから注意が必要である．

【用途・製剤】 鎮静，鎮痙，鎮痛薬．漢方処方：半夏白朮天麻湯など．OTC：延命仙，降圧丸，灌頂，生命など．

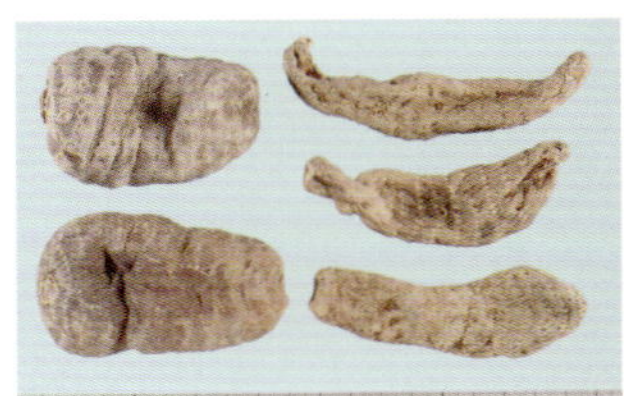

テンマ
（左：野生品，右：栽培品）

オニノヤガラ　6月

バニラ *Vanilla mexicana* Mill.（=*V. planifolia* Andrews）（Orchidaceae / ラン科）付表 p.145

【植物】 樹木に着生する常緑つる性の多年生草本．総状花序に黄緑色の花が開く．果実は長さ 20 ～ 30 cm，径 8 ～ 10 mm のさく果で棒状．西インド諸島，南米，東南アジアの高温多湿地帯で栽培される．

【生薬】 バニラ〔完熟前の果実を採取し発酵処理したもの〕

緑色の果実が黄変するころ採取し，発酵させる．独特な発酵熟成工程を行うことにより，果実に含まれているバニリン配糖体が酵素により分解され vanillin が生成し，特有の香りを発する．

【用途・製剤】 芳香性健胃薬，香料．もっぱら，食品の香料として利用する．エタノール抽出したものは，香料，矯味，矯臭薬として化粧品，シャンプーや香水に，バニラビーンズはアイスクリーム，製菓用，キャンディーなどの香料として使用．バニラビーンズは高価なため，現在 vanillin は guaiacol からの合成や木材の構成成分であるリグニンの発酵により作られている．

バニラ生産地（海南島）　　果実

バニラ　花　6月

動物・鉱物・分泌物・発酵物等を基原とする生薬

ゴオウ（牛黄）
Bezoar Bovis
（付表 p.134）

ユウタン（熊胆）
Fel Ursi
（付表 p.134）

センソ（蟾酥）
Bufonis Venenum
（付表 p.134）

ハチミツ（蜂蜜）
Mel
（付表 p.135）

ローヤルゼリー
Apilac
（付表 p.149）

ミツロウ（黄蝋）
Cera Flava
（付表 p.148）

ロクジョウ（鹿茸）全形生薬
Cervi Cornu Pantotrichum
（付表 p.145）

ロクジョウ（鹿茸）切断生薬
Cervi Cornu Pantotrichum
（付表 p.145）

ジャコウノウ（麝香嚢）
Moschus
（付表 p.149）

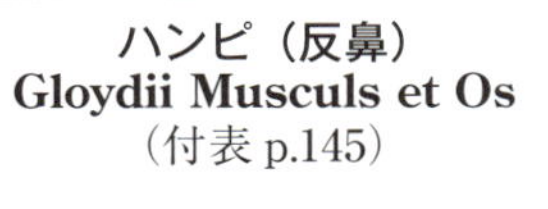

ハンピ（反鼻）
Gloydii Musculs et Os
（付表 p.145）

アキョウ（阿膠）
Asini Corii Collas
（付表 p.146）

ジリュウ（地竜）
Lumbricus
（付表 p.145）

センタイ（蝉退）
Cicadae Periostracum
（付表 p.145）

カイクジン（海狗腎）
Phocae Testis et Penis
（付表 p.149）

ビャクキョウサン（白強(殭)蚕）
Bombyx Batryticatus
（付表 p.145）

スイテツ（水蛭）
Hirudo
（付表 p.149）

レイヨウカク（羚羊角）
Antelopis Cornu
（付表 p.146）

ドベッコウ（土別甲）
Amydae Testudo
（付表 p.145）

精製セラック
Lacca Depurata
（付表 p.146）

シンジュ（真珠）
Margaritum
（付表 p.149）

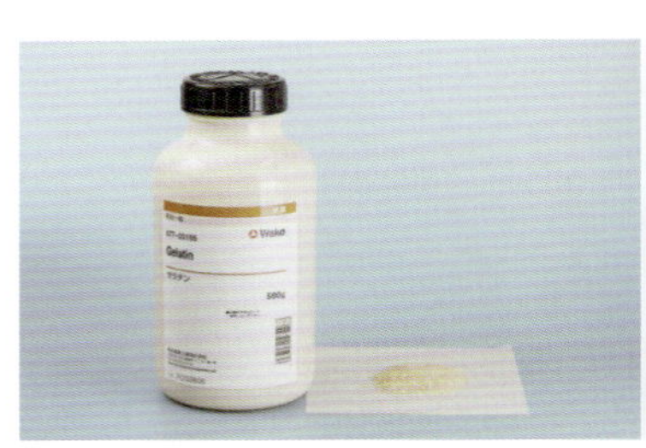

ゼラチン
Geratinum
（付表 p.146）

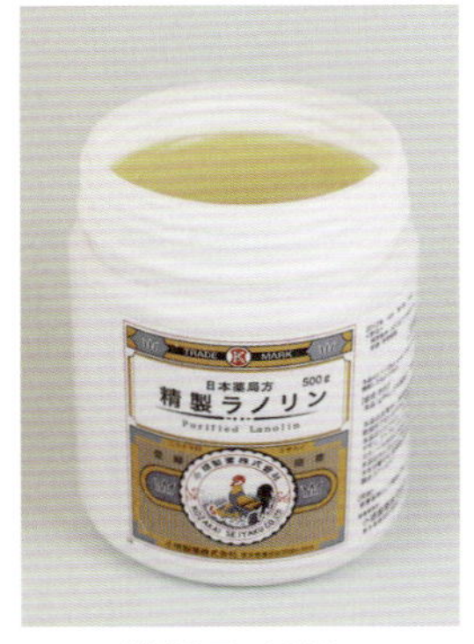

精製ラノリン
Adeps Lanae Purificatus
（付表 p.148）

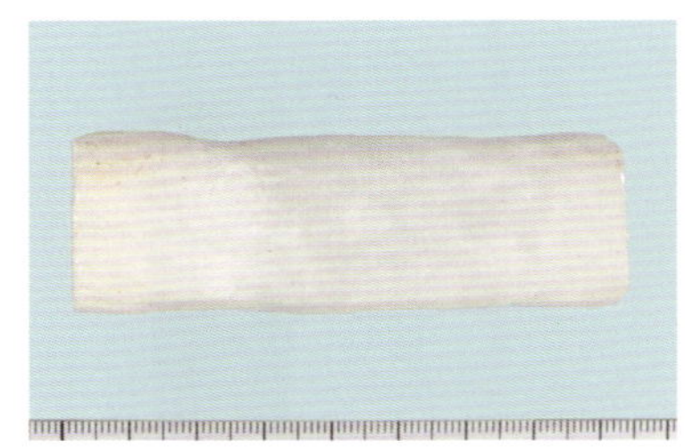

ゲイロウ（鯨蝋）
Cetaceum
（付表 p.148）

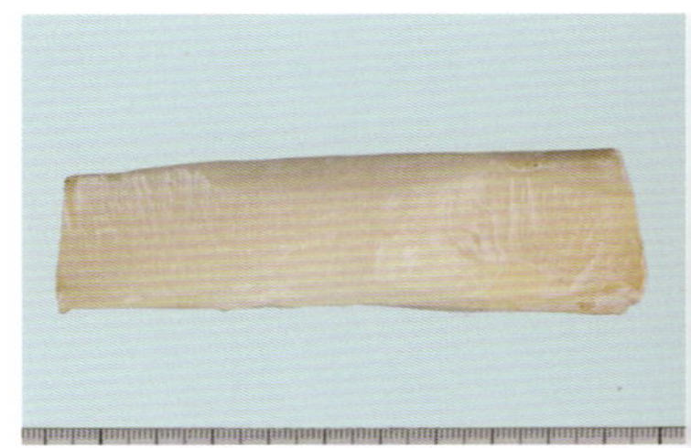

モクロウ（木蝋）
Cera Rhois
（付表 p.148）

シンキク（神麹）
Massa Medicata Fermentata
（付表 p.145）

コハク（琥珀）
Succinum
（付表 p.149）

ボレイ（牡蛎）
Ostreae Testa
（付表 p.134）

リュウコツ（竜骨）
Fossilia Ossis Mastodi
（付表 p.134）

セッコウ（石膏）
Gypsum Fibrosum
（付表 p.135）

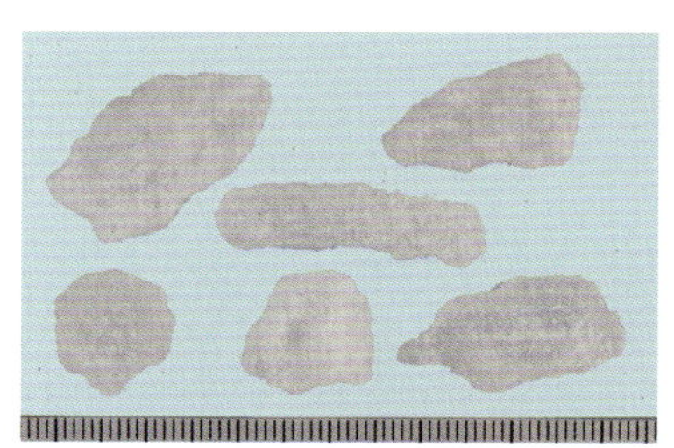

ボウショウ（芒硝）
Sal Mirabilis
（付表 p.135）

カッセキ（滑石）
Kasseki
（付表 p.135）

ウヨリョウ（禹余粮（糧））
Limonite
（付表 p.149）

タイシャセキ（代赭石）
Haematitum
（付表 p.149）

付表 1　局方収載生薬一覧表（下線の成分の構造を構造式欄に示す）

生薬名	原植物名（科名）	使用部分	成　分	構造式	用　途	産　地
局カンテン ラ Agar 英 Agar	マクサ（テングサ）*Gelidium elegans* Kuetzing その他同属植物（Gelidiaceae テングサ科）又は諸種紅藻類	粘液を凍結脱水したもの	多糖類：agarose（構成糖 D-galactose, 3, 6-anhydro-L-galactose）, agaropectin		粘滑，緩下剤 培地基材 菓子原料	日本（長野，岐阜）原藻は静岡，千葉，三重，和歌山），韓国，チリ，中国
局マクリ（海人草） ラ Digenea 英 Digenea	マクリ *Digenea simplex* (Wulfen) C. Agardh (Rhodomelaceae フジマツモ科)	全草	アミノ酸：α-kainic acid, α-allokainic acid（立体異性体）	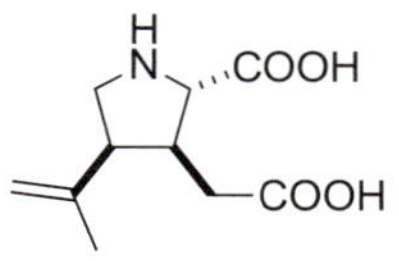	回虫駆除（民間，家庭薬用），カイニン酸局原料	中国（東沙群島，海南島），日本（沖縄，鹿児島，熊本近海）
局チョレイ（猪苓） ラ Polyporus 英 Polyporus Sclerotium	チョレイマイタケ *Polyporus umbellatus* (Pers.) Fries (Polyporaceae サルノコシカケ科)	菌核	ステロイド：ergosterol, ergosta-4, 6, 8 (14), 22-tetraen-3-one 多糖類：glucan	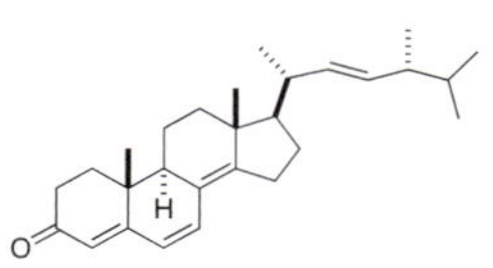	漢方：消炎，利尿，解熱，止渇	中国（西北，華北地方，主として陝西秦嶺地区，山西，河北張家口，承徳）
局ブクリョウ（茯苓） ラ Poria 英 Poria Sclerotium	マツホド *Wolfiporia cocos* (Schw.) Ryv. et Gilb. (= *Poria cocos* Wolf) (Polyporaceae サルノコシカケ科)	菌核，通例外層をほとんど除いたもの	トリテルペン：eburicoic acid, dehydroeburicoic acid ステロイド：ergosterol 多糖類：pachyman	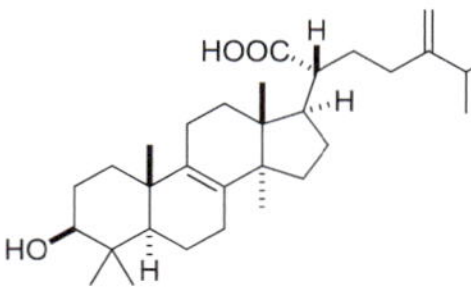	漢方：利尿，健胃，鎮静	中国（安徽，湖北，雲南，広西），北朝鮮，日本（鹿児島，宮崎，北海道）
局ロジン（コロホニウム） ラ Resina Pini 英 Rosin	マツ属 *Pinus* sp. (Pinaceae マツ科)	分泌物から精油を除いて得た樹脂	abietic acid を主とする樹脂酸の混合物	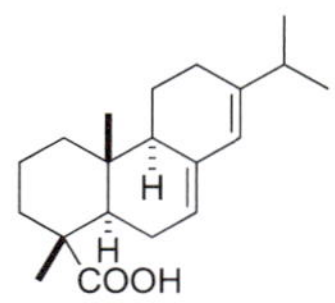	絆創膏の粘着付与剤，硬膏基剤	アメリカ
局マオウ（麻黄） ラ Ephedrae Herba 英 Ephedra Herb	シナマオウ *Ephedra sinica* Stapf, *E. intermedia* Schrenk et C. A. Meyer 又は *E. equisetina* Bunge (Ephedraceae マオウ科)	地上茎	アルカロイド：(−)-ephedrine, (+)-pseudoephedrine, (−)-*N*-methylephedrine	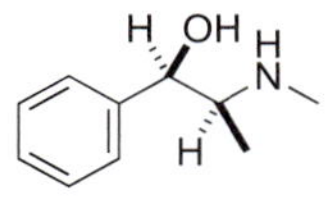	漢方：鎮咳，発汗，解熱，エフェドリン塩酸塩局原料	中国（遼寧，山西，陝西，内蒙古）
局ボクソク（樸樕） ラ Quercus Cortex 英 Japanese Oak Bark	クヌギ *Quercus acutissima* Carruth., コナラ *Q. serrata* Murray, ミズナラ *Q. mongolica* Fisch. ex Ledeb. var. *crispula* (Blume) H.Ohashi 又はアベマキ *Q. variabilis* Blume (Fagaceae ブナ科)	樹皮	タンニン フラボノイド：quercetin	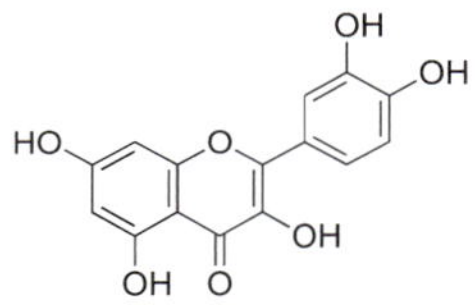	収れん，止瀉，消炎	日本（長野）
局トチュウ（杜仲） ラ Eucommiae Cortex 英 Eucommia Bark	トチュウ *Eucommia ulmoides* Oliv. (Eucommiaceae トチュウ科)	樹皮	グッタペルカ リグナン配糖体：pinoresinol diglucoside リグナン：aucubin, geniposide geniposidic acid	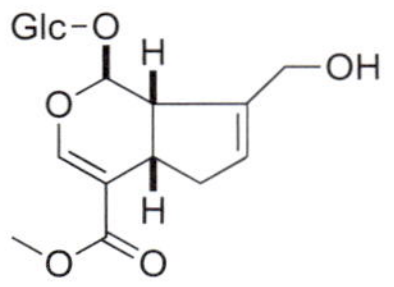	強壮，強精，鎮痛	中国（四川，貴州），韓国
局ソウハクヒ（桑白皮） ラ Mori Cortex 英 Mulberry Bark	マグワ（マルベリー）*Morus alba* L. (Moraceae クワ科)	根皮	トリテルペン：α-, β-amyrin, betulinic acid フラボノイド：morusin, kuwanon A〜H	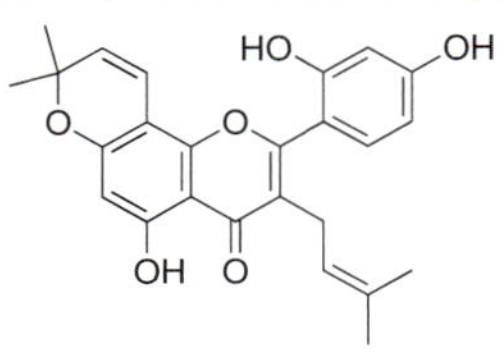	消炎性利尿，鎮咳，去痰，緩下	日本各地　中国，朝鮮半島
局マシニン（麻子仁，火麻仁） ラ Cannabis Fructus 英 Hemp Fruit	アサ *Cannabis sativa* L. (Moraceae クワ科)	果実	脂肪油：olein, linolein, linelerin 糖：pentosan, dextrin アルカロイド：trigonelline	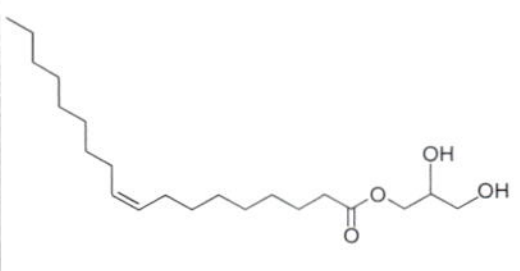	緩下	中国，インド，メキシコ，日本（栃木，繊維用）
局カシュウ（何首烏） ラ Polygoni multiflori Radix 英 Polygonum Root	ツルドクダミ *Polygonum multiflorum* Thunb. (Polygonaceae タデ科)	塊根	アントラキノン：chrysophanol, physcion, emodin スチルベン配糖体：2, 3, 4′, 5 - tetrahydroxystilbene-2-*O*-D-glucoside	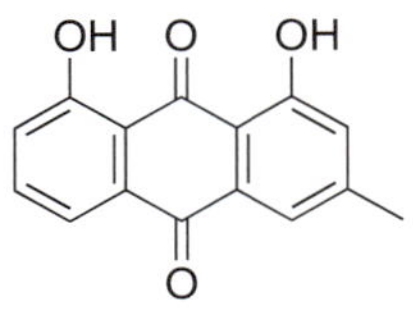	瀉下，強精，強壮	中国（河南，湖北，貴州，四川），韓国

生薬名	原植物名(科名)	使用部分	成　分	構造式	用　途	産　地
局ダイオウ(大黄) ラ Rhei Rhizoma 英 Rhubarb	モミジバダイオウ *Rheum palmatum* L., タングートダイオウ *R. tanguticum* (Maxim. ex Regel) Maxim. ex Balf., チョウセンダイオウ *R. coreanum* Nakai 又はそれらの種間雑種 (Polygonaceae タデ科)	根茎	sennoside A ～ F アントラキノン誘導体：chrysophanol, physcion, aloe-emodin, emodin, rhein など	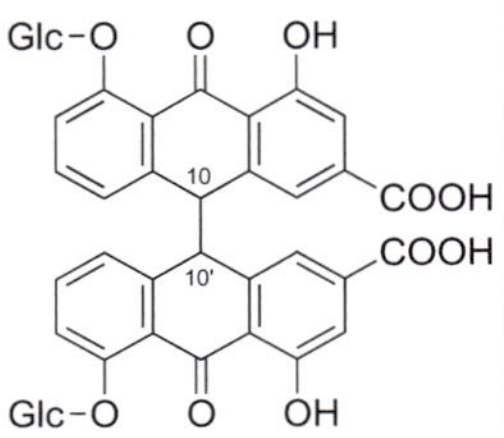 Glc-O　O　OH 10 COOH COOH 10' Glc-O　O　OH	緩下，健胃	中国奥地(青梅，甘粛，四川，陝西)，日本(北海道)，北朝鮮
局ゴシツ(牛膝) ラ Achyranthis Radix 英 Achyranthes Root	(A)ヒナタイノコズチ *Achyranthes fauriei* *H.Lév. et* Vaniot 又は (B) *A. bidentata* Blume (Amaranthaceae ヒユ科)	根	ステロイド(昆虫変態ホルモン)：inokosterone, ecdysterone サポニン：chikusetsusaponin IVa, pseudoginsenoside RT1 カリウム塩	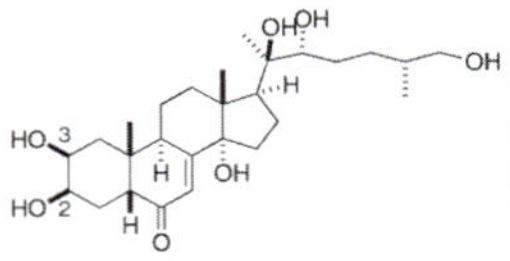 OH OH H OH HO 3 HO 2 H OH H O	漢方：駆瘀血，通経，利尿	(A)日本(奈良，茨城) (B)中国(河南)
局シンイ(辛夷) ラ Magnoliae Flos 英 Magnolia Flower	ハクモクレン *Magnolia biondii* Pamp., *M. denudata* Desr. (= M, *heptapeta* (Buc'hoz) Dandy), *M. sprengeri* Pamp., *M. salicifolia* (Siebold & Zucc.) Maxim., *M. kobus* DC. (Ma-gnoliaceae モクレン科)	蕾	精油(タムシバ)：camphor, limonene, asarone, safrol, methyleugenol, citral アルカロイド：(+)-coclaurine リグナン：fargesin, magnolin	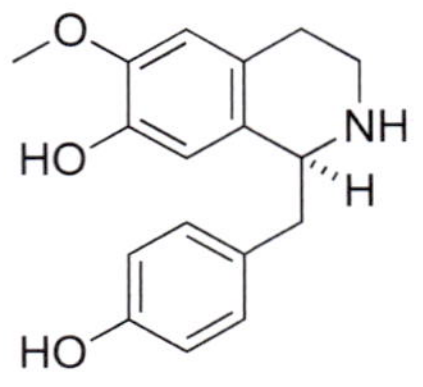 O HO NH H HO	漢方：消炎，鼻疾，頭痛	中国(四川，河南)　日本(福井，富山，石川)
局コウボク(厚朴) ラ Magnoliae Cortex 英 Magnolia Bark	ホオノキ *Magnolia obovata* Thunb., *M. officinalis* Rehder et E.H. Wilson 又は *M. offici-nalis* Rehder et Wilson var. *biloba* Rehder et E.H. Wilson (Magnoliaceae モクレン科)	樹皮	アルカロイド：(−)-magnocurarine, magnoflorine 精油：β-eudesmol, caryophllene フェノール類：honokiol, magnolol	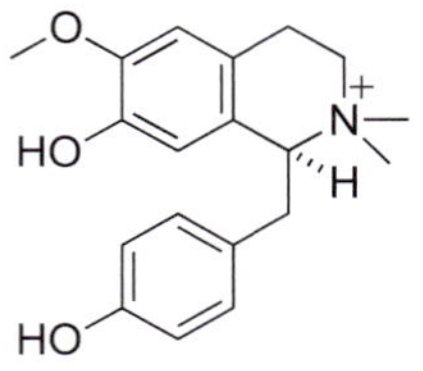 O HO N+ H HO	漢方：鎮咳，鎮静，鎮吐　鎮痙，鎮痛	日本(北海道，群馬，新潟，福井，長野，香川など)，中国(四川，湖北，浙江)，韓国
局ニクズク(肉豆蔻) ラ Myristicae Semen 英 Nutmeg	ニクズク / ナツメグ *Myristica fragrans* Houtt. (Myristicaceae ニクズク科)	種子	精油(2～9%)：(+)-α -pinene, myristicin, (+)-camphene, (+)-linalool, safrol	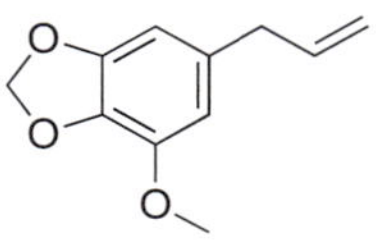 O O O	芳香性健胃，香辛料	インドネシア，スリランカ，マラッカ諸島
局ゴミシ(五味子) ラ Schisandrae Fructus 英 Schisandra Fruit	チョウセンゴミシ *Schisandra chinensis* (Turcz.) Baill. (Schisandraceae マツブサ科)	果実	精油：citral(主成分) ylangene(精油主成分) リグナン：schizandrin, gomisin A ～ J	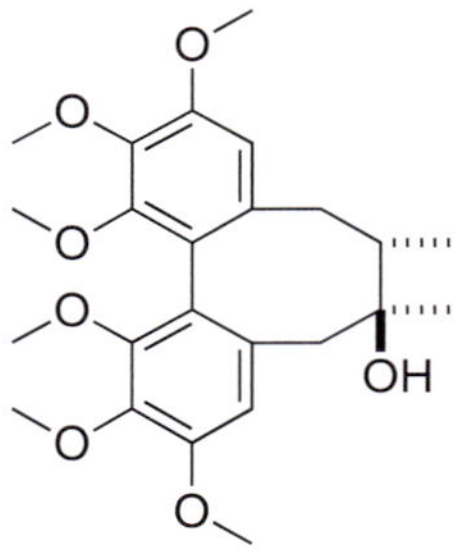 O O O O O OH O	漢方：鎮咳，強壮，滋養	日本(長野)，中国(東北，河北)，北朝鮮，アムール，サハリン
局ケイヒ(桂皮) ラ Cinnamomi Cortex 英 Cinnamon Bark	トウキンニッケイ / ケイ *Cinnamomum cassia* J.Presl (Lauraceae クスノキ科)	樹皮又は周皮の一部を除いた樹皮	精油：cinnamaldehyde, cinnamyl acetate ジテルペン：cinnzeylanol, cinncassiol A ～ E タンニン：cinnamtannin $A_{2\sim4}$, B_1 リグナン：pinorezinol	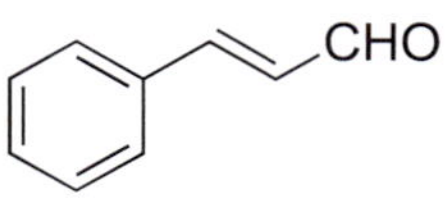 CHO	芳香性健胃，駆風 漢方：発汗，解熱 香辛料	中国南部，ベトナム
局ウヤク(烏薬，天台烏薬) ラ Linderae Radix 英 Lindera Root	テンダイウヤク *Lindera strychnifolia* (Siebold et Zucc. ex Meisn.) Fern.-Vill. (Lauraceae クスノキ科)	根	アルカロイド：laurolitsine 精油：linderane, linderene, (−)-borneol	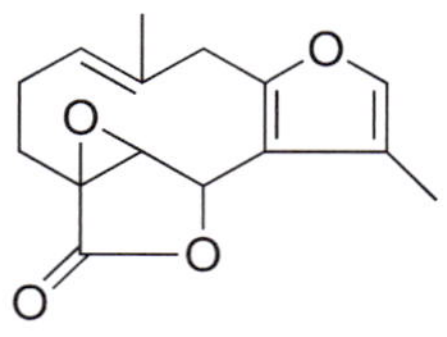 O O O O	健胃，鎮痛，頻尿	中国(浙江，湖南，安徽)

生薬名	原植物名(科名)	使用部分	成　分	構造式	用　途	産　地
局ショウマ(升麻) ラ Cimicifugae Rhizoma 英 Cimicifuga Rhizome	*Cimicifuga dahurica* (Turcz. ex Fisch. & C.A.Mey.) Maxim., *C. heracleifolia* Kom., *C. foetida* L., サラシナショウマ *C. simplex* (DC.) Wormsk. ex Turcz. (Ranunculaceae キンポウゲ科)	根茎	トリテルペン：cimigenol クロモン：cimifugin	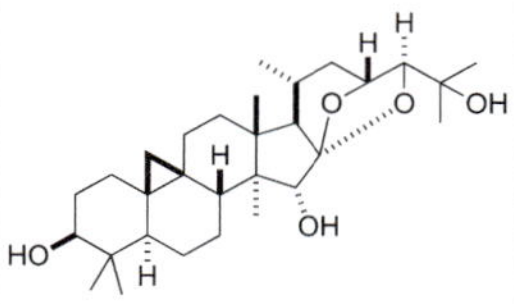 H, H, O, O, OH, H, OH, HO, H	漢方：解熱, 脱肛, 子宮脱	日本(長野, 群馬, 新潟), 中国北部, 内蒙古, 北朝鮮
局ブシ(加工ブシ)注 劇 ラ Processi Aconiti Radix 英 Processed Aconite Root	ハナトリカブト *Aconitum carmichaeli* Debeaux, オクトリカブト *A. japonicum* Thunb. (Ranunculaceae キンポウゲ科)	塊根 高圧蒸気処理, 食塩水などにより減毒したもの	アルカロイド：mesaconitine, higenamine, coryneine (強心成分)	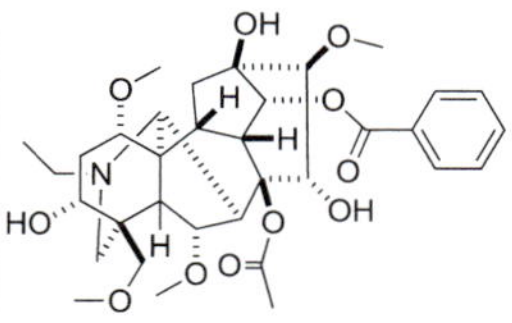 OH, O, O, H, H, O, O, N, HO, OH, H, O, O, O, O	漢方：鎮痛, 新陳代謝の機能亢進, 強心	中国(四川), 日本(新潟, 北海道)
局オウレン(黄連) ラ Coptidis Rhizoma 英 Coptis Rhizome	オウレン *Coptis japonica* (Thunb.) Makino, *C. chinensis* Franchet, *C. deltoidea* C. Y. Cheng et P.K.Hsiao 又は *C. teeta* Wallich (Ranun-culaceae キンポウゲ科)	根をほとんど除いた根茎	アルカロイド：berberine(主成分), palmatine, coptisine, worenine	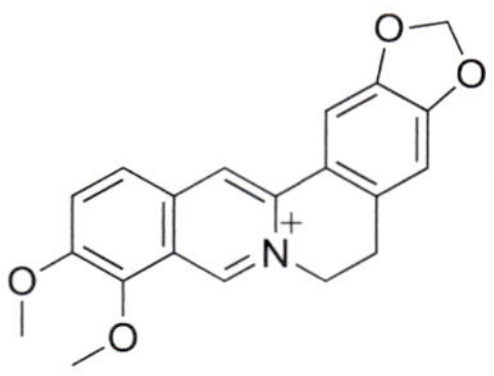 O, O, N+, O, O	苦味健胃整腸, 消炎, 鎮静 漢方：上半身の炎症, 精神不安	日本(鳥取, 福井), 中国(四川, 雲南), ビルマ, ネパール, インド
局イレイセン(威霊仙) ラ Clematidis Radix 英 Clematis Root	サキシマボタンヅル *Clematis chinensis* Osbeck, *C. mandshurica* Rupr.又は *C. hexapetala* Pallas (Ranunculaceae キンポウゲ科)	根及び根茎	サポニン：hederagenin, oleanolic acid の配糖体 フラボノイド：kaempherol anemonin	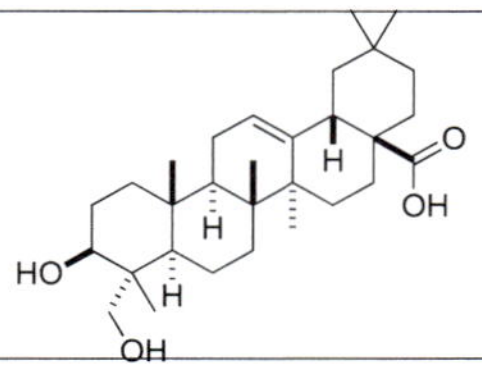 H, O, OH, H, HO, H, OH	鎮痛(神経痛, リウマチなど), 利尿	中国(東北地方, 安徽, 浙江, 江蘇)
局インヨウカク(淫羊藿) ラ Epimedii Herba 英 Epimedium Herb	キバナイカリソウ *Epimedium koreanum* Nakai, イカリソウ *E. grandiflorum* Morren var. *thunbergianum* Nakai, *E. pubescens* Maxim., *E. brevicornu* Maxim., *E. wushanense* T. S. Ying, ホザキイカリソウ, *E. sagittatum* (Siebold et Zucc.) Maxim. 又はトキワイカリソウ *E. sempervirens* Nakai (Berberidaceae メギ科)	地上部	フラボノイド：icariin アルカロイド：magnoflorine	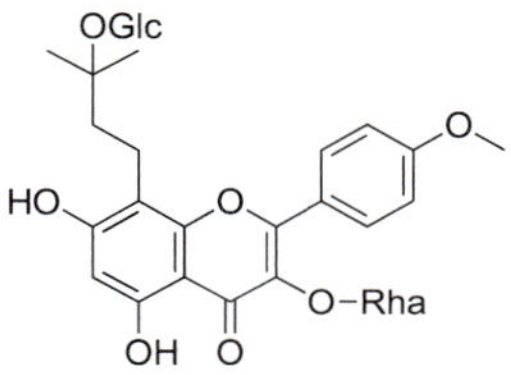 OGlc, O, HO, O, O–Rha, OH, O	強精強壮	中国(湖北, 四川, 浙江, 山西, 広西, 陝西, 湖南), 日本(長野, 新潟)
局モクツウ(木通) ラ Akebiae Caulis 英 Akebia Stem	アケビ *Akebia quinata* (Houtt.) Decne.又はミツバアケビ *A. trifoliata* (Thunb.) Koidz.(Lardizabalaceae アケビ科)	つる性の茎, 通例横切したもの	サポニン：akeboside St 類, hederagenin, oleanolic acid の配糖体	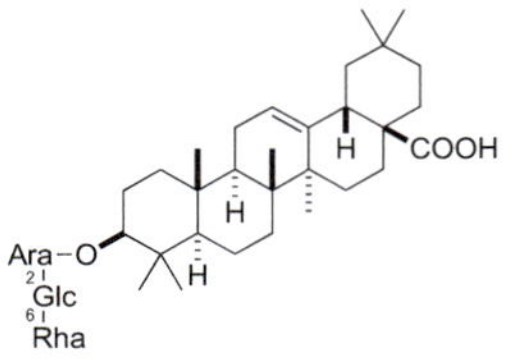 H, COOH, H, Ara–O, 2, Glc, 6, Rha, H	漢方：消炎利尿, 通経	日本(徳島, 高知, 香川, 群馬, 長野, 鹿児島)
局コロンボ ラ Calumbae Radix 英 Calumba	*Jateorhiza columba* Miers (Menispermaceae ツヅラフジ科)	根を横切したもの	アルカロイド：palmatine, jateorrhizine, columbamine ジテルペン系苦味質：columbin	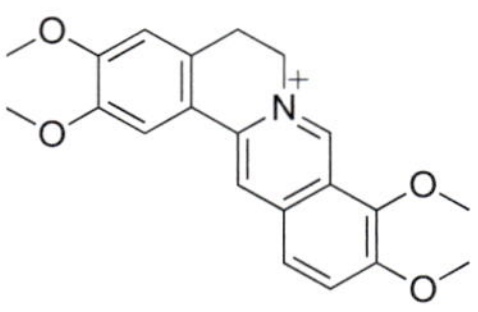 O, O, N+, O, O	苦味健胃, 整腸, 止瀉	東部アフリカ(モザンビーク地方, マダガスカル)
局ボウイ(防已) ラ Sinomeni Caulis et Rhizoma 英 Sinomenium Stem	オオツヅラフジ / ツヅラフジ *Sinomenium acutum* (Thunb.) Rehder et E.H. Wilson (Menispermaceae ツヅラフジ科)	つる性の茎及び根茎	アルカロイド：sinomenine, disinomenine, sinactine	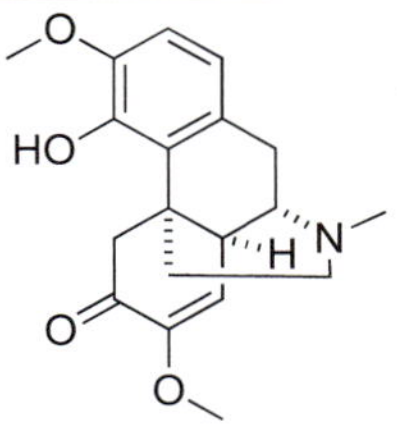 O, HO, H, N, O, O	漢方：下半身の浮腫, 鎮痛, 利尿	日本(徳島, 香川, 熊本, 宮崎)

生薬名	原植物名（科名）	使用部分	成　分	構造式	用　途	産　地
局レンニク（蓮肉） ラ Nelumbinis Semen 英 Nelumbo Seed	ハス *Nelumbo nucifera* Gaertn.（Nymphaeaceae スイレン科）	種子，通例内果皮が付いている	アルカロイド：lotusine, demethylcoclaurine, methylcorypalline デンプン，raffinose	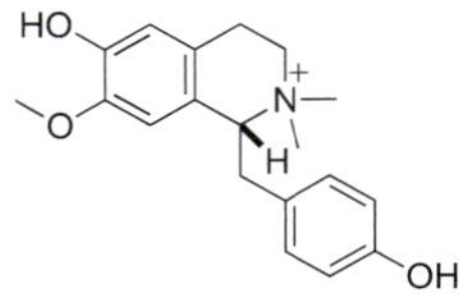	強壮，止瀉，鎮静	中国各地
局センコツ（川骨） ラ Nupharis Rhizoma 英 Nuphar Rhizome	コウホネ *Nuphar japonica* DC.，ネムロコウホネ *Nuphar pumila*（Timm）DC. 又はそれらの種間雑種（Nymphaeaceae スイレン科）	根茎を縦割したもの	アルカロイド：nupharidine タンニン：nupharin A, B	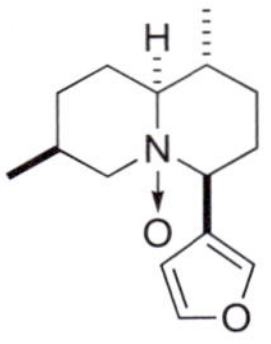	漢方：強壮，止血，また浄血，鎮静を目的に婦人薬に応用	日本（北海道，新潟），朝鮮半島
局ジュウヤク（十薬） ラ Houttuyniae Herba 英 Houttuynia Herb	ドクダミ *Houttuynia cordata* Thunb.（Saururaceae ドクダミ科）	花期の地上部	フラボノイド：quercitrin（葉），isoquercitrin（花穂） 脂肪族アルデヒド：decanoylacetaldehyde, laurylaldehyde（生薬中） 無機物：カリウム塩	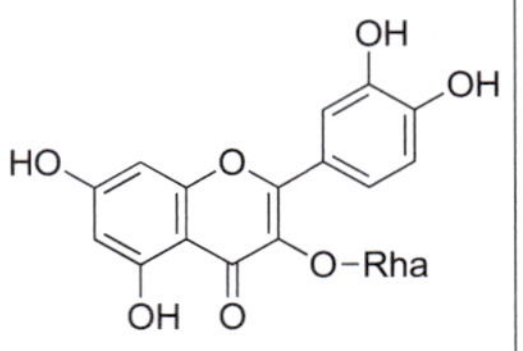	利尿，緩下，消炎	日本（新潟，兵庫，長野，宮崎，群馬，鹿児島など），中国（浙江，江蘇，安徽）
局サイシン（細辛） ラ Asiasari Radix 英 Asiasarum Root	ウスバサイシン *Asiasarum sieboldii*（Miq.）F. Maek.又はケイリンサイシン *A. heterotropoides*（F. Schmidt）F. Maekawa var. *mandshuricum* F. Maekawa（Aristolochiaceae ウマノスズクサ科）	根及び根茎	精油：methyleugenol, safrol, eucarvone 辛味成分：2*E*, 4*E*, 8*Z*, 10*E*-*N*-isobutyl-2,4,8,10-dodecatetraenamine およびその 10*Z* 体 アルカロイド：hygenamine リグナン：（－）-asarinin	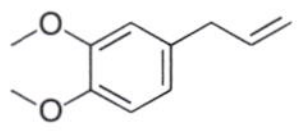 methyleugenol 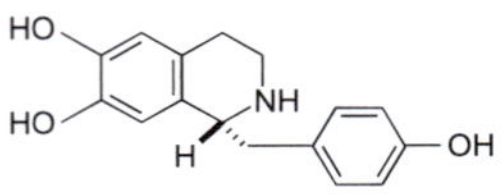 higenamine （＝demethylcoclaurine）	漢方：解熱，鎮咳，鎮痛（頭痛）	日本（長野，石川，新潟，山形，静岡），中国（東北地方，陝西，四川，湖北），朝鮮半島
局シャクヤク（芍薬） ラ Paeoniae Radix 英 Peony Root	シャクヤク *Paeonia lactiflora* Pall.（Paeoniaceae ボタン科）	根	モノテルペン配糖体：paeoniflorin, albiflorin 安息香酸，ガロタンニン類	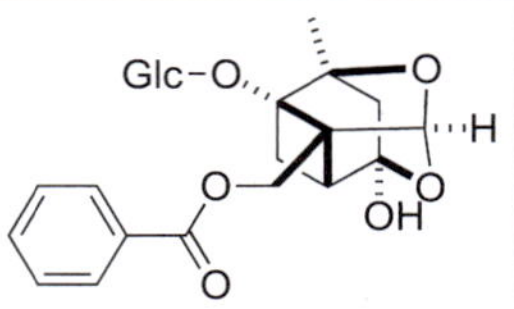	漢方：鎮痛，鎮痙，緩和，収れん	中国（内蒙古，浙江，安徽，河北，四川），日本（奈良，長野，北海道）
局ボタンピ（牡丹皮） ラ Moutan Cortex 英 Moutan Bark	ボタン *Paeonia suffruticosa* Andrews（*P. moutan* Sims）（Paeoniaceae ボタン科）	根皮	アセトフェノン類：paeonol, paeonolide, paeonoside タンニン，モノテルペン配糖体：paeoniflorin	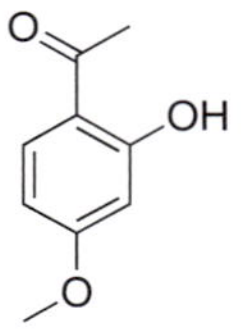	漢方：駆瘀血，通経，鎮痛，鎮痙，消炎，排膿	日本（奈良，長野など），中国（浙江，安徽，江蘇，四川，陝西など），韓国
局エンゴサク（延胡索） ラ Corydalis Tuber 英 Corydalis Tuber	エンゴサク *Corydalis turtschaninovii* Bess. f. *yanhusuo* Y. H. Chou et C. C. Hsu（Papaveraceae ケシ科）	塊茎	アルカロイド：（＋）-corydaline, protopine, bulbocapnine,（±）-tetrahydropalmatine	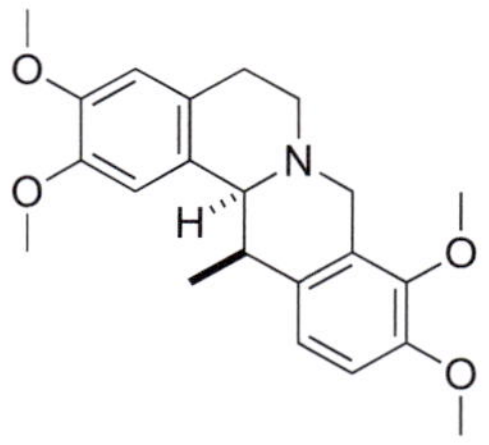	漢方：鎮痙，鎮痛，消化器潰瘍	中国（浙江，河北，山東）
局アヘン末（阿片末）麻劇指 ラ Opium Pulveratum 英 Powdered Opium	ケシ *Papaver somniferum* L.（Papaveraceae ケシ科）	未熟果皮からあへんを均質な粉末としたもの，又はこれにでん粉若しくは乳糖水和物を加えたもの（モルヒネ 9.5～10.5％）	アルカロイド：morphine, codeine, papaverine, noscapine, thebaine, narceine	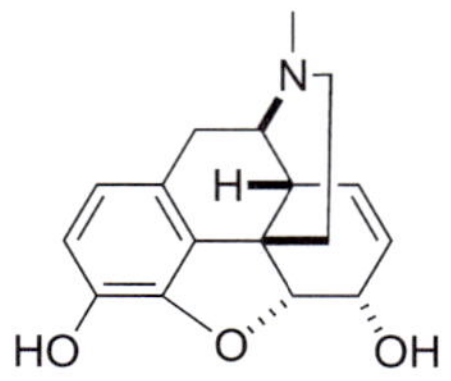	止瀉，鎮痛，鎮静，鎮痙，モルヒネ塩酸塩水和物局，ノスカピン塩酸塩水和物局，パパベリン塩酸塩局，ノスカピン局，コデインリン酸塩水和物局，アヘンアルカロイド塩酸塩局，原料	アフガニスタン，インド

生薬名	原植物名(科名)	使用部分	成　分	構造式	用　途	産　地
局アマチャ(甘茶) ラ Hydrangeae Dulcis Folium 英 Sweet Hydrangea Leaf	アマチャ *Hydrangea macrophylla* (Thunb.) Ser. var. *thunbergii* (Siebold) Makino(Saxifragaceae ユキノシタ科)	葉及び枝先	イソクマリン：(+)-phyllodulcin(生の葉には配糖体の形で含まれている)	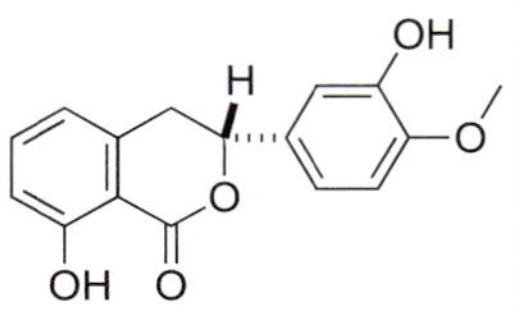	矯味, 甘味料, 口内清涼剤	日本(長野, 富山, 岩手)
局サンザシ(山査子) ラ Crataegi Fructus 英 Crataegus Fruit	サンザシ *Crataegus cuneata* Siebold et Zucc. 又はオオミサンザシ *C. pinnatifida* Bunge var. *major* N. E. Brown (Rosaceae バラ科)	偽果	フラボノイド：quercetin タンニン：chlorogenic acid トリテルペン：oleanolic acid 糖類, タンパク質, 脂肪, ビタミンC	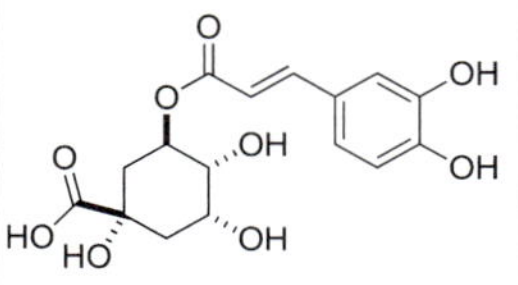	健胃, 消化, 整腸	中国(浙江, 江蘇, 河南, 山東, 河北など)
局ビワヨウ(枇杷葉) ラ Eriobotryae Folium 英 Loquat Leaf	ビワ *Eriobotrya japonica* (Thunb.) Lindl. (Rosaceae バラ科)	葉	トリテルペン：ursolic acid, oleanolic acid, corsolic acid ポリフェノール：chlorogenic acid 青酸配糖体：amygdalin 精油：*trans*-nerolidol	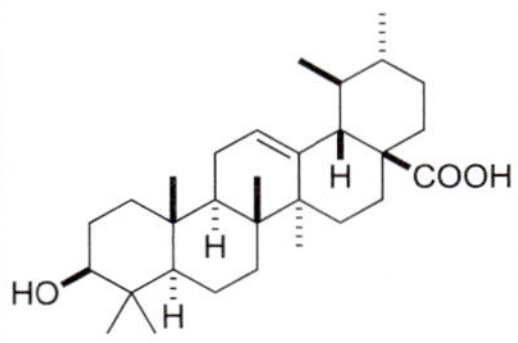	漢方：鎮咳, 去痰, 利尿 民間：ビワ茶, 直接患部に貼り消炎効果, 清涼健胃薬, 浴湯料	日本(徳島), 中国(広東, 広西, 江蘇, 浙江)
局トウニン(桃仁) ラ Persicae Semen 英 Peach Kernel	モモ *Prunus persica* (L.) Batsch 又は *P. persica* var. *davidiana* (CarriŠre) Maxim. (Rosaceae バラ科)	種子	青酸配糖体：amygdalin 脂肪油(40～50％) タンパク質	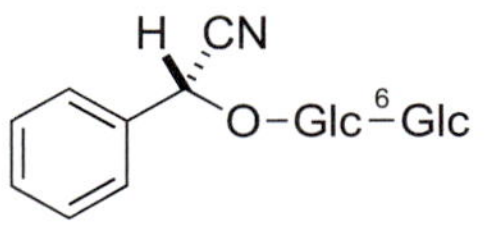	漢方：消炎性駆瘀血, 通経, 鎮痛	中国(山東, 山西, 河北)
局キョウニン(杏仁) ラ Armeniacae Semen 英 Apricot Kernel	ホンアンズ *Prunus armeniaca* L.又はアンズ *P. armeniaca* L. var. *ansu* Maxim. 又は *Prunus sibirica* Linné (Rosaceae バラ科)	種子	青酸配糖体：amygdalin 脂肪油(50% olein) タンパク質	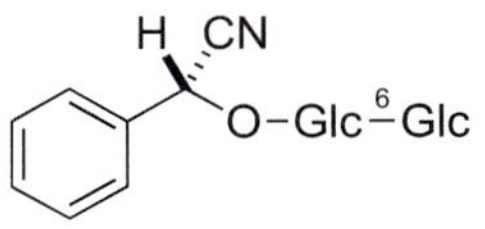	漢方：鎮咳, 去痰 キョウニン水原料	ホンアンズは中国(吉林, 甘粛), モンゴル, 北朝鮮. アンズは日本(長野, 山梨)
局オウヒ(桜皮) ラ Pruni Jamasakurae Cortex 英 Cherry Bark	ヤマザクラ *Prunus jamasakura* Siebold ex Koidzumi 又はカスミザクラ *Prunus verecunda* Koehne (Rosaceae バラ科)	樹皮(通例周皮を除いたもの)	フラボノイド：genistein glycoside, sakuranin, glucogenkwanin	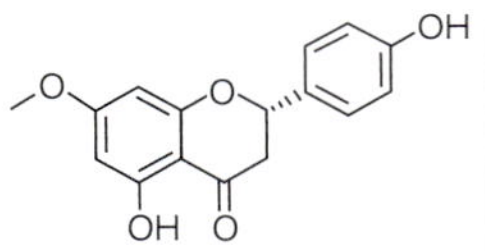	鎮咳, 解毒, オウヒエキス原料	徳島, 宮崎, 鹿児島
局エイジツ(営実) ラ Rosae Fructus 英 Rose Fruit	ノイバラ *Rosa multiflora* Thunb.(Rosaceae バラ科)	偽果又は果実	フラボノイド配糖体：multiflorin A, B	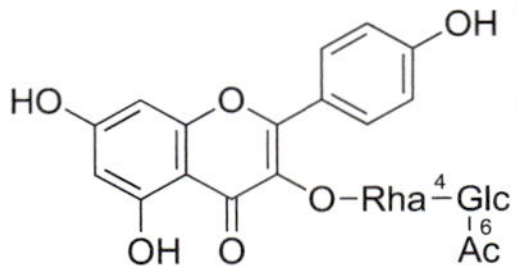	瀉下	日本(長野, 群馬), 中国(東北地方), 北朝鮮
局アラビアゴム ラ Gummi Arabicum 英 Acasia	アラビアゴムノキ *Acacia senegal* (L.) Willd.又はその他同属植物(Leguminosae マメ科)	幹及び枝から得た分泌物	多糖類：arabic acid (構成糖 L-arabinose, D-galactose, L-rhamnose, D-glucuronic acid)		乳化, 結合剤, のり料	スーダン, ナイジェリア
局トラガント ラ Tragacantha 英 Tragacanth	トラガント *Astragalus gummifer* Labill.又はその他同属植物(Leguminosae マメ科)	幹から得た分泌物	多糖類：tragacanthic acid(構成糖 D-galacturonic acid, D-xylose, L-fucose, D-galactose)		結合剤, 崩壊剤, 懸濁化剤(クリーム, リニメントなど)	イラン, シリア, トルコ
局オウギ(黄耆) ラ Astragali Radix 英 Astragalus Root	キバナオウギ *Astragalus membranaceus* Fisch. ex Bunge, ナイモウオウギ *A. mongholicus* Bunge(Leguminosae マメ科)	根	フラボノイド：formononetin, isoliquiritigenin トリテルペン配糖体：astragaloside Ⅰ～Ⅷ 多糖類：A Mon-S, P	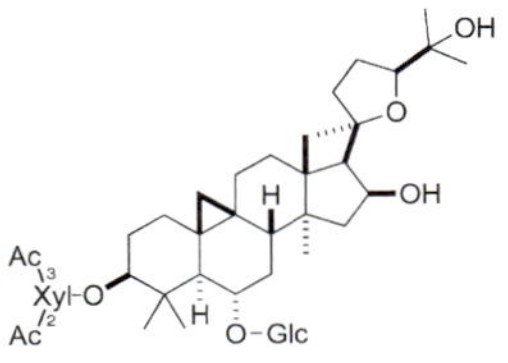	漢方：強壮, 止汗, 強心, 利尿, 血圧降下	中国(四川, 華北, 東北地方), 朝鮮半島
局シンギ(晋耆) ラ Hedysari Radix 英 Hedysarum Root	*Hedysarum polybotrys* Handel-Mazzetti (Leguminosae マメ科)	根	フラボノイド：formononetin, liquiritigenin トリテルペン：ursolic acid	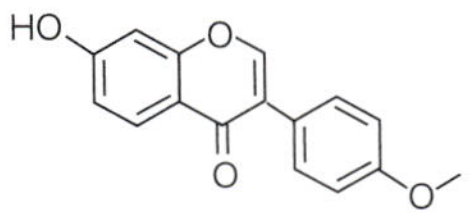	強壮, 止汗, 強心, 利尿, 血圧降下	中国(内モンゴル, 寧夏, 甘粛, 四川)

生薬名	原植物名(科名)	使用部分	成　分	構造式	用　途	産　地
局ソボク(蘇木) ラ Sappan Lignum 英 Sappan Wood	スオウ *Caesalpinia sappan* L.(Leguminosae マメ科)	心材	色素：brasilin 精油：(+)-α-phellandrene	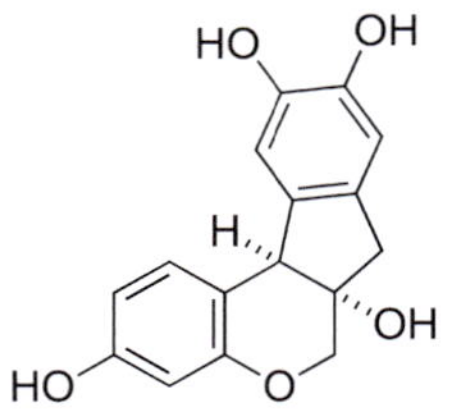	漢方：駆瘀血，染料	東南アジア，中国南部(広西，他)
局センナ(A) ラ Sennae Folium 英 Senna Leaf 外センナジツ(センナ実)(B) ラ Sennae Fructus 英 Senna Fruit	チンネベリセンナ(センナ，ホソバセンナ) *Cassia angustifolia* Vahl 又はアレクサンドリアセンナ *C. acutifolia* Del.(Leguminosae マメ科)	(A)小葉 (B)果実	アントラキノン：chrysophanol, aloe-emodin, rhein(一部配糖体として)，sennoside A, B フラボノイド：kaempherol	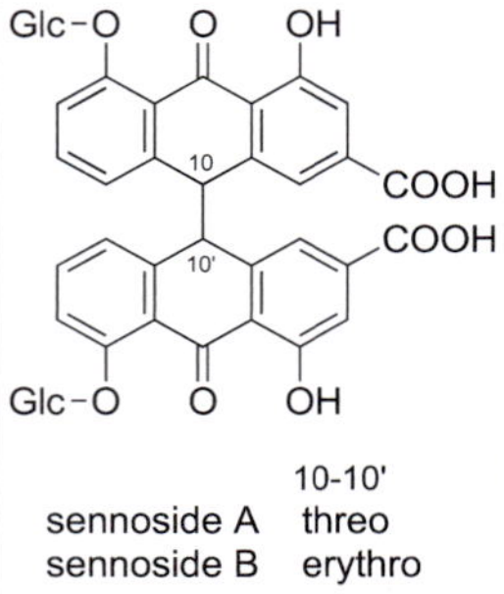 10-10' sennoside A　threo sennoside B　erythro	緩下	1) インド西南部(チンネベリ・センナ) 2) 北アフリカ(アレキサンドリア・センナ)
局ケツメイシ(決明子) ラ Cassiae Semen 英 Cassia Seed	エビスグサ *Cassia obtusifolia* L.又は *C. tora* L.(Leguminosae マメ科)	種子	アントラキノン：obtusifolin, obtusin, aurantio-obtusin など ナフトピロン：rubrofuzarin	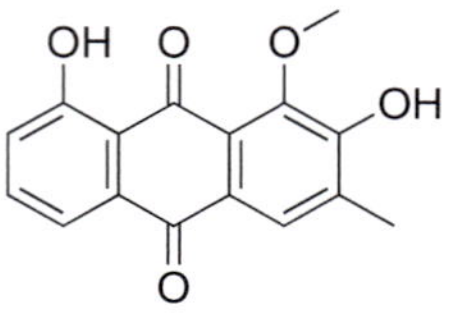	高血圧，整腸，利尿	中国(江蘇，安徽，四川，広西，雲南)，インド，タイ，日本
局ヘンズ(扁豆) ラ Dolichi Semen 英 Dolichos Seed	フジマメ *Dolichos lablab* L.(Leguminosae マメ科)	種子	デンプン，タンパク質 クマリン誘導体：scopoletin	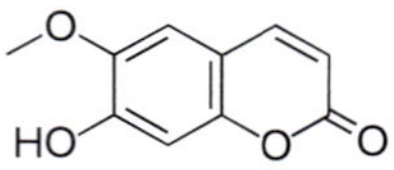	解毒，健胃	中国(安徽，陝西，湖北，浙江)
局カンゾウ(甘草)(A) ラ Glycyrrhizae Radix 英 Glycyrrhiza シャカンゾウ(炙甘草)(B) ラ Glycyrrhizae Radix Preparata 英 Processed Glycyrrhiza	ウラルカンゾウ *Glycyrrhiza uralensis* Fisch.又はスペインカンゾウ *G. glabra* L.(Legu-minosae マメ科)	(A)根及びストロン，皮去りカンゾウは周皮を除いたもの (B)上記(A)を加熱処理したもの	トリテルペンド配糖体：glycyrrhizin(=glycyrrhetic acid diglucuronide) フラボノイド：isoliquiritin apioside 他 多糖類：glycyrrhizan UA～UE, GA	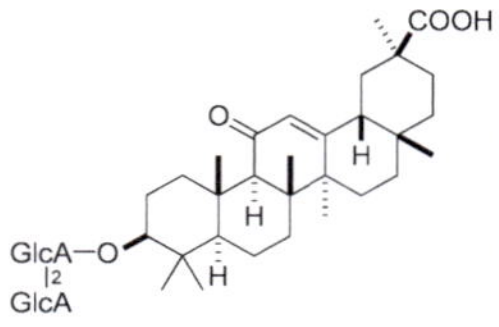	鎮咳，去痰，粘滑，緩和，矯味，賦形剤	中国(内蒙古，甘粛，寧夏回族自治区，新疆)，イラン，ロシア，アフガニスタン，パキスタン
局カッコン(葛根) ラ Puerariae Radix 英 Pueraria Root	クズ *Pueraria lobata* (Willd.) Ohwi(Leguminosae マメ科)	周皮を除いた根	フラボノイド配糖体：daidzin, puerarin, genistein 他 サポニン：kudzusaponin $A_{1\sim5}$ 他 デンプン	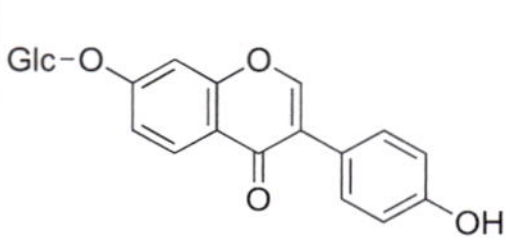	漢方：発汗，解熱，鎮咳，クズデンプン原料	日本(長野，奈良，鹿児島，群馬)，中国(湖南，河南，広東，広西，浙江，四川など)，韓国
局クジン(苦参) ラ Sophorae Radix 英 Sophora Root	クララ *Sophora flavescens* Aiton (Leguminosae マメ科)	根又は周皮を除いた根	アルカロイド：matrine, oxymatrine	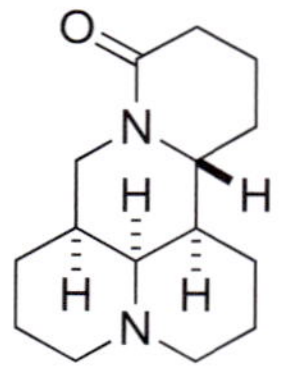	漢方：解熱，消炎止瀉，苦味健胃 家畜の皮膚寄生虫駆除薬	日本(長野など)，中国(河北)，韓国
局ゲンノショウコ ラ Geranii Herba 英 Geranium Herb	ゲンノショウコ *Geranium thunbergii* Siebold et Zucc.(Geraniaceae フウロソウ科)	地上部	タンニン：geraniin フラボノイド：quercetin	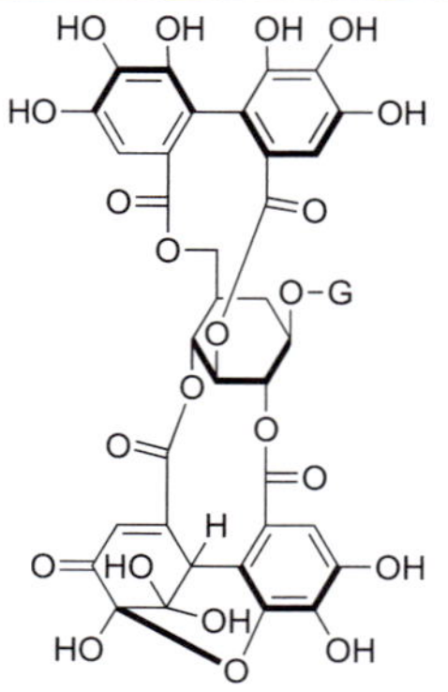	収れん，止瀉，整腸	日本(徳島，鳥取，埼玉，長崎，長野など)，韓国，中国

生薬名	原植物名（科名）	使用部分	成　分	構造式	用　途	産　地
局シツリシ（蒺藜子） ラ Tribuli Fructus 英 Tribulus Fruit	ハマビシ *Tribulus terrestris* L.（Zygophyllaceae ハマビシ科）	果実	アルカロイド：harmine フラボノイド：kaempferol, astragalin タンニン, 樹脂, 精油, 脂肪油, サポニン アミド：terrestriamide	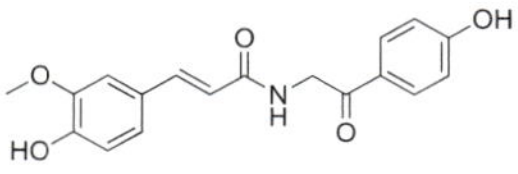	利尿, 浄血, 消炎, 強壮, 眼疾薬	中国（河南, 河北, 山東, 安徽など）
局アカメガシワ（赤芽柏） ラ Malloti Cortex 英 Mallotus Bark	アカメガシワ *Mallotus japonicus*（Thunb.）Muell. Arg.（Euphorbiaceae トウダイグサ科）	樹皮	苦味物質：bergenin フラボノイド配糖体：rutin タンニン：geraniin, mallotusnic acid	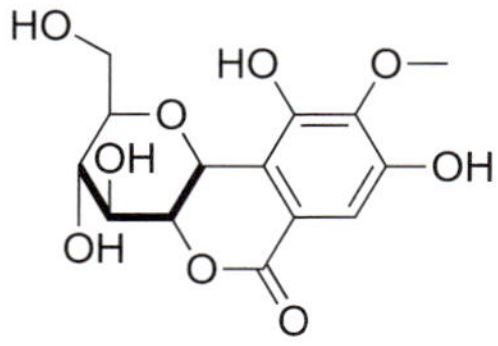	抗潰瘍治療剤	日本（四国, 九州）, 中国（東北地方）
局トウヒ（橙皮） ラ Aurantii Pericarpium 英 Bitter Orange Peel	*Citrus aurantium* L. 又はダイダイ *C.aurantium* L. var. *daidai* Makino（Rutaceae ミカン科）	成熟果皮	精油：(+)-limonene フラボノイド配糖体：hesperidin, isohesperidin リモノイド：limonin アルカロイド：synephrine	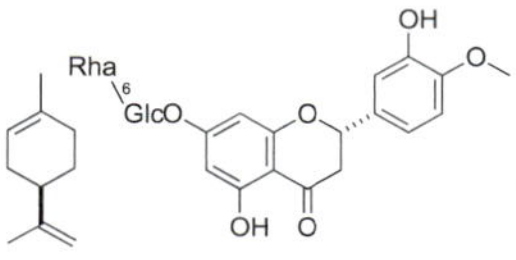	芳香性苦味健胃 トウヒシロップ局, 同チンキ局, 苦味チンキ局の原料	日本各地（山口, 愛媛）
局キジツ（枳実） ラ Aurantii Fructus Immaturus 英 Immature Orange	*Citrus aurantium* L., ダイダイ *C. aurantium* L. var. *daidai* Makino 又はナツミカン *C. natsudaidai* Hayata（Rutaceae ミカン科）	未熟果実をそのまま又はそれを半分に横切したもの	精油：(+)-limonene フラボノイド配糖体：hesperidin, naringin その他トウヒ, チンピを参照	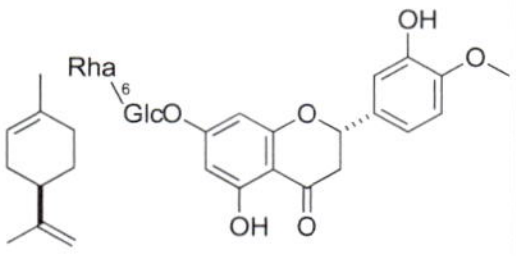	芳香性健胃, 止瀉 漢方：胸腹部のつかえ, 膨満感	日本（和歌山, 広島, 愛媛）, 中国（四川, 江西）
局チンピ（陳皮） ラ Aurantii Nobilis Pericarpium 英 Citrus Unshiu Peel	ウンシュウミカン *Citrus unshiu*（Swingle）Marcow. 又はポンカン *C. reticulata* Blanco（Rutaceae ミカン科）	成熟した果皮	精油：(+)-limonene フラボノイド：nobiletin, hesperidin アルカロイド：synephrine	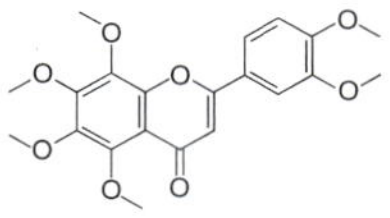	漢方：健胃, 鎮吐, 鎮咳芳香性健胃, 発汗, 去痰, 浴湯料	日本（静岡, 愛媛, 和歌山, 神奈川, 山口など）, 中国（広州, 温州など）, 韓国
局ゴシュユ（呉茱萸） ラ Evodiae Fructus 英 Evodia Fruit	ゴシュユ *Euodia ruticarpa* Hook. f. et Thomson（=*E. ruticarpa*（A. Juss.）Benth., *Tetradium ruticarpum*（A. Juss.）T.G.Hartley） 又は *Euodia officinalis* Dode（Rutaceae ミカン科）	果実	アルカロイド：evodiamine, rutaecarpine, higenamine, synephrine リモノイド：limonin 精油：evodene	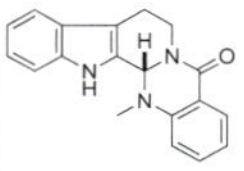 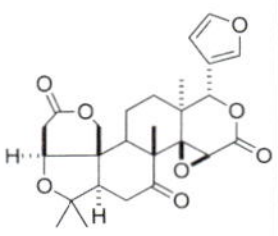	漢方：苦味・芳香性健胃, 鎮痛, 利尿	中国（貴州, 湖南, 広西, 雲南, 四川, 陝西, 浙江など）, 日本（奈良）
局オウバク（黄柏） ラ Phellodendri Cortex 英 Phellodendron Bark	キハダ *Phellodendron amurense* Rupr. 又は *P. chinense* Schneider（Rutaceae ミカン科）	周皮を除いた樹皮	アルカロイド：berberine（主成分）, palmatine リモノイド：limonin, obakunone	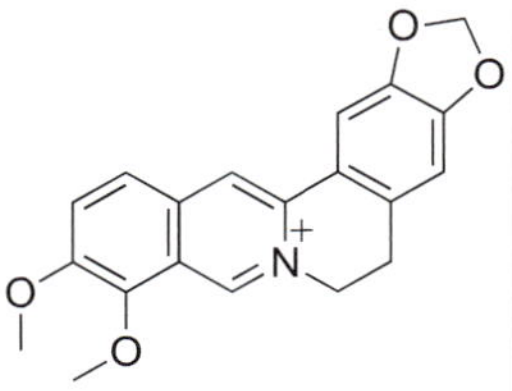	苦味健胃整腸, 止瀉 外用：打撲 タンニン酸ベルベリン局, ベルベリン塩化物水和物局原料	日本（北海道, 岐阜, 長野, 福井, 鳥取, 群馬など）, 中国（東北地方, 四川, 湖北, 貴州）, 北朝鮮
局サンショウ（山椒） ラ Zanthoxyli Fructus 英 Zanthoxylum Fruit	サンショウ *Zanthoxylum piperitum*（L.）DC.（Rutaceae ミカン科）	成熟果皮で種子をできるだけ除いたもの	辛味性酸アミド：sanshool I, sanshoamide 精油（1.0 mL 以上/30 g）：β-phellandrene, citronellal, limonene（54%）タンニン		漢方：芳香性辛味健胃, 駆虫 苦味チンキ局原料 香辛料	日本（和歌山, 熊本, 長野など）
局ニガキ（苦木） ラ Picrasmae Lignum 英 Picrasma Wood	ニガキ *Picrasma quassioides*（D. Don）Benn.（Simaroubaceae ニガキ科）	樹皮を除いた木部	ジテルペノイド：nigakilactone A ～ N, quassin（nigakilactone D） アルカロイド：nigakinone	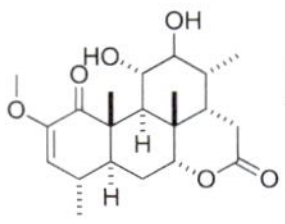 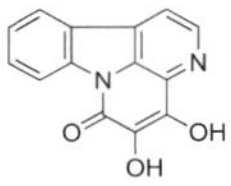	苦味健胃 ニガキチンキ原料	日本（長野, 群馬）
局セネガ ラ Senegae Radix 英 Senega	セネガ *Polygala senega* L. 又はヒロハセネガ *P. senega* L. var. *latifolia* Torr. et A. Gray（Polygalaceae ヒメハギ科）	根	サポニン：senegin II ～ IV 精油：methyl salicylate	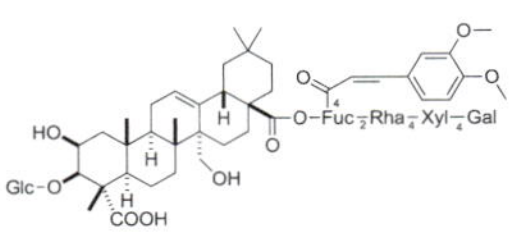	去痰 セネガシロップ局原料	カナダ, アメリカ, 日本（北海道, 岩手, 奈良, 兵庫）

生薬名	原植物名(科名)	使用部分	成 分	構造式	用 途	産 地
(局)オンジ(遠志) [ラ] Polygala Radix [英] Polygala Root	イトヒメハギ *Polygala tenuifolia* Willd.(Polygaraceae ヒメハギ科)	根	サポニン：onjisaponin A ～ G キサントン：3-hydroxy-2, 6, 7, 8-tetramethoxyxanthone 他 フェニルプロパノイド：3, 4, 5-trimethoxycinnamic acid	onjisaponin E	去痰 漢方：強壮，鎮静	中国(河南，河北，山西，東北地方，内蒙古)
(局)リュウガンニク(竜眼肉) [ラ] Longan Arillus [英] Longan Pulp	リュウガン *Euphoria longana* Lam.(Sapindaceae ムクロジ科)	仮種皮	ショ糖，ブドウ糖		強壮，造血作用	中国(福建，広東，広西，雲南，四川，台湾)
(局)タイソウ(大棗) [ラ] Zizyphi Fructus [英] Jujube	ナツメ *Ziziphus jujuba* Mill. var. *inermis* (Bunge) Rehder(Rhamnaceae クロウメモドキ科)	果実	トリテルペン：oleanolic acid サポニン：zizyphus saponin Ⅰ～Ⅲ，zizybeoside Ⅰ～Ⅱ oleamide 糖，粘液質	zizyphus sapoin Ⅱ	漢方：緩和，強壮，補血	中国(河北，河南，山東)，北朝鮮
(局)サンソウニン(酸棗仁) [ラ] Zizyphi Semen [英] Jujube Seed	サネブトナツメ *Ziziphus jujuba* Mill. var. *spinosa*(Bunge)Hu ex H. F. Chow(Rhamnaceaeクロウメモドキ科)	種子	トリテルペン：betulin, betulinic acid 脂肪油 サポニン：jujuboside A, B	jujuboside B	鎮静，不眠症，健忘症	中国(河北，河南，陝西)
(局)ブドウ酒 [ラ] Vitis Vinifera Fructus [英] Grape vine	ブドウ *Vitis vinifera* L.(Vitaceae ブドウ科)	果実	フラボノイド，タンニン，アントシアニン，ビタミン類		食欲増進，強壮，不眠症	アジア西部
(局)トウガシ(冬瓜子) [ラ] Benincasae Semen [英] Benincasa Seed	トウガン *Benincasa cerifera* Savi 又は*B. cerifera* Savi f. *emarginata* K. Kimura et Sugiyama (Cucurbitaceae ウリ科)	種子	安息香酸配糖体：5-{[2-*O*-(β-D-apiofuranosyl)-β-D-glucopyranosyl]oxy}-2-hydroxybenzoic acid サポニン，脂肪油，タンパク質		鎮咳，去痰，排膿，消炎性利尿薬	中国(四川，浙江，江蘇，河南)
(局)カロコン(栝楼根)(A) [ラ] Trichosanthis Radix [英] Trichosanthes Root (外)カロニン(栝楼仁)(B) [ラ] Trichosanthis Semen [英] Trichosanthes Seed	シナカラスウリ *Trichosanthes kirilowii* Maxim.,キカラスウリ *T. kirilowii* Maxim. var. *japonica* (Miq.) Kitam.又はオオカラスウリ *T. bracteata* auct. non(Lam.) Voigt(Cucurbitaceae ウリ科)	(A)コルク層を除いた根 (B)種子	A)トリテルペン：11-oxo-cucurbit-5-ene-3β, 24, 25-triol, trichosanic acid, タンパク質：trichosanthin デンプン B)脂肪油：oleic acid, linolic acid, linolenic acid トリテルペン：karounidiol	COOH	A)漢方：口渇，解熱，止瀉，利尿，催乳，鎮咳 B)漢方：解熱，消腫	中国(河南，広西，広東，山東)，韓国，日本(新潟，群馬，鹿児島)
(局)チョウジ(丁子，丁香) [ラ] Caryophylli Flos [英] Clove	チョウジ/グローブ *Syzygium aromaticum*(L.) Merr. et L. M. Perry(= *Eugenia caryophyllata* Thunb.)(Myrtaceae フトモモ科)	蕾	精油(1.6 mL 以上/10 g)：eugenol(主成分)，acetyleugenol, β-caryophyllene タンニン：eugenin	HO	芳香性健胃，香辛料	モルッカ諸島，ペナン島(以上アジア)，マダガスカル，ザンジバル島(以上アフリカ)
(局)サンシュユ(山茱萸) [ラ] Corni Fructus [英] Cornus Fruit	サンシュユ *Cornus officinalis* Siebold et Zucc.(Cornaceae ミズキ科)	偽果の果肉	イリドイド配糖体：morroniside, loganin 有機酸：没食子酸，リンゴ酸，酒石酸	HO O-Glc	漢方：強壮，収れん，止血	中国(浙江省，安徽，河南，山西，陝西，四川)，韓国，日本(奈良)

生薬名	原植物名(科名)	使用部分	成　分	構造式	用　途	産　地
局刺五加(シゴカ) ラ Eleutherococci Senticosi Rhizoma 英 Eleuthereococcus Senticosus Rhizome	エゾウコギ *Eleutherococcus senticosus* (Rupr. et Maxim.) Maxim. (= *Acanthopanax senticosus* (Harms) Rupr. et Maxim.) (Araliaceae ウコギ科)	根茎	サポニン：eleutheroside A, I, K, L, M フェニルプロパノイド配糖体：eleutheroside B リグナン：eleutheroside D, E, (−)-sesamin クマリン：isoflaxidin とその glucoside	Glc−O, OH	強壮, 抗疲労	ロシア(シベリア), 中国(東北地方, 河北), 日本(北海道)
局ドクカツ(独活, 九眼独　活)(B) ラ Araliae Cordatae Rhizoma 英 Aralia Cordata Rhi-zome	ウド *Aralia cordata* Thunb.(Araliaceae ウコギ科)	根茎	精　油：limonene, sabinene, α -pinene クマリン誘導体：angelol, angelicon, pinpinerin ジテルペン：ent-kaurenoic acid, 16, 17-dihydroxy-16-β -(−)-kauran-19-oic acid		解熱, 鎮痛, 発汗	日本(群馬, 新潟, 長野)
局ニンジン(人参)(A) ラ Ginseng Radix 英 Ginseng 局コウジン(紅参)(B) ラ Ginseng Radix Rubra 英 Red Ginseng	オタネニンジン *Panax ginseng* C.A. Mey.(= *Panax schinseng* Nees) (Araliaceae ウコギ科)	(A) 細根を除いた根, 又はこれを湯通ししたもの (B) 根を蒸したもの	サポニン：ginsenoside 類(protopanaxadiol, protopanaxatriol の配糖体) 精油：β -elemene ポリアセチレン化合物：panaxynol	ginsenoside Rb_1 ginsenoside Rg_1	漢方：強壮, 強精, 胃衰弱などに用いる	韓国, 中国(吉林, 黒竜江), 日本(長野, 島根, 福島)
局チクセツニンジン(竹節人参) ラ Panacis Japonici Rhizoma 英 Panax Japonicus Rhizome	トチバニンジン *Panax japonicus* (T. Nees) C. A. Mey.(Araliaceae ウコギ科)	根茎, 通例湯通ししたもの	サポニン：chikusetsusaponin(oleanolic acid の配糖体) ginsenoside 類(少量)	chikusetsusaponin IV	漢方：去痰, 解熱, 健胃	日本(長野, 山形, 福井, 群馬, 香川, 鹿児島)
局トウキ(当帰) ラ Angelicae Radix 英 Japanese Angelica Root	トウキ *Angelica acutiloba* (Siebold et Zucc.) Kitag.又はホッカイトウキ *A. acutiloba* Kitag. var. *sugiyamae* Hikino(Umbelliferae セリ科)	根, 通例湯通ししたもの	精油(0.2%) アルキルフタリド：ligustilide, *n*-butyliangeolide クマリン：scopoletin, bergaptene ポリアセチレン：falcarindiol	C_4H_8	漢方：強壮, 鎮痙, 通経, 鎮静(婦人病)	日本(北海道, 奈良, 群馬, 岩手, 青森), 中国, 韓国
局ビャクシ(白芷) ラ Angelicae Dahuricae Radix 英 Angelica Dahurica Root	ヨロイグサ *Angelica dahurica* (Hoffm.) Benth. et Hook. f. ex Franch. et Sav.(Umbelliferae セリ科)	根	フロクマリン：byakangelicol, oxypeucedanin, imperatorin		漢方：鎮痛, 解熱	中国(浙江, 河南, 河北), 日本(奈良, 北海道), 韓国
局ゼンコ(前胡) ラ Peucedani Radix 英 Peucedanum Root	*Peucedanum praeruptorum* Dunn 又はノダケ *Angelica decursiva* (Miq.) Franch. et Sav. (= *Peucedanum decursivum* (Miq.) Maxim.) (Umbelliferae セリ科)	根	クマリン：nodakenin, decursin 精油：limonene	Glc−O	解熱, 鎮痛, 鎮咳, 去痰	中国(浙江, 四川, 湖南)
局サイコ(柴胡) ラ Bupleuri Radix 英 Bupleurum Root	ミシマサイコ *Bupleurum falcatum* L. (Umbelliferae セリ科)	根	サポニン：saikosaponin a ～ f ステロール：α-spinasterol ポリアセチレン：saikodiyne A ～ C 脂肪油 多　糖：BR5-Ⅰ, BR-Ⅱb, ペクチン様多糖	Fuc−O, Glc, OH	漢方：消炎, 解熱, 鎮静	日本(野生：鹿児島, 宮崎, 栽培：茨城, 宮崎, 静岡, 高知), 中国(揚子江以北, 東北地方), 韓国

生薬名	原植物名(科名)	使用部分	成　分	構造式	用　途	産　地
局ジャショウシ(蛇床子) ラ Cnidii Monnieris Fructus 英 Cnidium Monnieri Fruit	オカゼリ *Cnidium monnieri* (L.) Cusson (Umbelliferae セリ科)	果実	精油：(－)-pinene, camphene, bornyl isovalerate クマリン：osthol, cnidimarin ベンゾフラン：cnidioside A ～ C		収れん性消炎薬	中国(東北地方), モンゴル, シベリア, 朝鮮半島
局センキュウ(川芎) ラ Cnidii Rhizoma 英 Cnidium Rhizome	センキュウ *Cnidium officinale* Makino (Umbelliferae セリ科)	根茎, 通例湯通ししたもの	精油 1 ～ 2%： アルキルフタリド：ligustilide, cnidilide, neocnidilide	H, C_4H_9, O, H, O	漢方：鎮静, 鎮痙, 補血, 強壮, 駆瘀血	日本(北海道, 奈良, 岩手, 宮城)
局キョウカツ(羌活) ラ Notopterygii Rhizoma 英 Notopterygium Rhizome	*Notopterygium incisum* K.C.Ting et H. T. Chang 又は *N. forbesii* H. Boissieu (Umbelliferae セリ科)	根茎及び根	クマリン：notopterol, isoimperatorin, notoptol, リグナン：desoxypodophyllotoxin ポリアセチレン類：farcalindiol	OH	祛風湿薬として感冒, 浮腫, 関節炎	中国(四川, 甘粛, 青海)
局ウイキョウ(茴香) ラ Foeniculi Fructus 英 Fennel	ウイキョウ(フェンネル) *Foeniculum vulgare* Mill. (Umbelliferae セリ科)	果実	精油：anethole(主成分), (＋)-fenchone, α, β-pinene, anisaldehyde など		芳香性健胃, 駆風, 去痰	中国(内蒙古, 山西), 日本(長野, 愛知)
局ハマボウフウ(浜防風) ラ Gleniae Radix cum Rhizoma 英 Glehnia Root	ハマボウフウ *Glehnia littoralis* F. Schmidt ex Miq. (Umbelliferae セリ科)	根及び根茎	クマリン：imperatorin, psoralen, osthenol-7-*O*-β-gentiobioside		漢方：発汗, 解熱, 鎮痛, 鎮痙	日本(北海道, 岩手, 新潟, 島根, 鳥取), 韓国
局ボウフウ(防風) ラ Saposhnikoviae Radix 英 Saposhnikovia Root	ボウフウ/トウスケボウフウ *Saposhnikovia divaricata* (Turcz.) Schischk. (Umbelliferae セリ科)	根及び根茎	クマリン：deltoin, fraxidin, isofraxidin, scopoletin クロモン：cimifugin, hamaudol		漢方：解熱, 感冒治療	中国(黒竜江, 吉林, 内蒙古, 山西, 河北, 山東の北部)
局ウワウルシ ラ Uvae Ursi Folium 英 Bearberry Leaf	クマコケモモ *Arctostaphylos uva-ursi* (L.) Spreng. (Ericaceae ツツジ科)	葉	配糖体：arbutin, methylarbutin タンニン トリテルペン：ursolic acid	OH, O–Glc	尿路防腐, 利尿	スペイン, フランス, ドイツ
局アンソッコウ(安息香) ラ Benzoinum 英 Benzoin	アンソクコウノキ *Styrax benzoin* Dryand. 又はその他同属植物 (Styracaceae エゴノキ科)	樹脂(幹に傷をつけ採取)	cinnamic acid, benzoic acid のエステル vanillin	O, CHO, HO	着香料, 防腐, 刺激薬	スマトラ, ジャワ, マラッカ
局レンギョウ(連翹) ラ Forsythiae Fructus 英 Forsythia Fruit	レンギョウ *Forsythia suspensa* (Thunb.) Vahl (Oleaceae モクセイ科)	果実	リグナン：arctiin, phillyrin, matairesiol, pinoresinol トリテルペン：oleanolic acid フェニルエタノイド：forsythiaside フラボノイド：rutin	H, O, O, O, Glc, H, O, O	漢方：解毒, 排膿, 利尿, 消炎	中国(山西, 河南, 陝西, 山東, 河北, 甘粛, 湖北など), 朝鮮半島
局ホミカ劇指 ラ Strychni Semen 英 Nux Vomica	マチン *Strychnos nux-vomica* L. (Loganiaceae マチン科)	種子	アルカロイド：strychnine, brucine	H, N, H, N, H, H, O, O, H	苦味健胃, 強壮, 神経興奮, ホミカチンキ局, ホミカエキス局の原料	インド, スリランカ, ビルマ, インドシナ半島, スマトラ, ボルネオ, オーストラリア北部

生薬名	原植物名（科名）	使用部分	成　分	構造式	用　途	産　地
局ゲンチアナ ラ Gentianae Radix 英 Gentian	ゲンチアナ *Gentiana lutea* L.（Gentianaceae リンドウ科）	根及び根茎	苦味配糖体：gentiopicroside（＝gentiopicrin） 黄色色素：gentisin トリテルペン：ruburic acid	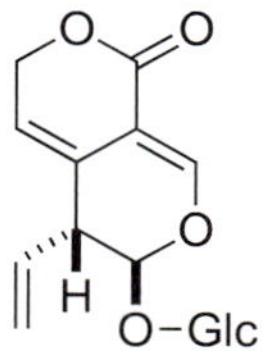	苦味健胃	ヨーロッパ中部産地（ピレネー，アルプス山系），日本（北海道）
局リュウタン（竜胆） ラ Gentianae Scabrae Radix 英 Japanese Gentian	トウリンドウ *Gentiana scabra* Bunge var. *scabra*（Miq.）Maxim., *G. manshurica* Kitagawa 又は *G. triflora* Pallas（Gentianaceae リンドウ科）	根及び根茎	苦味配糖体：gentiopicroside, scabraside 黄色色素：gentisin	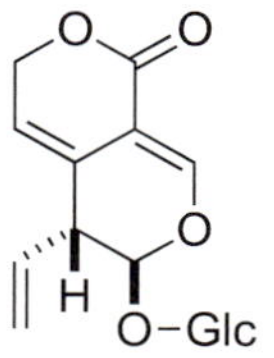	苦味健胃　漢方：抗炎症	中国（東北地方，内蒙古），北朝鮮
局センブリ（当薬） ラ Swertiana Herba 英 Swertia Herb	センブリ *Swertia japonica*（Schult.）Makino（Gentianaceae リンドウ科）	開花期の全草	苦味配糖体：swertiamarin, sweroside, amarogentin	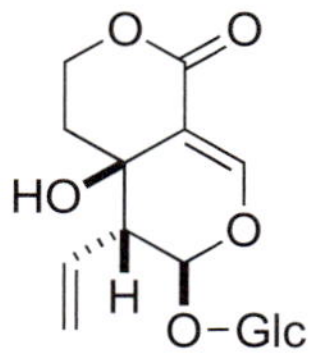	苦味健胃，整腸	日本各地に野生（長野，岩手，山形，秋田，福島，石川，福井，香川など），近年は栽培（長野，岐阜）
局コンズランゴ ラ Condurango Cortex 英 Condurango	コンズランゴ *Marsdenia cundurango* Rchb. f.（Asclepiadaceae ガガイモ科）	樹皮	ステロイド配糖体：condurangoglycoside A ～ D	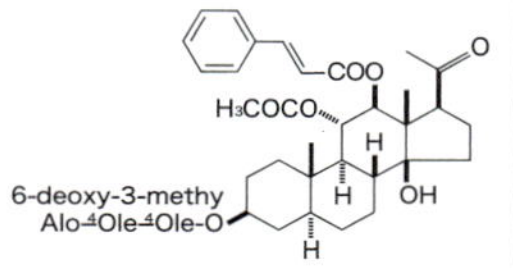	芳香性苦味健胃	南米（野生品）（ペルー，エクアドル），東アフリカ（栽培）
局トコン（吐根）劇指 ラ Ipecacuanhae Radix 英 Ipecac	トコン *Cephaelis ipecacuanha*（Brotero）A. Rich.又は *C. acuminata* H.Karst.（Rubiaceae アカネ科）	根	アルカロイド：emetine, cephaeline, psychotrine	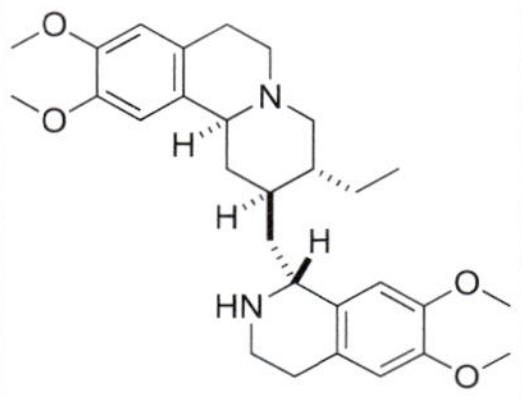	催吐，去痰，アメーバ赤痢治療	南米（ブラジル），インド，スリランカ，マレー半島，コスタリカ
局サンシシ（山梔子） ラ Gardeniae Fructus 英 Gardenia Fruit	クチナシ *Gardenia jasminoides* J.Ellis（Rubiaceae アカネ科）	果実	カロチノイド：α-crocin　イリドイド配糖体：geniposide（3％以上），genipine, gentiobioside	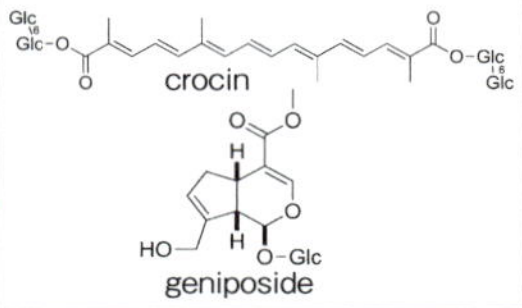	漢方：消炎，止血，解熱，鎮静，胆汁分泌促進	中国（湖南，湖北，浙江，四川，江西），韓国，日本（高知，鹿児島）
局アセンヤク（阿仙薬，ガンビール） ラ Gambir 英 Gambir	ガンビールノキ／アセンヤク *Uncaria gambir* Roxb.（Rubiaceae アカネ科）	葉及び若枝の乾燥水製エキス	カテキン類：(+)-及び(±)-catechin, gambiriin A ～ C タンニン フラボノイド：quercetin	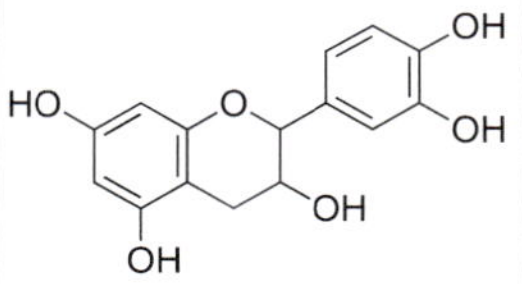	止瀉，整腸，口腔清涼剤原料	インドネシア領ビンタン島，リオー群島，スマトラ北部
局チョウトウコウ（釣藤鉤，釣藤鈎） ラ Uncariae Uncis cum Ramlus 英 Uncaria Hook	カギカズラ *Uncaria rhynchophylla*（Miq.）Miq., *U. sinensis*（Oliv.）Havil. 又は *U. macrophylla* Wall.（Rubiaceae アカネ科）	通例とげ	アルカロイド：rhynchophylline, corynoxeine, hirstine	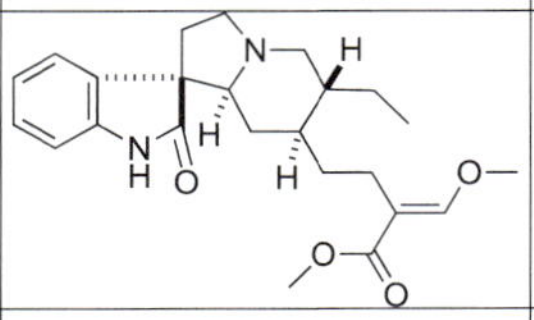	漢方：高血圧，めまい，頭痛，痙攣	中国（四川，景州，雲南），日本（四国，九州）
局ケンゴシ（牽牛子） ラ Pharbitidis Semen 英 Pharbitis Seed	アサガオ *Pharbitis nil*（L.）Choisy（Convolvulaceae ヒルガオ科）	種子	樹脂配糖体：pharbitin 脂肪油		下剤，利尿，駆虫	中国各地
局シコン（紫根） ラ Lithospermi Radix 英 Lithospermum Root	ムラサキ *Lithospermum erythrorhizon* Siebold et Zucc.（Boraginaceae ムラサキ科）	根	ナフトキノン類：acetylshikonin, shikonin, isobutylshikonin など	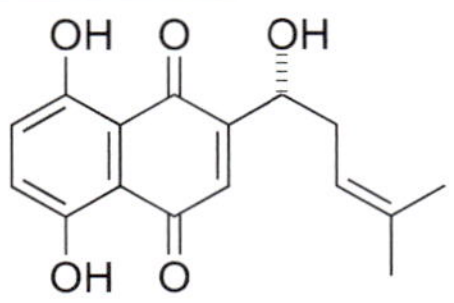	消炎，解熱，解毒，創傷に外用（火傷，凍傷）	中国（東北，華北の諸省），韓国

生薬名	原植物名(科名)	使用部分	成　分	構造式	用　途	産　地
局ヤクモソウ(益母草) ラ Leonuri Herba 英 Leonurus Herb	メハジキ *Leonurus japonicus* Houtt. 又は *L. sibiricus* L.(Labiatae シソ科)	花期の地上部	フラボノイド：rutin アルカロイド：leonurine, leonurinine, stachydrine, leonuridine	rutin leonurine	産後の出血，産前産後用薬	日本(四国)
局カゴソウ(夏枯草) ラ Prunellae Spica 英 Prunella Spike	ウツボグサ *Prunella vulgaris* L. var. *lilanacia* Nakai(Labiatae シソ科)	花穂	トリテルペン：ursolic acid, oleanolic acid サポニン：prunellin フラボノイド：rutin, hyperin カリウム塩，タンニン		利尿，消炎	日本(長野，四国)，中国各地
局ハッカ(薄荷) ラ Menthae Herba 英 Mentha Herb	ハッカ *Mentha arvensis* L. var. *piperascens* Malinv. ex Holmes(Labiatae シソ科)	地上部	精油：(−)-menthol, (−)-menthone		*l*-メントール局原料，芳香性健胃，駆風	日本(北海道，岡山，広島)，中国(江蘇，浙江)，ブラジル
局ケイガイ(荊芥穂) ラ Schizonepetae Spica 英 Schizonepeta Spike	ケイガイ *Schizonepeta tenuifolia* (Benth.) Briq.(Labiatae シソ科)	花穂	精油：(+)-menthone, (+)-limonene		漢方：発汗，解熱，解毒，鎮痙	中国(江蘇，河北，浙江，河南，湖北，江西など)，韓国，北朝鮮，日本(鳥取)
局ソヨウ(蘇葉，紫蘇葉)(A) ラ Perillae Herba 英 Perilla Herb 外シソシ(紫蘇子)(B) ラ Perillae Fructus 英 Perilla Fruit	シソ *Perilla frutescens* (L.) Britton var. *crispa* (Benth.) W.Deane (Labiatae シソ科)	(A)葉及び枝先 (B)果実	(A)精油：perillaldehyde などアントシアニン配糖体 (B)脂肪油，ビタミン B_1	CHO	漢方：感冒，頭痛，嘔吐，脚気	日本(香川，徳島，愛知，群馬，茨城など)，中国(湖南，湖北，四川，江蘇，山東，河北，広東，広西，山西，浙江など)
局カッコウ(藿香) ラ Pogostemi Herba 英 Patchouly	パチョリ *Pogostemon cablin* (Blanco) Benth.(Labiatae シソ科)	地上部	精油：patchoulol, eugenol, methyl chavicol, pogostol		胃腸薬，香水の保留剤	中国(広東，海南島)，台湾，マレー半島，ジャワ，スマトラ
局タンジン(丹参) ラ Salviae Miltiorrhi-zae Radix 英 Salvia Miltiorrhiza Root	タンジン *Salvia miltiorrhiza* Bunge (Labiatae シソ科)	根	フェナントラキノン：tanshinone I, II, cryptotanshinone		通経，鎮痛薬	中国(安徽，河北，山西，四川)
局オウゴン(黄芩) ラ Scutellariae Radix 英 Scutellaria Root	コガネバナ *Scutellaria baicalensis* Georgi (Labiatae シソ科)	周皮を除いた根	フラボノイド：wogonin, baicalin		漢方：消炎，解熱	中国(東北地方，内蒙古，山東，山西，河北，河南，陝西)，モンゴル，韓国
局ベラドンナコン(ベラドンナ根)劇指 ラ Belladonnae Radix 英 Belladonna Root	ベラドンナ *Atropa belladonna* L.(Solanaceae ナス科)	根	アルカロイド：(−)-hyoscyamine, atropine, (=(±)-hyoscyamine), scopolamine		アトロピン硫酸塩水和物局，ベラドンナエキス局原料，鎮痛，鎮痙	ヨーロッパ，北米，日本(石川，富山，長野，鳥取，北海道など)で試作栽培

生薬名	原植物名(科名)	使用部分	成　分	構造式	用　途	産　地
(局)トウガラシ(蕃椒) (ラ)Capsici Fructus (英)Capsicum	トウガラシ *Capsicum annuum* L. (Solanaceae ナス科)	果実	アミド：capsaicin(神味成分) カロチノイド：capsanthin		辛味性健胃，皮膚刺激薬	東南アジア，日本(栃木，香川，岡山)
(局)ジコッピ(地骨皮)(A) (ラ)Lycii Cortex (英)Lycium Bark (局)クコシ(枸杞子)(B) (ラ)Lycii Fructus (英)Lycium Fruit (外)クコヨウ(枸杞葉)(C) (ラ)Lycii Folium (英)Lycium Leaf	(A)，(B)クコ *Lycium chinense* Mill. 又はナガバクコ *L. barbarum* L. (C)クコ *L. chinense* Mill.(Solanaceae ナス科)	(A)根皮 (B)果実 (C)葉	(A)アルカロイド：kukoamine A，B，betaine (B)betaine，zeaxanthin (C)betaine，ビタミンC		(A)，(B)，(C)強壮，強精薬	中国(山西，河南，江蘇，浙江)，韓国，日本
(局)ロートコン(劇)(指) (ラ)Scopoliae Rhizoma (英)Scopolia Rhizome	ハシリドコロ *Scopolia japonica* Maxim., *S. carniolica* Jacq. 又は *S. parviflora*(Dunn)Nakai(Solanaceae ナス科)	根茎及び根	アルカロイド：(−)-hyoscyamine，atropine，scopolamine クマリン配糖体：scopolin		鎮痙，鎮痛，ロートエキス(局)，アトロピン硫酸塩水和物(局)，スコポラミン臭化水素酸塩水和物(局)原料	日本(福井，長野，山梨，群馬，埼玉)，中国(北部)，韓国，ヨーロッパ(ルーマニア)
(局)ジオウ(地黄) (ラ)Rehmanniae Radix (英)Rehmannia Root	ジオウ/アカヤジオウ *Rehmannia glutinosa* Libosch. var. *purpurea* Makino 又はカイケイジオウ *Rehmannia glutinosa* Libosch.(Scrophulariaceae ゴマノハグサ科)	根をそのまま，又は蒸したもの	イリドイド配糖体：glutinoside，catalpol， イリドイド：rehmaglutin A～D 糖類：stachyose		漢方：補血，強壮，解熱	中国(河南，浙江など)，韓国，北朝鮮，日本(長野，奈良)
(局)キササゲ (ラ)Catalpae Fructus (英)Catalpa Fruit	キササゲ *Catalpa ovata* G. Don 又は *C. bungei* C. A. Mey.(Bignoniaceae ノウゼンカズラ科)	果実	イリドイド配糖体：catalposide カリウム塩 *p*-hydroxybenzoic acid		利尿	日本(長野，埼玉，群馬，福島，徳島)，中国
(局)ゴマ(胡麻) (ラ)Oleum Sesami (英)Sesame	ゴマ *Sesamum indicum* L.(Pedaliaceaeゴマ科)	種子	リグナン類：sesamin，リノール酸，パルミチン酸，カルシウム，ナトリウム		滋養，食用，漢方：皮膚疾患	アフリカ原産，世界の温帯，熱帯各地
(局)ニクジュヨウ(肉蓯蓉) (ラ)Cistanches Herba (英)Cistanche Herb	ホンオニク *Cistanche salsa* (C.A.Mey.) Beck又はその他同属植物(Orobanchaceae ハマウツボ科)	りん片を付けた茎	フェニルエタノイド配糖体：verbacoside(acteoside)，echinacoside，cistanoside A～I 糖アルコール：mannitol allantoin		強壮，強精，緩下，止血	中国(内蒙古，新疆)
(局)シャゼンシ(車前子)(A) (ラ)Plantaginis Semen (英)Plantago Seed (局)シャゼンソウ(車前草)(B) (ラ)Plantaginis Herba (英)Plantago Herb	オオバコ *Plantago asiatica* L.(Plantaginaceae オオバコ科)	(A)種子 (B)花期の全草	(A)粘液質：plantasan (A)，(B)：イリドイド配糖体：aucubin (B)フラボノイド：plantaginin， フェニルエタノイド：plantamajoside		(A)消炎，利尿，鎮咳 (B)利尿，鎮咳	(A)，(B)日本各地，中国 (B)韓国

生薬名	原植物名(科名)	使用部分	成　分	構造式	用　途	産　地
局ニンドウ(忍冬)(A) ラ Lonicerae Folium cum Caulis 英 Lonicera Leaf and Stem 外キンギンカ(金銀花)(B) ラ Lonicerae Flos 英 Lonicera Flower	スイカズラ *Lonicera japonica* Thunb. (Caprifoliaceae スイカズラ科)	(A)葉及び茎 (B)蕾	(A)タンニン, イリドイド配糖体：loganin (B)フラボノイド：luteolin, lonicerin inositol	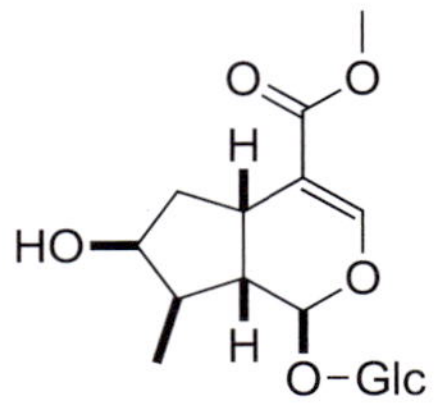	(A)利尿, 解毒, 収れん (B)利尿, 解毒, 浄血, 消炎	(A)日本 (B)中国(山東, 河南, 安徽), 韓国
局カノコソウ(吉草根) ラ Valerianae Radix 英 Japanese Valerian	カノコソウ *Valeriana fauriei* Briq. (Valerianaceae オミナエシ科)	根及び根茎	精油：bornyl isovalerate, bornyl acetate, α-kessyl alcohol ac-etate, kessoglycol diacetate イリドイド配糖体：kanoko-side A ～ D	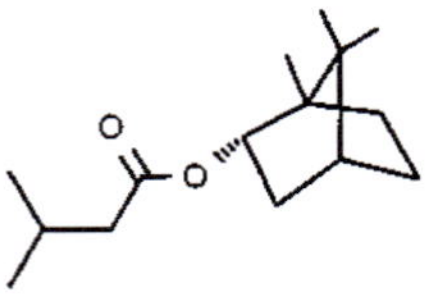	鎮静, 鎮痙(ヒステリー, 神経衰弱)	日本(北海道)
局トウジン(党参) ラ Codonopsis Pilosulae Radix 英 Codonopsis Pilosula Root	ヒカゲノツルニンジン *Codonopsis pilosula* (Franch.) Nannf. 又は *Codonopsis tangshen* Oliv.(Campanulaceae キキョウ科)	根	ステロイド：taraxasterol フラボノイド：apigenin, luteolin, cynaroside セスキテルペン：lodonolactone フェニルプロパノイド：tangshenoside I	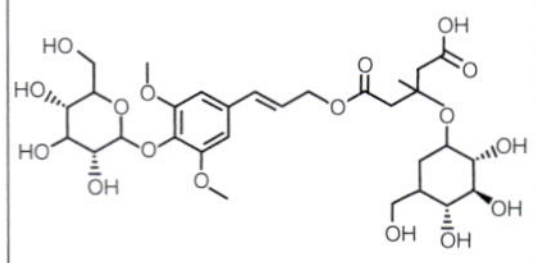	鎮咳, 強壮, 健胃	中国(陝西, 甘粛)
局キキョウ(桔梗根) ラ Platycodi Radix 英 Platycodon Root	キキョウ *Platycodon grandiflorus* (Jacq.) A. DC.(Campanulaceae キキョウ科)	根	サポニン：plarycodin A ～ D, polygalacin D イヌリン	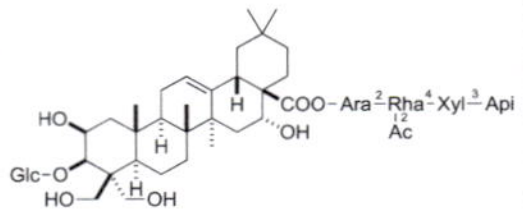	漢方：鎮咳, 去痰, 消炎, 排膿	中国, 北朝鮮, 韓国, 日本(北海道, 長野, 新潟, 富山など)
局ゴボウシ(牛蒡子) ラ Arctii Fructus 英 Burdock Fruit	ゴボウ *Arctium lappa* L.(Compositae キク科)	果実	リグナン：arctigenin, arctiin, lappaol A ～ E	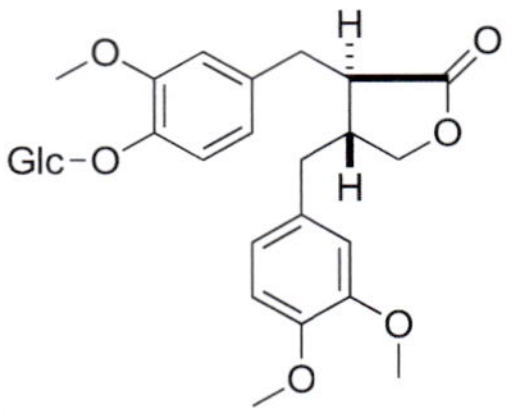	解毒, 消炎, 排膿	中国(東北地方), 韓国, 日本
局インチンコウ(茵陳蒿) ラ Artemisiae Capillaris Flos 英 Artemisia Capillaris Flower	カワラヨモギ *Artemisia capillaris* Thunb.(Compositae キク科)	頭花(中国では若い茎葉及び頭花をつけた枝)	精油(約0.1%)：capillin, capillene クマリン：esculetin dimethyl ether クロモン：capillarisin フラボノイド：arcapillin	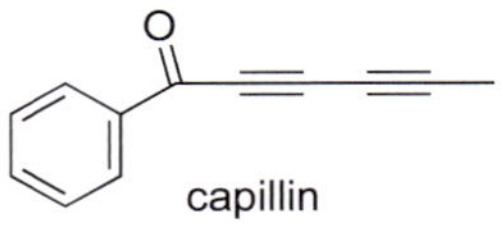 capillin 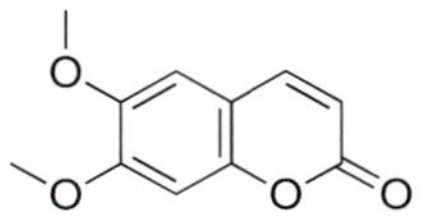 esculetin dimethyl ether	漢方：利胆, 解熱, 利尿	中国(安徽, 湖北, 江蘇, 陝西), 韓国, 日本
局ガイヨウ(艾葉)(A) ラ Artemisiae Folium 英 Mugwort Leaf モグサ(熟艾)(B) ラ Artemisiae Villus 英 Moxa	ヨモギ *Artemisia princeps* Pamp.又はオオヨモギ(ヤマヨモギ) *A. montana* (Na-kai) Pamp.(Compositae キク科)	(A)葉及び枝先 (B)葉裏の毛	精油：1, 8-cineole, α-, β-thujone タンニン：3,5-dicaffeoyl quinic acid	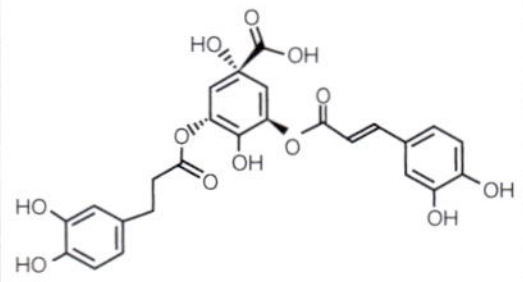	(A)収れん性止血(B)灸の材料	日本各地, 中国(江蘇, 浙江, 湖北)
局ビャクジュツ(百朮) ラ Atractylodis Rhizoma 英 Atractylodes Rhizome	(A)オケラ *Atractylodes japonica* Koidz. ex Kitam.(和百朮) (B)オオバナオケラ *A. macrocephala* Koidz.(唐百朮)(Compositae キク科)	根茎	精油：atractylon, atractylenolide Ⅰ～Ⅲ	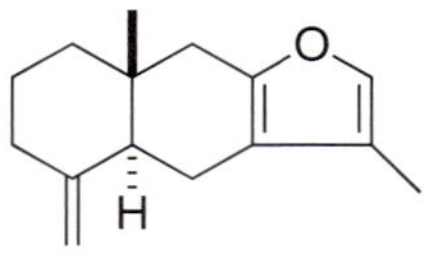	漢方：利水, 健胃整腸, 止汗	(A)日本各地, 韓国, 北朝鮮 (B)中国(浙江)

生薬名	原植物名(科名)	使用部分	成　分	構造式	用　途	産　地
(局)ソウジュツ(蒼朮) [ラ] Atractylodis Lanceae Rhizoma [英] Atractylodes Lancea Rhizome	ホソバオケラ *Atractylodes lancea* (Thunb.) DC., シナオケラ *A. chinensis* Koidz.又はそれらの種間雑種(Compositae キク科)	根茎	精油：hinesol, β-eudesmol, atractylodin	hinesol atractylodin	漢方：利水, 芳香性健胃, 発汗	中国(江蘇, 湖北), 韓国, 北朝鮮
(局)コウカ(紅花, ベニバナ) [ラ] Carthami Flos [英] Safflower	ベニバナ *Carthamus tinctorius* L.(Compositae キク科)	管状花をそのまま, 又は黄色色素の大部分を除き, 圧搾して板状としたもの	紅色色素：carthamin 黄色色素：safflor yellow		通経, 血行障害, その他の婦人病薬	中国(浙江, 四川), 日本(山形)
(局)キクカ, キッカ(菊花) [ラ] Chrysanthemi Flos [英] Chrysanthemum Flower	キク *Chrysanthemum morifolium* Ramat.又はシマカンギク *C. indicum* L.(Compositae キク科)	頭花	精油：borneol, bornylacetate, chrysanthemon セスキテルペン：chrysandiol フラボノイド：apigenin glucoside, luteolin		鎮静, 眼疾	中国(安徽, 浙江, 河南, 湖南など)
(局)モッコウ(木香) [ラ] Saussureae Radix [英] Saussurea Root	モッコウ *Saussurea lappa* (Decne.) C. B. Clarke (Compositae キク科)	根	精油：costuslactone, saussurealactone, dehydrocostuslactone		芳香性健胃, 整腸, 利尿, 薫香 漢方：婦人病	インド北部(カシミール), 中国(雲南)
(局)タクシャ(沢瀉) [ラ] Alismatis Rhizoma [英] Alisma Rhizome	サジオモダカ *Alisma orientale* (Sam.) Juz. (Alismataceae オモダカ科)	塊茎, 通例, 周皮を除いたもの	トリテルペン：alisol A, B など セスキテルペン：alismol など デンプン		漢方：利水, 止渇	中国(四川, 福建), 韓国, 日本(長野, 北海道)
(局)アロエ(ロカイ) [ラ] Aloe [英] Aloe	主としてケープアロエ/アオワニ/アロエ *Aloe ferox* Mill.又はこれと *A. africana* Mill.又は *Aloe spicata* Bakerの雑種(Liliaceae ユリ科)	葉の液汁を乾燥したもの	アントラキノン誘導体：aloe-emodin アントロン配糖体：barbaloin(4%以上), isobarbaloin, aloinoside A, B	barbaloin aloinoside A	苦味健胃, 緩下, 峻下	南アフリカ(ケープ地方)
(局)チモ(知母) [ラ] Anemarrhenae Rhizoma [英] Anemarrhena Rhizome	ハナスゲ *Anemarrhena asphodeloides* Bunge (Liliaceae ユリ科)	根茎	サポニン：timosaponin 類 キサントン：mangiferin	timosaponin A-I	漢方：解熱, 鎮静, 利水	中国(河北, 山西, 内蒙古, 陝西, 東北地方)
(局)テンモンドウ(天門冬) [ラ] Asparagi Tuber [英] Asparagus Tuber	クサスギカズラ *Asparagus cochinchinensis* (Lour.) Merr. (Liliaceae ユリ科)	外層の大部分を除いた根(通例蒸したもの)	アミノ酸：asparagine, citrulline, serine, threonine ステロイドサポニン：Asp-Ⅳ′, Ⅴ′, Ⅵ′, Ⅶ′		漢方：滋養強壮, 鎮咳	中国(四川, 貴州, 浙江, 湖北など)
(局)バイモ(貝母) [ラ] Fritillariae Bulbus [英] Fritillaria Bulb	アミガサユリ *Fritillaria verticillata* Willd. var. *thunbergii* (Miq.) Baker (Liliaceae ユリ科)	りん茎	アルカロイド：fritilline, fritillarine, peimine (verticine), peiminoside		漢方：鎮咳, 去痰, 排膿	日本(奈良, 兵庫など), 北朝鮮, 中国(浙江)

生薬名	原植物名(科名)	使用部分	成　分	構造式	用　途	産　地
(局)ビャクゴウ(百合) (ラ) Lilii Bulbus (英) Lily Bulb	オニユリ *Lilium lancifolium* Thunb., ハカタユリ *L. brownii* N.E.Br. ex Miellez var. *colchesteri* (Van Houtte) E.H.Wilson ex Elwes, *L. brownii* F.E.Br. ex Miellez var. brownii 又はイトハユリ *L. pumilum* Redouté (Liliaceae ユリ科)	りん茎	フェニルプロパノイド配糖体： regaloside 類 ステロイドサポニン：solamargine	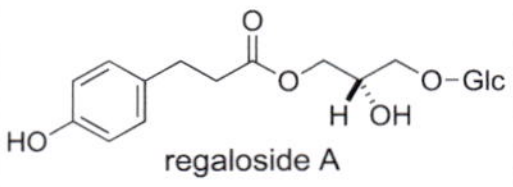 regaloside A	漢方：消炎，鎮咳，鎮静	中国(浙江，湖南など)
(局)バクモンドウ(麦門冬) (ラ) Ophiopogonis Tuber (英) Ophiopogon Tuber	ジャノヒゲ *Ophiopogon japonicus* (Thunb.) Ker Gawl.(Liliaceae ユリ科)	根の膨大部	ステロイドサポニン：ophiopogonin 類 粘液質多糖類 ホモイソフラボノイド：ophiopogonone A, B	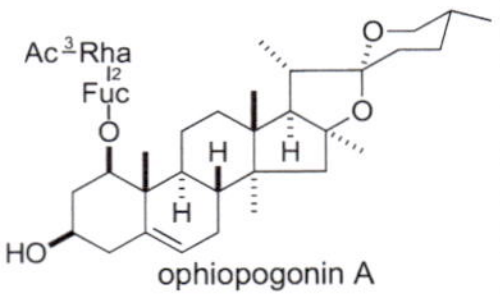 ophiopogonin A	漢方：粘滑性消炎，滋養強壮，鎮咳	日本(大阪，長野)，中国(浙江，四川)，韓国
(局)オウセイ(黄精) (ラ) Polygonati Rhizoma (英) Polygonatum Rhizome	*Polygonatum kingianum* Collett et Hemsl., *P. sibiricum* Redouté, *P. cyrtonema* Hua, ナルコユリ *P. falcatum* A.Gray (Liliaceae/ ユリ科)	根茎(通例湯通ししたもの)	粘液質：falcatan ベンゾキノン：polygonaquinone ステロイドサポニン：sibiricoside A 他	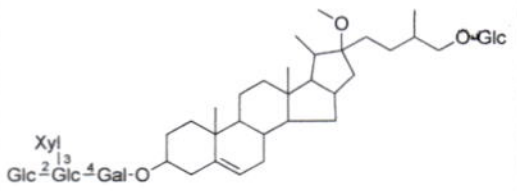	滋養強壮	中国(東北，内蒙古，山西)，日本(茨城)
(局)サンキライ(山帰来(土茯苓)) (ラ) Smilacis Rhizoma (英) Smilax Rhizome	ナメラサンキライ *Smilax glabra* Roxb. (Liliaceae ユリ科)	塊茎	デンプン サポニン：smilaxsaponin A, B フラボノイド：astilbin, distylin	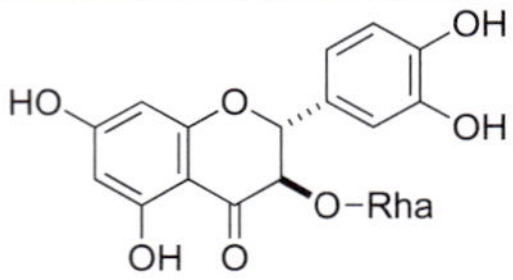	漢方：利水，排毒，浄血，慢性皮膚疾患治療薬	中国(広東，湖南，浙江，安徽)
(局)サンヤク(山薬) (ラ) Dioscoreae Rhizoma (英) Dioscorea Rhizome	ヤマノイモ *Dioscorea japonica* Thunb. 又はナガイモ *D. polystachya* Turcz. (=*D. batatas* Decne.) (Dioscoreaceae ヤマノイモ科)	周皮を除いた根茎(担根体)	粘質(糖タンパク)，allantoin, mannan, choline	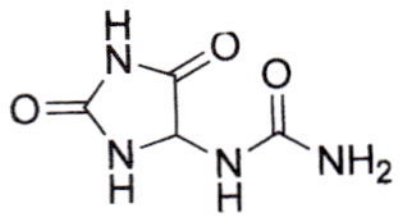	漢方：強壮，止瀉，鎮咳，止渇	日本，中国(河南，浙江，江蘇，四川)，韓国
(局)サフラン (ラ) Crocus (英) Saffron	サフラン *Crocus sativus* L.(Iridaceae アヤメ科)	柱頭	カロチノイド色素：crocin, crocetin di-gentiobiose ester 苦味配糖体：picro-crocin 精油：safranal	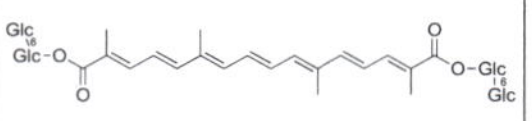	鎮静，婦人薬	イラン，スペイン，日本(大分)
(局)ヨクイニン(薏苡仁) (ラ) Coicis Semen (英) Coix Seed	ハトムギ *Coix lacryma-jobi* L. var. *mayuen* (Rom. Caill.) Stapf (Gramineae イネ科)	種皮を除いた種子	デンプン，多糖類(coixan A ～ D)タンパク質		漢方：消炎，鎮痛，滋養強壮 いぼとり，肌あれ	中国，タイ，日本(秋田，青森，福島，広島など)
(局)ボウコン(茅根) (ラ) Imperatae Rhizoma (英) Imperata Rhizome	チガヤ *Imperata cylindrica* (L.) Raeusch. (Gramineae イネ科)	細根及びりん片葉を除いた根茎	トリテルペン：cylindrin, arundoin	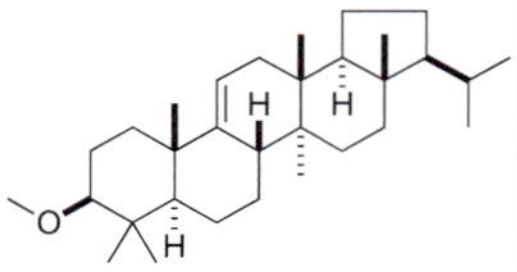	清涼，利尿，止血	中国(広東)
(局)コウベイ(粳米) (ラ) Oryzae Semen (英) Rice	イネ *Oryza sativa* L. (Gramineae イネ科)	もみを去った玄米	feruloyl cycloartenol (γ-oryzanol)，デンプン，dextrin, oryzabran A ～ D，ビタミン B_1 GABA	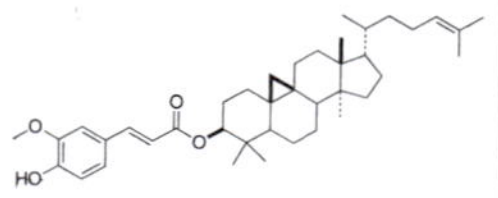	漢方：補気，健脾，止渇	日本
(局)バクガ (ラ) Hordei Germinatus Fructus (英) Malt	オオムギギ *Hordeum vulgare* L. (Gra-mineae イネ科)	えい果を発芽させたもの	アルカロイド：hordenine, asperphenamate, キノン：cyclotene オリゴ糖：maltose アミノ酸：proline, glutamic acid	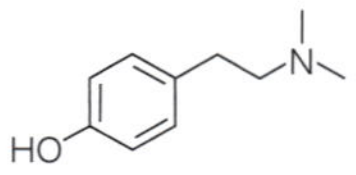	漢方：食欲不振，腹部膨満感，嘔吐など.	中国（四川)，日本など.

生薬名	原植物名(科名)	使用部分	成　分	構造式	用　途	産　地
局ビンロウジ(檳榔子)(A) ラ Arecae Semen 英 Areca 外ダイフクヒ(大腹皮)(B) ラ Arecae Pericarpium 英 Areca Pericarp	ビンロウ / ビンロウジュ *Areca catechu* L.(Palmae ヤシ科)	(A)種子 (B)果皮	(A)アルカロイド：arecoline, arecaidine, guvacoline, guvacine など，タンニン類 (B)タンニン	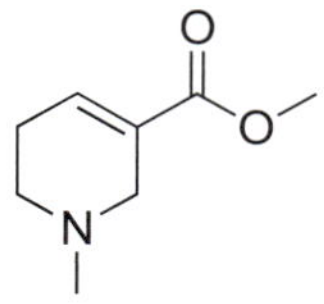	(A)収れん，健胃，条虫駆除，瀉下 (B)漢方：健胃，止瀉，利水	東南アジア(インドネシアなど)
局ハンゲ(半夏) ラ Pinelliae Tuber 英 Pinellia Tuber	カラスビシャク *Pinellia ternata* (Thunb.) Breitenb.(Araceae サトイモ科)	コルク層を除いた塊茎	3, 4-dihydrobenzaldehyde diglucoside, homogentigic acid セレブドシド類：2'-*O*-acethyl soyacerebroside アミノ酸：arginine, aspartic acid　soyacerebroside I，でんぷん	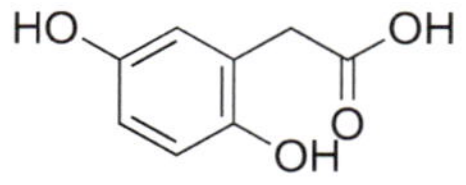	漢方：鎮嘔，鎮吐，鎮静，鎮咳	中国(四川，湖北)，韓国，日本(岩手)
局コウブシ(香附子) ラ Cyperi Rhizoma 英 Cyperus Rhizome	ハマスゲ *Cyperus rotundus* L. (Cyperaceae カヤツリグサ科)	根茎	精油：cyperol, α-cyperone, cyperene, isocyperol, 糖：glucose, fructose	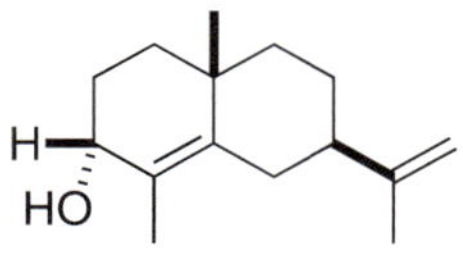	漢方：通経，鎮痙，更年期などの婦人病薬	中国(四川，広東)，韓国，日本(鹿児島)国(広東，浙江，四川，河南)，ベトナム
局リョウキョウ(良姜) ラ Alpiniae Officinarum Rhizoma 英 Alpinia Officinarum Rhizome	コウリョウキョウ *Alpinia officinarum* Hance (Zingiberaceae ショウガ科)	根茎	精油：(主) cineole, pinene, cadinene タンニン フラボノイド：kaempherol, kaemphelide 辛味成分：galangol	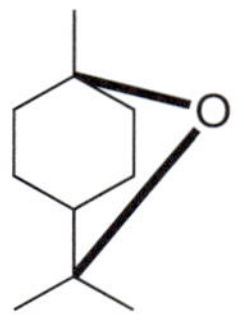	健胃，整腸薬	中国(広東広西，雲南)，台湾
局ヤクチ(益智) ラ Alpiniae Fructus 英 Bitter Cardamon	ヤクチ *Alpinia oxyphylla* Miq. (Zingiberaceae ショウガ科)	果実	精油：cineole, nootkatone, pinene, camphor	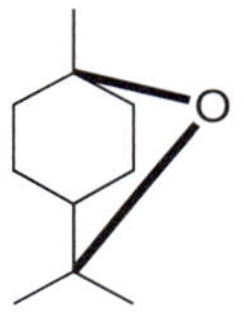	芳香性苦味健胃，整腸	中国(海南島，雷州半島)
局シュクシャ(縮砂) ラ Amomi Semen 英 Amomum Seed	*Amomum villosum* Loureiro var. *xanthioides* T. L. Wu et S. J. Chen , *Amomum villosum* Loureiro var. *villosum* 又は *Amomum longiligulare* T. L. Wu (Zingiberaceae ショウガ科)	種子塊	精油：(+)-borneol, (+)-camphor	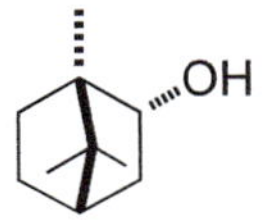	芳香性健胃，整腸，香辛料	中国南部，タイ，ベトナム，インドなど
局ウコン(鬱金) ラ Curcumae Rhizoma 英 Turmeric	ウコン / ターメリック *Curcuma longa* L. (Zingiberaceae ショウガ科)	根茎をそのまま又はコルク層を除いたものを通例湯通ししたもの	精油：turmerone, arturmerone, zingiberene 色素：curcumin	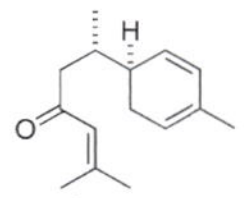 α-turmerone 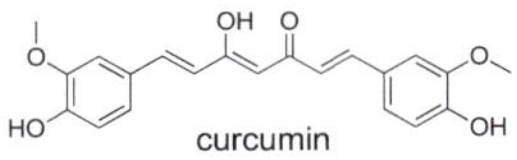 curcumin	利胆，健胃，カレー粉原料	インド，東南アジア，中国(南部)，日本(沖縄)
局ガジュツ(莪述) ラ Zedoariae Rhizoma 英 Zedoary	ガジュツ *Curcuma zedoaria* Roscoe , *Curcuma phaeocaulis* Valeton 又は *Curcuma kwangsiensis* S. G. Lee et C. F. Liang (Zingiberaceae ショウガ科)	根茎を通例湯通ししたもの	精油：curzerenone, 1, 4-cineole, curcumol, (+)-camphene, zederone	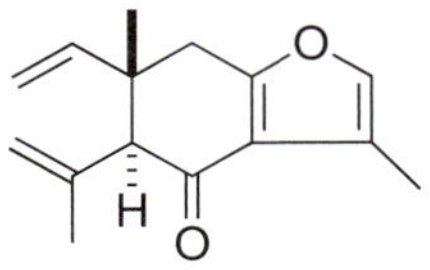	芳香性健胃，駆瘀血	ベトナム，タイ，ミャンマー，中国(南部)，台湾，日本(屋久島)

生薬名	原植物名(科名)	使用部分	成　分	構造式	用　途	産　地
局ショウズク(小豆蔻) ラ Cardamomi Fructus 英 Cardamon	ショウズク / カルダモン *Elettaria cardamomum* Maton(Zingiberaceae ショウガ科)	果実，用時種子のみを用いる	精油：(+)-α-terpinyl acetate, 1, 8-cineole	OAc	芳香性健胃，香辛料	インド(マラバル沿岸地)，スリランカ
局ショウキョウ(生姜，乾生姜)(A) ラ Zingiberis Rhizoma 英 Ginger 局カンキョウ(乾姜)(B) ラ Zingiberis Processum Rhizoma 英 Processed Ginger	ショウガ / ジンジャー *Zingiber officinale*(Willd.) Roscoe (Zingiberaceae ショウガ科)	(A)根茎 (B)根茎を湯通し又は蒸したもの	(A) α-zingiberone, β-bisabolene, camphene 辛味成分：(6)-gingerol (B) (6)-shogaol	HO O OH (6)-gingerol HO O (6)-shogaol	(A)芳香性健胃，駆風，矯味，食用 (B)漢方：利水，鎮嘔，止瀉，腹部の補温	中国(四川，貴州，浙江，山東，陝西)，日本(神奈川，静岡，愛知，岡山)，韓国，インド，アフリカなど
局テンマ(天麻) ラ Gastrodiae Tuber 英 Gastrodia Tuber	オニノヤガラ *Gastrodia elata* Blume (Orchidaceae ラン科)	塊茎を蒸したもの	vanillyl alcohol, gastrodin	Glc-O OH	漢方：鎮静，鎮痙	中国(雲南，四川他)，韓国，北朝鮮
局コウイ (膠飴) ラ KOI 英 Koi	トウモロコシ*Zea mays* L. (Gramineae イネ科)，キャッサバ*Manihot esculenta* Crantz (Euphorbiaceae トウダイグサ科)，ジャガイモ *Solanum tuberosum* L. (Solanaceae ナス科)，サツマイモ*Ipomoea batatas* Poiret (Convolvulaceae ヒルガオ科)若しくはイネ *Oryza sativa* L. (Gramineae イネ科)のデンプン又はイネの種皮を除いた種子	酸や酵素処理により糖化加工したもの	maltose, glucose, maltotriose など			
局ボレイ(牡蛎)☆ ラ Ostreae Testa 英 Oyster Shell	カキ *Ostrea gigas* Thunberg (Ostreidae イボタガキ科)	貝殻	炭酸カルシウム，リン酸塩，ケイ酸塩		漢方：鎮静，収れん，利尿	日本，中国
局ユウタン(熊胆)☆ ラ Fel Ursi 英 Bear Bile	ヒグマ *Ursus arctos* L. 又はその他近縁動物 (Ursidae クマ科)	胆汁を乾燥したもの	胆汁酸：tauroursodeoxycholic acid, cholic acid	H O N SO₃H H H H HO H OH	利胆，消炎，解熱，鎮痛，鎮痙	中国(雲南，貴州，四川)オーストラリア，南北アメリカ
局ゴオウ(牛黄)☆ ラ Bezoar Bovis 英 Oriental Bezoar	ウシ *Bos taurus* L. var. *domesticus* Gmelin (Bovidae ウシ科)	胆のう中に生じた結石	胆汁酸：cholic acid, deoxycholic acid, bilirubin	H O OH OH H H H H HO H OH	強心，鎮痙，鎮静，家庭薬原料	オーストラリア，南北アメリカ，ヨーロッパインド
局センソ(蟾酥)☆ 毒指 ラ Bufonis Venenum 英 Toad Venom	アジアヒキガエル*Bufo gargarizans* Cantor 又は*Bufo melanostictus* Schneider (Bufonidae ヒキガエル科)	耳下腺の分泌物	強心性ステロイド：cinobufagin, resibufogenin, bufalin, bufotalin	O O OAc H H O HO H	強心，鎮痛，解毒，解熱	中国(河北，山東)
局リュウコツ(竜骨)☆ ラ Fossilia Ossis Mastodi 英 Longgu	大型ほ乳動物の化石化した骨		$CaCO_3$(主成分)，$Ca_3(PO_4)_2$ SiO_2		漢方：鎮静，精神不安	中国(山西，山東，陝西，四川)

生薬名	原植物名(科名)	使用部分	成　分	構造式	用　途	産　地
㊏セッコウ(石膏)☆ ラ Gypsum Fibrosum 英 Gypsum	天然の含水硫酸カルシウム		$CaSO_4 \cdot 2H_2O$		漢方：解熱, 鎮静, 止渇, 焼セッコウ㊏原料	中国(湖北, 湖南, 山東, 広東, 貴州)
㊏カッセキ(滑石)☆ ラ Talcum Crystallium 英 Talc Stone	天然の含水ケイ酸アルミニウム及び二酸化ケイ素など		$Mg_3Si_4O_{10}(OH)_2$		利水	中国(江西, 福建, 江蘇)
㊏芒硝(ボウショウ)☆ ラ Natrii Sulfus 英 Mirabilite	硫酸ナトリウム	鉱物	硫酸ナトリウム，塩化ナトリウム，塩化マグネシウム，硫酸マグネシウム		緩下, 消化, 利尿薬	中国(河北, 河南, 山東, 江蘇)
㊏ハチミツ(蜂蜜)☆ ラ Mel 英 Honey	ヨーロッパミツバチ *Apis mellifera* L. 又はトウヨウミツバチ *A. indica* Radoszkowski (Apidae ミツバチ科)	巣に集められた甘味物	転化糖, sucroce, アミノ酸, 有機酸		栄養剤, 甘味剤, 舐剤, 丸剤の結合剤, 食用	各国(中国, 旧ソ連地域, アメリカ, メキシコ, ブラジル, アルゼンチンなど), 日本

(☆印のある生薬は動物・鉱物等を基原とするもの)

付表 2　生薬一覧表（局外，他）

☆印のある生薬は動物・鉱物等を基原とするもの

生薬名	原植物名（科名）	使用部分	成　分	用　途	産　地
バッカク（麦角）	バッカクキン claviceps purpurea Tulasne（clavicipitaceae バッカクキン）	菌核	アルカロイド：ergometrine，ergotamine	子宮収縮薬，陣痛促進薬，偏頭痛治療薬原料	アメリカ，ロシア，スペイン，北アフリカ
レイシ(霊芝) ラ Ganoderma 英 Ganoderma	マンネンタケ *Ganoderma lucidum*(Leyss. ex Fr.) Karst.，赤芝(Polyporaceae サルノコシカケ科)	子実体	トリテルペン類：ganodekicacid 類，多糖類：β-glucan	抗悪性腫瘍作用	日本各地および中国
モンケイ(問荊) ラ Equiseti Herba 英 Horsetail	スギナ *Equisetum arvense* L.(Equisetaceae トクサ科)	栄養茎	ケイ酸，ケイ酸塩，フラボノイド：quercetin，アルカロイド：palustrine	利尿，止血，解熱，鎮咳作用	北半球の暖帯以北に広く自生
イチョウヨウ(イチョウ葉) ラ Ginkgo Biloba Folium 英 Ginkgo Leaf	イチョウ *Ginkgo biloba* L.(Ginkgoaceae イチョウ科)	葉	フラボノイド：kaempferol, quercetin, isorhamnetin 配糖体 テルペノイド：ginkgolide A, B, C, J, bilobalide アルキルフェノール：ginkgolic acid	記憶障害の改善，血液循環改善	中国，日本
(外)ヨウバイヒ(楊梅皮) ラ Myricae Cortex 英 Chinese Bayberry Bark	ヤマモモ *Morella rubra* Lour.(Myricaceae ヤマモモ科)	樹皮	フラボノイド：myricetin, myricitrin タンニン	収れん，止瀉，殺虫	日本本州以南(宮崎，熊本)
(外)ホップ ラ Lupuli Strobilus 英 Hop	セイヨウカラハナソウ／ホップ *Humulus lupulus* L.var. *lupulus*(Moraceae クワ科)	成熟前の雌花穂	苦味質：(－)-humulone, lupulone フラボノイド：xanthohumol 精油(0.1～0.5%)：myrcene, α-, β-humulene	苦味健胃，鎮静，ビールの苦味付け	ヨーロッパ(チェコスロバキア，ドイツ，フランス)，アメリカ，日本(北海道，長野)
セイヨウイラクサ，ネトル ラ Urticae Herba et Folium, Urticae Radix 英 Nettle wort(葉), Nettle root(根)	セイヨウイラクサ／ネトル *Urtica dioica* L.(Urticaceae イラクサ科)	葉，根	全草　フラボノイド：kaemferol，quercetin 根　クマリン：scopoletin	利尿，強壮作用 根：母乳生成の増加 葉：前立腺肥大の抑制	北半球，南アフリカ，アンデス地方，オーストラリアの温暖な地域
ムイラプアマ ラ Muira Puama Cortex et Radix 英 Muira Puama	ムイラプアマ *Ptychopetalum olacoides* Benth.(Olacaceae ボロボロノキ科)	樹皮，根	アルカロイド：muirapuamine	強壮，性機能の改善，抗リウマチ，神経疾患改善	ブラジル
ビャクダン(白檀) ラ Santali Lignum 英 Sandalwood	ビャクダン／サルダルウッド *Santalum album* L.(Santalaceae ビャクダン科)	心材	精油：α-, β-santalol, santene, β-santalene, santalic acid, teresantalic acid, santenone	健胃，薫香料，工芸材料，白檀油製造原料	インド(マイソール，マドラス)，インドネシア，マレーシア，中国(広東，雲南)
セイタイ(青黛) ラ Indigo Naturalis 英 Natural Indigo	アイ *Persicaria tinctoria* (Aiton) Spach (=*Polygonum tinctorium* Aiton)(Polygonaceae タデ科)，タイセイ *Isatis indigotica* Fortune(Cruciferae アブラナ科)などの indigo を含む植物	葉の発酵液より得た藍色の粉末	インドール誘導体：indican, indigo	漢方：解熱，消炎，止血，解毒，抗菌	中国(河北)，日本(徳島：藍染として)
ダイウイキョウ(大茴香) ラ Anisi Stellati Fructus 英 Star Anise	トウシキミ *Illicium verum* Hook. f.(Illiciaceae シキミ科)	果実	精油(2～3%)：anethole, (－)-limonene, α-, β-phellandrene	芳香性健胃，駆風，香辛料	中国(広東，雲南)
ブラックコホッシュ ラ Cimicifuga Rhizoma 英 Black cohosh	アメリカショウマ／ブラックコホッシュ *Cimicifuga racemosa*(L.) Nutt.(Ranunculaceae キンポウゲ科)	根茎	トリテルペン配糖体：accutane, cimicifugoside	月経痛・更年期障害	北米
ヒドラスチスコン(ヒドラスチス根) ラ Hydrastidis Rhizoma 英 Golden Seal Root	ヒドラスチス *Hydrastis canadensis* L.(Ranunculaceae キンポウゲ科)	根茎及び根	アルカロイド：hydrastine, berberine, canadine	子宮出血の止血	アメリカ，カナダ
(外)ナンテンジツ(南天実) ラ Nandinae Fructus 英 Nandina Fruit	シロミナンテン *Nandina domestica* Thunb. forma. *leucocarpa* Makino，ナンテン *N. domestica* Thunb.(Berberidaceae メギ科)	果実	アルカロイド：domestine, isocorydine, berberine	鎮咳	日本(奈良，和歌山，徳島)，中国

生薬名	原植物名（科名）	使用部分	成　分	用　途	産　地
ポドフィルムコン（ポドフィルム根） ラ Podophylli Rhizoma 英 American Mandrake	*Podophyllum peltatum* L.（Berberidaceae メギ科）	根茎	リグナン：(−)-podophyllotoxin	瀉下	アメリカ，カナダ
クラーレノキ，パレイラ ラ Pareira Bravae Radix 英 Pareira	クラーレ *Chondodendron tomentosum* Ruiz et Pavon（Menispermaceae ツヅラフジ科）	樹皮，つる	アルカロイド：tubocurarine, curarine	筋肉麻痺，筋肉弛緩（適量）	南アメリカ北部，アマゾン流域
フンボウイ（粉防已），カンボウイ（漢防已，中国） ラ Stephania Tetrandra Radix 英 Stephania Tetrandra Root	シマハスノハカズラ *Stephania tetrandra* S. Moore（Menispermaceae ツヅラフジ科）	根	アルカロイド：tetrandrine, fangchinoline	利尿，鎮痛薬	中国南東部，台湾
コショウ（胡椒） ラ Piperis Nigri Fructus 英 Pepper	コショウ／ペッパー *Piper nigrum* L.（Piperaceae コショウ科）	果実	辛味成分：piperine 精油（1〜2%）：(−)-α-phellandrene, α-, β-pinene, linalool	辛味性健胃，香辛料	インド，東南アジア，カリブ海諸島，ブラジル
リュウノウ（龍脳） ラ Dryoblanops Aromatica Ligustrum 英 Kapur	リュウノウジュ *Dryobalanops aromatica* Gaertn. f.（Dipterocarpaceae フタバガキ科）	木部	モノテルペン：borneol	宗教用薫香料及び頭痛，歯痛，咽喉痛の治療薬	マレー半島，ボルネオ，スマトラ
㊉チャヨウ（茶葉），サイチャ（細茶） ラ Theae Folium Juvenale 英 Young Tea Leaf	チャノキ *Camellia sinensis* (L.) Kuntze（Theaceae ツバキ科）	若葉	タンニン類：(+)-catechin, (−)-epigallocathechin gallate アルカロイド：caffeine, theophylline	漢方：清熱，去痰，利尿	日本（静岡，三重，鹿児島），中国（江蘇，安徽，浙江，江西，湖北）
ガルシニアカンボジア ラ Garcinia Gummigutta Fructus 英 Garcinia Gummigutta Fruit	ガルシニア・カンボジア *Garcinia cambogia* Desr.（Guttiferae オトギリソウ科）	果実	(−)-hydroxycitric acid	抗肥満	インド南西部，東南アジア
セントジョーンズワート ラ Hyperici Herba 英 Saint John's Wort	セイヨウオトギリ *Hypericum perforatum* L. subsp. *perforatum*（Guttiferae オトギリソウ科）	地上部	フロログリシン誘導体：hypericin, hyperforin, adhyperforin フラボノイド，キサントン	不安・情動障害，更年期症状	ヨーロッパ
マカ ラ Macae Radix 英 Maca Root	マカ *Lepidium meyenii* Walp., *L. peruvianum* G. Chacón（Cruciferaeアブラナ科）	根	ビタミンB群，C，E アミノ酸：アスパラギン酸，アルギニン，バリン，ロイシン ミネラル：亜鉛，カリウム，カルシウム，鉄	強壮作用	南米ペルー
ガイシ（芥子） ラ Sinapis Semen 英 Japanese Mustard Seed	カラシナ *Brassica juncea* (L.) Czern.（Cruciferae アブラナ科）	種子	脂肪油（30〜35%） 芥子油配糖体：sinigrin 酵素：myrosinase	皮膚刺激，香辛料	中国
ハマメリス皮，ハマメリス葉 ラ Witch Hazel Cortex et Folium 英 Witch Hazel Bark/Leaves	アメリカマンサク（ウィッチヘーゼル）*Hamamelis virginiana* L.（Hamamelidaceae マンサク科）	樹皮，小枝，葉	タンニン：digalloylhamamelose, hamamelose	下痢止め（内服），止血薬，痒み，痔疾（外用）	アメリカ
セイヨウサンザシ実（西洋山査子実） ラ Hawthorn Fructus 英 Hawthorn berries	セイヨウサンザシ（ホーソン）*Crataegus oxyacantha* L. C. *monogyana* Jacq.（Rosaceae バラ科）	偽果	フラボノイド，プロシアニジンオリゴマー	血圧降下，強心薬	ヨーロッパ，北アフリカ，西アジア原産
㊉モッカ（木瓜） ラ Chaenomelis Fructus 英 Chaenomeles Fruit	カリン *Chaenomeles sinensis* (Thouin) Koehne（Rosaceae バラ科）	偽果	有機酸：リンゴ酸，クエン酸，酒石酸 sucrose フラボノイド：quercetin, quercitrin, rutin	鎮咳，鎮痙，利尿	日本（奈良），韓国
㊉ウバイ（烏梅） ラ Mume Fructus 英 Japanese Apricot Fruit	ウメ *Prunus mume* Siebold et Zucc.（Rosaceae バラ科）	未熟果実のくん製	有機酸：succinic acid, citric acid, malic acid, tartaric acid トリテルペン：oleanolic acid 青酸配糖体：amygdalin（種子中）	清涼性収れん薬，止瀉，解熱，鎮咳，鎮嘔薬，媒染剤	中国（浙江，四川，福建），日本（和歌山）

生薬名	原植物名（科名）	使用部分	成　分	用　途	産　地
(外)リヒ（李皮） [ラ] Pruni Saliciae Cortex [英] Plum Bark	スモモ *Prunus salicina* Lindley（Rosaceae/バラ科）	樹皮，根皮	成分未詳	止渇，鎮静薬	中国
ローズヒップ [ラ] Rosae Fructus [英] Rosa Canina Fruit	カニナバラ/イヌバラ/アルパインローズ *Rosa canina* L.(Rosaceae バラ科)	果実	フラボノイド：tiliroside ビタミンC	口渇，利尿作用，鎮咳作用	ヨーロッパ，北西アフリカ，西アジア原産
ダマスクローズ [ラ] Rosa Damask Flos [英] Rosa Damask Flower	ダマスクローズ *Rosa damascena* Mill.（Rosaceae バラ科）	花	精油：citronellol, geraniol, nerol, linalool, damascone	香料	東地中海沿岸地域
ラズベリー [ラ] Rubus Folium et Fructus [英] Raspberry Leaf	ヨーロッパキイチゴ *Rubus idaeus* L. subsp. *idaeus* (Rosaceae バラ科)	若葉，果実	果実　タンニン，フラボノイド，ラズベリーケトン 葉　フラボノイド：kaempferol, quercetin, quijaverin	疲労回復，強壮，利尿作用，花粉症の緩和	中国，韓国
センナ(小葉)，センナ実(果実) [ラ] Sennae Folium [英] Tinnevelly senna	チンネベリセンナ *Cassia angustifolia* Vahl(Leguminosae マメ科)	小葉，果実	sennosideA, B	瀉下作用，便秘改善	アフリカ原産
(外)メリロート [ラ] Meliloti Herba et Flos [英] Yellow melilot	セイヨウエビラハギ *Melilotus officinalis* Lamarck（Leguminosae マメ科）	花，葉	クマリン類：melitoroside, melilotin フラボノイド：kaempferol, quercetin	消炎作用，収れん作用，鎮静作用	ヨーロッパ
(外)サンズコン(山豆根) [ラ] Sophorae Subprostratae Radix [英] Sophora Subprostrata Root	*Sophora tonkinensis* Gapnep（Leguminosae マメ科）	根及び根茎	アルカロイド：matrine, oxymatrine フラボノイド：sophoradin, sophoranone	健胃，消炎，解毒	中国(広西，雲南)
(外)カイカ(槐花) [ラ] Sophorae Flos [英] Sophora Flower	エンジュ *Sophora japonica* L.(Leguminosaeマメ科)	蕾	フラボノイド：rutin（主），genisutatin　アルカロイド：cytisine	漢方：収れん，止血	中国(河北，山東，河南，江蘇，遼寧)
アマニン(亜麻仁) [ラ] Lini Semen [英] Linseed	アマ/フラックス *Linum usitatissimum* L.(Linaceaeアマ科)	種子	脂肪油30～40%，タンパク質25%，粘液6%，加水分解により青酸を生じる配糖体リナマリン少量	腸カタル	中央アジア原産
ラタニア根 [ラ] Ratanhiae Radix [英] Rhatany	ラタニア *Krameria triandra* Ruiz et Pavon.（Kramericeae クラメリア科）	根	タンニン類	収斂，抗菌薬	ボリビア，ペルー
コカヨウ(コカ葉) [ラ] Cocae Folium [英] Coca	コカノキ *Erythroxylum coca* Lam.（Erythroxylaceae コカノキ科）	葉	トロパンアルカロイド：cocaine	局所麻酔薬	南米ペルー，ボリビア地方原産
(外)キッピ(橘皮) [ラ] Tachibana Pericarpium [英] Citrus Tachibana Peel	タチバナ *Citrus tachibana* (Makino) Tanaka 又はその他近縁植物(Rutaceae ミカン科)	成熟した果皮	精油：limonene フラボノイド：isosinensetin, sinensetia 精油：pinene アルカロイド：synephrine	健胃，血管強化	中国(江西，福建，四川)
(外)セイヒ [ラ] Citri Unshiu Pericarpium Immaturus [英] Immature Citrus Unshiu Peel	ウンシュウミカン *Citrus unshiu* Marcowicz 又は*C. reticulata* Blanco（Rutaceae ミカン科）	未熟果皮又は未熟果実	チンピ参照	健胃	中国（四川省，江西省）
ヘンルーダ(芸香) [ラ] Rutae Herba [英] Rue	ヘンルーダ *Ruta graveolens* L.(Rutaceae ミカン科)	葉及び枝	精油：methylnonylketone, methylheptylketone クマリン：bergapten フラボノイド配糖体：rutin	通経，駆風薬，消炎，利尿，解毒薬	南ヨーロッパ原産

生薬名	原植物名（科名）	使用部分	成　分	用　途	産　地
イヌザンショウ(犬山椒) ラ Zanthoxyli Schinifolii Fructus et Folium 英 Zanthoxylum schinifolium Fruit, Leaf	イヌザンショウ *Zanthoxylum schinifolium* Siebold et Zuccarini(*Fagara matchurica* Honda)(Rutaceae ミカン科)	果皮，葉	精　油：methylchavicol, anisaldehyde, *p*-methoxycinnamic aldehyde クマリン：bergapten	鎮咳，打撲傷(外用)	中国(遼寧，江蘇，河北など)
ニュウコウ(乳香) ラ Olibanum 英 Olibanum	ニュウコウジュ *Boswellia carteri* Birdw.(Burseraceae カンラン科)	樹幹から得た樹脂	トリテルペン：α-, β-boswellic acid 精　油：pinene, dipentene, α-, β-phellandrene	鎮痛，消炎，薫香料	ソマリランド，アラビア
モツヤク(没薬) ラ Mirrha 英 Mirrha	モツヤクジュ *Commiphora molmol* Engl. ex Tschirch (Burseraceae カンラン科)	樹脂	furanoeudesma-1,3-diene, lindstrene	収れん，防腐作用，抗微生物作用	アラビア半島南部およびその対岸のソマリランド，エチオピア
クレンピ(苦楝皮) ラ Meliae Cortex 英 Melia Bark	トウセンダン *Melia azedarach* L. var. *toosendan* (Siebold et Zucc.) Makino 又は同属植物(Meliaceae センダン科)	樹皮	リモノイド：azedarachin タンニン	駆虫薬，皮膚疾患に外用	中国(四川，湖北，湖南，貴州)
ゴバイシ(五倍子) ラ Gallae Chinenses 英 Chinese Nutgalls	ヌルデ(五倍子)*Rhus javanica* L. または *Rhus javanica* var. *chinensis* (Mill.) T.Yamaz.(Anacardiaceae ウルシ科)	葉にヌルデノミミフシアブラムシが寄生してできた虫こぶ	タンニン	タンニン酸の原料，染料	東アジア
ガラナ子 ラ Pulniae Semen 英 Guarana	ガラナ *Paullinia cupana* Humb., Bonpl. et Kunth (Sapindaceae ムクロジ科)	種子	アルカロイド：caffeine	滋養，強壮剤	ブラジルアマゾン流域原産
セイヨウトチノキ ラ Hippocastani Semen 英 Horse chestnut	セイヨウトチノキ/マロニエ *Aesculus hippocastanum* L. (Hippocastanaceaeトチノキ科)	種子，葉，樹皮	サポニン：aescin	抗炎症，抗潰瘍，抗アレルギー，血流促進作用	バルカン半島からトルコ
マテ茶 ラ Mate Folium 英 Mate	マテ *Ilex paraguariensis* A. St.Hil.(Aquifoliaceaeモチノキ科)	葉	タンニン アルカロイド：caffeine	体力，精力増強	ブラジル南部，パラグアイ，アルゼンチン北東部原産
カスカラサグラダ ラ Rhamni Purshianae Cortex 英 Cascara Sagrada	カスカラサグラダ *Rhamnus purshiana* DC.(Rhamnaceae クロウメモドキ科)	樹皮	アントロン配糖体：cascaroside A, B, C, D アントラキノン類：chrysophanol, emodin, emodin glucoside, aloe-emodin	緩下薬，カスカラ流エキス	北米太平洋に生育，ワシントン，カリフォルニア，オレゴン州で栽培
ブドウ葉 ラ Vitis Vinifera Folium 英 Grape vine Leaf	ブドウ *Vitis vinifera* L.(Vitaceae ブドウ科)	葉	フラボノイド，タンニン，アントシアニン，ビタミン類	静脈還流障害の改善	アジア西部
リンデン ラ Tiliae Flos et Folium 英 Linden, Lime Flower	フユボダイジュ *Tilia cordata* Mill., ナツボダイジュ *T. platyphyllos* Scop., セイヨウシナノキ *Tilia × europaea* Hayne L. (Tiliaceaeシナノキ科)	花，葉	フラボノイド：astral, tilliroside	発汗作用，偏頭痛や不眠症の緩和	ヨーロッパからコーカサス山脈(フユボダイジュ)，ヨーロッパ(ナツボダイジュ)
マロウ ラ Malvae Flos/Folium 英 Common mallow	ウスベニアオイ(アシュマロウ)*Malva sylvestris* L.(Malvaceae アオイ科)	葉，花，時に根	粘液質，タンニン フラボノイド配糖体：gossypetin 3-glucoside 8-glucuronide	緩和作用，抗炎症作用，緩下作用	ヨーロッパ，西アジア，北アフリカ原産
ローゼル ラ Hibisci Sabdariffae Calyx 英 Roselle	ローゼルソウ *Hibiscus sabdariffa* L. (Malvaceae アオイ科)	萼，苞	クエン酸，vitamin C (＋)-allo-hydroxy-citric acid lactone アントシアニン	利尿，緩下作用	西アフリカ原産
脱脂綿 ラ Gossypium Cortex 英 Cotton	ワタ *Gossypium arboreum* L. var. *obtusifolium* (Roxb.) Roberty, シロバナワタ *G. herbaceum* L., キヌワタ *G. hirsutum* L.(Malvaceae アオイ科)	根皮，種子油	セスキテルペン：gossypol フラボノイド	穏やかな陣痛誘発(根皮)，男性における避妊効果(種子油)	インド，アラビア半島原産
外ジンコウ(沈香) ラ Aquillaria Agal 英 Aloeawood	ジンコウ *Aquilaria agallocha* (Lour.) Roxb. (Thymelaeaceaeジンチョウゲ科)	樹脂	芳香成分：benzylacetone, coumaric acid	鎮静，解毒，健胃薬，小児の夜泣き・かんのむし	インド東部から東南アジア

生薬名	原植物名（科名）	使用部分	成分	用途	産地
パッションフラワー [ラ] Passiflorae Herba [英] Passion flower	チャボトケイソウ／パッションフラワー *Passiflora incarnata* L.(Passifloraceae トケイソウ科)	全草	フラボノイド：vitexin, saponarin アルカロイド：harmaline 青酸配糖体：gynocardin	鎮静作用	南米原産
(外)ヒシノミ(菱実) [ラ] Trapae Fructus [英] Water Chestnut	ヒシ *Trapa japonica* Flerow, ヒメビシ *T. incisa* Siebold et Zucc. 又はメビシ *T. japonica* Flerow var. *rubeola* (Makino) Ohwi (Trapaceae ヒシ科)	果実	ステロール類, デンプン タンニン：camptothin, cornusiin A, ellagic acid	滋養強壮, 解熱薬	日本各地, 中国, 韓国
ツキミソウ, イブニングプリムローズ [ラ] Oleum Oenathera Semen [英] Evening primrose	メマツヨイグサ／イブニングプリムローズ *Oenothera biennis* L.(Onagraceae アカバナ科)	葉, 茎皮, 花, 種子油	リノール酸, リノレン酸	収れん, 鎮静作用(花, 葉, 茎皮), 血圧降下作用(種子油)	北米大陸原産
ザクロヒ(石榴皮) [ラ] Granati Cortex [英] Pomegranate Bark	ザクロ *Punica granatum* L.(Punicaceae ザクロ科)	乾皮, 枝皮又は根皮	アルカロイド：pelletierine タンニン：granatinA など ellagitannin(20 ～ 30%)	条虫駆除	中国(江蘇, 湖南, 山東, 四川), 日本(長野, 香川)
(外)カシ(訶子) [ラ] Chebulae Fructus [英] Myrobalan Fruit	ミロバランノキ *Terminalia chebula* Retz.(Combretaceae シクンシ科)	果実	タンニン：chebulinic acid chebulagic acid	収れん, 止瀉, 鎮咳	中国(雲南, 広西, 広東), インド, ミャンマー
(外)ワキョウカツ(和羌活) [ラ] Araliae Cordatae Radix [英] Aralia Cordata Root	ウド *Aralia cordata* Thunb.(Araliaceae ウコギ科)	根	精油：limonene, sabinene, α-pinene クマリン誘導体：angelol, angelicon, pinpinerin ジテルペン：ent-kaurenoic acid, 16, 17-dihydroxy-16-β-(−)-kauran-19-oic acid	解熱, 鎮痛	日本(長野)
(外)タラコンピ(タラ根皮) [ラ] Araliae Cortex [英] Aralia Bark	タラノキ *Aralia elata* Seem.(Araliaceae ウコギ科)	根皮	サポニン：elatoside A ～ F, araloside A ～ C	利尿, 胃腸病	日本(秋田, 長野, 四国)
ゴカヒ(五加皮) [ラ] Acanthopanacis Cortex [英] Acanthopanax Root Bark	ヒメウコギ *Acanthopanax sieboldianus* Makino(= *Eleutherococcus sieboldianus* (Makino) Koidz.)又はその同属植物(Araliaceae ウコギ科)	根皮	フェニルプロパノイド配糖体：eleutheroside B リグナン：(+)-sesamin, syringaresinol, helioxanthin, (−)-sesamin ジテルペン：kaurenoic acid	強壮, 利水	中国(湖北, 河南)
サンシチ, デンシチ(三七, 田七) [ラ] Notoginseng Radix [英] Panax Notoginseng Root	サンシチニンジン *Panax notoginseng*(Burkill) F. H. Chen ex C. Chow et W. G. Huang(Araliaceaeウコギ科)	根	サポニン：ginsenoside Rb_1, Rb_2, Rg_1, Rg_2, Rd, Re ステロイド：β-sitosterol アセチレン誘導体：panaxynol	止血, 鎮痛, 消炎, 強壮	中国(雲南, 広西, 四川, 江西)
アンジェリカルート(根), アンジェリカシード(種子) [ラ] Angelicae Radix [英] Angelica Root	アンゼリカ／アンジェリカ *Angelica archangelica* L.(Umbelliferae セリ科)	根, 種子	精油：β-phellandrene クマリン誘導体：bergapten, archangelicin	消化, 駆風, 鎮痙, 発汗, 去痰作用	北欧, 東欧, シベリア
(外)トウドクカツ(唐独活) [ラ] Angelicae Pubescentis Radix [英] Angelica Pubescens Root	シシウド *Angelica pubescens* Maxim. 又はその他近縁植物(Umbelliferaeセリ科)	根	クマリン誘導体：osthol, angelicone(= glabralactone), angelical	発汗, 駆風, 鎮痛薬	中国(浙江, 湖北)
(外)コウホン(藁本, 唐藁本) [ラ] Ligustici Rhizoma [英] Ligusticum Sinense Rhizome	コウホン *Ligusticum sinense* Oliv. その他近縁植物(Umbelliferae セリ科)	根茎及び根	精油：3-butylphthalide, cnidilide, methyleugenol クマリン：scopoletin, bergapten フェニルプロパノイド：ferulic acid	鎮痛, 鎮痙	中国(湖北, 四川, 湖南), 韓国
(外)ワコウホン(和藁本) [ラ] Osmorhizae Rhizoma [英] Osmorhiza Rhizome	ヤブニンジン *Osmorhiza aristata* (Thunb.) Rydb.(Umbelliferae セリ科)	根茎及び根	精油：*p*-cymene, γ-terpinene, estragole, anethole, eugenol 脂肪酸, フィトステロール類	鎮痛, 鎮痙	日本(四国)

生薬名	原植物名（科名）	使用部分	成　分	用　途	産　地
オオミツルコケモモ／クランベリー ラ Vacinii Macrocarponi Fructus 英 Cranberry Fruit	ツルコケモモ類(クランベリー) *Vaccinium macrocarpon* Aiton など(Ericaceae ツツジ科)	果実	フェノール類: quinic acid, anthocyanin, arbutin, フラボノール配糖体: hyperodide, myricitrin 他	膀胱炎などの尿路感染症の予防・症状軽減	北欧, 北米, 日本(北海道, 本州の中部地方以北)
ビルベリー ラ Myrtillii Fructus 英 Bilberry Fruit	ビルベリー *Vaccinium myrtillus* L. (Ericaceae ツツジ科)	果実	アントシアニン類	眼精疲労, 視力改善	北欧, ロシア
(外)シテイ(柿蒂) ラ Kaki Calyx 英 Persimmon Calyx	カキノキ *Diospyros kaki* Thunb.(Ebenaceae カキノキ科)	成熟した果実の宿存したがく	トリテルペン：ursolic acid, betulinic acid, oleanolic acid タンニン	しゃっくり止め	日本各地, 中国(河南, 山東, 福建など)
(外)ジョテイシ(女貞子) ラ Ligustri Lucidi Fructus 英 Ligustrum Lucidum Fruit	トウネズミモチ *Ligustrum lucidum* W.T.Aiton 又は ネズミモチ *L. japonicum* Thunb. (Oleaceae モクセイ科)	果実	トリテルペン：oleanolic acid, ursolic acid 糖アルコール：mannitol セコイリドイド：oleuropein, ligustroside	消炎, 鎮痛	中国(浙江, 江蘇, 湖南, 福建, 江西, 四川)
オリーブノキ ラ Oleae Folium 英 Olive	オリーブ *Olea europaea* L. (Oleaceae モクセイ科)	葉	配糖体：oleuropein トリテルペン：oleanolic acid, maslinic acid チロールエステル：oleuropein	食用, 局所保護作用	地中海沿岸(イタリア, フランス, スペイン), 日本(小豆島)
(外)ジンギョウ(秦艽) ラ Gentianae Macrophyllae Radix 英 Gentiana Macrophylla Root	オオバリンドウ *Gentiana macrophylla* Pall. その他近縁植物(Gentianaceae リンドウ科)	根	アルカロイド：gentianin A, B, C, gentianidine 精油	解熱, 鎮痛, 消炎, 利尿薬	中国(河北, 山西, 四川および内蒙古)
ラウオルフィア ラ Rauwolfiae Radix 英 Indian snakeroot	インドジャボク *Rauwolfia serpentina* (L.) Benth.ex Kurz (Apocynaceae キョウチクトウ科)	根及び根茎	アルカロイド：reserpine, ajmaline	高血圧症, 末梢循環障害((局)レセルピン), 不整脈((局)アジマリン)	インド, ミャンマー, マレー半島, インドネシア
ストロファンツス子, コンベ子 ラ Strophanti Semen 英 Strophanthus	ニオイキンリュウカ, ニオイストロファンツス *Strophanthus gratus* (Wall. et Hook. ex Benth.) Baill. (Apocynaceae キョウチクトウ科)	種子	強心配糖体：G-strophanthin (ouabain)	強心作用	アフリカ東部原産
ギムネマ葉 ラ Gymnema Sylvestre Folium 英 Gymnema	ホウライアオカズラ／ギムネマ *Gymnema sylvestre* (Retz.) Schult.(Asclepiadaceaeガガイモ科)	葉	トリテルペン配糖体: gymnemic acid	皮膚病, 肥満症や糖尿病の治療薬	インド南部, インドネシア, 中国南西部
キナヒ(キナ皮) ラ Cinchonae Cortex 英 Cinchona	アカキナノキ *Cinchona succirubra* Pav. ex Klotzsch (Rubiaceae アカネ科)	樹皮	アルカロイド：quinine, cinchonine, quinidine	抗マラリア薬((局)硫酸キニーネ), 抗不整脈薬((局)硫酸キニジン)	南米北部アンデス原産
コーヒー豆 ラ Coffea Arabica Semen 英 Coffee beens	コーヒーノキ *Coffea arabica* L.(Rubiaceae アカネ科)	種子	アルカロイド：(局) caffeine クロロゲン酸からなるタンニン, 脂肪油	精神的安定効果や疲労回復, 利尿効果	アラビア, エチオピア原産
キャッツクロウ ラ Uncaria Tomentosa Cortex 英 Cat's claw	キャッツクロウ *Uncaria tomentosa* DC.(Rubiaceaeアカネ科)	樹皮, 葉	オキシインドールアルカロイド：mitraphylline, rhynchophylline)	関節炎やリウマチの治療, 抗癌作用や抗炎症作用	南米ペルー原産, アマゾンに自生
トシシ(兎糸子) ラ Cuscutae Semen 英 Cuscuta Seed	ネナシカズラ *Cuscuta japonica* Choisy (Convolvulaceae ヒルガオ科)	種子	樹脂配糖体	強壮, 強精	中国(遼寧, 河北, 河南, 山東, 山西, 江蘇)
(外)マンケイシ(蔓荊子) ラ Viticis Fructus 英 Vitex Fruit	ハマゴウ *Vitex rotundifolia* L. f. 又はミツバハマゴウ *V. trifolia* L.(Verbenaceae クマツヅラ科)	果実	精油: α-pinene, camphene, terpineol, acetylester, diterpen alcohol フラボノイド:vitexicar-pine アルカロイド：vitricine vitamin A	漢方：鎮静, 消炎, 浴湯料	中国(山東, 浙江, 広東), 日本(富山)
レモンバーベナ ラ Lippia Citriodora Folium 英 Lemon verbena	レモンバーベナ/コウスイボク/ベルベーヌ *Aloysia triphylla* (L'Hér.) Britton (Verbenaceaeクマツヅラ科)	葉	精油: citral, 粘液質, タンニン, フラボノイド	鎮静作用	南アメリカ原産

生薬名	原植物名（科名）	使用部分	成　分	用　途	産　地
セイヨウニンジンボク(西洋人参木) ラ Agni Casti Fructus 英 Chaste tree	セイヨウニンジンボク/チェストツリー *Vitex agunu-scastus* L.(Verbenaceaeクマツヅラ科)	乾燥果実	イリドイド配糖体, フラボノイド, フラボノイド配糖体, 精油	女性ホルモンバランス改善作用	南ヨーロッパ, 西アジア原産
外エンメイソウ(延命草) ラ Plectranthi Herba 英 Plectranthus Herb	ヒキオコシ *Isodon japonicus* (Burm.f.) H. Hara (*Plectranthus japonicus* (Burm.f.) Koidz.) 又はクロバナヒキオコシ *P. tricharpus* Maxim. (Labiatae シソ科)	全草	ジテルペン：enmein	苦味健胃	日本(長野, 新潟, 石川, 富山)
ラベンダー ラ Lavandulae Flos 英 Common Lavender, True Lavender	ラベンダー *Lavandula angustifolia* Mill.(Labiatae シソ科)	開花期の花茎及びそれから調製した精油	精油：linalool, linalyl acetate	香料, 鎮静	フランス, イタリア, スペイン
ペパーミント ラ Menthae Piperitae Folium 英 Peppermint	セイヨウハッカ/ペパーミント/コショウハッカ *Mentha × piperita* L.(Labiataeシソ科)	地上部	精油：menthol, menthone	抗アレルギー作用, 抗菌作用	北アメリカ
クミスクチン ラ Orthosiphonis Folium 英 Java Tea	クミスクチン/ネコノヒゲ *Orthosiphon aristatus* (Blume) Miq. (Labiatae シソ科)	新芽の葉	クロメン：metlylripario-chromene A フラボン：sinensetin	利尿作用, 血圧降下作用	東南アジア原産, インド, 北オーストラリア
ロズマリン葉 ラ Rosmarini Folium 英 Rosemary	マンネンロウ/ローズマリー *Rosmarinus officinalis* L.(Labiatae シソ科)	葉, 花	ジテルペン：carnosic acid carsonol, rosmanol 精　油：cineol, borneol, camphor その他：rosmarinic acid	鎮静, 関節痛などに入浴剤. ハーブ, 外用薬	地中海沿岸
サルビア葉 ラ Salviae Folium 英 Sage	ヤクヨウサルビア/セージ *Salvia officinalis* L.(Labiatae シソ科)	葉	精　油：pinene, cineole, borneol	香辛料	ヨーロッパ各地
タイム ラ Thymus Herba 英 Common Thymus	タチジャコウソウ *Thymus vulgaris* L. (Labiatae シソ科)	地上部	モノテルペン：thymol	去痰, 鎮咳, 健胃, 駆風	ヨーロッパ南部原産, フランス, スペインなど
マンダラゲ(曼陀羅華), ダツラ葉, ダツラ子(マンダラシ, 曼陀羅子) ラ Daturae Folium 英 Jismon weed	チョウセンアサガオ *Datura metel* L., シロバナチョウセンアサガオ *D. stramonium* L.(Solanaceaeナス科)	葉, 種子	トロパンアルカロイド：hyoscyamine, scopolamine	鎮痛, 鎮痙, 咳止め	熱帯アジア原産
タバコ葉 ラ Tabaci Folium 英 Tabacco Leaf	タバコ *Nicotiana tabacum* L.(Solanaceae ナス科)	葉	アルカロイド：nicotine	喫煙料 農業用殺虫剤	世界各地
ジギタリス(キツネノテブクロ) ラ Digitalis Purpureae Folium 英 Common Foxglove	ジギタリス *Digitalis purpurea* L. (Scrophulariaceae ゴマノハグサ科)	葉	強心配糖体：digitoxine, purpurea glucoside A,B ステロイドサポニン：F-gitonin フラボノイド, アントラキノン	強心利尿薬	ヨーロッパ南部原産
ケジギタリス ラ Digitalis Lanatae Folium 英 Wooly Foxglove	ケジギタリス *Digitalis lanata* Ehrh. (Scrophulariaceae ゴマノハグサ科)	葉	強心配糖体：digoxin, lanatoside C, deslanoside, methyldigoxin	強心利尿薬	ヨーロッパ原産
外ゲンジン(玄参) ラ Scrophulariae Radix 英 Scrophularia Root	*Scrophularia ningpoensis* Hemsl. 又はゴマノハグサ *S. buergeriana* Miq. (Scrophulariaceae ゴマノハグサ科)	根	イリドイド配糖体：harpagide	消炎, 解熱, 鎮痛, るいれき, のどの腫れ	中国(浙江, 四川, 湖南, 湖北など)
マレイン ラ Verbasci Flos 英 Great Mullein	ビロードモウズイカ/マレイン *Verbascum thapsus* L. (Scrophulariaceae ゴマノハグサ科)	花, 葉	イリドイド配糖体：aucubin, catalpol サポニン：verbasco saponin	収れん作用, 皮膚湿潤作用	ヨーロッパ原産, 欧州, 北アフリカ, アジア, アメリカ, オーストラリア
デビルスクロウ ラ Harpagophyti Radix 英 Devil's claw	デビルズクロウ *Harpagophytum procumbens* DC. ex Meisn. (Methniaceaeツノゴマ科)	根	イリドイド配糖体：harpagoside, harpagide, procumbide	消炎・鎮痛作用	アフリカ南部原産, ナミビア, ボツワナ, 南アフリカ共和国, アンゴラ, ザンビア, ジンバブエ

生薬名	原植物名（科名）	使用部分	成　分	用　途	産　地
㊕ワニクジュヨウ（和肉蓯蓉） ラ Boschniakiae Herba 英 Northern groundcone	オニク *Boschniakia rossica* (Cham.et Schltdl.)B.Fedtsch. (Orobanchaceaeハマウツボ科)	開花期の全草	モノテルペンアルカロイド：boschniakine, boschnialactone フェニルプロパノイド配糖体	強壮，強精，便秘薬	北アメリカ西部，東アジア北部，日本（北海道，本州中部以北）
セッコツボク（接骨木） ラ Sambuci Ramulus 英 Sambucus Stem	ニワトコ *Sambucus racemosa* L. subsp. *sieboldiana* (Miq.) H. Hara, *S. sieboldiana* Blume ex Graebner（Caprifoliaceae スイカズラ科）その他近縁植物	茎	青酸配糖体：sambunigrin トリテルペン：ursolic acid, oleanolic acid, α, β-amyrin palmitate フラボノイド：kaempherol, quercetin	鎮痛，消炎，止血，利尿	日本（四国），朝鮮半島南部，中国（江蘇，福建，四川，浙江，広西）
エルダー ラ Sambuci Flos/Fructus 英 Elder	セイヨウニワトコ／エルダー *Sambucus nigra* L.(Caprifoliaceae スイカズラ科)	花と果実	フラボノイド：rutin フェノール酸，トリテルペン	発汗剤（花），利尿，緩下，発汗剤（果実）	中央アジア，欧州
セイヨウカノコソウ（バレリアナ） ラ Valerianae Radix 英 Valerian	セイヨウカノコソウ *Valeriana officinalis* L. (Valerianaceae オミナエシ科)	根	精油：bornylisovalerate, valerenic acid	鎮静薬，緩和薬	ヨーロッパ原産
㊕シャジン（沙参） ラ Adenophorae Radix 英 Adenophora Root	トウシャジン／マルバノニンジン *Adenophora stricta* Miq. 又はその他近縁植物（Campanulaceae キキョウ科）	根	トリテルペン：taraxerone, cycloartenyl acetate ステロイド：daucosterol クマリン：xanthotoxin	解毒（腫毒，蛇，虫毒），鎮咳，去痰	中国（安徽，江蘇，浙江，貴州），朝鮮
アルニカ根 ラ Arnicae Radix 英 Arnica	セイヨウウサギギク／アルニカ *Arnica montana* L.(Compositaeキク科)	根	セスキテルペンラクトン：helenalin	消炎作用	北海道，本州中部以北
アーティチョーク ラ Cynarae Folium 英 Artichoke	アーティチョーク／チョウセンアザミ *Cynara scolymus* L. (Compositaeキク科)	葉	ケイヒ酸誘導体：cynarin ジデルペン：cynaropicrin	利尿，強壮，食欲増進	地中海沿岸原産
キンセンカ（金盞花） ラ Calendulae Flos 英 Marigold	キンセンカ/トウキンセンカ/カレンデュラ *Calendula officinalis* L. (Compositaeキク科)	花	トリテルペン：calendulosideA フラボノイド：isorhamnetin カロテノイド：lutein	利尿，発汗，瀉下，通経，黄斑変性症	地中海沿岸原産
㊕シオン（紫菀） ラ Asteris Radix 英 Aster Root	シオン *Aster tataricus* L. f. (Compositaeキク科)	根及び根茎	サポニン：astersaponin ステロイド：shionone フラボノイド：quercetin	鎮咳，去痰，利尿	中国（東北地方），北朝鮮
シナ（シナカ） ラ Artemisia Herba 英 Absinth wormwood	ミブヨモギ *Artemisia maritima* L.(Compositaeキク科)	全草	セスキテルペン：santonin	回虫駆除薬	中央アジア原産，ロシア
ジョチュウギクカ（除虫菊花） ラ Pyrethri Flos 英 Pyrethrum Flower	シロバナムショケギク *Tanacetum cinerariifolium* (Trevir.) Sch. Bip.(Compositaeキク科)	頭花	ピレスロイド：pyrethrin Ⅰ, Ⅱ	殺虫剤，蚊とり線香原料	ケニア
エキナセア 英 Echinacea, Purple Cone Flower	①ムラサキバレンギク／エキナセア *Echinacea purpurea* (L.)Moench, ② *E. angustifolia* DC., ③ *E. pallida* (Nuttall) Nuttall（Compositaeキク科）	①は開花時の地上部，②③は根	カフェ酸誘導体：echinacoside, chicoric acid, cynarin アルキルアミド：echinaceine, echinolone 多糖類：arabinogalactan	免疫賦活作用，抗ウイルス作用	北アメリカ，ヨーロッパ
ステビア 英 Stevia	ステビア／アマハステビア *Stevia rebaudiana* (Bertoni) Bertoni (Compositaeキク科)	葉	ジテルペン配糖体：stevioside, rebaudioside	非糖性甘味料，矯味薬	パラグアイ，ブラジル
フィーバーヒュー 英 Feverfew	ナツシロギク／フィーバーヒュー *Tanacetum parthenium* (L.) Sch.Bip.(Compositae キク科)	葉	セスキテルペン：parthenolide 精油：(−)-camphor, (−)-borneol	偏頭痛改善，血管拡張・弛緩作用	バルカン半島，南西アジア，園芸用として広く栽培
ローマンカモマイル ラ Chamomillae Romanae Flos 英 Roman chamomile	ローマカミツレ／ローマンカモマイル *Chamaemelum nobile* (L.) All.(Compositaeキク科)	花	揮発油（ティグリン酸エステル）	吐き気，嘔吐，消化不良，食欲不良の改善	西ヨーロッパ原産
㊕カミツレ ラ Chamomillae Flos 英 German Chamomile	カミツレ *Matricaria chamomilla* L.(Compositaeキク科)	頭花	精油（0.5〜0.9％）(−)-, α-bisabolol, α-farnesene, matricin クマリン：herniarin フラボノイド：apigenin	発汗，駆風，消炎	ヨーロッパ，日本（鳥取，島根，山形）
ホコウエイ（蒲公英） ラ Taraxaci Herba 英 Dandelion	タンポポ属植物 *Taraxacum* spp. (Compositaeキク科)	全草	ステロイド：taraxasterol 脂肪酸 inulin	苦味健胃　漢方：利胆，催乳	中国，日本（四国），韓国

生薬名	原植物名（科名）	使用部分	成　分	用　途	産　地
ミルクシスル ラ Cardui Mariae Semen 英 Milk thistle	マリアアザミ/オオアザミ/ミルクシスル *Silybum marianum*(L.) Gaertn.(Compositaeキク科)	種子	フラボリグナン類: silybinin, silychrystin, silydianin	慢性肝炎, 肝硬変	南ヨーロッパ, 北アフリカ, アジア
ダンディライオン ラ Taraxaci Radix cum Herba 英 Dandelion	セイヨウタンポポ(ダンディライオン)*Taraxacum officinale* Weber ex F. H.Wigg (Compositaeキク科)	葉, 根	セスキテルペンラクトン類, トリテルペン類	利尿, 解毒作用	世界全域
ソウジシ(蒼耳子) ラ Xanthii Fructus 英 Xanthium Fruit	オナモミ *Xanthium strumarium* L. subsp. *sibiricum* (Patrin ex Widder) Greuter, オオオナモミ X. *orientale* L. subsp. *orientale*, イガオナモミ X. *orientale* subsp. *italicum* (Moretti) Greuter(Compositaeキク科)	総苞に包まれた果実	脂肪酸: linoleic acid ジテルペン: atractyloside, gummiferin	解熱, 鎮痙, 鼻炎	中国(山西, 江西, 湖北, 江蘇)
カントウカ(款冬花) ラ Farfarae Flos 英 Common Coltsfoot Flower	フキタンポポ *Tussilago farfara* L.(Compositae キク科)	開花前の頭花	ステロール：fradiol タンニン, パラフィン テルペノイド：farfaranone	鎮咳, 去痰薬	中国(河南, 山西, 陝西)
タイサン(大蒜) ラ Allii Bulbus 英 Garlic	ニンニク *Allium sativum* L.(Liliaceae ユリ科)	りん茎	精油: alliin, diallyldisulfide ステロイドサポニン:eruboside B	発汗, 利尿, 去痰, 整腸, 駆虫, 食用	世界各地
外ガイハク ラ Allii Chinense Bulbus 英 Allium Chinese Bulb	ラッキョウ Allium chinense G.Don(Liliaceae ユリ科)	りん茎	精油：methyl propyl sulfide, ステロイド：spirostanol saponin, 多糖類：fulctan	胸痛, 喘息	日本, 中国
キダチアロエ(木立蘆薈) ラ Candelabra Aloe 英 Aloe	キダチアロエ *Aloe arborescens* Mill.(Liliaceaeユリ科)	多肉葉の液汁	アントラキノン: aloin, aloeurcin, aloe-emodin	緩下作用	アフリカ原産
コルヒクム子 ラ Colchici Semen 英 Meadow saffron (Autumn crocus)	イヌサフラン *Colchicum autumnale* L.(Liliaceaeユリ科)	種子, りん茎, 葉	アルカロイド: colchicine	痛風治療薬	ヨーロッパ西南部原産
外トウシンソウ(灯心草) ラ Junci Medulla 英 Rush Pith	イグサ/イ/トウシンソウ *Juncus effusus* L. (Juncaceae イグサ科)	髄	フラボノイド: luteolin 多糖類: araban, xylan フェナントレン誘導体: effusol Ⅰ, Ⅱ	利尿, 鎮静	中国(貴州, 四川, 福建)
外チクジョ(竹筎) ラ Bambusae Caulis 英 Bamboo Caulis	*Bambusa tuldoides* Munro, ハチク *Phyllostachys nigra* (Lodd. ex Loud.) Munro var. *henonis*(Bean ex Mitford) Stapf ex Rendle又はマダケ *P. bambusoides* Siebold et Zucc.(Gramineaeイネ科)	稈の内層	トリテルペン: friedelin, lupenone, taraxerol	解熱, 鎮吐	中国(浙江, 安徽, 江蘇, 湖南, 河北)
外ショウバク(小麦) ラ Tritici Fructus 英 Wheat	コムギ *Triticum aestivum* L.(Gramineaeイネ科)	果実	デンプン, タンパク質, 脂肪油	漢方：鎮静	日本, 世界各地
ナンバンゲ(南蕃毛) ラ Maydis Stigma 英 Corn Stigma	トウモロコシ *Zea mays* L.(Gramineaeイネ科)	雌しべ	カロテノイド: cryptoxanthin ビタミンK 有機酸	利尿, 血圧降下	日本, 中国
ノコギリヤシ 英 Saw Palmetto	ノコギリヤシ/ソウパルメット *Serenoa repens*(W.Bartram) Small(Palmaeヤシ科)	果実	遊離脂肪酸: oleic acid, lauric acid 植物性ステロイド: β-sitosterol, stigmasterol	前立腺肥大症の緩和, 排尿障害, 利尿作用	北米南東部
ショウブコン(菖蒲根) ラ Calami Rhizoma 英 Acorus Rhizome	ショウブ *Acorus calamus* L.(Araceaeサトイモ科)	根茎	精油: metyleugenol, eugenol, asarone, calamenone	健胃, 浴湯料	中国(湖北, 湖南, 遼寧, 四川)
外セキショウコン(石菖根) ラ Acori Graminei Rhizoma 英 Acorus Gramineus Rhizome	セキショウ *Acorus gramineus* Sol. ex Aiton(Araceaeサトイモ科)	根茎	精油: asarone, methyleugenol, eugenol 脂肪酸: palmitic acid	鎮痛, 鎮静, 健胃	中国(広西, 四川, 浙江など)

生薬名	原植物名（科名）	使用部分	成　分	用　途	産　地
㊕テンナンショウ(天南星) ラ Arisaematis Tuber 英 Arisaema Tuber	マイヅルテンナンショウ *Arisaema heterophyllum* Blume, *A. erubescens* Schott その他同属植物(Araceaeサトイモ科)	コルク層を除いた塊茎	デンプン, シュウ酸カルシウムの針晶を含むが, 有効成分未詳	漢方：鎮痙, 去痰, 健胃, 発汗, 駆虫	中国(四川, 河南, 貴州など), 韓国, 日本(九州)
ソウズク ラ Alpiniae Katsumadai Semen 英 Alpnia Katsumadai Seed	*Alpinia katsumddai* Hayata (Zingiberaceae)の種子の塊	種子	フラボノイド：cardamomin Pinoce-mbrin	腹痛, 食欲不振	ベトナム, タイ, 中国南部
ビャクズク(白豆蔲) ラ Amomi Rotundus Fructus 英 Round Cardamon	ビャクズク*Amomum kravanh* Pierre ex Gagnep.(=*A. compactum* Sol. ex Maton.) (Zingiberaceaeショウガ科)	果実	精油：α-borneol, (＋)-camphor, α-, β-pinene	芳香性健胃, 駆風	カンボジア, タイ, 中国(南部)
セッコク(石斛) ラ Dendrobii Herba 英 Dendrobium Stem	コウキセッコク/ニオイセッコク *Dendrobium nobile* Lindl., セッコク*D. moniliforme*(L.)Sw.又は同属植物(Orchindaceaeラン科)	全草	アルカロイド：dendrobine, nobiline 多糖類	強壮, 解熱	中国(広西, 雲南, 貴州)
バニラ(バニラ豆) ラ Vanillae Fructus 英 Vanilla Pod	バニラ *Vanilla mexicana* Mill.(= *V. planifolia* Andrews(Orchidaceaeラン科)	未熟果	バニロイド：vanillin	香料	メキシコ, マダガスカル, レユニオン, セイシェル
シンキク(神麹) ラ Massa Medicata Fermentata 英 Medicated Leaven		小麦粉, 麹に新鮮なオナモミ, ヤナギタデの汁と赤小豆, 杏仁などの粉末を加え発酵させたもの	酵素	消化促進	中国(福建), 日本, 韓国
ビャクキョウサン(白強(殭)蚕)☆ ラ Bombyx Batryticatus 英 Silkworm Corpse	カイコ *Bombyx mori* L.(Bombycydaeカイコガ科)	幼虫がビャクキョウサンビョウキン *Botrytis bassiana* Bals.の感染により強直死したもの	タンパク質, 脂肪, シュウ酸アンモニウム	鎮静, 鎮痛	中国(東南部), 韓国
㊕ジリュウ(地竜)☆ ラ Lumbricus 英 Earthworm	*Pheretima aspergillum* Perrier 又はその他近縁動物(Megascolecidaeフトミミズ科)	内部を除いたもの	解熱成分：lumbrofebrin, 溶血性成分:lumbritin, 多種アミノ酸	解熱, 鎮痛	タイ, 中国(広東, 広西)
㊕センタイ(蝉退)☆ ラ Cicadae Periostracum 英 Cicada Shell	スジアカクマゼミ *Cryptotympana atrata* Stal 又はその他近縁動物(Cicadidaeセミ科)	幼虫のぬけがら	キチン質	解熱, 鎮痙, 駆瘀血薬	中国(山東, 河北, 河南)
㊕ドベッコウ(土別甲)☆ ラ Amydae Testudo 英 Amyda Shell	スッポン *Amyda japonica* Temmink et Schlegel又はシナスッポン *A. sinensis* Wiegmann(Trionychidaeスッポン科)	背甲	タンパク質, vitamin D	解熱, 強壮	中国(湖北, 湖南, 江蘇)
㊕ハンピ(反鼻)☆ ラ Gloudu Muscuus Et Os 英 Hampi	ニホンマムシ *Gloydius blomhoffii* H.Boie, *G. brevicaudus* Stejneger 又はその他同属動物（*Viperidae*）/ *Plyas dhumnades* Cantor 又はその他同属動物（*Colubridae*）	内臓と皮を除いたもの	アミノ酸：glutamic acid, aspartic acid, arginine, lysine, tyrosine	強壮	日本, 韓国, 中国
㊕ロクジョウ(鹿茸)☆ ラ Cervi Cornu Pantotricum 英 Hairy Deerhorm	ニホンジカ*Cervus nippon* Temminck, *Cervus elaphus* L., *Cervus canadensis* Erxleben又はその他同属動物(Cervidae)	雄鹿の角化していない幼角	コラーゲン lysophosphatidyl choline	強壮, 保健薬	中国(東北地方), ロシア(シベリア)

生薬名	原植物名（科名）	使用部分	成　分	用　途	産　地
レイヨウカク(羚羊角)☆ [ラ] Saigae Tataricae Cornu [英] Antelope Horn	サイガカモシカ *Saiga tatarica* L.(Bovidae ウシ科)	角	タンパク質 リン酸カルシウム アミノ酸：lysine, cysteic acid, proline, tyrosine, serine	解熱，鎮痛，鎮静，鎮痙	中国(内蒙古，新疆，東北地方)，ロシア
精製セラック☆(A) [ラ] Lacca Depurata [英] Purified Shellac 白色セラック☆(B) [ラ] Lacca Alba [英] White Shellac	ラックカイガラムシ *Laccifer lacca* Kerr(Coccidae カイガラムシ科)	(A)分泌物を精製したもの (B)分泌物を漂白したもの	shellolic acid, aleuritic acidの樹脂成分75％とtachardiacerol, lacccerolなどのワックス成分5％を主成分とする樹脂様の物質	錠剤，丸剤，ペレット剤のコーティング料	インド，タイ
精製ゼラチン☆(A) [ラ] Geratinum Purificatum [英] Purified Geratin ゼラチン☆(B) [ラ] Geratinum [英] Geratin	各種動物	骨，皮膚，じん帯，又はけんを酸又はアルカリで処理して得た粗コラーゲンを水で加熱抽出して製したもの	コラーゲン分子の三重螺旋構造が熱変性によってほどけたものを主成分とする混合物	カプセル原料，錠剤，トローチ，坐剤の基礎剤，乳化剤，食用，注射剤(止血)	各国
㊕アキョウ(阿膠)☆ [ラ] Asini Corii Collas [英] Ass Glue	ロバ *Equus asinus* L.(Equidae ウマ科)	毛を去った皮，骨，けん又はじん帯を水で抽出し，脂肪を去り，濃縮乾燥したもの	コラーゲンが分解されたタンパク質や各種アミノ酸の混合物	止血	中国(山東，浙江，江蘇)

（☆印のある生薬は動物・鉱物等を基原とするもの）

付表 3　局方収載精油・油脂・ろう・でんぷん・鉱物一覧表

☆印は動物を基原とするもの

局方医薬品名	原料植物名(科名)	利用部分	成　分	用　途	産　地
局ウイキョウ油(フェンネル油) ラ Oleum Foeniculi 英 Fennel Oil	(A)ウイキョウ *Foeniculum vulgare* Mill.(Umbelliferae セリ科) (B)*Illicium verum* Hooker fil.(Illiciaceae シキミ科)	果実(水蒸気蒸留)	フェニルプロパノイド: anethole, anisaldehyde テルペノイド: (+)-fenchone, α-pinene	芳香性健胃，賦香料，局アンモニア・ウイキョウ精原料	(A)ヨーロッパ各国，日本，中国，インド，モロッコ，北米 (B)ベトナム，中国南部
局オレンジ油 ラ Oleum Aurantii 英 Orange Oil	*Citrus*属諸種植物の食用に供する種類(Rutaceaeミカン科)	果皮(圧搾)	テルペノイド: (+)-limonene, (+)-linalool 脂肪族: *n*-decyl aldehyde(クマリン: umbelliferone, aurapten)	賦香料	ブラジル，アメリカ，アルゼンチン，スペイン，イタリア，日本(熊本，佐賀，愛媛，静岡，和歌山，山口)
局ケイヒ油(桂皮油) ラ Oleum Cinnamomi 英 Cinnamon Oil	(A)*Cinnamomum cas-sia* J. Presl又は (B) *C.zeylanicum* Nees (Lau-raceae クスノキ科)	(A)の葉と小枝若しくは樹皮 (B)の樹皮(水蒸気蒸留)	フェニルプロパノイド: cinnamic aldehyde 75～90%, cinnamic acid	賦香料，芳香性健胃，駆風	中国南部(広東)，ベトナム，カンボジア
局チョウジ油(丁子油) ラ Oleum Caryophylli 英 Clove Oil	チョウジ/グローブ *Syzygium aromaticum* Merr. et Perry(= *Eugenia caryophyllata* Thunb.)(Myrtaceaeフトモモ科)	蕾又は葉(水蒸気蒸留)	フェニルプロパノイド: eugenol, acetyl eugenol テルペノイド: β-caryophyllene	歯科局所麻酔，殺菌，香料	モルッカ諸島，インドネシア，ザンジバル，マダガスカル
局テレビン油 ラ Oleum Terebinthinae 英 Turpentine Oil	マツ属諸種植物 *Pinus* spp.(Pinaceae マツ科)	材又はバルサム(水蒸気蒸留)	テルペノイド: α-及びβ-pinene, dipentene, terpinene	皮膚刺激	北アメリカ，フランス，ロシア，ポルトガル，スペイン，インド，ギリシア
局ハッカ油(薄荷油) ラ Oleum Menthae Japonicae 英 Mentha Oil	ハッカ *Mentha arvensis* L. var. *piperascens* Malinv. ex Holmes(Labiataeシソ科)	地上部の水蒸気蒸留後固形分(*l*-メントール)を除いた精油	テルペノイド: (−)-menthol(50%以上), (−)-menthone	芳香性健胃，駆風，局所刺激	日本(北海道)，ロシア，中国，インド，ブラジル，パラグアイ
局ユーカリ油 ラ Oleum Eucalypti 英 Eucalyptus Oil	ユーカリノキ *Eucalyptus globulus* Labill.又はその他近縁植物(Myrtaceae フトモモ科)	葉(水蒸気蒸留)	テルペノイド: cineole, α-pinene	消炎，防腐，防臭，去痰，香料	オーストラリア，アルジェリア，コンゴ，南ア連邦，スペイン，ウルグアイ，アルゼンチン

局方医薬品名	原料植物名(科名)	利用部分	成　分	用　途	産　地
局オリブ油 ラ Oleum Olivae 英 Olive Oil	オリーブ *Olea europaea* L.(Oleaceae モクセイ科)	果実	脂肪油: oleic acid, palmitic acid, linoleic acidのグリセリド チロソールエステル: oleocanthal	軟膏基剤，局薬用石けん，原料，食用，化粧用	地中海沿岸，南ヨーロッパ，アフリカ北部，アメリカ(カリフォルニア)，インド，オーストラリア，南米，日本(小豆島)
局カカオ脂 ラ Oleum Cacao 英 Cacao Butter	カカオ *Theobroma cacao* L.(Sterculiaceae アオギリ科)	種子	脂肪油: stearic acid, oleic acid, palmitic acidのグリセリド	坐薬基剤	ガーナ，ナイジェリア，コートジボワール，ブラジル，エクアドル，ベネズエラ，スリランカ，ニューギニア
局ゴマ油 ラ Oleum Sesami 英 Sesame Oil	ゴマ *Sesamum indicum* L.(Pedaliaceae ゴマ科)	種子	脂肪油: oleic acid, linoleic acid, palmitic acidのグリセリド リグナン: (+)-sesamin, sesamol	軟膏基剤	インド，アフリカ各地，メキシコ，東南アジア，アフガニスタン
局ダイズ油 ラ Oleum Sojae 英 Soybean Oil	ダイズ *Glycine max* (L.) Merr. subsp. *max* (Leguminosae マメ科)	種子	脂肪油: linoleic acid, oleic acidのグリセリド	軟膏，硬膏基剤，食用	中国，カナダ，アメリカ，ブラジル，朝鮮，インドネシア，タイ，日本
局ツバキ油 ラ Oleum Camelliae 英 Camellia Oil	ヤブツバキ/カメリア *Camellia japonica* L.(Theaceae ツバキ科)	種皮を除いた種子	脂肪油: oleic acidのグリセリド	軟膏基剤，オリブ油代用，食用，化粧用	日本各地(伊豆諸島，九州，五島)
局トウモロコシ油 ラ Oleum Maydis 英 Corn Oil	トウモロコシ *Zea mays* L.(Gramineae イネ科)	胚芽	脂肪油: oleic acid, linoleic acidのグリセリド	軟膏，硬膏基剤	アメリカ，カナダ，ロシア，中国，ブラジル，アフリカ諸国

局方医薬品名	原料植物名(科名)	利用部分	成　分	用　途	産　地
(局)ナタネ油(菜種油) [ラ] Oleum Rapae [英] Rape Seed Oil	アブラナ *Brassica campestris* L. subsp. *napus* Hooker fil. et Anderson var. *nippo-oleifera* Makino (Cruciferae アブラナ科)	種子	脂肪油：erucic acid, linoleic acid, oleic acidのグリセリド	軟膏, 硬膏基剤	中国，東インド，フランス，ドイツ，イタリア，カナダ，日本各地
ハズ(巴豆)(劇) [ラ] Tiglii Semen [英] Croton Seed	ハズ *Croton tiglium* L. (Euphorbiaceae トウダイグサ科)	種子	脂肪油 ジテルペノイド：phorbol ester A_1～A_4, B_1～B_7	漢方：峻下, 吐剤, 皮膚刺激	インド，東南アジア，中国
(局)ヒマシ油 [ラ] Oleum Ricini [英] Castor Oil	トウゴマ *Ricinus communis* L.(Euphorbiaceae トウダイグサ科)	種子	脂肪油：ricinolic acid, oleic acidのグリセリド	峻下, 軟膏基剤, リニメント剤	中国，インド，タイ，メキシコ，ブラジル，カンボジア，インドネシア，タンザニア，ケニアなど熱帯，亜熱帯，温帯
(局)ヤシ油(椰子油) [ラ] Oleum Cocois [英] Coconut Oil	ココヤシ *Cocos nucifera* L.(Palmaeヤシ科)	種子	脂肪油：lauric acid, myristic acid, capric acid, caprylic acid, palmitic acidのグリセリド	軟膏基剤	熱帯各地の海岸，島(セイロン，ハワイ，フィリピン，アフリカ東西海岸，熱帯南アメリカの海岸諸国，インド，南洋諸島)
(局)ラッカセイ油(落花生油) [ラ] Oleum Arachidis [英] Peanut Oil	ラッカセイ/ナンキンマメ *Arachis hypogaea* L.(Leguminosae マメ科)	種子	脂肪油：oleic acid, linoleic acid, palmitic acid, arachidic acidのグリセリド	軟膏, 硬膏基剤, リニメント溶剤	中国，日本(千葉，静岡，愛知，鹿児島)，インド，アメリカ，セネガル，フランス，スーダン，スペイン，アルゼンチン
(局)肝油☆ [ラ] Oleum Jecoris(局方にはラテン名はない) [英] Cod Liver Oil	マダラ *Gadus macrocephalus* Tilesius 又はスケトウダラ *Theragra chalcogramma* Pallas(Gadidae タラ科)	肝臓及び幽門垂	ビタミンA_1, D_3, 脂肪：palmitic acid, oleic acid, stearic acidのグリセリド	ビタミンA, D欠乏症, 消耗性疾患, 夜盲, 骨軟化症などの予防, 治療	各国
(局)牛脂☆ [ラ] Sevum Bovinum [英] Beaf Tallow	ウシ *Bos taurus* L. var. domesticus Gmelin(Bovidae ウシ科)	脂肪組織	脂肪：oleic acid, palmitic acid, stearic acidのグリセリド	軟膏，硬膏基剤，石けん原料	各国
(局)豚脂☆ [ラ] Adeps Suillus [英] Lard	ブタ *Sus scrofa* L. var. *domesticus* Gray(Suidae イノシシ科)	腹部大網膜, 肋骨及び腎臓の周囲にある脂肪組織	脂肪：β-palmitodiolein	軟膏，リニメント剤の基剤，油性注射剤の溶剤	各国
(局)精製ラノリン☆(A) [ラ] Adeps Lanae Purificatus [英] Purified Lanolin (局)加水ラノリン☆(B) [ラ] Adeps Lanae Hydrosus(局方にはラテン名はない) [英] Hydrous Lanolin	ヒツジ *Ovis aries* L.(Bovidaeウシ科)	(A)毛から得た脂肪様物質を精製したもの (B)(A)に水を加えたもの	高級脂肪酸と高級アルコール，cholesterol, lanosterolなどとのエステル (B)は25～30%の水を含む	軟膏基剤，化粧品，石けんの配合剤	イギリス，日本，アメリカ，イタリア
(局)カルナウバロウ [ラ] Cera Carnauba [英] Carnauba Wax	カルナウバヤシ/ブラジルロウヤシ/ロウヤシ *Copernicia cerifera* Mart.(Palmae ヤシ科)	葉	ろう：高級アルコールの高級脂肪酸エステル類	軟膏基剤, 錠剤の防湿被包, つや出し	ブラジル
(局)ミツロウ(黄蝋)☆(A) [ラ] Cera Flava [英] White Beeswax サラシミツロウ(白蝋)☆(B) [ラ] Cera Alba [英] White Beeswax	トウヨウミツバチ *Apis indica* Radoszkowski 又はヨーロッパミツバチ *A. mellifera* L.(Apidaeミツバチ科)	(A)巣から得たろうを精製したもの (B)(A)を漂白したもの	ろう：myricyl palmitate, ceryl palmitate, lacceryl palmitate, ceryl 16-hydroxypalmitate	軟膏, 硬膏, 坐剤などの基剤	東洋ミツロウ：中国, インドネシア, インド, タイ, ミャンマー, ベトナム 西洋ミツロウ：北米, 南米, アフリカ, 日本(岐阜, 長野, 九州, 北海道)
木蝋(モクロウ) [ラ] Cera Rhois [英] Japan Wax	ハゼノキ *Rhus succedanea* L.(Anacardiaceaeウルシ科)	根皮, 種子	中性脂肪：パルミチン酸，ステアリン酸，オレイン酸	止血，解毒	本州(関東南部以西)，四国，九州，中国，台湾，マレーシア，インド
鯨蝋(ゲイロウ)☆ [ラ] Cetaceum [英] Spermaceti	マッコウクジラ *Physeter macrocephalus* L.(Physeteridaeマッコウクジラ科)	頭部貯油組織から得られる油	ろう：cetyl palmitate	化粧品原料	

局方医薬品名	原料植物名(科名)	利用部分	成　分	用　途	産　地
(局)コムギデンプン ラ Amylum Tritici 英 Wheat Starch	コムギ *Triticum aestivum* L.(Gramineae イネ科)	種子(胚乳)		散布剤，軟膏，パスタ，賦形剤，食用(以下同じ)	世界各国(北アメリカ，オーストラリア，ロシア，中国，ヨーロッパ各地，インドなど)，日本各地
(局)コメデンプン ラ Amylum Oryzae 英 Rice Starch	イネ *Oryza sativa* L.(Gramineae イネ科)	種子(胚乳)		同上	日本各地
(局)トウモロコシデンプン ラ Amylum Maydis 英 Corn Starch	トウモロコシ *Zea mays* L.(Gramineae イネ科)	種子(胚乳)		同上	世界各地(アメリカ，ブラジル，中国，ユーゴ，ルーマニア，アルゼンチン)，日本
(局)バレイショデンプン ラ Amylum Solani 英 Potato Starch	ジャガイモ *Solanum tuberosum* L.(Solanaceae ナス科)	塊茎		同上	世界各国，日本(北海道)
カンショデンプン ラ Amylum Batatae 英 Sweet Potato Starch	サツマイモ *Ipomoea batatas* (L.) Poir. var. *edulis* (Thunb.) Kuntze (Convolvulaceae ヒルガオ科)	塊根		同上	世界各国
麝香嚢(ジャコウノウ)☆ ラ Moschus 英 Musk	ジャコウジカ *Moschus moschiferus* L.(Cervidaeシカ科)	雄の麝香腺分泌物	muscone，muscopyridine，強心作用成分 (musclide A_1，A_2，B)，その他アンドロスタン誘導体，コレステロール，コレスタノール脂肪酸	興奮，鎮痙，鎮静，排膿，解毒作用	ネパール，ブータン，中国，モンゴル，ロシア
海狗腎(カイクジン)☆ ラ Phocae Thstis et Penis 英 Sea Bear Penis	ゴマフアザラシ *Phoca largha* Pallas(Phocidaeアザラシ科)	陰茎，睾丸	タンパク質，脂肪，男性ホルモン：androsterone	強精作用，強壮，補血，強精薬	中国，千島列島一帯
水蛭(スイテツ)☆ ラ Hirudo 英 Leech	ウマビル *Whitmania pigra* Whitman(Hirudinidaeヒルド科)	全体	ポリペプチド：hirudin	抗凝血，抗血栓作用	中国(山東，江蘇)
(局)ローヤルゼリー☆ ラ Apilac 英 Royal Jelly	ヨーロッパミツバチ *Apis mellifera* L.又はトウヨウミツバチ *A. cerana* Fabricius(Apidaeミツバチ科)	花の蜜	アミノ酸，ビタミン，ミネラル，デセン酸，パロチン，アセチルコリン，ビオプテリン	抗糖尿病，抗癌，血圧改善作用	中国(浙江)
真珠(シンジュ)☆ ラ Margaritum 英 Pearl	アコヤガイ *Pinctada fucata* Dunker(Pteriidaeウグイスガイ科)，イケチョウガイ *Hyriopsis schlegelii* Martens (Unionidaeイシガイ科)	外套膜組織中に形成された顆粒状物質	炭酸カルシウム，有機物(アミノ酸)	抗ヒスタミン，鎮痛，解熱作用	中国，台湾，日本
琥珀(コハク) ラ Succinum 英 Amber	マツ科植物	化石	abietic acid，コハク酸	安神，利水，活血	バルチック海沿岸，中国，日本
禹余粮(ウヨリョウ) ラ Limonite 英 Limonitum	褐鉄鉱	鉱物	褐鉄鉱(limonite)，酸化第二鉄およびハロサイト(hallosite $Al_2Si_2O_5(OH)_4 \cdot 4H_2O$)	止瀉・止血作用	中国(河南)，日本
代赭石(タイシャセキ) ラ Haematitum 英 Hematite	天然の赤鉄鋼(Hamatite)	三方晶系の赤鉄鉱	二酸化ケイ素，三酸化鉄	興奮作用	中国(山西，河北，山東，河南，四川，広東省など)

付表 4　植物性医薬品とその原料植物

医薬品名	原料植物と用部(科名)	構造式	医薬品の用途
(局)アジマリン(劇)(処)(A) [英] Ajmaline (局)レセルピン(劇)(処)(B) [英] Reserpin	インドジャボク *Rauworfia serpentina* Benthamの根(Apocynaceae キョウチクトウ科)	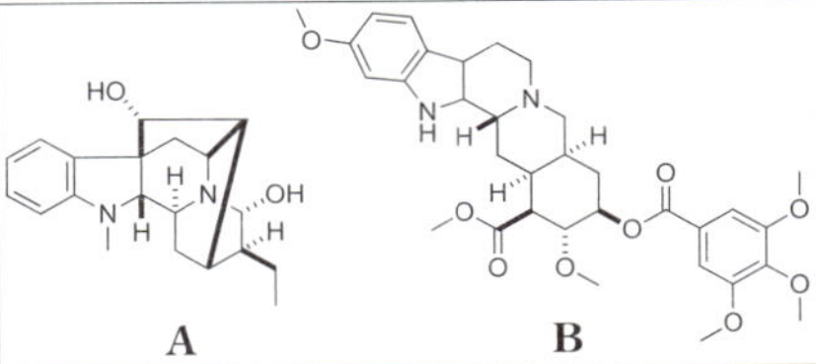 A　B	(A)抗不整脈薬 (B)降圧, 抗精神病, 交感神経ニューロン遮断
(局)アトロピン硫酸塩水和物(毒) [英] Atropine Sulfate Hydrate	チョウセンアサガオ類 *Datura* spp. の葉, 種子, ヒヨス *Hyoscyamus niger* L.の葉, 種子, ハシリドコロ *Scopolia japonica* Maxim.の根茎及び根(ロート根)(Solanaceae ナス科)	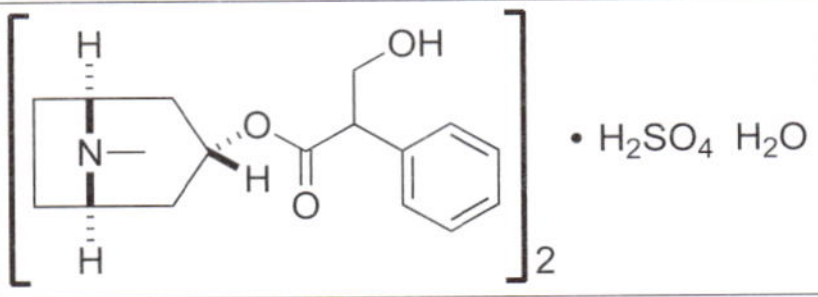 ・H_2SO_4 H_2O	副交感神経遮断, 不整脈, 散瞳, 解毒, 鎮痙薬
(局)エフェドリン塩酸塩(劇)(覚原)(処) [英] Ephedrine Hydrochloride	シナマオウ *Ephedra sinica* Stapf, *E.intermedia* Schrenk et C.A. Meyer又は *E. equisetina* Bungeの地下茎(Ephedraceae マオウ科)	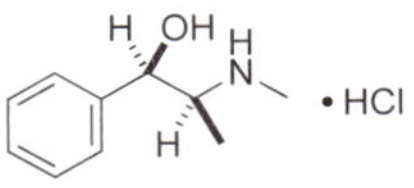 ・HCl	気管支喘息治療, 局所性血管収縮薬
(局)エルゴタミン酒石酸塩(劇)(A) [英] Ergotamine Tartrate (局)エルゴメトリンマレイン酸塩(劇)(B) [英] Ergometrine Maleate	バッカクキン *Claviceps purpurea* Tulasne(Clavicipitaceae バッカクキン科)の菌核(麦角), 普通はライムギ *Secale cereale* L.(Gramineae イネ科) の子房に寄生	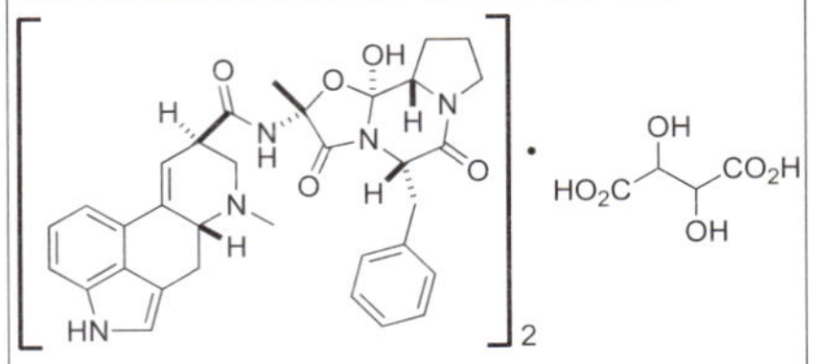 A 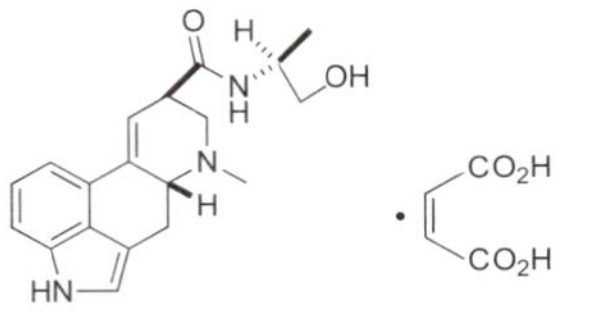　B	(A)偏頭痛治療, 交感神経 α-遮断薬 (B)子宮収縮, 止血薬
ガランタミン臭化水素酸塩 [英] Galantamine Hydrobromide	スノーフレーク *Leucojum aestivum* L.の球茎(Amaryllidaceae ヒガンバナ科)	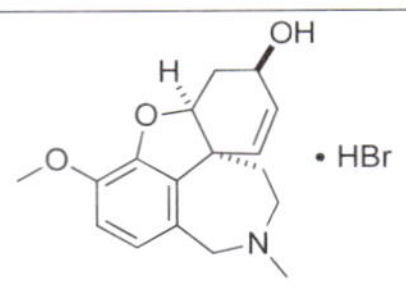 ・HBr	アルツハイマー型認知症治療薬
(局)キニーネ塩酸塩水和物(処)(A) [英] Quinine Hydrochloride Hydrate (局)キニーネ硫酸塩水和物(処)(A) [英] Quinine Sulfate Hydrate (局)キニーネエチル炭酸エステル(処)(A) [英] Quinine Ethyl Carbonate (局)キニジン硫酸塩水和物(処)(B) [英] Quinidine Sulfate Hydrate	アカキナノキ *Cinchona succirubra* Pav. et Klotzsch, 又はその他同属植物の樹皮(キナ皮)(Rubiaceae アカネ科)	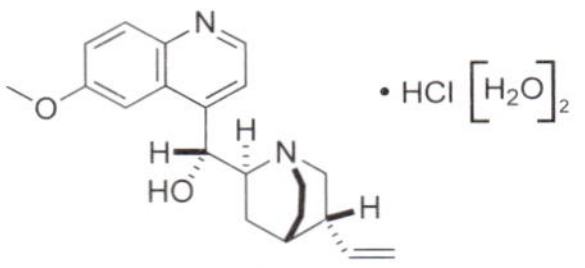 A 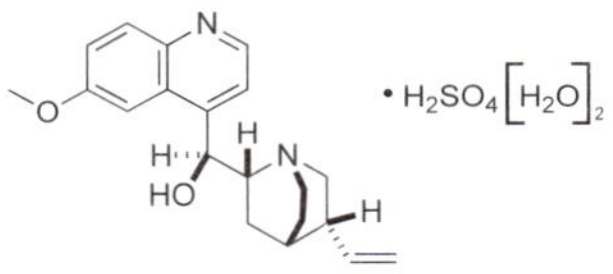　B	(A)解熱, 抗マラリア薬, 苦味剤 (B)抗不整脈薬
(局)カイニン酸水和物(劇) [英] Kainic Acid Hydrate	マクリ *Digenea simplex*(Wulfen) C. Agardhの全草(Rhodomelaceaeフジマツモ科)	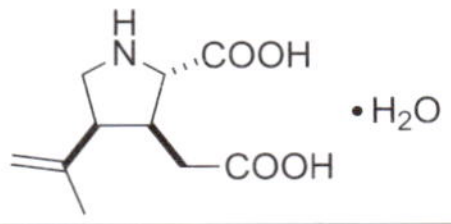 ・H_2O	駆虫薬(回虫, 蟯虫, 鞭虫)
(局)カフェイン水和物(劇)(A) [英] Caffeine Hydrochloride (局)無水カフェイン(劇)(A) [英] Anhydrous Caffeine (局)テオフィリン(劇)(処)(B) [英] Theophylline	チャノキ *Thea sinensis* (L.)Kuntzeの葉(Theaceae ツバキ科) カカオ *Theobroma cacao* L.の種子(カカオ子)(Sterculiaceae アオギリ科) コーヒーノキ属植物 *Coffea* spp.の種子(Rubiaceae アカネ科)	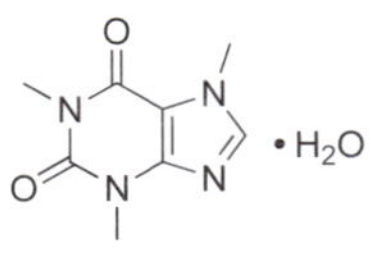 A 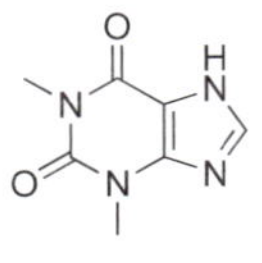　B	(A)中枢興奮, 利尿, 鎮痛 (B)気管支喘息治療薬
(局) *d*-カンフル(樟脳) [英] *d*-Camphor (局) *dl*-カンフル [英] *dl*-Camphor	クスノキ *Cinnamomum camphora* Preslの材(Lauraceae クスノキ科)	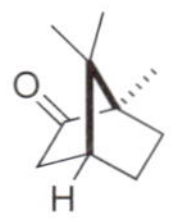	中枢興奮, 局所刺激, 局所消炎鎮痒薬

医薬品名	原料植物と用部(科名)	構造式	医薬品の用途
局コカイン塩酸塩劇麻処 英 Cocaine Hydrochloride	*Erythroxylum coca* Lam.その他同属植物の葉(コカ葉)(Erythroxylaceae コカノキ科)	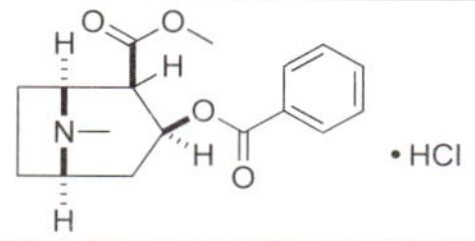 •HCl	表面麻酔
局コデインリン酸塩水和物劇麻処 英 Codeine Phosphate Hydrate	ケシ *Papaver somniferum* L. の未熟果皮(Papaveraceae ケシ科)	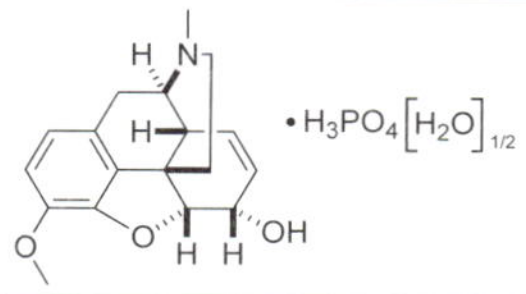 $\cdot H_3PO_4[H_2O]_{1/2}$	麻薬性鎮痛, 麻薬性鎮咳, 麻薬性止瀉薬
局コルヒチン毒処 英 Colchicine	イヌサフラン *Colchicum autumnale* L.の種子(コルヒクム子), 他(Liliaceae ユリ科)	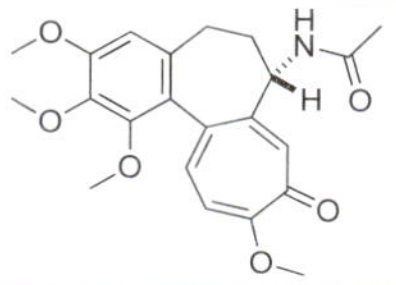	痛風発作緩和予防薬
局サントニン劇 英 Santonin	ミブヨモギ *Artemisia maritima* L. の全草又は *A. cina* O. Bergの蕾期の頭花(シナ花)(Compositae キク科)	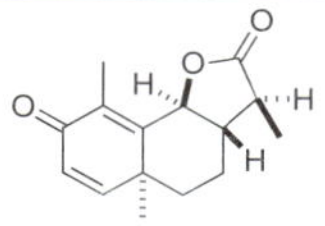	駆虫薬(回虫)
局ジギトキシン毒処 英 Digitoxin	ジギタリス *Digitalis purpurea* L.(Scrophulariaceae ゴマノハグサ科)の葉	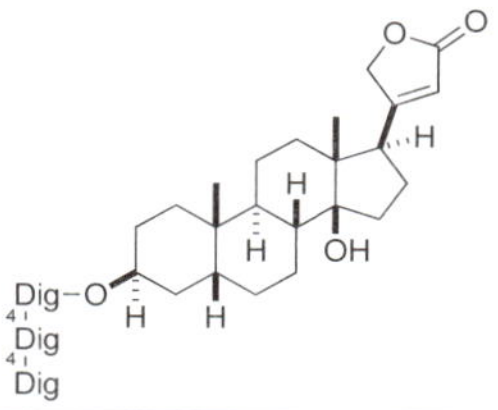 Dig-O, Dig, Dig	強心利尿薬
局ジゴキシン毒処(A) 英 Digoxin 局デスラノシド毒(B) 英 Deslanoside 局ラナトシドC毒処(C) 英 Lanatoside C	ケジギタリス *Digitalis lanata* Ehrh.(Scrophulariaceae ゴマノハグサ科) の葉	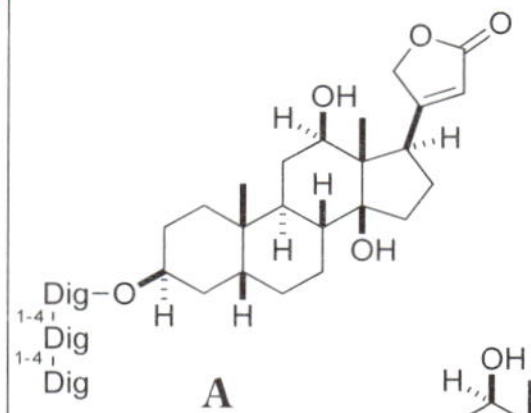 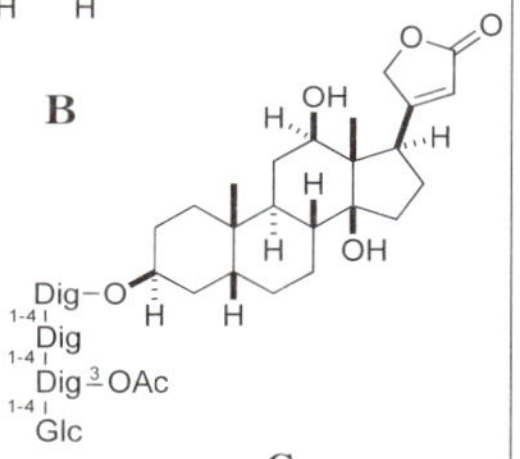 A: 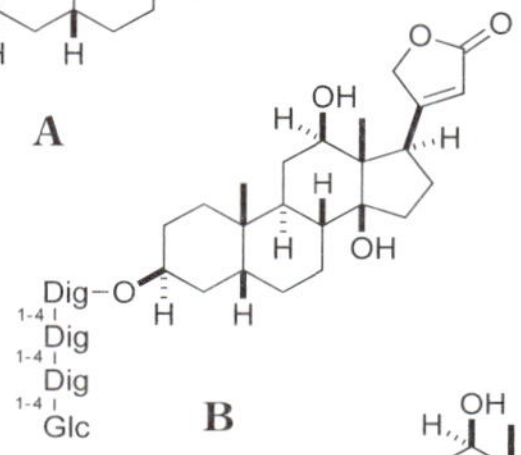 Dig-O, Dig, Dig B: Dig-O, Dig, Dig, Glc C: Dig-O, Dig, Dig-3-OAc, Glc	強心利尿, 不整脈薬
局スコポラミン臭化水素酸塩水和物毒 英 Scopolamine Hydrbromide Hydrate	ハシリドコロ *Scopolia japonica* Maxim. *S. carniolica* Jacq. 又は *S. parviflora*(Dunn) Nakaiの根茎および根(Solanaceae ナス科)	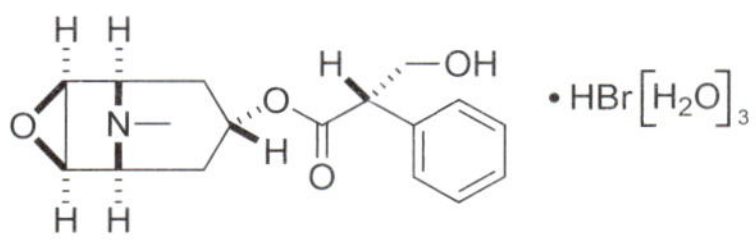 $\cdot HBr[H_2O]_3$	パーキンソン病治療薬
G-ストロファンチン毒 英 G-Strophanthin(=ouabain)	ニオイキンリュウカ/ニオイストロファンツス *Strophanthus gratus*(Wall. et Hook.ex Benth.) Baill.(Apocynaceae キョウチクトウ科) の種子(ストロファンツス子)他	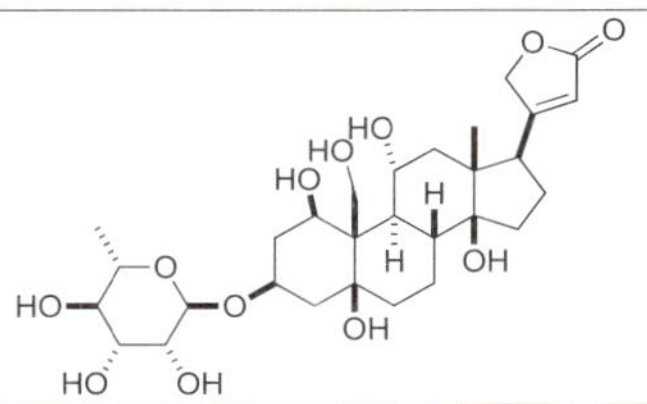	強心利尿, 不整脈薬

医薬品名	原料植物と用部(科名)	構造式	医薬品の用途
局タンニン酸 英 Tannic Acid	ヌルデ *Rhus javanica* L. var. *chinensis*(Mill.) T.Yamaz.(Anacardiaceae ウルシ科)の葉にヌルデノミミフシアブラムシの刺激によりできた虫こぶ(五倍子). *Quercus infectoria* Oliver(Fagaceaeブナ科) の若枝にインクフシバチの刺激でできた虫こぶ(没食子).	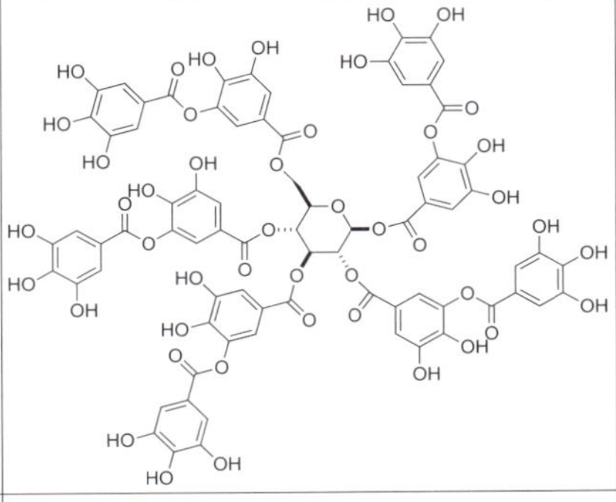	含そう, 局所収れん薬
局チモール 英 Thymol	タイム/タチジャコウソウ *Thymus vulgaris* L.の葉(タイム), ヤマジソ *Mosla japonica* Maxim.の全草(Labiatae シソ科)他	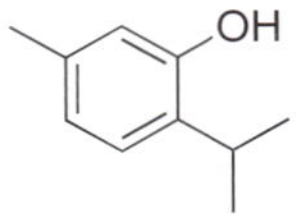	殺菌, 製剤原料, 歯科用
ツボクラリン塩化物塩酸塩水和物毒 英 Tubocurarine Chloride Hydrochloride Hydrate	クラーレノキ *Chondodendron tomentosum* Ruiz et Pav. の樹皮のエキス(クラーレ)(Menispermaceae ツヅラフジ科)	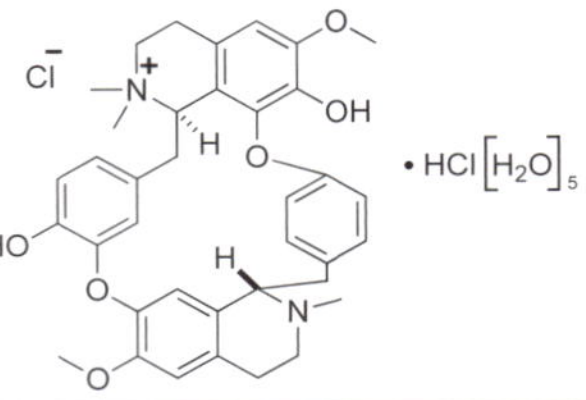	骨格筋弛緩, 機能検査薬
局ノスカピン 英 Noscapine 局ノスカピン塩酸塩水和物 英 Noscapine Hydrochloride Hydrate	ケシ *Papaver somniferum* L. の未熟果皮(Papaveraceae ケシ科)	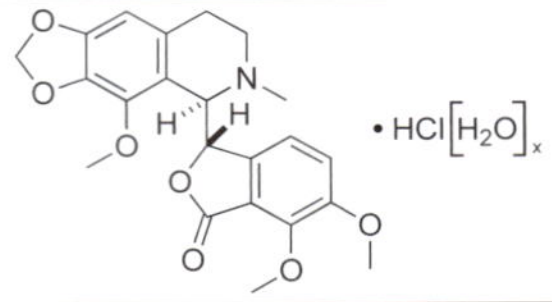	非麻薬性鎮咳薬
局白糖 英 White Soft Sugar 局精製白糖 英 Sucrose 局単シロップ 英 Simple Syrup	サトウキビ *Saccharum officinarum* L.(Gramineaeイネ科)の茎 サトウダイコン(テンサイ)*Beta vulgaris* L.(Chenopodiaceaeアカザ科)の根	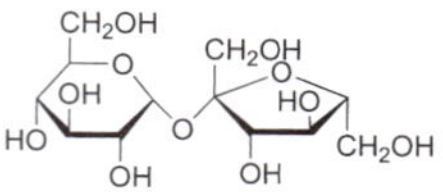	甘味料, 製剤原料
パクリタキセル(A) 英 Paclitaxel ドセタキセル(B) 毒広 英 Docetaxel	タイヘイヨウイチイ *Taxus brevifolia* Nuttal, イチイ *Taxus cuspidata* Siebold et Zucc.(Taxaceae イチイ科) の樹皮	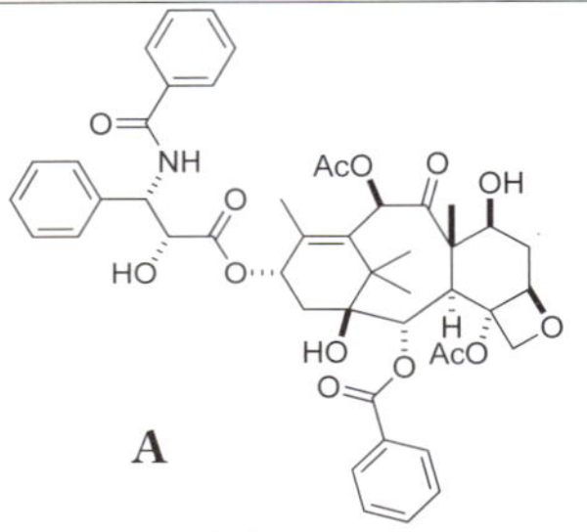 A 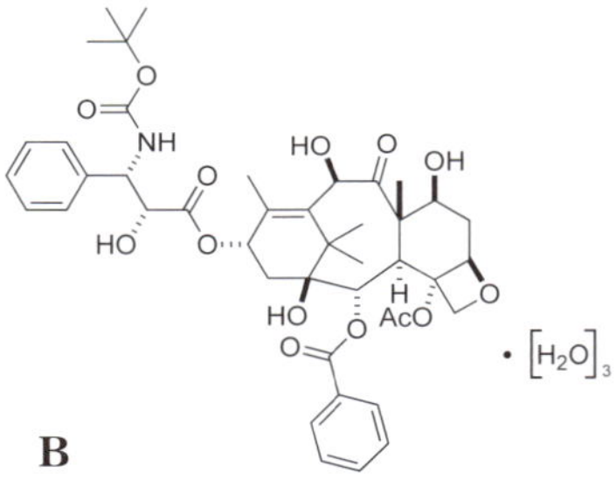 B	抗悪性腫瘍薬
局パパベリン塩酸塩劇 英 Papaverine Hydrochloride	ケシ *Papaver somniferum* L. の未熟果皮(Papaveraceae ケシ科)	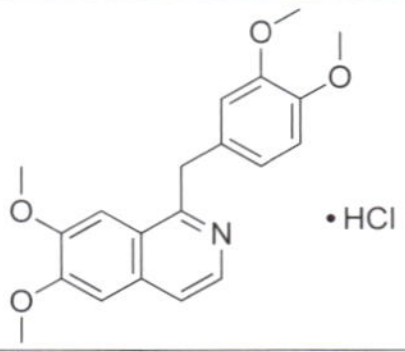	鎮痙薬
局ピロカルピン塩酸塩毒 英 Pilocarpine Hydrochloride	*Pilocarpus jaborandi* Holmes, *P. microphyllus* Stapf, ex Wardlew., *P. pennatifol-ius* Engl. などの葉(ヤボランジ葉)(Rutaceae ミカン科)	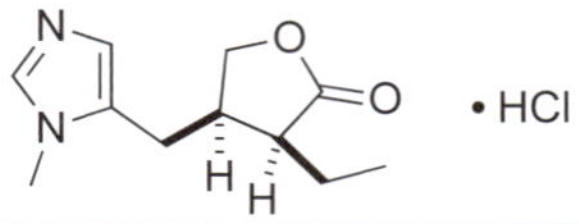	発汗, 唾液分泌促進, 縮瞳, 副交感神経興奮, 緑内障

医薬品名	原料植物と用部(科名)	構造式	医薬品の用途
カンプトテシン 英 Camptothecin	カンレンボク/キジュ *Camptotheca acuminata* Decne.(Nyssaceae ヌマミズキ科)の樹皮，根，果実	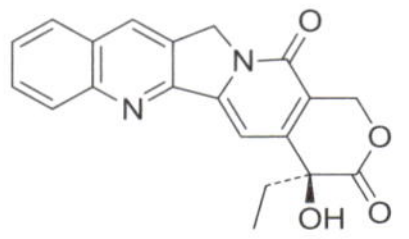	irinotecan, topotecanのリード化合物
局ビンクリスチン硫酸塩毒広(A) 英 Vincristine Sulfate 局ビンブラスチン硫酸塩広(B) 英 Vinblastine Sulfate	ニチニチソウ *Catharanthus roseus* (L.) G. Don.(=*Vinca rosea* L.)(Apocynaceae キョウチクトウ科)の全草	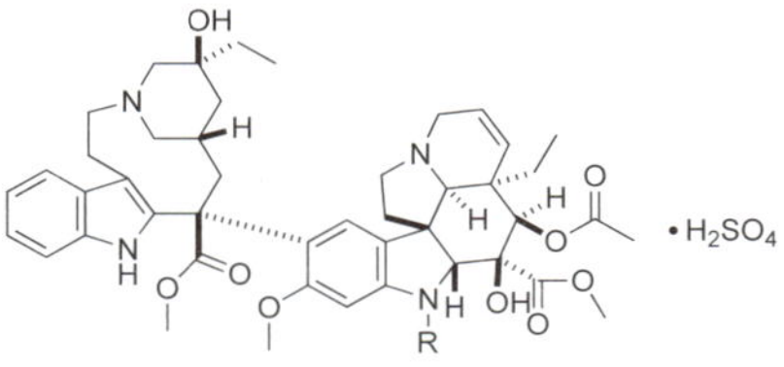 $\cdot H_2SO_4$ A：R = CHO B：R = CH_3	抗悪性腫瘍薬
フィゾスチグミンサリチル酸塩(サリチル酸エゼリン)毒指 英 Physostigmine Salicylate	*Physostigma venenosum* Balf. の種子(カラバル豆)(Leguminosae マメ科)	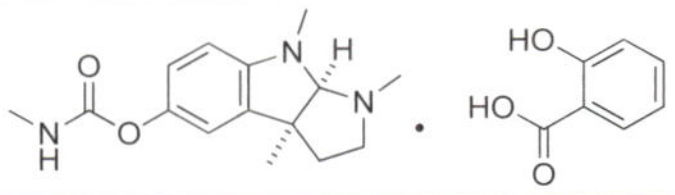	副交感神経興奮，抗コリンエステラーゼ，緑内障，縮瞳薬
局ベルベリン塩化物水和物 英 Berberine Chloride Hydrate	キハダ *Phellodendron amurense* Rupr. 又は *P. chinense* Schneider の樹皮(Rutaceae ミカン科)	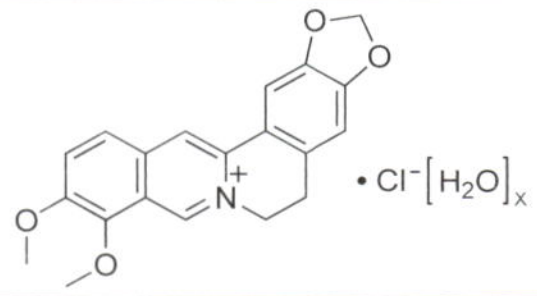 $\cdot Cl^-[H_2O]_x$	非麻薬性止瀉薬
局メトキサレン処 英 Methoxsalen	*Ammi majus* L.の種子(Apiaceae セリ科)	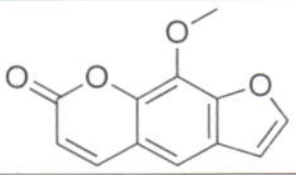	全身・局所用色素形成，尋常性白斑治療
局 *dl*-メントール 英 *dl*-Menthol 局 *l*-メントール 英 *l*-Menthol	ハッカ *Mentha arvensis* L. var. *piperascens* Malinv. ex Holmes の地上部(Labiatae シソ科)	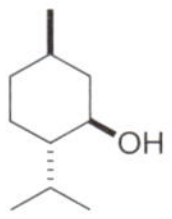	局所消炎鎮痒，芳香
局モルヒネ塩酸塩水和物毒麻処 英 Morphine Hydrochloride Hydrate	ケシ *Papaver somniferum* L. の未熟果皮(Papaveraceae ケシ科)	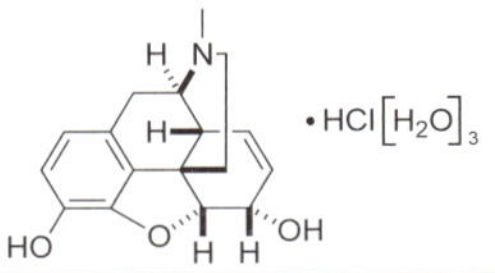 $\cdot HCl[H_2O]_3$	麻薬性鎮痛薬

植物の分類

種の概念

生物分類の基本単位となるのが「種 species」である．種については何を基準におくかによって異なるいくつかの概念がある．歴史的には形態を基準とするものから出発しているが，遺伝学，生態学，進化学などの発展に伴い修正が加えられ，新たな概念が提唱されるようになった．

形態的種概念：形態の類似によって認識される自然集団としての個体の集まり．植物の場合，花，果実などの生殖器官の形態が重要視される．

生物学的種概念：E. W. Mayr が提唱し，一般的に広く受け入れられている種概念．種は他の種と区別できる特徴的な形態をそなえていること，また同種内では子孫を残し，他の種との間には交配をさまたげるような生殖隔離機構があることを重視する．植物では同属内の種間で交雑が可能なものでも，自然界では分布域や開花時期の違いなどで交配が起きないようになっている場合がある．

進化的種概念：生態的位置や進化の程度も基準に入れる．

系統学的種概念：分岐分類学の発展に伴って提唱された分類群の単系統性を基準におく．

植物の分類体系の変遷

近代分類学の祖といわれる Carl von Linné は動物分類および植物分類の体系化を行った．植物については雄蕊の形態（数，長さ，癒合状態）によって全植物を 24 綱に分け（表 1），さらにそれを雌蕊の花柱の数で多数の目に分類した．Linné はこの分類方法により "Species Plantarum"（1753 年）において 1,105 属 7,700 種を記載した．Linné のいう種は形態的種であり，リンネ種ともいわれる．Linné 自身もいっているように，Linné の分類は人為分類であったが植物全体を体系的に分類整理した意義は大きく，次の時代において自然分類へと発展する基盤を築いたといえる．なお，Linné 以前に Linné にも影響を与えたとされる J. Ray の植物の分類体系があり，そこでは草本か木本か，双子葉か単子葉かなどで分類している．

表 1　リンネの 24 綱

1. Monandria（1 雄蕊花）	9. Enneandria（9 雄蕊花）	17. Diadelphia（2 体雄蕊花）
2. Diandria（2 雄蕊花）	10. Decandria（10 雄蕊花）	18. Polyadelphia（多体雄蕊花）
3. Triandria（3 雄蕊花）	11. Dodecandria（12 雄蕊花）	19. Syngenesia（集葯雄蕊花）
4. Tetrandria（4 雄蕊花）	12. Icosandria（20 雄蕊花）	20. Gynandria（雌雄合蕊花）
5. Pentandria（5 雄蕊花）	13. Polyandria（多雄蕊花）	21. Monoecia（雌雄同株）
6. Hexandria（6 雄蕊花）	14. Didynamia（2 強雄蕊花）	22. Dioecia（雌雄異株）
7. Heptandria（7 雄蕊花）	15. Tetradynamia（4 強雄蕊花）	23. Polygamia（雌雄雑性）
8. Octandria（8 雄蕊花）	16. Monadelphia（単体雄蕊花）	24. Cryptogamia（隠花植物）

ドイツの A. Engler は 1892 年に "Syllabus der Pflanzenfamilien" を，1892 ～ 1930 年にかけて K. Prantl と共著で "Natürlichen Pflanzenfamilien" を出版し，植物分類体系の主流を築いた．ここでは被子植物は，合弁花は離弁花より進化したもの，両花被（外花被と内花被がある）は単花被，無花被より進化したものと考えられている．

"Syllabus der Pflanzenfamilien" は改訂を重ねられ，1954 年には 9 人の学者により細菌類から裸子植物までが，1964 年には 8 人の学者により被子植物が "A. Engler's Syllabus der Pflanzenfamilien" として改訂発行された．ここで発表された分類体系は新エングラーの分類体系と呼ばれヨーロッパを中心に広く受け入れられるようになった（表 2）．

一方，イギリスの G. Bentham と J. D. Hooker は "Genera Plantarum"（1862 ～ 1883 年）で構築した種子植物の分類体系において，種子植物を裸子類，双子葉類，単子葉類に分け，双子葉類，単子葉類では花被のあるほうがないものより原始的とみなした．G. Bentham と J. D. Hooker の分類体系は，スイスの A. P. De Candolle が "Regni Vegetabilis

表 2　新エングラーの分類体系

Abteilung	Bacteriophyta	細菌植物門	
Abteilung	Cyanophyta	藍藻植物門	
Abteilung	Glaucophyta	灰色植物門	
Abteilung	Myxophyta	粘菌植物門	
Abteilung	Euglenophyta	ミドリムシ門	
Abteilung	Pyrrophyta	黄褐色植物門	
Abteilung	Chrysophyta	黄色植物門	
Abteilung	Chlorophyta	緑色植物門	
Abteilung	Charophyta	輪藻植物門	
Abteilung	Phaeophyta	褐藻植物門	
Abteilung	Rhodophyta	紅藻植物門	
Abtailung	Fungi	真菌植物門	
Abteilung	Lichenes	地衣植物門	
Abteilung	Bryophyta	コケ植物門	
Abteilung	Pteridophyta	シダ植物門	
Abteilung	Gymonospermae	裸子植物門	
Abteilung	Angiospermae	被子植物門	
Klasse	Dicotyledoneae	双子葉植物綱	
Unterklasse	Archichlamydeae	古生花被亜綱	37 目を含む
Unterklasse	Sympetalae	合弁花亜綱	11 目を含む
Klasse	Monocotyledoneae	単子葉植物綱	14 目を含む

*コケ植物，シダ植物，裸子植物，被子植物を合わせて陸上植物，裸子植物と被子植物を合わせて種子植物という．

Systema Naturale”（1818 年）で示した，子葉のあるなし，単子葉か双子葉かで分類する体系に影響を受けたものである．

アメリカの C. E. Bessey の“The Phylogenetic Taxonomy of Flowering Plants”（1915 年）は Bentham と Hooker による分類体系の流れをくむもので，モクレンのような花軸に多数の花被片や雄蕊，心皮がらせん状に配列しているものを原始的とみなし，また，花弁のないものはあるものより，花弁やがく片が合着しているものはしていないものより進化しているとみなした．近年では，アメリカの A. Cronquist の“An Integrated System of Flowering Plants”（1981 年），ロシアの A. L. Takhtajan の "Flowering Plants, Origin and Dispersal”（1969 年），“Outline of the Classification of Flowering Plants（Magnoliophyta）”（1980 年）で提示された分類体系の基本的な考え方も Bentham & Hooker から Bessey を経て引き継がれたものである．

1980 年代後半から遺伝子解析技術が系統分類学にも応用されるようになると，アメリカを中心に遺伝子や遺伝子間領域の塩基配列情報に基づく植物界の系統解析が進められた．従来の主に形態学に基づく分類体系は支持された部分も多いが，修正も迫られるようになった．1998 年には APG（Angiosperm Phylogeny Gruop ; M. W. Chase ら，葉緑体 DNA や核 DNA の遺伝子情報から被子植物の系統解析を行う植物分類学者の集団）により，被子植物について複数の遺伝子の塩基配列情報に基づいた分類体系“An original classification for the families of flowering plants”が発表され，2003 年には改訂版“An update of the Angiosperm Phylogeny Group classification for the orders and families of flowering plants : APG II”も発表され，さらに 2009 年には“An update of the Angiosperm Phylogeny Group classification for the orders and families of flowering plants : APG III”が出された．その後，DNA 解析データが蓄積され，2016 年に APG IV（64 目 416 科）が公表された．

D. J. Mabberley は，2008 年に“Mabberley's Plant Book, a portable dictionary of plants, their classification and uses”を出版し，被子植物だけではなく裸子植物，シダ植物も含め，分子系統学やその他の研究成果もふまえた分類体系を提示している．

遺伝子情報の解析は被子植物に留まらず，裸子植物，シダ植物，コケ植物，地衣類，菌類，藻類にいたるまでなされている．遺伝子情報に基づく分類体系の構築については現在なおデータの蓄積や解析段階にある．遺伝子情報に基づく分類体系が固定化されてくれば，以前のように研究者によって分類体系が異なるというようなことは生じなくなる．

なお，“日本薬局方”は，生薬の基原植物の科の分類に関しては新エングラーの分類体系に従っているが，いずれ，遺伝子情報に基づく分類体系に置き換えられる日がくると思われる．

植物の学名，命名法

植物の種の学名はリンネが提唱した二名法（二語名法），すなわちと属名と種形容語（種小名）を組み合わせたラテン語で表される．さらに命名者がわかるように，命名者名（著者名）を付記する．

植物の命名法はリンネの二語名法を出発点にして250年以上の歴史があるが，その間国際植物命名規約（International Code of Botanical Nomenclature）が制定され改定を繰り返し現在に至っている．2017年7月に中国・深圳で開催された国際植物会議の際に改正された，「深圳規約」が最新のものである．International Code of Botanical Nomenclatureは2011年に改名され，現在では，International Code of Nomenclature for algae, fungi and plants（ICN）と呼ばれている．

分類の階級

種を基本単位として分類群は順次上位の分類階級にまとめられる（表3）．種speciesの上位の階級は**属**genus，属の上位の階級は**科**familyである．科より上位の分類の階級は順に**目**order，**綱**class，**門**phylum，最上の階級は**界**kingdomとなる．科と属の間に**連**tribe，属と種の間に**節**section，**列**seriesを置くことがある．種をさらに細かく分ける場合は，種より下位の分類階級として，**変種**variety，**品種**formを用いる（表3）．**連**，**節**，**列**，**変種**，**品種**は二次的階級とされる．

また，各分類階級に「亜」をつけた亜界，亜門，亜綱，亜目，亜科，亜連，亜属，亜節，亜列，亜種，亜変種，亜品種を各分類階級の下に位置づけることができる．

栽培によってつくり出した品種は**栽培品種**cultivarといい，国際栽培植物名規約で規定される．品種名の部分は*Prunus sylvestris* 'Repens'のようにシングルクォーテーションマーク（'　'）でくくられる．

表3　植物分類の階級

界kingdom — 門phylum — 綱class — 目order — 科family（— 連tribe）— 属genus（— 節section — 列series）— 種species — 変種variety — 品種form

優先権

命名規約に則って先に発表された学名が正名となる．例えば，日本特産のトガクシソウには，*Ranzania japonica*（T. Ito ex Maximowicz）T. Itoと*Yatabea japonoica* Maximowiczの2つの学名があるが，前者の発表が1888年，後者の発表が1891年で前者が早く正式学名となる．

学名発表出版

新分類群等の学名発表は，一定の条件を満たした出版物でなければならない．最新の「メルボルン規約」では，インターネットの世界的普及を考慮して，電子出版のみでの出版も有効と認められるようになった．これは時代を反映した大きな変化である．

記載文または判別文の言語

新分類群等の学名発表の際，記載文または判別文はラテン語の表記が必要であったが，「メルボルン規約」では英語も認められることになった．

自動名（autonym）

合法的な属名や種名の下に新たな分類群が認識され学名が発表されると，対応する自動名がつくられる．オウレン*Coptis japonica* Makinoの場合，セリバオウレン*Coptis japonica* Makino var. *dissecta* Nakaiを変種で区別し学名を与えると，オウレン（キクバオウレン）の学名は自動的に，*Coptis japonica* Makino var. *japonica*となり，この場合変種のあとに命名者名は付記しない．

保存名（conserved name）

優先権の原則には反するが，その学名が永年使われ慣習化しているので混乱をさける意味で規約上認めるもの．例として，黄耆の基原植物であるキバナオウギの学名は命名規約上では *Astragalus mongholicus* Bunge var. *dahuricus*（DC.）Podiech になるが，永年使われてきた *Astragalus membranaceus*Fisch. ex Bunge を保存名としている．また辛夷の基原植物であるコブシの学名は命名規約上では *Magnolia praecocissima* Koidzumi となるが，永年使われてきた *Magnolia kobus* De Candolle を保存名としている．Ranunculaceae, Rosaceae, Papaveraceae, Liliaceae など現在使われている科名の多くは保存名である．

国際植物命名規約では科，属，種の保存名のリストを作成している．

雑種名

種形容語の前に×をつける．両親種がわかっている場合は2種の学名の間に×を入れる．

（例） *Berberis* × *ottawensis* Schneider

Mentha aquatica Linné × *Mentha arvensis* Linné

科の学名

語尾は“-ceae”とする．（例）メギ科 Berberidaceae，キンポウゲ科 Ranunculaceae.

ただし，慣習的に使用されてきた以下に例示する科名については，語尾は“-ceae”になっていないが正式名として認められている．

表4　科の慣習的表記

和　名	慣習的科名	語尾を -ceae とする表記	和　名	慣習的科名	語尾を -ceae とする表記
アブラナ科	Cruciferae	Brassicaceae	シソ科	Labiatae	Laminaceae
イネ科	Gramineae	Poaceae	セリ科	Umbelliferae	Apiaceae
オトギリソウ科	Guttiferae	Clusiaceae	マメ科	Leguminosae	Fabaceae
キク科	Compositae	Asteraceae	ヤシ科	Palmae	Arecaceae

組み換えがわかる表記

学名を組み換えた場合，基となった学名を発表した命名者を（　）でくくる．例えば，木通の基原植物であるミツバアケビは，Thunberg が *Clematis trifoliata* として発表したが，後に Koidzumi がセンニンソウ属 *Clematis* からアケビ属 *Akebia* に移したので，*Akebia trifoliata*（Thunberg）Koidzumi となる．この場合，*Clematis trifoliata* は *Akebia trifoliata* の基礎異名という．

命名者名を ex でつなぐ表記

正式発表された学名が既報告者の学名に帰属させられた場合，その著者名を正式発表者の前に加えることが許されている．例えば，オケラの学名は，Kitamura が正式に *Atractylodes japonica* Kitamura として発表しているが，Kitamura はこの学名を Koidzumi の発表した *Atractylodes japonica* に帰属させている．したがってオケラの学名は，*Atractylodes japonica* Koidzumi ex Kitamura と表記される．

命名者名の簡略表記

国際植物命名規約では命名者名を簡略表記する場合は，Brummitt R. K. and Powell C. E.（eds.）の“Authors of Plant Names”（1992年）または The International Plant Names Index のホームページ（http://www.ipni.org/index.html）に従うことを推奨している．表5にいくつかの例を示す．

表5　学名発表者名

フルネーム	簡略標準化	フルネーム	簡略標準化
Carl von Linné	L.	Anne Casimir Pyramus de Candolle	C.DC.
Carl Johann Maximowicz	Maxim.	Philipp Franz von Siebold	Siebold
Augstin Pyramus de Candolle	DC.	Josepf Gerhard Zuccarini	Zucc.
Alphonse Louis Pierre Pyramus de Candolle	A.DC.	Carl Peter Thunberg	Thunb.

植物の形態を表す基本的な植物学用語

説明文および図版の引用：西岡五夫編著，指田豊，正山征洋，布万里子，山本久子，吉村衞著，薬用植物学，廣川書店，東京，1985.〔本編では，各図の下に薬用植物学と記す〕
参照：日本植物学会・植物学用語集：http://bsj.or.jp/kanai.php（2014.02.18 参照）

薬用植物学・生薬学・天然物化学をはじめ，植物を材料とするあらゆる研究において，材料植物の種の同定は，研究結果の再現性を確保するうえで不可欠である．研究によって植物や生薬からいかに素晴らしい成分を発見しても，材料とした植物の同定を誤っていれば，研究の成果を利用できず，研究自体の意味を失ってしまうことになりかねない．

一方，日本薬局方では，生薬の各論の項で各生薬の基原植物を規定し，これによって医薬品として流通する生薬の品質を一定基準以上に保っている．しかし，生薬の中には，同じ名称で扱われている生薬が産地によって基原を異にする場合がある．生薬は医薬品として病気を治療し，あるいは予防するという目的で使用されるものであるが，仮に誤った基原の生薬を用いてしまった場合には，治療効果を発揮しないどころか，かえって害になることさえもありうる．

このように，植物を正確に同定する知識はさまざまな分野で，その最も基礎となる部分を保証するために必要とされている．

ここでは，薬用植物の形態を観察する際に必要な基本的な用語について，茎，根，葉，花，果実，種子の順で紹介する．

1　茎 stem

茎は，高等植物の植物体の基幹をなす部分で，葉や花などをつけるとともに，下端は根につづき，その内部に通導組織（維管束）をもち，水分や養分の移送が行われている．茎にはほぼ一定の間隔で節 node という構造があり，そこに葉や芽をつける．節と節の間を節間という．節間は生長に伴って伸長する．これを長枝 long branch というのに対し，節間がほとんど伸長しない茎があり，これを短枝 short branch という．草本茎や若い木本茎では表皮下に同化組織があり，表面には気孔があって同化・呼吸・蒸散などを行う栄養器官としての機能も兼ね備えている．

茎は，地上にある地上茎と，地下にある地下茎に分けられる．

(1) 地上茎 terrestrial stem

地上茎には，自立して直立または斜上する自立茎 erect stem と，他物に依りつくよじのぼり茎 climbing stem や巻きつき茎 volubile stem, twining stem，さらに，地表または半地下を横走するほふく茎 creeping stem などがある．ほふく茎の中で特に節から根を出して新苗を生じる繁殖茎をストロン stolon，あるいは走出枝（ランナー）runner という（例：オランダイチゴ，オトコエシ，チドメグサ）(図 1)．

(2) 地下茎 subterranean stem

地下茎とは，地中にある茎をいい，根茎 rhizome，球茎 corm，塊茎 tuber，鱗茎 bulb などに分けられる．

根茎には，地下を長く走り，分枝し，節や先端などに新苗と根を出して個体数の増加に関与するもの（例：ウラルカンゾウ，タケ，ドクダミ，ハッカ）と，比較的短く，多肉化して栄養分を貯え，毎年新苗を生じて自己の再生を行うもの（例：アマドコロ，ハシリドコロ，チクセツニンジン）とがある．前者は上述のストロンと本質的に同じもので，ストロン

図 1　他立茎（薬用植物学，p.34，図 1-32，改変）

A：ほふく茎　A_1：オランダイチゴ，A_2：チドメグサ，A_3：オトコエシ，A_4：シバ
B：巻きつき茎　B_1：チョウセンゴミシ（右巻き），B_2：アサガオ（左巻き）
C：よじのぼり茎　C_1：ツタ，C_2：ツルアジサイ，C_3：カラスウリ，C_4：イシミカワ，C_5：カギカズラ

と呼ばれることもある（例：ウラルカンゾウ）．

球茎は，茎の下端で節間が短縮して球状に肥大したもの（例：カラスビシャク，サフラン，グラジオラス，サトイモ），塊茎は地下茎の先が肥大したもの（例：ジャガイモ，ジヒゲ，ハマスゲ），鱗茎は茎の下端が短縮して，多肉化した貯蔵葉を密につけたもの（例：タマネギ，ユリ，ヒガンバナ）である．

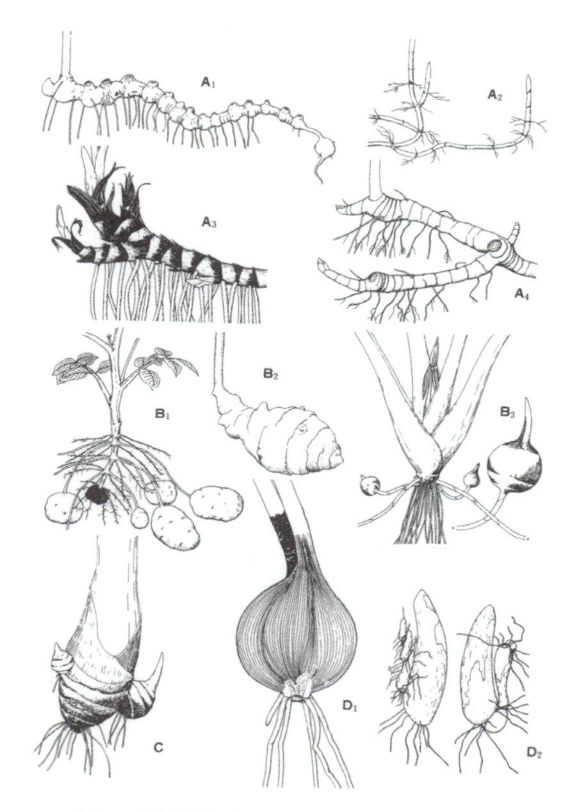

図2　地下茎（薬用植物学，p.35，図1-33）

A：根茎．繁殖茎であるが，養分の貯蔵も兼ねるものが多い．
A_1：チクセツニンジン（繁殖と貯蔵），A_2：ドクダミ（主として繁殖），A_3：ショウブ（主として繁殖），A_4：アマドコロ（繁殖と貯蔵）
B：塊茎．貯蔵茎であるが，貯蔵された養分は次の個体の発生に用いられるもので，塊茎自体は繁殖体である．
B_1：ジャガイモ，B_2：キクイモ，B_3：クワイ
C：球茎．貯蔵茎であるが腋芽として新球（いわゆる子イモ＝繁殖体）を生じる．単子葉植物に多い．サトイモ．
D：鱗茎．貯蔵茎であるが腋芽として分球する点では球茎と同様．単子葉植物に多いが，双子葉植物にもある（ムラサキカタバミなど）．
D_1：ヒガンバナ，D_2：カタクリ．

2　根 root

根は茎の下端に始まり，通常は重力の方向に生長する性質がある．ふつうは円柱状で，ところどころから分枝し，植物体を固定するとともに地中から水分・無機質を吸収する働きがある．

定根 definite root と不定根 adventitious root：

幼根が生長した主軸の部分を主根 main root，これから分枝したものを側根 lateral root といい，これらを定根という．一方，主根・側根以外の部位からも根が出ることがあって，これらを不定根という．単子葉植物では，定根は早い段階で枯死し，これに代わって不定根が発達する．

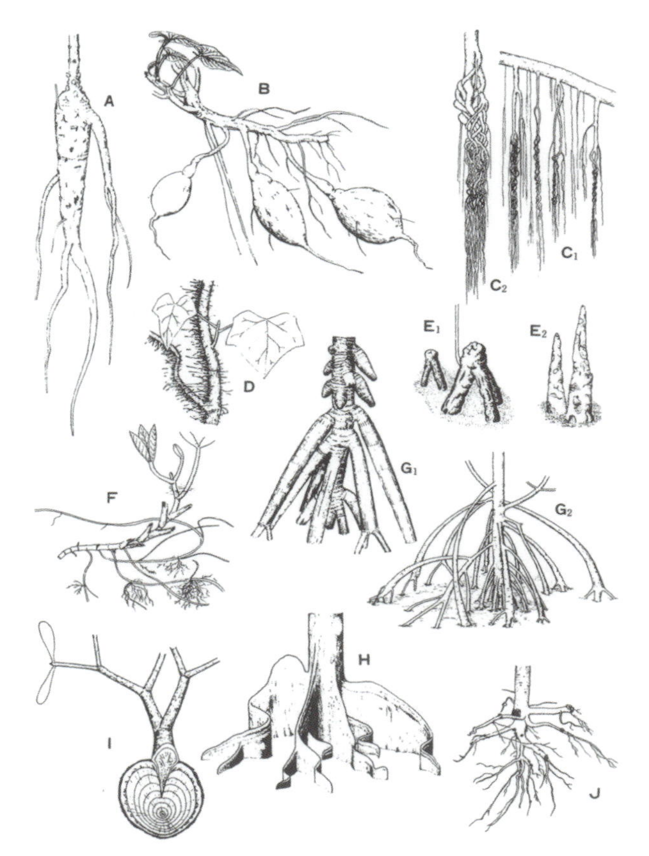

図3　根（薬用植物学，p.52，図1-53）

A：キキョウの直生貯蔵根．主根が肥大する．
B：サツマイモの貯蔵根（塊根）．茎から出る不定根が肥大する．
C：ガジュマルの気根．
D：キヅタの付着根．
E_1：オヒルギ（ヒルギ科）の呼吸根．
E_2：ハマザクロ（ハマザクロ科）の呼吸根．
F：ミツガシワの水根．
G_1：タコノキの支柱根，G_2：ヤエヤマヒルギの支柱根．
H：サキシマスオウの板根．
I：ヤドリギの寄生根．根は寄主の維管束に達している．
J：ケヤマハンノキ（カバノキ科）の菌根．根の各所に粒状の根瘤が団塊状に生じている．

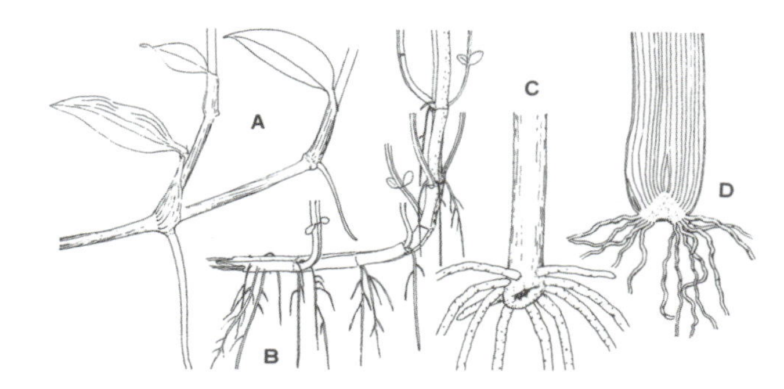

図4　不定根（薬用植物学，p.51，図1-52）

A：ツユクサ — 斜上する茎の節から葉鞘を突き破って発根する．
B：ハッカ — 地上茎の下部や地下のストロンの節から多く発根するほか，地下茎が切れると，その付近の節間からも根を出す．
C：アオキの挿し木 — 茎の断面の外側から発根する．
D：ネギ — 短縮した茎の下部から多数のひげ根を出す．下端中央のくぼみは主根の痕．単子葉植物では主根は発生後まもなく枯死する．

3　茎と根の内部形態

シダ植物を含む全ての植物の根は放射維管束（師部と木部が交互に配列）よりなる．一方茎はいくつかのタイプが見られるが，多くは並立維管束（維管束内で外側に師部，内側に木部）をとっている．しかし植物が二次成長（肥大成長）することにより，特に根においては形成層が出現して，形成層輪を形成すると二次的な師部組織，木部組織および柔組織が発達して肥大成長し，その大部分が二次組織で，茎と根の見分けが難しくなる．日本薬局方の生薬の性状には外部形態と共に内部組織の特徴が記載されて生薬の同定基準となっている．（図5）ウラルカンゾウ（p.32）は茎（ストロン）と根の両者を薬用にし，局方のカンゾウの性状の項には「横断面では，皮部と木部の境界がほぼ明らかで，放射状の構造を現し，しばしば放射状に裂け目がある．ストロンに基づくものでは髄を認めるが，根に基づくものではこれを認めない」と記載される．生薬のカンゾウの根とストロン（匍匐茎）の横断面を例示した．（図6）フロログルシンと塩酸により木化した組織（木部の道管，仮道管，繊維など）は赤く染色されている．カンゾウとシャクヤク（p.19）の根はどちらも髄に一次木部が見られる．

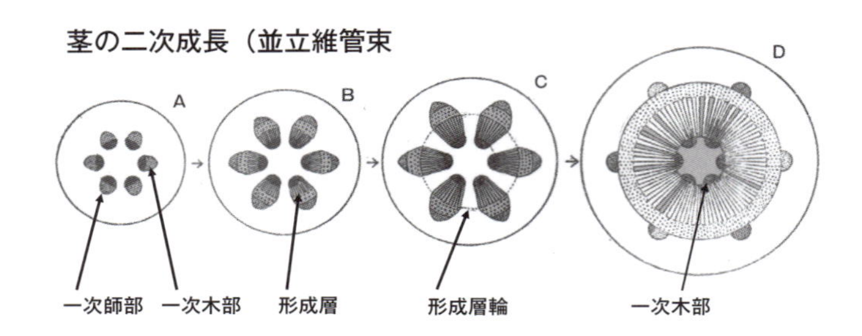

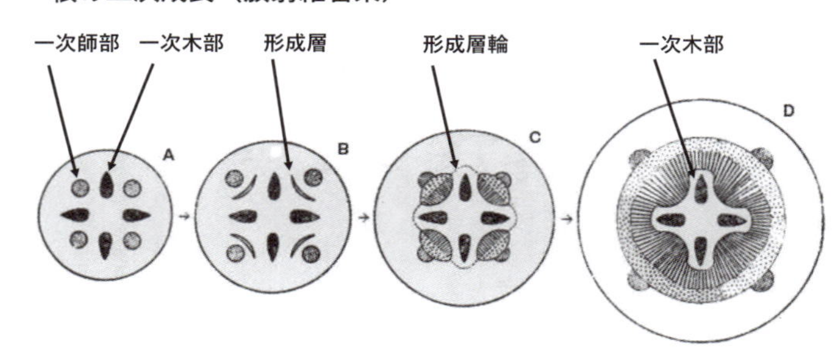

図5　茎と根の二次成長

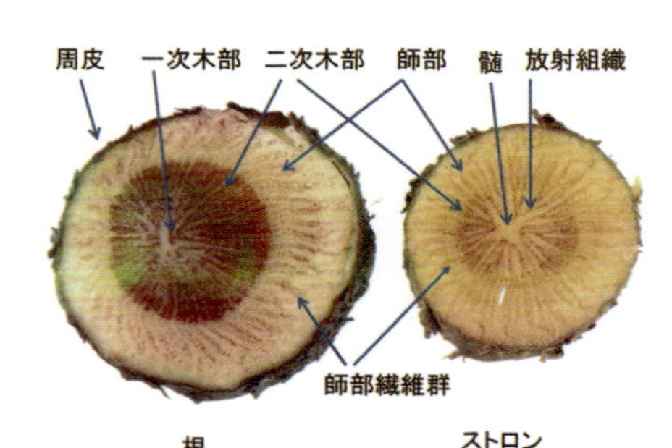

図6　生薬カンゾウの根とストロン

4　葉 leaf

葉は，葉身 leaf blade，葉柄 petiole，托葉 stipule などから構成され，通常，茎の周りに規則的に配列し，扁平で葉緑素に富み，光合成・同化・呼吸などを行う．単子葉植物では葉の下部が広がって茎を包むようになったものが多く，この部分を葉鞘 leaf sheath という．

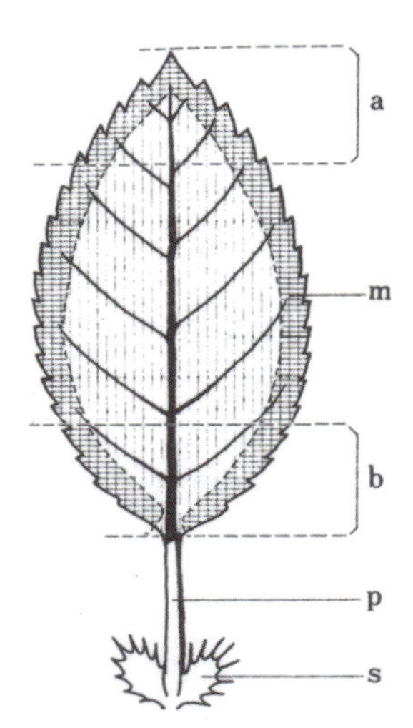

図7　葉の一般的形状（薬用植物学，p.56，図1-57）

a：葉先　b：葉脚　m：葉縁　p：葉柄　s：托葉

葉身の形状：

葉身の上部を葉先（葉頂）leaf apex，下部を葉脚 leaf base，葉身の周縁を葉縁 leaf margin といい，それぞれ図9, 10, 11 のようなものがある

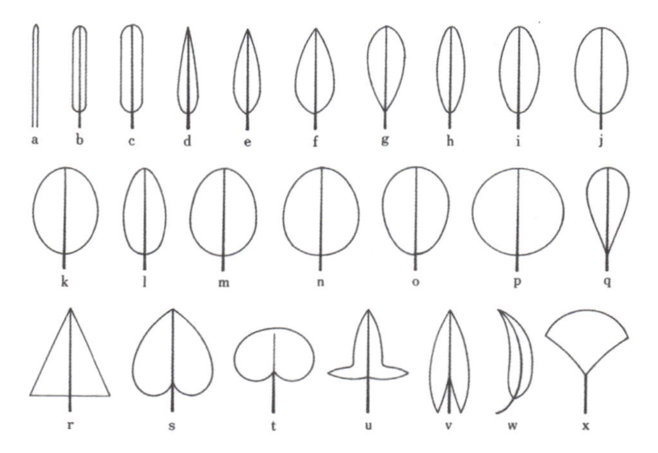

図8　葉身の形状（薬用植物学，p.57，図1-59）

a 針形（扁平でないもの）aciculate
b 線形 linear
c 広線形 broad linear
d 線状（または狭長）披針形 linear-lanceolate
e 披針形 lanceolate
f 広披針形 oblong-lanceolate
g 倒披針形 oblanceolate
h 狭長楕円形 narrow-oblong, angustate-oblong
i 長楕円形 oblong
j 楕円形 elliptic
k 広楕円形 oval
l 狭卵形 oblong-ovate
m 卵形 ovate
n 広卵形（卵円形）orbicular-ovate
o 倒卵形 obovate
p 円形 round, orbiculate
q へら形 spatulate
r 三角形 triangulate
s 心臓形 cordate
t 腎臓形 reniform
u ほこ形 hastate
v やじり形 sagittate
w かま形 falcate
x 扇形 flabellate

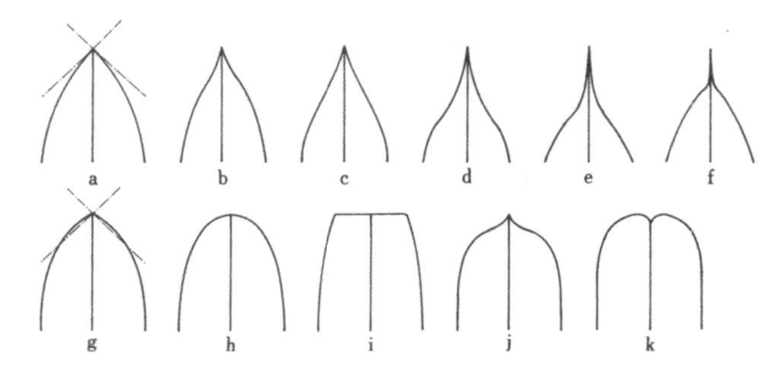

図 9　葉先の形状（薬用植物学，p.58，図 1-60）

a 鋭頭 acute
b 鋭尖頭 acuminate
c 漸鋭尖頭 attenuate-acuminate
d 急鋭尖頭
e 尾状鋭尖頭 caudate-acuminate
f のぎ(芒)形 aristate
g 鈍頭 obtuse
h 円頭 rotundate, round
i 切(裁)頭 truncate
j 微凸頭 mucronate
k 凹頭 emarginate

〔吉村原図〕

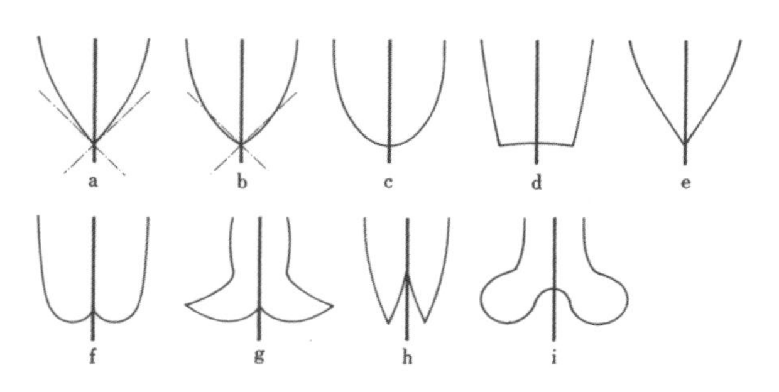

図 10　葉脚の形状（薬用植物学，p.58，図 1-61）

a 鋭脚 acute
b 鈍脚 obtuse
c 円脚 round, rotundate
d 切(裁)脚 truncate
e 楔脚 cuneate
f 心脚 cordate
g 戟形 hastate
h 箭脚 sagittate
i 耳形 auriculate

〔吉村原図〕

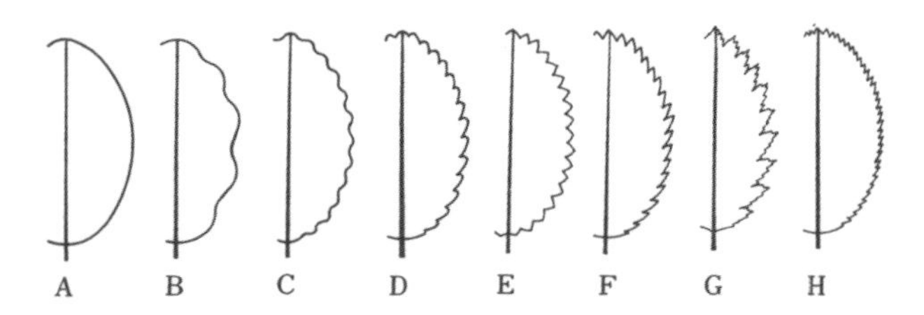

図 11　葉縁の形状（薬用植物学，p.59，図 1-62）

A：全縁(全辺) entire
B：波状縁 undulate
C：細波状縁(さざ波形) repand
D：鈍鋸歯縁 obtusely serrate
E：歯牙縁 dentate
F：鋸歯縁 serrate
G：重鋸歯縁 double serrate
H：細鋸歯縁 serrulate

〔名越・刈米〕

葉脈 vein：

茎から葉柄を通って葉身に入った維管束 vascular bundle は，葉身の中で種々に分枝・走行し，これが葉身の表面に隆起や溝としてあらわれる．これを葉脈という．葉身において葉脈の分布する状態を脈系（脈相）venation といい，二叉脈系（二又脈系）dichotomous venation，平行脈系 parallel venation，網状脈系 reticulate venation の3つの型がある（図 12）．

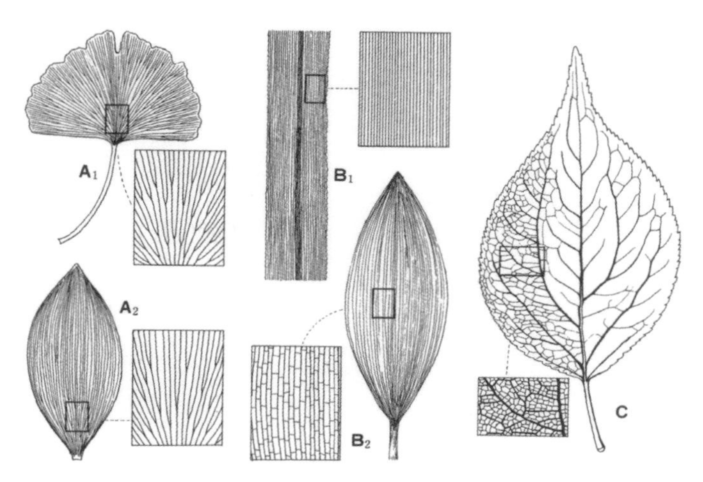

図 12　葉脈（1）脈系（薬用植物学，p.59，図 1-63）

A：2 叉脈系，A_1：イチョウ，A_2：ナギ *Podocarpus nagi* (THUNB.) ZOLLINGER et MRITZI
B：平行脈系，B_1：ススキ，B_2：スズラン（平行脈の間に連絡脈がある）
C：網状脈系，アンズ

〔吉村原図〕

網状脈系において，主脈が単一で両側方に支脈を分かつものを羽状脈 pinnate vein，主脈が複数で放射状に走るものを掌状脈 palmate vein という（図 13）．

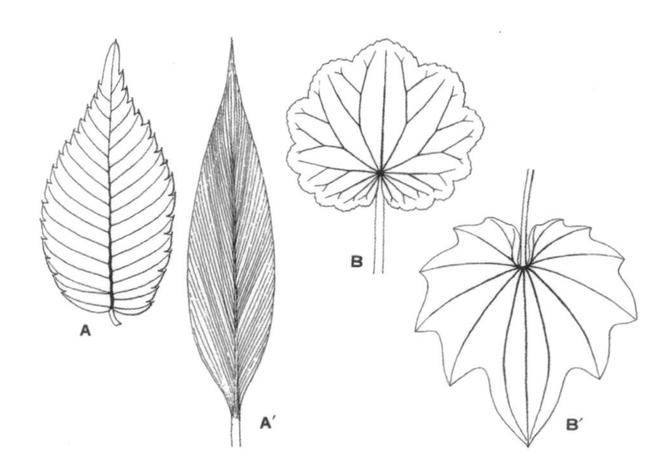

図 13　葉脈（2）羽状脈と掌状脈（薬用植物学，p.60，図 1-64）

A：ケヤキの羽状脈，B：ユキノシタの掌状脈．
単子葉植物の葉脈はふつう平行脈であるが，例外的に羽状や掌状を呈するものがある．
A′：ミョウガの羽状脈（平行脈が途中から開出してできたもの），
B′：ウチワドコロの掌状脈（平行脈の変形によるもの）

葉身の切れ込み：

葉縁の切れ込みが比較的大きく，少数であるとき，葉身が分裂するという．分裂の状態を切れ込みの配列によって羽状裂または掌状裂といい，それぞれ切れ込みの深さによって浅裂，中裂，深裂という（図 13）．葉身が完全に分裂して複数個に分かれている場合があり，これを全裂という（図 14）．

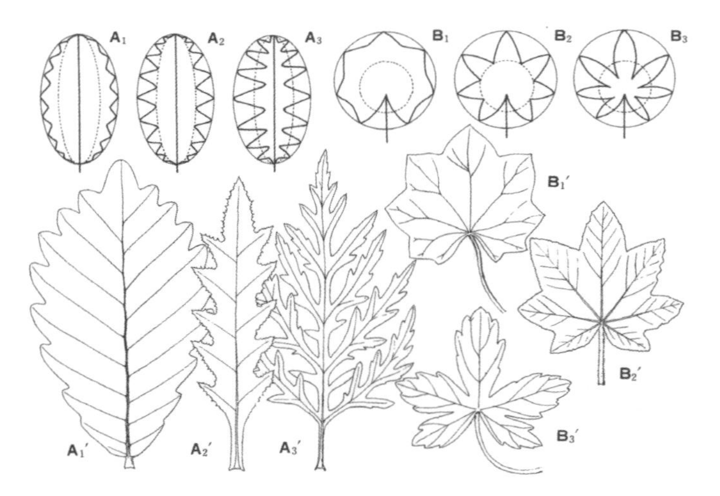

図 14　葉身の切れ込み（薬用植物学，p.61，図 1-65）

A　：羽状裂，B：掌状裂.
A_1, B_1：浅裂 — 欠刻の深さは葉身の幅の半分に達しない.
A_2, B_2：中裂 — 欠刻の深さは葉身の幅の約半分.
A_3, B_3：深裂 — 欠刻の深さは葉身の幅の半分をこえる.
A_1'：羽状浅裂葉 — カシワ
A_2'：羽状中裂葉 — ヒゴタイ
A_3'：羽状深裂葉 — ブタクサ
B_1'：掌状浅裂葉 — オオツヅラフジ
B_2'：掌状中裂葉 — タチアオイ
B_3'：掌状深裂葉 — ゲンノショウコ

単葉 simple leaf と複葉 compound leaf：

葉身が1個である葉を単葉，2個以上のもの（全裂するもの）を複葉（図15）といい，後者の個々の葉を小葉 leaflet という.

さまざまな複葉：

複葉には，掌状複葉 palmate compound leaf と羽状複葉 pinnate compound leaf とがある.（鳥足状複葉 *pedate compound leaf は前者の変形である.）羽状複葉では先端につく小葉を頂小葉 apical leaflet といい，これがあるものを奇数羽状複葉 imparipinnate compound leaf，ないものを偶数羽状複葉 paripinnate compound leaf という．小葉が3個のものを特に三出複葉ということがある．複葉の小葉にあたる部分がさらに複葉状に分裂するものを再複葉といい，その分裂の回数と形式によって，二回羽状複葉 bipinnately compound leaf などという.

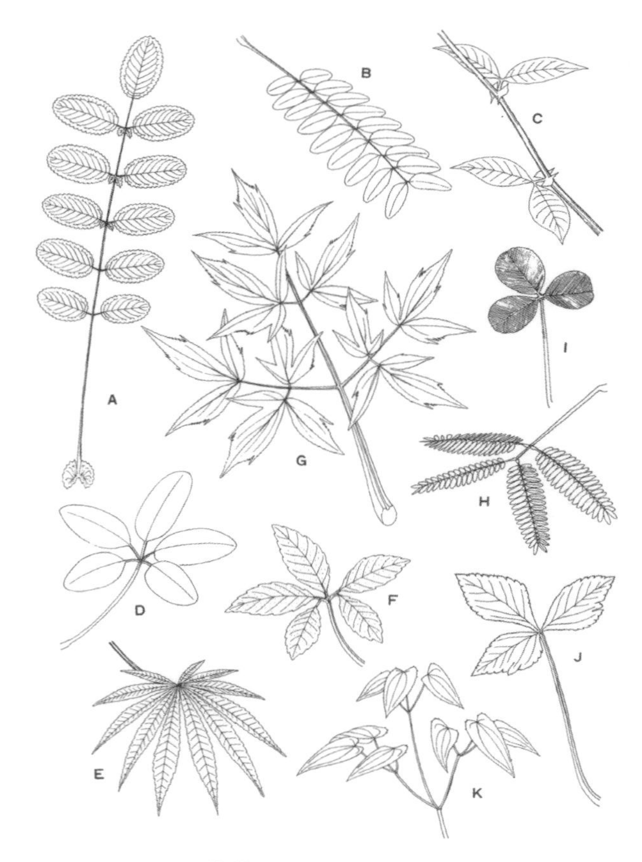

図 15　複葉（薬用植物学，p.62，図 1-66）

A～C：羽状複葉．A：ワレモコウ（奇数羽状複葉），小葉柄，小托葉あり．B：サイカチ（偶数羽状複葉）．C：ナンテンハギ（偶数羽状複葉の最も単純なもの）.
D, E：掌状複葉．D：アケビ，小葉柄がある．E：アサ.
F：鳥足状複葉，アマチャヅル.
G：2～3回（奇数）羽状複葉，トウキ.
H：2回（偶数）羽状複葉，オジギソウ.
I, J：3出複葉．I：シロツメクサ．J：ミツバ.
K：2回3出複葉，イカリソウ.

葉柄 petiole：

葉柄は葉身を支え，葉身と茎との間の維管束を通じる部分で，通常円筒形～上面の凹んだ半円筒形などである．葉柄は通常，葉身の基部の一端につく（底着する basifixed）が，ときに葉身の背面につくことがあり，これを盾着 peltate という（図16）（例：トウゴマ）.

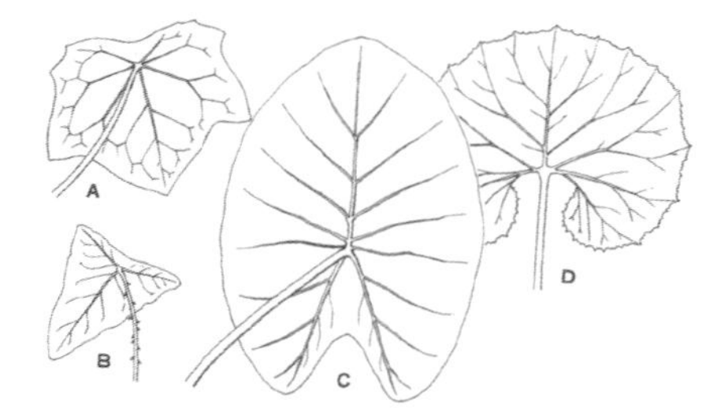

図 16　盾形葉（薬用植物学，p.64，図 1-68）

A：コウモリカズラ．B：イシミカワ．C：サトイモ.
（D：フキは直立する葉柄に水平に葉身がつくが，盾着ではなく，底着である.

* 鳥足状複葉 pedately compound leaf
掌状複葉の最下部の側小葉の柄からさらに小葉柄がでる複葉．小葉柄の分岐が鳥足状になっている．ヤブガラシやアマチャヅル，ゴヨウイチゴ などに見られる.
http://www.biol.tsukuba.ac.jp/~algae/BotanyWEB/compound.html

托葉 stipule：

托葉は葉柄の基部に原則1対生じるもので，ふつう本葉とは形状が異なり，小形の葉状，鱗片状，乾膜質などのものが多い．

葉序 phyllotaxis：

葉が茎につくときの配列を葉序といい，植物の群によって一定の規則性がある．1節に1葉をつけるものを互生（またはらせん）葉序 alternate (or spiral) phyllotaxis，1節に2葉をつけるものを対生葉序 oposite phyllotaxis，1節に2葉以上つけるものを輪生葉序 verticillate phyllotaxis という（図17）．

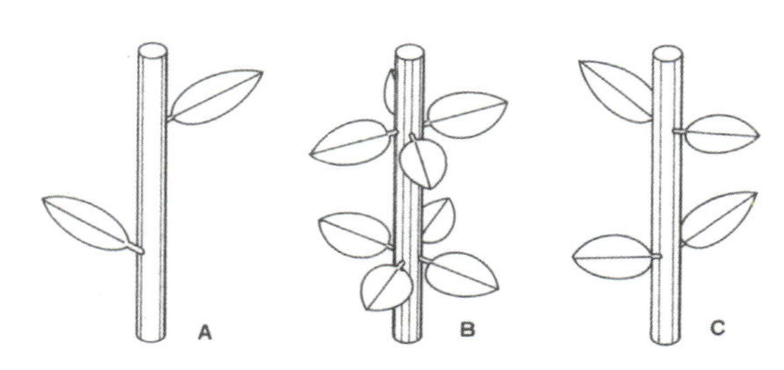

図17　葉序（薬用植物学，p.74，図1-77）

A：互生（らせん）葉序．B：輪生葉序（4葉輪生の図）
C：対生葉序．

根出葉 radical leaf とロゼット rosette：

草本の茎の節間がほとんど伸長せず短枝となり，葉が根の上端から叢生するように見えるもの（例：タンポポ）を根出葉という．また，根出葉が平面的に円形（放射状に）に広がっているものをロゼットと呼び，越年草や多年草の越冬葉などでよく見られる（例：センブリ）（図18）．

図18　根出葉とロゼット（薬用植物学，p.77，図1-80）

A：オオバコ．B：カントウタンポポ．C：サジオモダカ．
D：オオマツヨイグサ（越冬葉）．E：センブリ（1年目のロゼット）．

5　花 flower

花は種子植物の生殖器官であって，最終的には種子を生じることを目的とする．

花葉 floral leaf：

被子植物の花は萼片 sepal，花弁 petal，おしべ stamen，めしべ pistil とこれらをつける花托（花床）receptacle，これを支える花柄 peduncle などの花部 floral part からなる（図19）．花部のうち，萼，花弁，おしべおよび心皮 carpel（めしべを構成するもの）の4者は葉性器官と考えられ，花葉 floral leaf と呼ばれる．花葉をつける中軸は花軸 floral axis と呼ばれ，本来1つの枝である．花軸が短縮して花葉を集めてつける部分を花托（花床）という．すなわち，花は1つのシュートが生殖の目的に沿って高度に変態したものと考えられる．

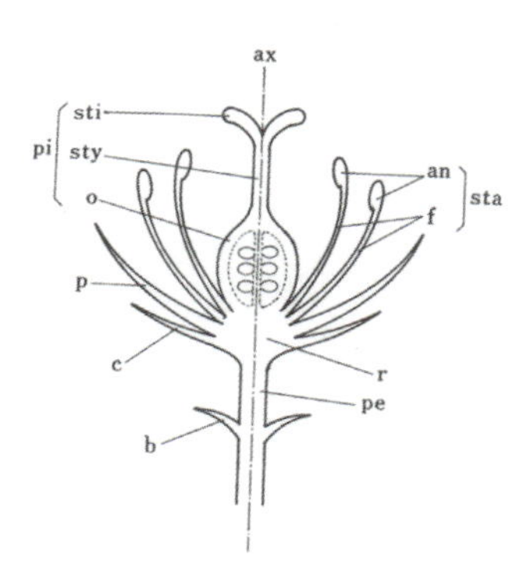

図19　花の基本的構造
（薬用植物学，p.78，図1-81）

an：葯，ax：花軸，b：苞，
c：萼片，f：花糸，o：子房，
p：花弁，pe：花柄，pi：めしべ，
r：花托，sta：おしべ，
sti：柱頭，sty：花柱．
苞(b)より上を花という．

花軸の花托より上の部分をふつう花といっているが，花は花柄によって茎につく．

花葉のうち，心皮は単独であるいは数個集まってめしべ（雌蕊）を作っている．各花葉は通常複数で，萼片，花弁，おしべ，めしべの集合をそれぞれ，萼 calyx，花冠 corolla，雄蕊群 androceum，雌蕊群 gynaeceum という．

萼と花冠は蕊を保護するものであり，一括して花被 perianth と呼ばれる．

花葉は合着するものも多く，萼片をまとめて萼 calyx という（言いかえると萼を構成する1枚1枚が萼片），花弁がまとまって花冠 corolla を構成する．花冠が合生している花を合弁花 gamopetalous flower といい，離生しているものを離弁花 schizopetalous flower といって区別する．萼や花冠の合着した部分を筒部 tube といい，離れた部分を裂片 lobe という．

心皮 carpel とめしべ pistil：

心皮は大胞子葉 megasporephyll に由来するとされ，その上に後に種子となる胚珠 ovule を生じる．

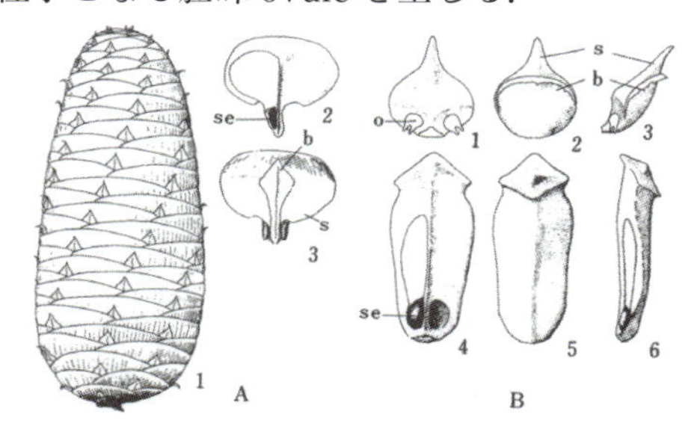

図20　球果（薬用植物学，p.90，図1-97）

A：モミ　1：球果全景，種鱗の間から苞鱗の先端が出ている．2：種鱗（心皮）の内面，2個の有翼の種子のうち1個を除いてある．3：種鱗の外面と苞鱗．
B：アカマツ　1～3：花時の種鱗の内面．外面および側面．4～6：果時の種鱗の内面，外面および側面．4は同じく1種子を除いてある．果時には苞鱗は明らかでない．
b：苞鱗，o：胚珠，s：種鱗，se：種子

〔吉村原画〕

裸子植物の心皮は鱗片状で種鱗 seminiferous scale と呼ばれ，胚珠はその表面（下面または辺縁）につく．種鱗はさらに高出葉である苞を伴って球果 cone を作ることが多く，この場合の苞は苞鱗 bract scale と呼ばれ，しばしば木質化する（マツ，スギ）(図 20)．

被子植物の心皮は個々に，または数個が集合し，袋状に閉じて室を形成する．これを子房という．胚珠はその室（子房）内につき種子となる．子房の1端は多くは伸長して花柱 style となり，その先端付近に受粉部である柱頭 stigma を作る．心皮から生じる子房・花柱および柱頭を合わせてめしべという（図 21）．

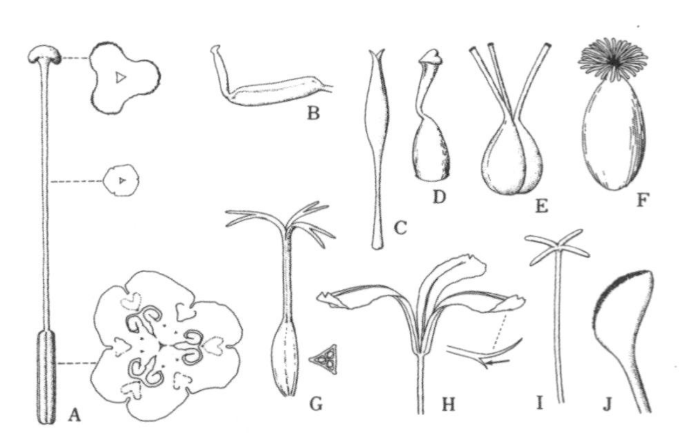

図 21　めしべ（薬用植物学，p.91，図 1-98）

A：テッポウユリの3心皮合生雌蕊と柱頭，花柱，子房の各横断面．
B：エンドウマメの1心皮雌蕊．
C：リンドウの2心皮合生雌蕊．
D：スミレの3心皮合生雌蕊．
E：オトギリソウの3心皮合生雌蕊，子房は3室で合生するが，花柱は各心皮に分離して3本ある．
F：サルナシの多心皮合生雌蕊，心皮数は約 40，花柱は分離．
G：ホトトギスの3心皮合生雌蕊と子房の横断面．花柱も大半は合生するが上部で心皮数に分かれ，柱頭はさらに2裂する．
H：アヤメ（3心皮，子房下位）の花柱．
I：オオマツヨイグサ（4心皮，子房下位）の花柱．
J：フサザクラの1心皮雌蕊．

花式 floral formula と花式図 floral diagram：

1花中の各要素の構成は花式で表すことができる．花式 $K_5C_5A_{5+5}G_{(5)}$ は，萼片 5，花弁 5 でいずれも離生，おしべは 10 本で 2 輪列し 5 心皮が合生して子房上位であることを示す．また各要素の花軸に対する配列は花式図で表される（図 22）．

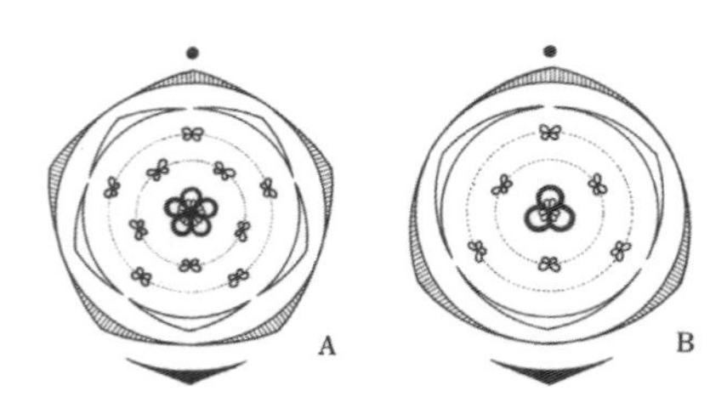

図 22　花式図（薬用植物学，p.82，図 1-86）

A：双子葉植物に最もふつうな典型的5数性完備花．花式では $K_5C_5A_{5+5}G_{(5)}$ となるが，花式図では子房の位置を表すことができない．
B：単子葉植物に最も多くみられる典型的3数性完備花．花式では $K_3C_3A_{3+3}G_{(3)}$ となる．
図で上側にある・は花芽をつける軸（茎または花序軸）を，下側の黒い三角形は苞を示す．

花の対称性：

花弁（または花弁状の萼片）の大きさや形が互いに等しく，全体に放射対称形である花を放射相称花 actinomorphic flower というのに対して左右対称形である花を左右相称花 zygomorphic flower，対称性のない花を不整生花 irregular flower という（左右相称と非相称とを合わせて不整正という人もいる）．

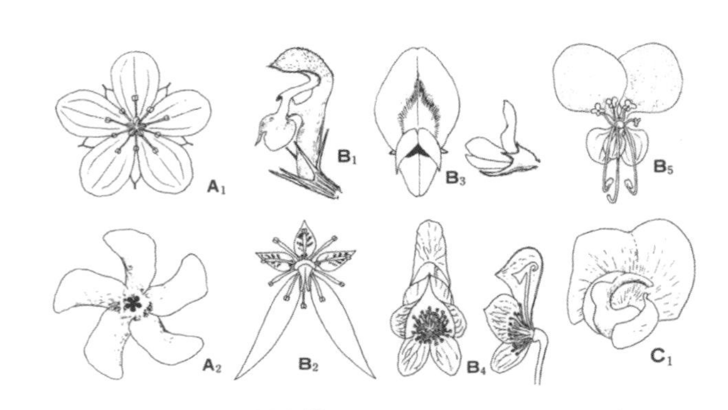

図 23　花の対称性（薬用植物学，p.83，図 1-89）

A：放射相称花，A_1：ゲンノショウコ，A_2：テイカカズラ．
B：左右相称花，B_1：オドリコソウ，B_2：ユキノシタ，B_3：クズ（正面視と側面視），B_4：ヤマトリカブト（正面視と縦断視），B_5：ツユクサ．
C：非相称花，C_1：アズキ．

花粉 pollen：

花粉は径 30 ～ 200 μm の粒体で，球形，楕円体，鈍四面体など種々の形状のものがあり，また気室を備えたもの（例：マツ）などもある．顕微鏡的にもその表面に突起，発芽溝など種々の特徴ある構造をもち，分類上重要である．特に表面構造を作っている物質はスポロポレニンといい，環境の変化に極めて強く，土壌中や堆積岩中にもよく保存されるので，化石花粉の分析から地質時代の植生や気候が推定されるなど，重要な資料として利用されている．

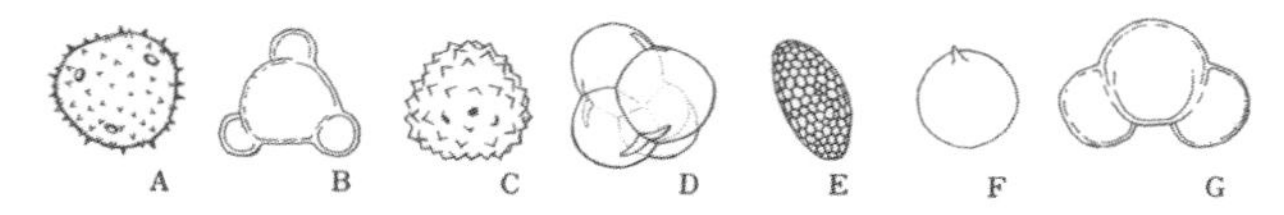

図 24　花粉（薬用植物学，p.88，図 1-95）

A：クリカボチャ　B：オオマツヨイグサ　C：ブタクサ
D：ヤマツツジ．4個が集粒になっている．
E：テッポウユリ
F：スギ　G：アカマツ．気室がある．

〔吉村原図〕

胚珠 ovule：

胚珠は房室の内側で心皮の辺縁または中肋にあたる部位に生じ，この位置と様式を胎座 placenta という．

胚珠は各心皮に1～多数個生じる．胚珠は中央部の珠心 nucellus とこれを包む珠皮 integument からなる．珠皮は通常2枚あり，それぞれ内珠皮 inner integument，外種皮 outer integument と呼ばれるが，ときに1枚または3枚のこともある．

珠皮は珠心を包んで先端に小孔を残す．これを珠孔 micropyle といい，花粉管の進入路となることが多い．裸子植物では珠孔の内側に花粉室 pollen chamber があり，特殊な群では珠孔の部分で珠皮が管状に突出して珠孔管 micropyle tube となるもの（マオウ）がある．

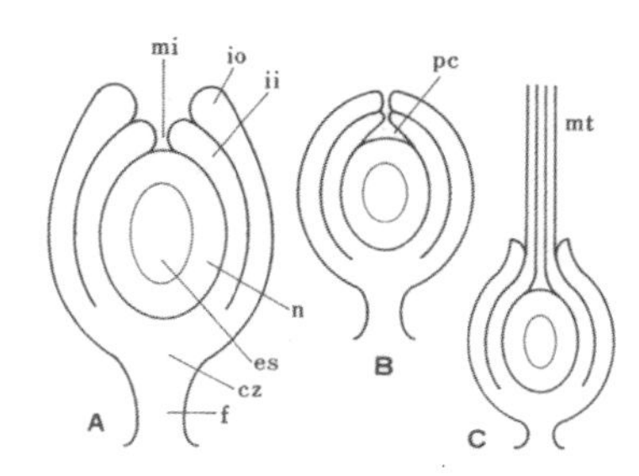

図 25　胚珠の構造模式図（薬用植物学，p.93，図 1-100）

A：胚珠の一般的構造
　cz：合点，es：胚嚢，f：珠柄，ii：内珠皮，io：外珠皮，mi：珠孔，n：珠心．
B：裸子植物の胚珠　　pc：花粉室
C：グネツム類の胚珠　　mt：珠孔管

子房の相対的位置：

花被に対する子房の相対位置の違いにより，次の3種類に分けられる（図 25）．

子房が他の花葉と合着せず，子房が花被やおしべより上にあるとき，この状態を子房上位 superior であるという．花被や花托が子房壁に合着すると，子房は萼筒や花托中に埋没した形となり，おしべや萼より下になる．この状態を子房下位 inferior であるという．花被が筒状または壺状などに合着して萼筒をつくると，子房はこれと合着しないままで萼筒内に陥没し，下位状の外観を呈する（例：バラ）．この状態を子房中位 perigyny であるという．

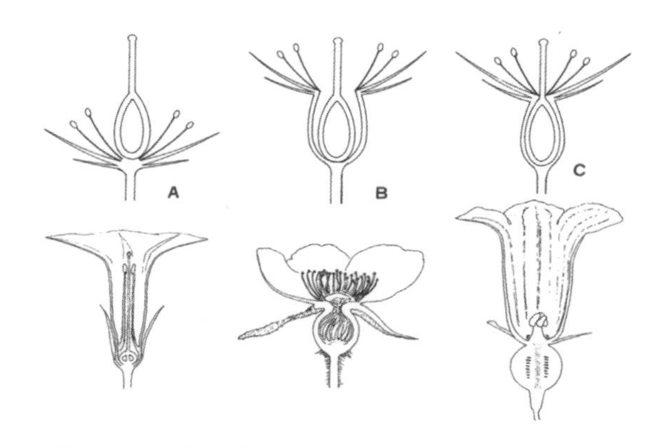

図 26　子房の位置（薬用植物学，p.97，図 1-106）

A：子房上位，例：アサガオ．合弁花では子房はしばしば筒状の花冠の底にあるが，アサガオでは萼と花冠が筒状に合生していないので子房中位とは違う．
B：子房中位，例：ハマナス．つぼ状の花托の中に多数の子房があり，花柱は糸束状になって狭いつぼの口から出ている．
C：子房下位，例：クリカボチャの雌花．柱頭は複雑な形を呈し，花柱の基部に退化したおしべの痕跡がある．

花序 inflorescence：

花が茎につくときの配列のしかたを花序という（図 27）．

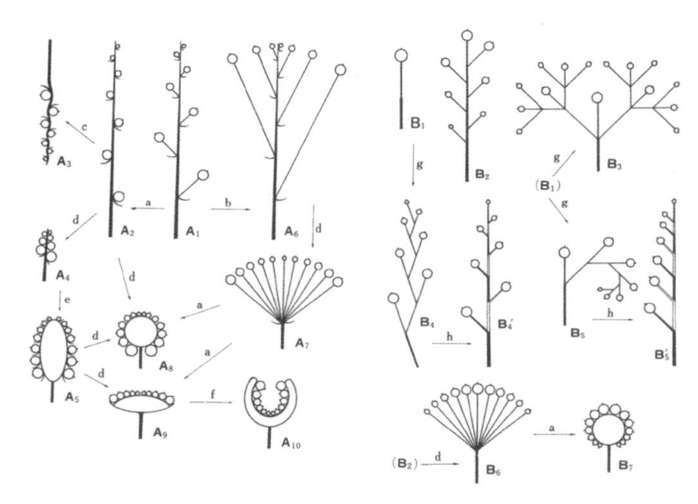

図 27　花序（薬用植物学，p.100，図 1-109）

A：無限花序（総穂花序）
　A_1：総状花序，A_2：穂状花序，A_3：尾状花序（下垂），A_4：尾状花序（直立），A_5：肉穂花序，A_6：散房花序，A_7：散形花序，A_8・A_9：頭状花序，A_{10}：隠頭花序．
B：有限花序（集散花序）
　B_1：単頂花序，B_2：単出集散花序，B_3：二枝集散花序，B_4：互散花序，B_4'：B_4 が仮軸となって直生したもの，互散花序であるが外見上は総状花序（A_1）と同様になる．B_5：巻散花序，B_5'：B_5 が仮軸となったもの，偏側生 secund の総状花序様になる．B_6：散状団散花序，B_7：頭状団散花序．

○は花芽を示す．大きい方から順に形成される．

図中の矢印は花序の形成の過程についての1つの考え方を示したものである．

a：花柄短縮，b：花柄伸長，c：花序軸退化，d：花序軸短縮，e：花序軸多肉化，f：花床凹化，g：集合，h：仮軸形成．

花序につく花が花軸 rachis の下位のものから咲きはじめて上位に及ぶもの（必ずしも下から上ではない）を無限花序 indefinite inflorescence，逆のものを有限花序 definite inflorescence という（図 26）．

無限花序：総穂花序ともいい，次のようなものがある．

穂状花序 spike：分枝しない主軸に無柄の花がつく．花は下から咲く．

総状花序 raceme：分枝しない主軸に有柄の花がつく．花柄は長くなく，花序は細い円錐形．

散房花序 corymb：同上で花柄が長く，花序の頂は平らになる．

尾状花序 catkin：穂状花序の特殊化した形．退化した花がつき，多くは下垂する（例：クリ）．

肉穂花序 spadix：穂状花序の変形．主軸は多肉化して短縮する（例：サトイモ科）．

散形花序 umbell：主軸がなく，茎頂に多数の有柄の花が放射状につく．花は外側のものから咲く（例：セリ科，ウコギ科）．

頭状花序 caput：茎頂に多数の無柄の花が密集する．花数が多いときは，茎頂はふくらんで平盤状や凸凹した面をつくり，花床と呼ばれる．花は外側から咲く（例：キク科）．

隠頭花序 syconium：頭状花序の変形．花床面が凹入して壺型となり，花はその内面につく（例：イチジク）．

有限花序：集散花序 cymose inflorescence ともいい，次のようなものがある．

単頂花序 solitary inflorescence：花が茎頂に単生するもの．

単出集散花序 monochasium：総状花序・穂状花序に似るが，花は上から咲く．

二枝（二出）集散花序 dichasium：軸に頂生する花の直下から 2 本の側枝が出る構造の繰り返しで，第 1 の頂生花から咲く．

多出集散花序 pleiochasium：同上で分枝数の多いもの．

互散花序 cincinnus：軸端に頂生する花の下の腋芽が花を頂生する構造の繰り返しで，仮軸を形成する．見かけ上総状または穂状花序に似て花も下方から咲くので総穂花序と見分けがたい．

カタツムリ形花序（巻散花序）bostryx：互散花序 cincinnus の 1 種で，分枝が 1 側のみに行われるため全体がうずまき型になるもの．花は下から咲く（例：ムラサキ科）．

これらの花序には変形や例外も多い．また花序がさらに集合して円錐花序 panicle などの複花序を作ることも多い．

6　果実 fruit

被子植物では，胚珠が成熟して種子となり，これを包む子房が肥大生長して果実となる．したがって，裸子植物は真の果実を作らない．

真正の果実は種子を入れた子房だけからなり，これを真果 true fruit という．これに対して子房以外の萼や花冠，あるいは，花托や花柄の一部が多肉化して果実と合着して果実状となる場合があり，このような果実を偽果 false fruit, pseudocarp といって真果と区別する．果実という語は正しくは真果を指すべきであるが，偽果をも含めて用いることがある．

果実は通常 1 つの子房から 1 個を生じ，これを単果 simple fruit という．これに対して，多心皮の分離雌ずいをもつ花では 1 つの花に多数の単果をつけ，これが 1 個の果実のようにみえる場合がある．このような果実を集合果 aggregate fruit という（例：キイチゴ，サネカズラ）．また，2 個以上の花から生じた複数の果実が集合または合着して 1 個の果実のようにみえる場合があり，このような果実を多花果 polyanthocarp，複合果 multiple fruit という（例：クワ，ヤマボウシ，イチジク，パイナップル）（図 28）．

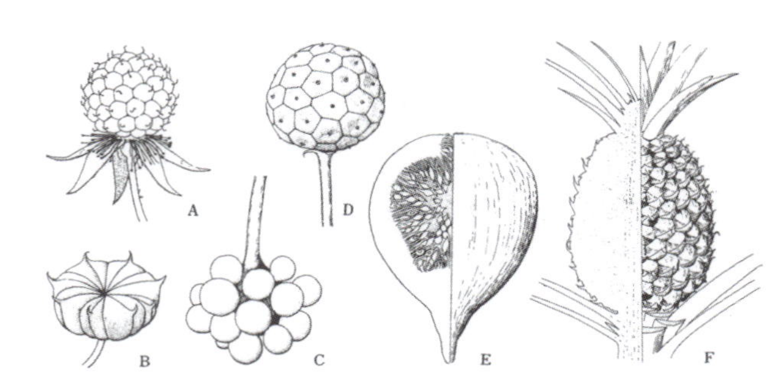

図 28　集合果と多花果（薬用植物学，p.103，図 1-111）

A ～ C：集合花（1 花生）

A：モミジイチゴ，花托上の多数の子房は核果となって集まっている．同様の構造をもった花の多数の子房が痩果となり，花托が肥大して偽果となるオランダイチゴと異なる．

B：シキミ，花托上に輪生する 6 ～ 10 個の子房は袋果となる．各袋果は接しているだけで合着はしていない．

C：サネカズラ，花托は花後肥大し，多数の子房は漿果となる．同科のチョウセンゴミシでは花托は花後糸状に伸長する．

D ～ F：多花果，複果（多花生）

D：ヤマボウシ，1 花序の花から生じた多数の核果が合着したもの．

E：イチジク，隠頭花序の花嚢の中に多数の花被片と小核果がある．果肉状に多肉化するのは，花嚢の内側，花被片および小核果である．

F：パイナップル，茎の周囲につく多数の花が漿果となり，茎，苞，花被片とともに多肉化する．

真果 true fruit：

果実（単果）は子房壁が肥大して生じた果皮 pericarp と内蔵される種子 seed とからなる．果皮は外果皮 epicarp（exocarp），中果皮 mesocarp および内果皮 endocarp の 3 層からなるが，この区別は構造上明らかでない場合も多い．

果実は主として成熟時の果皮の性質によって以下のように分類される．この分類は原則として真果に関するものであるが，しばしば偽果に対しても用いられる（図 29）．

A. 乾果 dry fruit：熟すと果皮は乾質となる．

a. 閉果 indehiscent fruit：果皮は完熟しても裂けない．

① 堅果 nut：果皮は木質で堅く，種子と密着しない（例：ブナ，クリ）．

② そう果 achene：果皮は乾膜質で薄く，果実は通常小形（例：キク，シソ）．

③ 穀果，えい果 caryopsis：果皮は薄い膜質で種子と合着する（例：イネ）．

④ 翼果 samara：果皮の一部が伸びて翼状の付属物となる（例：カエデ）．

b. 裂開果 dehiscent fruit：果皮は完熟すると裂開して種子を出す．

⑤ 豆果 legume：一心皮子房から生じ，成熟後乾燥すると内外両縫線に沿って 2 片に分裂するもの（例：マメ科）．

⑥ 袋果 follicle：一心皮子房から生じ，成熟すると 1 方の

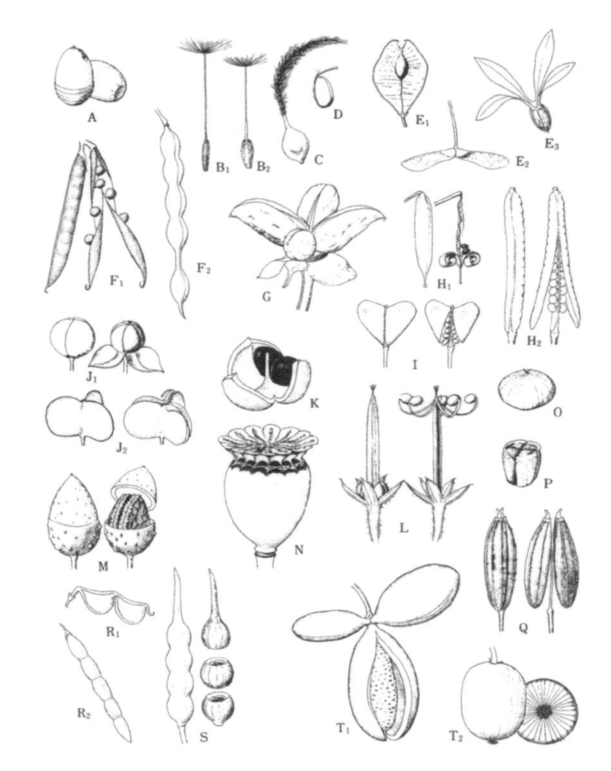

図 29　果実（薬用植物学，p.104，図 1-112）

A ：堅果．アラカシ *Quercus glauca* Thunb.
B ～ D：痩　果
　B_1：セイヨウタンポポ
　B_2：カントウタンポポ
　C ：センニンソウ
　D ：オランダイチゴ
E ：翼　果
　E_1：ハルニレ
　E_2：イロハカエデ
　E_3：ツクバネ *Buckleya lancolata* (Sieb. et Zucc.) Miq.（ビャクダン科）(偽果)
F ：豆　果
　F_1：カラスノエンドウ
　F_2：エンジュ．果皮は多肉質で熟しても裂閉しない．
G ：袋果．シャクヤク
H ：長角果
　H_1：ムラサキケマン
　H_2：イヌガラシ *Rorippa indica* (L.) Hieron.（アブラナ科）
I ：短角果．ナズナ
J ：胞間裂開する蒴果
　J_1：ツルウメモドキ
　J_2：ヤマノイモ
K ：胞背裂開する蒴果．ツバキ
L ：胞軸裂開する蒴果．ゲンノショウコ
M ：蓋果．ゴキヅル *Aclinostemma libatum* Maxim.（ウリ科）
N ：孔蒴．オニゲシ
O ：胞果．アカザ
P ：分裂果．メハジキ
Q ：双懸果．ミツバ
R ：節莢果
　R_1：ヌスビトハギ *Desmodium racemosum* (Thunb.) DC.（マメ科）
　R_2：ミソナオシ *Desmodium caudatum* (Thunb.) DC.（マメ科）
S ：節裂果．ハマダイコン
T ：漿　果
　T_1：ミツバアケビ．漿果で裂開するものは少ない．
　T_2：サルナシ

〔吉村原図〕

縫線に沿って1部が開くもの（キンポウゲ科，モクレン科）．

⑦ 長角果 silique：二心皮子房（四心皮とみる説もある）から生じる細長い果実で，隔壁によって2室となり，熟すと両縫線に沿って下方から開くもの（例：アブラナ科，エンゴサク）．

⑧ 短角果 silicule：同上で果実が幅広く短いもの（例：アブラナ科）．

⑨ さく果 capsule：多心皮子房から生じ，上端または下端から裂開するもの．裂開する位置に以下の3種がある．

胞間裂開さく果 septicidal capsule：心皮の合着部で裂開するもの（例：ユリ科）．

胞背裂開さく果 loculicidal capsule：心皮の中肋で裂開するもの（例：ユリ科，ヤマノイモ科）．

胞軸裂開さく果 septifragal capsule：多室子房の隔壁が破れ，胎座と隔壁の1部を中軸に残して裂開するもの（例：ツツジ，ゲンノショウコ）．

⑩ がい果 pyxis：子房の周壁が横に裂開するもの（例：オオバコ，ハシリドコロ，マツバボタン）．

⑪ 孔開さく果 porous capsule：熟後，果実の特定の箇所に1～数個の孔があくもの（例：ケシ）．

⑫ 胞果 utricle：果皮が極めて薄く，小さな嚢状をなし，不規則に裂開するもの．種子は1個（例：アカザ科，ヒユ科）．

c. 分離果 schizocarp：多室子房からなる果実で熟後各室に分離するもの．ときに心皮数より多数になる．

分離した各果を分果 mericarp という（例：シソ，カエデ）．

分裂果のうち，二心皮二室子房で各室が中軸を残して分離し，分果が中軸の先端から下垂するものを双懸果 cremocarp という（セリ科）．

d. 節果 loment：果実が軸を横断する方向に分離するもの．

節果：豆果であるが裂開せず，各1種子を入れるくびれがあって数室に分かれ，熟後各室毎に分離するもの（例：ヌスビトハギ，オジギソウ）．

節長果 biloment：長角果であるが裂開せず，各2個種子を入れるくびれ毎に分離するもの（例：ハマダイコン）．

B. 湿果（液果）sap fruit：中果皮または内果皮，またはその両者が肉質～多汁質となるもの．

a. 核果 drupe，石果 stone fruit：外果皮は薄く，中果皮は多肉となり，内果皮は堅い核となるもので，通常種皮は薄い（モモ，クルミ）．

b. 漿果，液果 bacca, berry：中果皮と内果皮が共に多肉質となるもの．通常堅い種子がある（例：ブドウ，トマト）．

c. ミカン状果 hespidium：外果皮はやや厚く油室に富み，中果皮は海綿状，内果皮は薄い嚢状となり，その内面に種子を保護する毛があって，その毛が多汁質となるもの（例：ミカン科に特有）．

偽果 false fruit：

子房以外の萼や花冠，あるいは，花托や花柄の一部が多肉化して果実と合着して果実状となる場合があり，このような果実を偽果 false fruit という．偽果はその成因や形態がともに変化に富んでいる．下位子房から生じる果実はすべて偽果である．以下におもなものを列挙する（図30）．

a. ナシ状果 pome：萼筒や花托が多肉化して内部に漿果を包むもので，断面において果実の境界が認められる（例：リンゴ，ナシ）．

b. ウリ状果 pepo：下位子房からなる果実で外皮が硬くなり，果実中で胎座が発達して多肉となり，多数の種子があるもの（例：ウリ類）．

c. イチジク状果 syconium：隠頭花序の花床が多肉化するもの（例：イチジク）．

d. クワ状果 sorose：花序の軸の周囲に，多肉化した花被が集まったもの（例：クワ）．

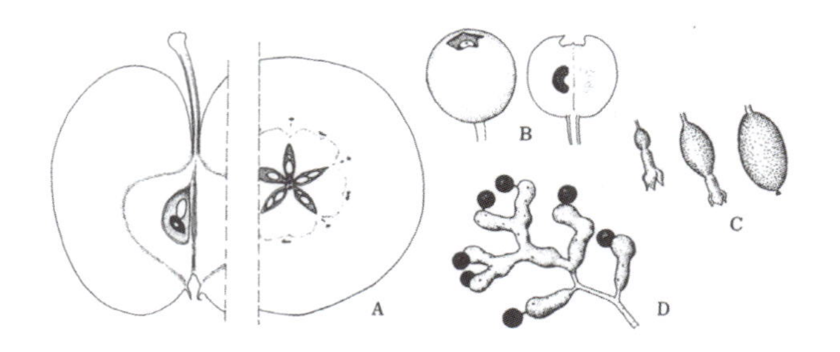

図30　偽果（薬用植物学，p.108，図1-113）

A：リンゴ，偽果の大部分（果肉部）は肥大した花托からなり，いわゆるシンの部分が果実である．
B：クロマメノキ，下位子房から生じた小型の漿果が肥大した花托に包まれる．果実の頂部に多肉化した萼歯がある．
C：マルバグミの花と果実，中位子房を包む萼筒の下部は核果の生長とともに肥大してこれと合着する．果肉の大部分は萼筒である．
D：ケンポナシの花序，果実の生長にともなって果柄や花序の枝が多肉化し甘みをもつ．果実とは全く分離しているが，このようなものも偽果と呼ばれる．

7　種子 seed

胚珠は受精後生長し，種子となって発芽までの間休眠する．種子は胚 embryo，胚乳 albumen およびこれを包む種皮 seed coat からなる．被子植物では多くの場合，果実の中でつくられるが，ときに果皮の生長が種子の生長に伴わず，裸出することもある（例：ジャノヒゲ）．

種子の形態と構造：

種子は通常球状，紡錘状，円盤状，多面体状などの形状をもち，外部に種々の付属体をもつものがある．極めて小形のもの（例：ラン科，ゴマノハグサ科）から大形のもの（例：マメ科，ヤシ科）まで変化に富む（図31）．

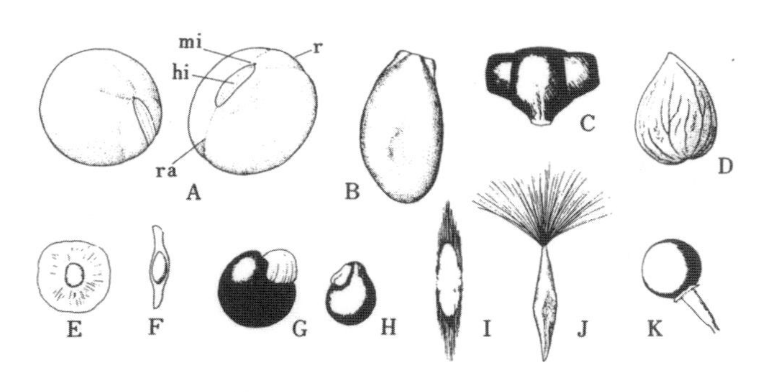

図 31　種子（薬用植物学，p.110，図 1-115）

A：種子外面の各部位．エンドウマメ．hi：へそ，mi：発芽口，r：幼根部のふくらみ，ra：縫線．
B：キカラスウリ．C：カラスウリ，両側に気室がある．D：アンズ，核果の種子は種皮が薄い．E：ヤマノイモ，周囲に翼がある．F：タマアジサイ，両端に翼がある．G：ムラサキケマン，カルンクラがある．H：スミレ，カルンクラがある．I：キササゲ，両端に長毛がある．J：テイカカズラ，房状の種髪がある．K：ジャノヒゲ，種子の発達時に子房が生長せず，果実様の種子が裸出する．果柄の先端・種子の基部に枯れた子房の痕跡がある

種子の外面は丈夫な種皮 seed coat に包まれ，内部に将来幼植物体となる胚 embryo と養分を貯える胚乳 albumen がある．胚乳が幼植物体に吸収されることがある．これを無胚乳種子 exalbuminous seed という．

裸子植物の種子：

仮種皮（子衣）aril または種皮の一部などが多肉化して種子を囲み，果実様となるものがある（イチョウ，カヤ，イチイ，イヌガヤ）（図 32）．

珠柄など種子本体以外の部分が発達して種子の一部または全体を覆うことがあり，これを仮種皮という．仮種皮には薄膜状のもの（ショウガ科），多肉質で不定形有色のもの（ニクズク）などがあって変化に富む．

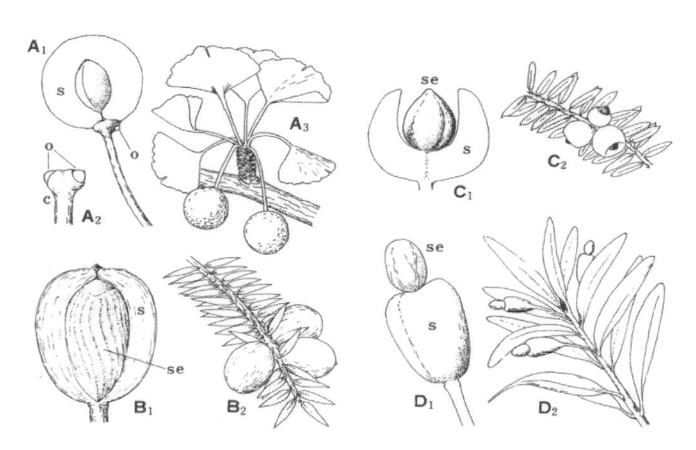

図 32　裸子植物の種子（薬用植物学，p.111，図 1-117）

裸子植物は真正の果実を作らないので，種子が果実状になるものが多い．
A：イチョウ，A_1：種子は核果様を呈するが，周囲の果肉様の軟部（s）は，内部の核様の殻とともに種皮である．A_2：雌花に相当する心皮（c）と胚珠（o），胚珠は 2 個のうち 1 個だけが種子になる．A_3：種子をつけた短枝．
B：カヤ，B_1：核果様の種子．周囲の軟部（s）は仮種皮．核様の部分（se）が種子．B_2：種子をつけた枝．
C：イチイ，C_1：種子（se）は碗状の軟部（s）内に陥没している．赤熟する軟部は仮種皮である．C_2：種子をつけた枝（下面視）．
D：イヌマキ，D_1：種子（se）は心皮に包まれ，心皮をつけた柄の先端部（花托に相当する）はふくらんで軟化し紫熟する（s）．D_2：種子をつけた枝．A_1，B_1，C_1 は図では軟部を縦切してある．

医薬品としての薬用植物
（日本薬局方，日本薬局方外生薬規格（局外生規），関係する法令や規則，食薬区分，植物の安全性関する情報，使用する際に特に注意が必要な生薬）

天然物に由来する医薬品の規格について記載されているものに，「日本薬局方」と「日本薬局方外生薬規格」がある．

「**日本薬局方**」は，「医薬品，医療機器等の品質，有効性及び安全性の確保等に関する法律」(薬機法：旧薬事法）第41条により，医薬品の性状及び品質の適正を図るため，厚生労働大臣が薬事・食品衛生審議会の意見を聴いて定めた医薬品の規格基準書である．日本薬局方の構成は通則，生薬総則，製剤総則，一般試験法及び医薬品各条からなり，我が国で繁用されている医薬品を中心に収載されている．

日本薬局方は100年有余の歴史があり，初版は明治19年6月（1886）に公布され，今日に至るまで医薬品の開発，試験技術の向上に伴って改訂が重ねられ，最新版は2021年6月に公示された第十八改正日本薬局方（JP18）である．

通則の5項に，「日本薬局方の医薬品の適否は，その医薬品各条の規定，通則，生薬総則，製剤総則及び一般試験法の規定によって判定する」と記載されており，第七改正日本薬局方（JP7）(1961年）で「生薬総則」が初めて記載され，生薬の品質規格が明記された．現在の生薬総則は下記のとおりである（JP18より引用）．

生薬総則や生薬試験法を適用する品目として，第十八改正日本薬局方では224品目がリストアップされている．第十五改正日本薬局方（JP15）から，漢方処方エキスの収載が始まり，現在37品目が収載されている．

生薬総則

1　医薬品各条の生薬は，動植物の薬用とする部分，細胞内容物，分泌物，抽出物又は鉱物などであり，生薬総則及び生薬試験法を適用する生薬は次のとおりである．

アカメガシワ，アセンヤク，アセンヤク末，アマチャ，アマチャ末，アラビアゴム，アラビアゴム末，アロエ，アロエ末，アンソッコウ，イレイセン，インチンコウ，インヨウカク，ウイキョウ，ウイキョウ末，ウコン，ウコン末，ウヤク，ウワウルシ，エイジツ，エイジツ末，エンゴサク，エンゴサク末，オウギ，オウゴン，オウゴン末，オウセイ，オウバク，オウバク末，オウヒ，オウレン，オウレン末，オンジ，オンジ末，ガイヨウ，カゴソウ，カシュウ，ガジュツ，カッコウ，カッコン，カッセキ，カノコソウ，カノコソウ末，カロコン，カンキョウ，カンゾウ，カンゾウ末，カンテン，カンテン末，キキョウ，キキョウ末，キクカ，キササゲ，キジツ，キョウカツ，キョウニン，クコシ，クジン，クジン末，ケイガイ，ケイヒ，ケイヒ末，ケツメイシ，ケンゴシ，ゲンチアナ，ゲンチアナ末，ゲンノショウコ，ゲンノショウコ末，コウイ，コウカ，コウジン，コウブシ，コウブシ末，コウベイ，コウボク，コウボク末，ゴオウ，ゴシツ，ゴシュユ，ゴボウシ，ゴマ，ゴミシ，コロンボ，コロンボ末，コンズランゴ，サイコ，サイシン，サフラン，サンキライ，サンキライ末，サンザシ，サンシシ，サンシシ末，サンシュユ，サンショウ，サンショウ末，サンソウニン，サンヤク，サンヤク末，ジオウ，シゴカ，ジコッピ，シコン，シツリシ，シャカンゾウ，シャクヤク，シャクヤク末，ジャショウシ，シャゼンシ，シャゼンソウ，ジュウヤク，シュクシャ，シュクシャ末，ショウキョウ，ショウキョウ末，ショウズク，ショウマ，シンイ，シンギ，セッコウ，セネガ，セネガ末，センキュウ，センキュウ末，ゼンコ，センコツ，センソ，センナ，センナ末，センブリ，センブリ末，ソウジュツ，ソウジュツ末，ソウハクヒ，ソボク，ソヨウ，ダイオウ，ダイオウ末，タイソウ，タクシャ，タクシャ末，タンジン，チクセツニンジン，チクセツニンジン末，チモ，チョウジ，チョウジ末，チョウトウコウ，チョレイ，チョレイ末，チンピ，テンマ，テンモンドウ，トウガシ，トウガラシ，トウガラシ末，トウキ，トウキ末，トウジン，トウニン，トウニン末，トウヒ，ドクカツ，トコン，トコン末，トチュウ，トラガント，トラガント末，ニガキ，ニガキ末，ニクジュヨウ，ニクズク，ニンジン，ニンジン末，ニンドウ，バイモ，バクガ，バクモンドウ，ハチミツ，ハッカ，ハマボウフウ，ハンゲ，ビャクゴウ，ビャクシ，ビャクジュツ，ビャクジュツ末，ビワヨウ，ビンロウジ，ブクリョウ，ブクリョウ末，ブシ，ブシ末，ベラドンナコン，ヘンズ，ボウイ，ボウコン，ボウフウ，ボクソク，ボタンピ，ボタンピ末，ホミカ，ボレイ，ボレイ末，マオウ，マクリ，マシニン，モクツウ，モッコウ，ヤクチ，ヤクモソウ，ユウタン，ヨクイニン，ヨクイニン末，リュウガンニク，リュウコツ，リュウコツ末，リュウタン，リュウタン末，リョウキョウ，レンギョウ，レンニク，ロジン，ロートコン，ローヤルゼリー．

2　生薬は，通例，全形生薬，切断生薬又は粉末生薬に分けて取り扱う．全形生薬は，その薬用とする部分などを乾燥し，又は簡単な加工をしたもので，医薬品各条に規定する．切断生薬は，全形生薬を小片若しくは小塊に切断若しくは破砕したもの，又は粗切，中切若しくは細切したものであり，別に規定するもののほか，これを製するに用いた全形生薬の規定を準用する．粉末生薬は，全形又は切断生薬を粗末，中末，細末又は微末としたものであり，通例，細末としたものについて医薬品各条に規定する．

3　生薬は，別に規定するもののほか，乾燥品を用いる．乾燥は，通例，60℃以下で行う．

4　生薬の基原は適否の判定基準とする．生薬の基原として，「その他同属植物」，「その他同属動物」，「その他近縁植物」及び「その他近縁動物」などと記載するものは，通例，同様の成分，薬効を有する生薬として用いられる原植物又は原動物をいう．

5　生薬の性状の項は，その生薬の代表的な原植物又は原動物に基づく生薬について，鏡検時の数値を含め，その判断基準となる特徴的な要素を記載したものである．そのうち，色，におい及び溶解性については，においを適否の判定基準とすることを除き，通則の規定を準用する．また，味は適否の判定基準とする．

6　粉末生薬のうち，別に規定するものについては賦形剤を加え，含量又は力価を調節することができる．

7　粉末生薬は，これを製するに用いた全形又は切断生薬中に含まれていない組織の破片，細胞，細胞内容物又はその他の異物を含まない．

8　生薬は，かび，昆虫又は他の動物による汚損物又は混在物及びその他の異物をできるだけ除いたものであり，清潔かつ衛生的に取り扱う．

9　生薬は，別に規定するもののほか，湿気及び虫害などを避けて保存する．虫害を防ぐため，適当な薫蒸剤を加えて保存することができる．ただし，この薫蒸剤は常温で揮散しやすく，その生薬の投与量において無害でなければならない．また，その生薬の治療効果を障害し，又は試験に支障をきたすものであってはならない．

10　生薬に用いる容器は，別に規定するもののほか，密閉容器とする．

「**日本薬局方外生薬規格**」(局外生規）は，日本薬局方に収載されていない繁用生薬の品質規格として，1978（昭和53）年に厚生省審査課長通知として発出されたもの（59品目）で，1989年（83品目），2012年（56品目），2015年（75品目），2018年（83品目）に改訂版が印刷出版された．局外生規から局方へ移動，新たな品目の追加などによって，品目数は変化している．

薬用植物・生薬に関連する法令や規則と対象植物（p.6 コラム参照）

薬用植物の中には，アサ（p.6），ケシ（p.22），コカノキ（p.37）のように，取り扱いが厳しく規制されている植物がある．関連する法令や規約の例を次に挙げる．

・あへん法（1954年）

< https://elaws.e-gov.go.jp/document?lawid=329AC0000000071 >

Papaver somniferum L., *P. setigerum* DC. などの植物（栽培を規制），あへん，ケシがらなどが対象．

・覚醒剤取締法（1951年）

< https://elaws.e-gov.go.jp/document?lawid=326AC1000000252 >

この法律で，「覚醒剤」とは，フエニルアミノプロパン（アンフェタミン），フエニルメチルアミノプロパン（メタンフェタミン）及び各その塩類，これらと同種の覚醒作用を有する物であつて政令で指定するもの，さらに，これらのいずれかを含有する物で，所持，輸出入などが禁止されている．また，エフェドリン，メチルエフェドリン，セレギリン，デプレニルなどの化合物を原料として，化学合成により覚醒剤が製造されるため，「覚醒剤原料」として取り扱いが厳しく規制されている．

・大麻取締法（1948年）

<https://www.mhlw.go.jp/web/t_doc?dataId=81108000&dataType=0&pageNo=1>

この法律で，「大麻」とは，大麻草（*Cannabis sativa* L.）及びその製品をいう．ただし，「大麻草の成熟した茎」及び樹脂を除いた製品並びに大麻草の種子及びその製品を除く．栽培，譲受，譲渡などを規制している．

・麻薬及び向精神薬取締法（1953年）

<https://www.mhlw.go.jp/web/t_doc?dataId=81102000&dataType=0&pageNo=1>

対象薬物（モルヒネ，ヘロイン，コカイン，LSD，など.）

この法律は，麻薬及び向精神薬の輸入，輸出，製造，製剤，譲渡し等について必要な取締りを行うとともに，麻薬中毒者について必要な医療を行う等の措置を講ずること等により，麻薬及び向精神薬の濫用による保健衛生上の危害を防止し，もつて公共の福祉の増進を図ることを目的とする.

・ワシントン条約（1973 年 3 月 3 日採択，1975 年 7 月 1 日発効）

<https://www.mofa.go.jp/mofaj/gaiko/kankyo/jyoyaku/wasntn.html>

ワシントン条約（CITES：絶滅のおそれのある野生動植物の種の国際取引に関する条約）は，野生動植物の国際取引の規制を輸出国と輸入国とが協力して実施することにより，絶滅のおそれのある野生動植物の保護をはかることを目的とする.

ワシントン条約の発効に伴い，第十改正日本薬局方（1981）で「サイカク（犀角）」，第十一改正日本薬局方（1986）で「ジャコウ（麝香，p.113）」が削除された.

・生物多様性条約（Convention on Biological Diversity：CBD）（1992 年 5 月 22 日採択，1993 年 12 月 29 日発効）（p.36）

<https://www.mofa.go.jp/mofaj/gaiko/kankyo/jyoyaku/bio.html>

本条約は，（1）生物多様性の保全，（2）生物多様性の構成要素の持続可能な利用，（3）遺伝資源の利用から生ずる利益の公正かつ衡平な配分（ABS）を目的とする.

・植物防疫法（1950 年）

< https://www.maff.go.jp/pps/j/law/houki/horitsu/horitsu_5_html_5.html>

この法律は，輸出入植物及び国内植物を検疫し，並びに植物に有害な動植物を駆除し，及びそのまん延を防止し，もつて農業生産の安全及び助長を図ることを目的とする.

2019 年 4 月 22 日から，植物の違法な持ち込みに対する対応が厳格化され，植物を日本へ持ち込むには，輸出国政府機関により発行された検査証明書（Phytosanitary Certificate）を添付して，輸入検査を受けることが必須となった. <https://www.maff.go.jp/pps/>

食薬区分

ヒトが経口的に服用するもののうち，食品は「食品衛生法」によって，医薬品および医薬部外品は「医薬品，医療機器等の品質，有効性及び安全性の確保等に関する法律」（薬機法：旧薬事法）によって規制される. いわゆる健康食品等の増加により，医薬品と誤認される食品が多く出回るようになったことから，その境界領域を明確にするため，1971 年に食薬区分に関する通知「無承認無許可医薬品の指導取り締まりについて」（通称 46 通知）が発出され，「医薬品の範囲に関する基準」が示された. この通知には別添として「専ら医薬品として使用される成分本質 (原材料) リスト」と「医薬品的効能効果を標ぼうしない限り医薬品と判断しない成分本質 (原材料) リスト」があり，医薬品に該当するか否かの判断基準とされてきた.

令和 2 年 3 月 31 日，「医薬品の範囲の関する基準の一部改正について」通知が出され，別添とされていたリストが「食薬区分における成分本質 (原材料) の取扱いの例示」に関する通知 <https://www.mhlw.go.jp/web/t_doc?dataId=00tc4935&dataType=1&pageNo=1> の中に規定された.

（1）専ら医薬品として使用される成分本質リスト（一部抜粋）

名称	他名等	部位等	備考
カンレンボク	キジュ	全草	
アロエ	キュラソー・アロエ／ケープ・アロエ	葉の液汁	根・葉肉は「非医」，キダチアロエの葉は「非医」
オウギ	キバナオウギ／ナイモウオウギ	根	茎・葉は「非医」
オウゴン	コガネバナ／コガネヤナギ	根	茎・葉は「非医」
オウバク	キハダ	樹皮	葉・実は「非医」
カッコン	クズ	根	種子・葉・花・クズ澱粉は「非医」
シャクヤク		根	花は「非医」

センナ	アレキサンドリア・センナ／チンネベリ・センナ	果実・小葉・葉柄・葉軸	茎は「非医」
トウキ	オニノダケ／カラトウキ	根	葉は「非医」
マオウ		地上茎	
モクツウ	アケビ／ツウソウ	つる性の茎	実は「非医」

（2）医薬品的効能効果を標ぼうしない限り医薬品と判断しない成分本質（原材料）リスト（抜粋）

名称	他名等	部位等	備考
エゾウコギ	シゴカ／シベリアニンジン	幹皮・根・根皮・葉・花・果実	
オタネニンジン	コウライニンジン／チョウセンニンジン	果実・根・根茎・葉	
カンゾウ＜甘草＞	リコライス	根・ストロン	
キキョウ		根	
クコ	クコシ／クコヨウ	果実・葉	根皮は「医」
クズ		種子・葉・花・クズ澱粉・蔓	根（カッコン）は「医」
サンヤク	ナガイモ・ヤマノイモコン	根茎	
セイヨウオトギリソウ	セントジョンズワート／ヒペリクムソウ	全草	

植物の安全性に関する情報

1．ヒレハリソウ（コンフリー）

コンフリー（*Symphytum* spp.）が原因と思われるヒトの肝静脈閉塞性疾患等の健康被害例が海外において多数報告されていること等から，コンフリー及びこれを含む食品について，販売等を禁止した（平成16年6月18日）．＜ https://www.mhlw.go.jp/topics/bukyoku/　iyaku/syoku-anzen/hokenkinou/dl/anzenkakuho-1a.pdf ＞

2．アマメシバ

我が国においてアマメシバの乾燥粉末によるものと疑われる重度の健康被害事例が２件報告され，また台湾において，アマメシバのジュースをダイエット目的で大量摂取したことによる多くの健康被害事例の報告があることから，*Sauropus androgynus* (L.) Merr.（別名アマメシバ）を含む粉末剤，錠剤等の剤型の加工食品の販売を禁止した（平成15年9月12日）．
＜ https://www.mhlw.go.jp/houdou/2003/09/dl/h0905-1a.pdf ＞

3．ブラックコホシュ（p.12）

欧州では更年期障害の症状緩和の目的などで医薬品として，我が国や米国では食品として販売されているブラックコホシュ [英名：black cohosh, black snakeroot，学名：*Cimicifuga racemosa* (L.) Nutt.] を含む製品について，諸外国で肝障害が報告された．欧州医薬品庁（EMEA）のハーブ医薬品に関する委員会（HMPC）は，これらの肝障害はブラックコホシュの利用と関連している可能性があるとみなし，肝障害の徴候があらわれた場合，ブラックコホシュの使用の中止，医師への相談，医師から患者への使用確認，症例の報告を促す勧告を出した（平成18年8月3日）．＜ https://www.mhlw.go.jp/kinkyu/diet/060803-1.html ＞

英国医薬品・医療製品規制庁（MHRA）が，ブラックコホシュ製品の関連が疑われる５３例の健康被害事例のうち，３６例は肝機能異常，黄疸，肝炎などの肝臓に関するものであることから，（厚生労働省は？）ブラックコホシュによる肝障害の危険性について，改めて注意喚起を行った旨の報告を入手した（平成24年11月19日）．<https://www.mhlw.go.jp/ topics/bukyoku/ iyaku/syoku-anzen/hokenkinou/dl/blackcohosh.pdf>

4．セイヨウオトギリ（p.21）

セント・ジョンズ・ワート（St. John's Wort，和名：セイヨウオトギリ，学名：*Hypericum perforatum* L.）を含有する製品を摂取することにより，薬物代謝酵素が誘導され，医薬品の効果が減少することが報告されているため，硫酸インジナビルエタノール付加物（抗 HIV 薬）等の医薬品について，当該食品の摂取を避ける旨の注意表示を行う指導が医薬安全局安全対策課からなされた（平成12年5月10日）．＜ https://www.mhlw.go.jp/topics/bukyoku/iyaku/syoku-anzen/hokenkinou/dl/11.pdf ＞

5．アリストロキア酸（ウマノスズクサ科植物に由来する生薬の服用による腎障害）

我が国では，1996年から97年に関西において「関木通」とよばれる中国製生薬を配合した健康食品を摂取した人に腎炎の発生が報告され，該当する健康食品からアリストロキア酸が検出され，その後も同様な報告が数例ある．

中国では，1988年から2004年3月までに「馬兜鈴」，「青木香」，「広防已」，「朱砂蓮」により起こった腎障害の事例として31例報告されている．中国国家食品薬品局（SFDA）は，ウマノスズクサ科植物に由来する生薬である「関木通」，「馬兜鈴」，「青木香」，「尋骨風」，「広防已」，「朱砂蓮」からアリストロキア酸が検出され，天仙藤からもアリストロキア酸類物質が検出されたことを公表し，2003年にアリストロキア酸を含む一部の生薬の利用を禁止する通知を出した．
＜ https://hfnet.nibiohn.go.jp/contents/detail684.html ＞

6．青黛（せいたい）(p.9, p.136)

アイ，リュウキュウアイ，タイセイ等の植物から得られ，中国では生薬等として，国内でも染料（藍）や健康食品等として用いられている「青黛」を摂取した潰瘍性大腸炎患者において，肺動脈性肺高血圧症が発現した症例が複数存在することが判明した（平成28年12月27日）．＜ https://www.mhlw.go.jp/file/06-Seisakujouhou-11130500-Shokuhinanzenbu/ 0000147453.pdf ＞

生薬服用によると思われる副作用

（日本東洋医学会学術教育委員会，『入門漢方医学』，南江堂，2002より．）

1．大黄

主な瀉下活性成分は，センノシドAおよびB [ジアントロン類]，アントラキノン類であり，効果発現には個人差が大きい．そのため，虚証患者では少量でも下痢や腹痛を生じることがあるので，大黄を含まない処方あるいは用いるとしても少量（0.5 g以下）から慎重に用いる方が無難である．

また，アントラキノン類は母乳中へ移行し，授乳中の母親が大黄配合の漢方薬を服用した場合に，乳児が下痢することがある．

2．附子

現在のエキス製剤に含まれる附子はすべて加圧加熱処理が施されているため，常用量を用いている限り中毒の危険性はほとんどないが，附子を増量している場合，小児等の陽実証患者に用いる際，ときには，中毒が起こる危険性が増すことを念頭に置く必要がある．附子中毒は神経毒で，その初期症状は，動悸，のぼせ，舌のしびれ，悪心などである．

3．麻黄

主な成分であるエフェドリンに交感神経興奮，中枢興奮などの作用があり，不眠，動悸，頻脈，興奮，血圧上昇，発汗過多，排尿障害などが出現する可能性がある．そのため，狭心症，心筋梗塞，重症高血圧症，不整脈，高度腎障害，甲状腺機能亢進症などを有する患者に対しては，症状を憎悪する危険性があり，特に重篤な虚血性心疾患を有する患者には用いるべきではない．また ① 麻黄含有製剤，② エフェドリン類含有製剤，③ モノアミン酸化酵素阻害剤，④ 甲状腺製剤，⑤ カテコールアミン製剤，⑥ キサンチン製剤などとの併用には注意が必要である．

4．甘草

主な成分であるグリチルリチン酸の代謝物は，尿細管でカリウム排泄促進作用を有し，血清カリウム値を低下させるため，低カリウム血症，ミオパシー，偽アルドステロン症を生じやすい．特に高齢の女性患者で副作用の報告が多い．また ① 甘草含有製剤，② グリチルリチン酸およびその塩類を含有する製剤，③ ループ系利尿剤，④ チアジド系利尿剤などとの併用には注意が必要である．

日本語索引
（植物名・生薬名ほか）

（立体の数字は本文中，イタリック体の数字は付表以降の各頁を示す．）

シ

ス

セ

ソ

タ

チ

ツ

テ

ト

ナ

ニ

ヌ

ネ

ノ

ハ

ヒ

フ

ヘ

ホ

マ

ミ

ム

メ

モ

ヤ

ユ

ヨ

ラ

リ

レ

ロ

ワ

外国語索引
（科名・属名など）

（立体の数字は本文中，イタリック体の数字は付表以降の各頁を示す．）

A

B

C

H

I

J

K

L

M

Q

R

S

Y

Z